豬年運程

麥玲玲

目錄

《狗年運程》批算準確

麥玲玲師傅《狗年運程》批算準確

狗年容易為了捍衛傳統價值或國土而出現戰爭，包括訴諸筆戰或真正動武。政壇也易有官非訴訟，不同派系透過法律互相攻擊，國與國之間的制裁行動亦會加劇。

準確

（英國及俄羅斯因俄國變節前特工斯克里帕爾父女被落毒案，關係轉趨惡化。首相文翠珊宣布驅逐23名俄羅斯外交官，是冷戰以來最多；暫停英國與俄羅斯所有雙邊高級別接觸；英國所有部長及皇室成員均不會出席六月在俄羅斯舉行的世界盃。）《商業電台》二〇一八年三月十四日

準確

（港鐵沙中線紅磡站月台鋼筋接駁造假事件，已經持續發酵近一個月。在港鐵、政府多次為事件解畫後，身為事件「爆料者」的分判商中科興業終於現「真身」，其董事總經理潘焯鴻今早（28日）在電台節目上「爆料」，向港鐵及禮頓提出多項指控，暗批港鐵講大話涉隱瞞，質疑港鐵工程總監黃唯銘早已知情；又指禮頓要求他刪除鋼筋被剪過程的「罪證」短片。）《香港01》二〇一八年六月二十八日

準確

（中美貿易戰開打，互相向對方總值340億美元的產品加徵關稅。中國商務部形容美國發動了最大規模的貿易戰，中方不得不反擊。）《NOW新聞》二〇一八年七月六日

準確

（美國繼七月六日對360億美元商品徵收25%關稅後第二波針對中國的貿易打擊。中國國務院關稅稅則委員會當天宣布等量回擊——對原產於美國的160億美元進口商品加徵25%關稅。美國多家企業和機構對新一輪貿易交火表達譴責和擔憂。）《BBC中文網》二〇一八年八月八日

立春八字有印星扶持，代表一種由上而下的貴人力量，所以政府在狗年會有更多有關土地的政策出台，例如加快換地或協助年輕人置業，對市民大眾有實際的幫助。

準確

（特首林鄭月娥上任一年前夕，公布房屋政策新措施，提出「三個目標、六項措施」，當中最為矚目莫過於將居屋定價與市價脱鈎，令售價由市價七折，降至大約五二折，或令不少無殼蝸牛上車有望。其餘措施還包括將於年底推出「港人首次置業」上車盤、將9幅市區的私樓地皮轉作興建公營房屋。）《香港01》二〇一八年六月三十日

準確

（樓市火熱，內地樓市普遍推出限購、限貸措施，但仍未能阻止樓價飛升。寧德市昨日仿效內地A股，推出「漲停板」機制，限定新樓1年加價6%。福建寧德市公布《關於進一步加強中心城區房地產市場精準調控的實施意見》，不單止實施了其他地區普遍都有的限購、限售及限價等措施，還推出限漲機制。）《香港01》二〇一八年七月十一日

狗年的社會也不時瀰漫一種焦慮氣氛，普遍情緒不穩；主政者宜加強疏導大眾的躁動情緒，不宜採取過於強硬的手段，以免引發更大的社會問題。

準確

（全城瘋搶新居屋！房委會以市價七折推售的最新一批4,431個居屋單位昨晚截止申請，大批無殼蝸牛為求上車，在截表關門前一刻狂奔衝到位於樂富的房委會客務中心交表。）《蘋果日報》二〇一八年四月十二日

準確

（運輸及房屋局前局長張炳良出席電台節目表示，若能落實一地兩檢的安排，可以令高鐵發揮最大效益……對於部分人擔心一地兩檢會損害「一國兩制」，以及內地人員會跨境執法，他認為，始終是信任問題，在「一國兩制」下，一定存有矛盾和張力。）《信報》二〇一八年七月二十三日

準確

（政府建議將法定侍產假增至5日，但身兼行會成員的自由黨主席張宇人，早前接受傳媒訪問時語出驚人，直指「侍產假一日都唔應該有」，更反問「以前我哋無侍產假又如何？以前我哋太太無產假又如何？」其惹火言論引起不少批評。）《明報》二〇一八年八月九日

戊戌年往往象徵舊有文化復甦，昔日價值觀容易受到大眾追捧；即使要推動革新，也不宜操之過急，否則容易弄巧反拙。全球的軍政界亦難以平靜，局勢仍然緊張，派系、政黨及人事之間的鬥爭不斷。

準確

（美國聯邦最高法院第二年長的大法官肯尼迪（Anthony Kennedy），前天宣布7月底退休，消息震動華盛頓。肯尼迪屬傾向中立的溫和保守派，是打破自由派和保守派僵局的關鍵角色。他退休意味總統特朗普可第二度提名大法官，可令最高法院保守傾向更穩固。）《蘋果日報》二〇一八年六月二十九日

準確

（繼英國脱歐事務大臣戴德偉辭職後，英國脱歐派旗手、外相約翰遜亦於周一（9日）宣布辭職，令文翠珊政府於24小時內流失兩名重要閣員。作為脱歐死硬派陣營的代表，約翰遜與文翠珊的權鬥已是公開的秘密，更有傳約翰遜多次密謀逼宮奪位。）《東方日報》二〇一八年七月九日

準確

（江西自今夏以來，推行「綠色殯改」的運動，惟據內媒報道，新政導致多地出現「搶棺砸棺」場景，有執法隊進村入戶強行將村民的棺木抬走，又見挖土機一錘一錘搗毀成千上萬的棺木，引發村民不滿……最高人民檢察院的機關報《檢察日報》認為，考慮到傳統觀念和習俗，尤其不少鄉土觀念依然濃厚的農村地區，殯葬改革以什麼方式推行，值得各地政府認真思量。方式方法可以有不同，但絕對不能突破底線。）《經濟日報》二〇一八年七月三十一日

狗年的二黑星飛臨正西，可見以美國為首的西方社會頗受困擾，除了較多自然災害，西方國家也容易政權不穩，甚或出現嚴重的電腦病毒等人為禍害。

準確

（美國昨日在一片爭議聲中，把駐以色列大使館由特拉維夫遷到耶路撒冷。以色列歡天喜地，巴勒斯坦怒火中燒，大批民眾在加薩示威，與以軍爆發衝突，至少43死2,200傷。）《蘋果日報》二〇一八年五月十五日

準確

（美國全國各地估計有超過700場遊行，抗議特朗普政府的強硬移民政策，要求不好再令非法入境的家庭骨肉分離，以及廢除負責前線工作的移民及海關執法局。主辦組織估計，單在首都華盛頓有3萬人遊行，其中在白宮外，有數千人集會，高叫「羞恥」的口號。）《商業電台》二〇一八年七月一日

準確

（美國總統特朗普（Donald Trump）在俄羅斯涉嫌干預當地大選一事講多錯多，他在「有和沒有」之間多番轉軚，惹來多方批評。他周三（18日）再被問到克里姆林宮是否仍針對美國時，他搖頭地說「沒有」，白宮隨後澄清有關說法。）《香港01》二〇一八年七月十九日

由於自身無力，不僅投機炒賣活動放緩，不如往年般放肆，個別市場的金融體系更容易受沖。各國政府皆要提防因市場泡沫或過度借貸，引致股票或銀行體系出現「地震」。

準確

（身陷經濟危機的阿根廷向國際貨幣基金組織（IMF）尋求資金援助，涉及300億美元的靈活信貸額度，以支持阿根廷貨幣比索及債市回穩。阿根廷的經濟問題，令市場擔心比索貶值會拖累其他新興國家，引發金融風暴。）《香港01》二〇一八年年五月十日

準確

（一宗人質釋放外交事件，成為華府脅迫加徵關稅導火線，引發本已外債高築的土耳其貨幣崩盤，而歐洲銀行向土耳其提供的信貸額超過千億美元，難怪銀行界擔憂，在中美貿易戰毫無緩和迹象下，土國貨幣危機又點燃另一火頭，隨時產生骨牌效應，成為席捲歐洲銀行的新一場風暴。）《蘋果日報》二〇一八年八月十四日

準確

（騰訊業績不及預期，拖累大股東Naspers股價急挫10%，創二〇〇八年以來最大單日跌幅；港股夜期亦急挫逾500點，失守26,800點關口，低水逾600點。）《明報》二〇一八年年八月十五日

火土相生之下，狗年更容易出現與火及電力相關的重大事故。除了提防沖天大火，也要慎防火山爆發、燃料意外、線路爆炸及電力系統嚴重故障等等。

準確

（俄羅斯西伯利亞城市克麥羅沃（Kemerovo）一個商場前日發生近年死傷第二嚴重火災，商場內兩間電影院天花倒塌，至少導致64人死亡，相信包括多名兒童。起火原因有待確認，但商場警鐘失靈、部分逃生門上鎖或導致死傷慘重。）《蘋果日報》二〇一八年三月二十七日

準確

（危地馬拉的富埃戈火山（Fuego volcano）周日爆發，死亡人數進一步增加至69人，有46人受傷，包括12名兒童。火山灰噴發至海平面以上4,500米高空，當局緊急撤離3,200多名居民，近2,000人需棲身臨時避難中心，共計有超過170萬人受到波及。是次爆發是富埃戈火山逾40年來最嚴重的一次噴發，總統莫拉雷斯宣布全國進入警戒狀態。）《頭條日報》二〇一八年六月五日

準確

（北加州山火自上月27日起持續蔓延。加州消防部門表示，當地兩處主要火頭周一（6日）開始合併成一個，其面積有1,148平方公里之廣，是加州有史以來影響範圍最大的山火。1,148平方公里相當於香港陸地總面積）《明報》二〇一八年八月七日

狗年的木過於暢旺，更易有風災。再者，立春八字又出現「土木相剋」，地震、山泥傾瀉、樓宇倒塌的危機更大，容易有重大事故發生，山林之間的意外也特別多，各種行山活動或競賽更要注意安全。

準確

（中央氣象局預報中心主任呂國臣指出，7月開始邁入颱風季節，截至今天為止西北太平洋已經有7個颱風生成，比起平均值的4.3個還要多，預測今年六到十二月的颱風總數會比往年還要多，侵台的颱風估計會有3到5個（平均值為3.6個）。）《鏡週刊》二〇一八年六月二十九日

準確

（泰國「野豬」足球隊教練及12名成員自上月23日被困「睡美人山洞」，一行13人終於全數獲救，歷時18天的噩夢結束。拯救工作於剛過去的周日（七月八日）展開，救援行動先後分三次進行，最後5人昨晚（七月十日）成功走出山洞。）《經濟日報》二〇一八年七月十一日

準確

（意大利北部港口城市熱那亞一條高架橋倒塌，據報目前已造成至少11人死亡。當地官員表示，恐怕死傷者可能多達數以十計，形容事件是重大悲劇。）《信報》二〇一八年八月十四日

七赤星本身帶有破壞的力量，而七赤屬金，正東屬木，因此出現「金木相剋」之象。東面一帶的地區，例如上海、日本及南韓等，在狗年要特別提防森林大火、農作物嚴重失收，或者毒果、毒菜流入市場等問題。破軍星亦有推倒重來的意思，因此東面的地方也容易有權力鬥爭、派系之間互不相容的現象。

準確

（日本傳媒報道，日本今年鰻魚苗的捕獲量可能創歷史新低……包括來自中國、台灣及韓國的進口鰻苗，較過去兩年同期的逾18噸大幅減少，而因鰻魚苗捕撈季節將於本月底結束，在日本鰻魚苗產量不斷下滑之下，今年總產量可能打破2013年的12.6噸的有紀錄新低。）《都市日報》二〇一八年四月十五日

準確

（中美貿易戰開打，近鄰難獨善其身。依賴出口貿易的南韓，或會損失逾兩百億美元（約一千五百七十億港元）的出口額。）《星島日報》二〇一八年七月九日

準確

（全球多地農產品失收，連番遭受天災威脅的日本為重災區。當地業界人士指，總損失高達2,600億日圓（約183億港元）。鄰近國家南韓的蔬菜價格亦暴漲，一棵白菜售價升至5,770韓圜（約40港元），上漲達86.2%；南韓農水產食品流通公社更預測，若高溫天氣持續，蔬菜價格將繼續攀升。）《東方日報》二〇一八年八月十二日

西北同為乾宮，象徵長輩級的男性或有領導地位的男士；在桃花星的利好影響下，狗年的政商界翹楚或特別年長的男性公眾人物運氣也較佳，易有好消息臨門。

準確

（俄羅斯政府動員「催谷」投票下，終令角逐連任的普京以76.68%高得票率，第4度當選總統，打破其以往3屆當選的得票紀錄，也是蘇聯瓦解後當選票數最高的俄國領袖，遠遠拋離得票第二高候選人的11.8%。普京的新任期為6年至2024年，令其成為獨裁者史太林後，第二位執政時間最長的蘇俄領袖，長達四分一世紀。）《am730》二〇一八年三月二十日

準確

（朝鮮領袖金正恩昨日跨過兩韓分界線，與韓國總統文在寅在1953年簽訂韓戰休戰協議的板門店，舉行歷史性峰會並發表共同宣言。宣言中朝鮮承諾「全面無核化」，雙方又矢言爭取在今年內推動將韓戰休戰協定改為和約，正式結束戰爭狀態，使朝鮮半島這片堪稱「世界最後的冷戰地帶」解凍。）《明報》二〇一八年四月二十八日

準確

（馬來西亞政局周四（10日）出乎意料變天，92歲前總理馬哈蒂爾為首的反對派「希望聯盟」，歷史性擊敗領導執政「國民陣線」（國陣）總理納吉布，打破當地立國60年來國陣壟斷執政地位的局面。）《東方日報》二〇一八年五月十日

豬年
世界大勢總論

己亥年立春八字

時柱		日柱		月柱		年柱	
偏財		日		偏財		正官	
丙（火）		壬（水）		丙（火）		己（土）	
午（火）		申（金）		寅（木）		亥（水）	
正財	丁（火）	偏印	庚（金）	食神	甲（木）	比肩	壬（水）
正官	己（土）	比肩	壬（水）	偏財	丙（火）	食神	甲（木）
		七剎	戊（土）	七剎	戊（土）		

農曆月份	干支	西曆日期
農曆正月	丙寅	（西曆一九年二月四日至三月五日）
農曆二月	丁卯	（西曆一九年三月六日至四月四日）
農曆三月	戊辰	（西曆一九年四月五日至五月五日）
農曆四月	己巳	（西曆一九年五月六日至六月五日）
農曆五月	庚午	（西曆一九年六月六日至七月六日）
農曆六月	辛未	（西曆一九年七月七日至八月七日）
農曆七月	壬申	（西曆一九年八月八日至九月七日）
農曆八月	癸酉	（西曆一九年九月八日至十月七日）
農曆九月	甲戌	（西曆一九年十月八日至十一月七日）
農曆十月	乙亥	（西曆一九年十一月八日至十二月六日）
農曆十一月	丙子	（西曆一九年十二月七日至二〇年一月五日）
農曆十二月	丁丑	（西曆二〇年一月六日至二月三日）

己亥年九宮飛星圖

七	三（南）	五
六（東）	八（中宮）	一（西）
二	四（北）	九

西曆二月四日己亥豬年伊始

踏入二〇一九年二月四日十一時十六分，便是己亥年，也即大家所稱呼的豬年。

二〇一九年的正月初一是西曆的二月五日，很多人以為正月初一來臨便是生肖轉換之日，其實己亥豬年早在西曆二月四日已開始，而戊戌狗年已成過去。因為傳統的中國玄學一向與節氣息息相關，而「立春」是廿四節氣之首，所以長久以來「立春」在術數界中皆被視作新一年開始，各方位的吉凶亦會隨之轉移，新生嬰孩的所屬生肖也是從立春日起才與往年不同。

不單如此，玄學中各個月份的劃分，也是以節氣來界定；立春為一月之始，而二月由驚蟄開始，三月則是清明……依此類推，所以本書中提到的農曆月份，均以不同的節氣之日為界線，並非筆誤，敬請各位讀者注意。

至於傳統的農曆正月初一，只是十二個農曆月份中的第一天，雖然家家戶戶都大事慶祝，但新一年的風水術數計算仍是以「立春」作分水嶺。

正月初一「轉生肖」之謬誤

每年的「立春」大多是西曆的二月四日或前後一天，而正月初一通常是在西曆一月下旬至二月中旬不等，所以有時會出現「過了年才立春」或「先立春後過年」的情況。而今年則是立春先到（二月四日），翌日才到正月初一（二月五日）。換言之，二〇一九年二月四日十一時十六分（立春）後出生的嬰孩，其生肖已屬豬。

若不弄清這一點，二〇一九年二月四日至二月五日之間出生的嬰孩，便很容易錯認為生肖仍屬狗，事實上其生肖屬豬。長大後翻看運程書，不但會將錯就錯，覺得與事實不符，對於自己是否犯太歲一事也會糊里糊塗。

正正因為很多人都誤解了正月初一就等於「轉生肖」，甚至每年傳媒大事報道的「豬年第一位搶閘BB」等皆以大年初一作分水嶺，以致這謬誤牢不可破。

所以，在立春日前後（即西曆二月初）出生的朋友，有必要重新翻查一次自己出生年的立春與正月初一之日子，以作出正確生肖判斷。（若要翻查可用萬年曆，一般書局有售，亦可上網查找相關網站）

己亥豬年大勢總述

計算一個人的運勢需要準確出生資料，要推算世界各地的來年大勢也等同算命一樣，應該拿該年立春日的轉換時刻作基本八字推算，再配合各方位的吉凶，從而得知來年各項發展。

如前頁所示，本年的立春八字是「己亥年、丙寅月、壬申日、丙午時」。

回顧二〇一八戊戌狗年，因為有「木多火塞」之象，加上象徵經濟的金及水皆無力相助，投機炒賣活動有放緩之勢，部分金融市場更大受衝擊。但因整體仍有印星拱照，代表得到貴人扶持，所以環球經濟尚可，個別政策上的輔助亦可令市場表現不致一池死水。

踏入己亥豬年，立春八字的日柱天干為「壬」，五行屬水。而從整體八字來看，偏財星透出，木、火皆旺，金與水則不足；立春八字也略有五行之土，卻無大作為。此乃「財旺身弱」之局，而且因火氣十足，需要以「水」來補給，才有利平衡發展。

己亥豬年的立春日同時也屬「破日」，有破壞及不利結合之意。再者，算命理論之中，一向以八字「緩和多合」為順暢之局；若八字多沖，則人事不和、易生爭端。然而己亥豬年的立春八字不論天干或地支皆受沖，有云：「天戰由是可，地戰急如火」；豬年的立春八字呈現這種「天地交戰」，可預期全年必定動盪甚大，爭鬥不斷。

其實己亥豬年乃財星當旺之年，但因以偏財為主，加上受沖嚴重，所以全年投機炒賣活動四起之餘，亦甚有「因災難而發財」的味道，正正是「有危便有機」。豬年的環球經濟更是風高浪急，有人趁着水漲船高，賺個盤滿缽滿；也有人陰溝裏翻船，深受重創。因此，一般民眾在豬年必須謹慎前進；若決定冒險投資或投機，則相當考驗自己的能耐與眼光。

總而言之，豬年受偏財星拱照，確實有不少賺錢機會，也是「利」字當頭之年。可是若為務實的投資者，豬年卻非理想年份，因為全年正財運偏弱，加上流年八白財星飛臨「中宮」，象徵受到囚禁，經營生意會遭遇頗多困難波折；部分傳統大企業甚至會面臨財困，不得不作出革新，以突破這「入囚」之象。再者，流年生肖為豬，豬乃賣弄小聰明的動物，若要衝出重圍，營商者宜考慮一些更有噱頭或市場未出現過的內容，以奇招作賣點，反而更能配合流年偏財運為主的走勢。

政治與經濟的因素往往互為影響，從兩者之間的微妙關係也可觀察到流年局勢的發展。剛過去的戊戌狗年，本已鬥爭頻繁；來到己亥豬年，因流年嚴重受沖，爭端之象更會加劇。因此從世界政局來看，國與國之間的制裁行動必然升級，地區之間也有不少激烈爭議及互相抵制手段。民間亦不時出現大大小小的遊行、示威、訴訟及自發性的抗爭行動，所以豬年可謂紛爭不斷，人民難以太平過日子。

由是觀之，豬年除了要提防一觸即發的戰事，以經濟手段來作威嚇或制裁的現象也十分常見，而且難以在短期內達成共識，普羅大眾必然受到負面影響。

但在一片紛亂之中，其實亦隱藏曙光。因為主導環球經濟的中西雙方，流年各有兩大吉星進駐：分別是四綠文昌星入主正北，以及一白桃花星飛臨正西；而正北可代表中國的北京政權，正西則象徵歐美等西方大國。

豬年的四綠文昌星飛臨正北，反映中國的功名地位有望更進一步；除了科研上容易再創佳績，文化事業亦比以往出色，有利得到國際上的重大獎項或突破性成果。

至於一白桃花星進駐正西，此星象徵人緣及桃花，也有重新開始之象。歐美大國在豬年的經濟頗有回彈力，尤其美國的發展更有起色，整體穩步上揚；歐洲方面，英國脱歐一事雖然頗多風波爭端，但脱歐也配合流年「重新洗牌」之象，所以長遠也是利多於弊，對經濟不會造成太大打擊，反而可乘機開拓另一局面。

綜合來看，中西兩方在豬年繼續有分歧之象，尤其中美之間的鬥爭仍是此起彼落，但受到各自的吉星扶助，以及肖豬的小聰明與幸運特質影響，此等大國的整體發展仍然不俗。透過各自各的拉攏結盟，中西雙方在豬年仍然各有足夠的支持者，有助保持一定的經濟表現及國際影響力。再者，流年八白財星入主「中宮」，雖説有受困之象，但同時反映該流年飛星的特質在本年最受各界關注。豬年既以「財」為重點，即使出現鬥爭，也不過是利益為先，所以最後仍有解決之法。

但論及己亥豬年的天災人禍，則頗為令人憂慮。己亥年的立春八字出現雙重「驛馬地支」——寅及申，代表多動及多變，本身有利世界各地的旅遊及交通業務發展。然而寅及申卻又互為相沖，驛馬之年再遇上這種「寅申沖」，反而容易發生重大交通災難，海陸空皆難以避免出現事故。這些意外既可能源於異常天氣影響，也容易來自人為疏忽或黑箱作業而令大眾受害。除了空難、海難與重大車禍，豬年也要慎防與水相關的災禍，包括食水污染、山洪暴發、決堤及嚴重水災。

此外，流年三碧凶星飛臨正南，三碧星屬木，而正南為屬火的離宮，情況有如把木投進火堆之中。己亥豬年的立春八字已屬火旺，再有三碧星入離宮之象，更容易引發各種與火相關的災害，情況亦較難控制，例如山林大火、建築物沖天大火、嚴重熱浪侵襲……等等，其中尤以澳洲一帶要特別提高警覺。

再看另一顆二黑病星，流年飛臨東北，因此東北地區也屬多事之秋，容易出現疫情及地震，尤其北韓、中國的大連以至黑龍江一帶，宜加緊提防此等災害。

至於民間日常生活之中，己亥豬年也有兩種情況要多加關注。因肖豬為本命年犯太歲，所以與豬相關的事情往往較多麻煩；流年要慎防爆發大規模豬隻瘟疫、黑心豬肉食品流入市場，或是豬流感再現等等。

另外，豬年因為出現「寅亥合」，含有「合中帶破」之象。寅象徵老虎，豬年既不利豬隻，亦恐怕不利貓科動物，各地的虐貓事件也有加劇之勢，政府宜立法嚴懲，以免走向極端。

亞洲區來看，六白武曲星飛臨正東；東面國家以日本為代表，而六白星為退氣的財星，亦象徵技術性工作與權力。日本有六白星入主，豬年在周邊地區之中也看高一線，體育、工藝及技術發展有望更上一層樓，容易成為國際間的熱話，有助推動整體經濟。

但東南亞方面，豬年表現則處於弱勢。因為流年七赤破軍星飛臨東南，此星代表盜賊及打鬥，可見東南亞的流年局勢相當不穩，政治也易生變數，若在當地有投資業務，最好做足應變準備。

七赤破軍星入主的東南也代表長女，而三碧是非星飛臨的正南則象徵次女。流年有兩顆凶星入主，代表豪門望族的長女及次女容易受壓，並有決策失誤之象，難以得到支持。相反，代表長男的正東有六白武曲星入主，象徵次子的正北則有四綠文昌星進駐；在兩大吉星照耀下，家族企業特別有利長子、長孫及次男等接棒，祖父輩的領導人物宜退下前線，讓男性後輩全面接管家族業務正屬理想時機。

至於代表母親的西南坤宮，豬年有五黃災星入主，反映媽媽一輩健康不佳，易受疾病困擾；尤其較為知名的母親輩公眾人物，更要多加關注健康。

但另一邊廂，象徵父親的西北乾宮卻有九紫喜慶星進駐，此星代表喜事、添丁及福氣臨門。父親一輩在九紫吉星影響下，豬年頗為稱心如意，而且年長男性更特別容易結婚或有喜，父親輩的公眾人物亦頗有機會在豬年意外添丁。

演藝界方面，豬年獲得一白桃花星入主正西的兌宮，兌宮既代表一切「以口生財」的事業，也象徵幼女。受到一白桃花星的帶動，娛樂圈會是多姿多采的一年，並且特別有利愛情片及情歌的推出。豬年的演藝界同時也有新氣象出現，懷舊熱潮不再，新人、新媒體較為吃香。當中，尤以年輕女藝人發展特別佔優，童星的表現也容易令人刮目相看。

【投資錦囊及行業走勢】

己亥豬年偏財運暢旺，不乏「賺快錢」的機會，但同時風高浪急，衝擊防不勝防，市場狀況容易突然大逆轉，普羅大眾的投資者宜見好即收，尤其上半年更要謹慎行事。

以流月走勢來看，正月（西曆一九年二月四日至三月五日）及農曆二月（西曆一九年三月六日至四月四日）走勢動盪，均屬「危中有機」。尤其正月，一開始已波動甚大，受到政治及國際關係的緊張局勢影響，投資市場頗多負面消息，幸好本月有財星支持，所以回彈力強。農曆二月則仍然維持悲觀情緒，市場表現繼續上上落落。

農曆三月（西曆一九年四月五日至五月五日）及四月（西曆一九年五月六日至六月五日）火土較重，整體經濟發展較多局限，往往稍有升幅便回落；但個別業務如地產及藥業等，則較容易取得佳績。

農曆五月（西曆一九年六月六日至七月六日）及六月（西曆一九年七月七日至八月七日）為全年偏財運特

別當旺的階段，外圍有利好因素出現，投機炒賣之風熾熱。

農曆七月（西曆一九年八月八日至九月七日）至八月（西曆一九年九月八日至十月七日）又再強烈受沖，雖然經濟上仍有利可圖，金融及銀行業也有「見底回升」之象，但仍然要提防不時出現的衝擊。

對比上半年，農曆九月（西曆一九年十月八日至十一月七日）及十月（西曆一九年十一月八日至十二月六日）則是全年經濟走勢最穩健的月份，投資市場百花齊放，氣氛比較樂觀。而且外圍也有利好消息帶動市場，例如政策上的經濟輔助，所以整體交投比早前活躍。

及至農曆十一月（西曆一九年十二月七日至二〇二〇年一月五日），經濟表現略為放緩，亦有「獲利回吐」之象。踏入農曆十二月（西曆二〇二〇年一月六日至二月三日），整體亦屬平穩，波幅比起年初階段已大為減少。

【金】

立春八字略有金，助力不足而且同時受沖，加上受火剋制，豬年頗多掣肘。即使炒賣活躍，呆壞賬亦有減少之勢，但並非人人受惠，金融借貸與銀行業務更容易受到進一步規管。

【木】

豬年力量減弱，走勢放緩，亦有汰弱留強、收購合併之象；教育、環保、建築及創作事業等，發展受到局限，更有吞併情況出現。

【水】

驛馬之年加上水旺，屬水行業最有機會跑贏大市，易有巨頭雄霸一方；尤以旅遊、運輸、酒店及物流等行業發展特別蓬勃，網購業務亦呈現新氣象，容易出現突破，增長可觀。但因流年受沖，仍須提防業界爆發醜聞、稅務打擊或政府加緊監管等事情。

【火】

立春八字火旺，化工燃料、科技產品及電子傳媒等的發展，全年仍受大眾關注，石油副產品亦持續有強大需求。

【土】

流年得到火的助旺，代表有外來利好因素扶持，基建、地產等屬土的行業仍有可為，表現平穩向上。

肖豬大解說

肖豬大解說

亥豬：十二年一遇

二○一九年立春交節之後，戊戌年已完結，並正式踏入己亥年。「己」為天干，「亥」為地支，而不同的地支亦以不同的生肖作代表，例如「亥」的象徵生肖為豬，故又有「亥豬」之稱。

天干有十種，地支有十二種，而地支的轉換等同生肖的交替，所以每隔十二年，相同屬性的生肖才會重複出現。以「己亥」為例，每逢地支屬「亥」之流年，即為豬年；換言之，凡是肖豬者，其出生年的地支必為「亥」，而且要等十二年才會再出現「亥豬」之流年。

要注意的是，即使出生地支皆為「亥」，生肖同屬豬，但天干卻未必相同。因為天干有十種，與十二地支相配，便可得出合共六十個天干、地支的不同「年柱」，其中每一生肖各有五個天干、地支的組合。由是推之，即使生肖相同，具體計算運程時亦各有差異。例如肖豬的出生者，可以組合出五個皆屬豬的年柱，包括：癸亥（一九二三、一九八三）、乙亥（一九三五、一九九五）、丁亥（一九四七、二○○七）、己亥（一九五九、二○一九）及辛亥（一九七一、二○三一），各以六十年作一循環。

二○一九年為己亥豬年，「亥豬」的影響力也貫穿全年；本篇章除了略述豬的文化意義，下文也會為大家分析肖豬者的性格特質、改名宜忌及二○一九己亥豬年出生的嬰孩運勢概述。

豬之文化象徵

多年以來，豬在大部分人心目中都存在着正反兩面的形象。正面而言，豬外表肥肥白白、乖巧溫馴，予人溫暖可愛之感；反面的話，則認為豬既愚笨又懶散，有如好逸惡勞之輩。

其實，從遊獵走向畜牧，再走向原始農業的一段歷史長河上，豬一直是中國人的親密夥伴，形象也相當正面。除了出土的圖騰標誌、陶製豬、豬形器皿等等可佐證外，最簡單和明顯的證據則從「家」這一個字已可得知。

豬古稱「豕」，而「家」的結構為「居室之下有家」。為何古人造字認為「無豬不成家」呢？一說是古代流行養豬，所以有豬便有家；一說是豬代表多子，古人借此表達成家立室之願。無論是哪一個說法，從「家」這一個字已可看到古人與豬的密切關係。

豬在古代除了可供人食用和作祭品外，還會用作陪葬，以彰顯自己的財富。早在新石器時代，古人便流行以豬骨隨葬，代表主人的身份地位。唐代洪州人因養豬致富，而古代的豬多為黑色，所以又把豬稱為「烏金」。山東鄉間至今則仍流行在正月十五製作生肖造型的飾品，各動物背上皆有小碗，以作盛油點燈之用；其中，馬與豬背上的小碗會揑成元寶狀，稱為「金駒銀豬馱寶來」。

此外，自唐代開始，豬不僅是財富的象徵，更是莘莘學子的吉祥物。蓋因「豬」與「朱」同音，「蹄」與「題」音諧，所以每當有人要赴考，親友們便流行送上紅燒豬蹄，預祝他日能「朱筆題名」。

由此種種看來，豬在不同時代一直與財富的聯想掛鈎，也反映了古人賦予豬的正面形象。而每逢豬年，人們普遍認為該年更容易家肥屋潤、喜慶豐收，也不無道理。

肖豬者之性格分析

● 基本特質：雙重個性 隨心而活

肖豬者在十二生肖中，性格是最難揣摩的。他們大多性格獨特，而且具有雙重個性；要認識真正的肖豬者，不但需要非常長時間的緊密相處，也要心思細密才可。

肖豬者對外的時候，大多呈現開朗、好客、溫馴的一面，即使面對陌生人也能輕鬆自然，一副悠然自得的樣子。然而，肖豬者內心也有孤僻及內斂的一面，有時沒有什麼特別原因，就是想獨自靜處，享受一下寧靜的時光。

究竟哪一個才是真正的肖豬者呢？其實兩者皆是，肖豬者並非故意掩藏真我個性，只是他們確實有深藏不露的一面。肖豬者有時也會躁動不安，例如會因為據理力爭不果，而突然大發雷霆。所以，肖豬者平日看似客氣溫和，但卻有「不鳴則已，一鳴驚人」之舉動，令人有點措手不及。

另外，肖豬者較喜歡固定的生活模式，尤其回到自己所熟悉的地方，會讓他們較有安全感。他們不容易厭倦同一種生活模式，尤其喜歡按自己的步伐來辦事，所以有時顯得進取心不足，其實這只是肖豬者所追求的事物，不一定符合社會大眾標準罷了。

整體而言，肖豬者的個性比較隨心，喜歡自由自在，不想被限制，但他們也會盡量在既定規則裏行事，很少惹是生非。但如果別人刻意挑釁肖豬者的話，他們則有機會顯露出強悍而不服輸的一面。

● 優點：批判力強 不拘小節

別因為坊間流傳的肥豬形象，便以為肖豬者生性愚笨。其實在十二生肖中，肖蛇者和肖豬者是最喜歡探究知識的，而肖豬者的決斷力與批判性更十分強。

肖豬者平日對很多事情都採取冷眼旁觀的態度，所以未必能讓一般人了解他們的智慧，但其實他們很有自己的看法，立場清晰堅定。他們擅於抽絲剝繭解決問題，如果身邊友好有事請教，他們也往往樂於分享自己的心得，所以大部分肖豬者都會是朋友圈中的智囊。

另外，肖豬者的適應力頗強，也擅於為自己找尋安全而舒適的空間。所以即使身處的環境突然出現動盪的局面，肖豬者也能在短時間內重新掌握當前形勢，找出最有利自己的位置。

不過，這並不代表肖豬者只看利益而行事。相反，大部分肖豬者都是不拘小節的，對家人、好友很少計較，最好各得其所，活得輕鬆自在，便是肖豬者最大的願望了。

● 缺點：執意而行 自我麻醉

肖豬者做事不容易感到氣餒，但如果真的遇上挫折，他們便會在剎那間失去自信。肖豬者面對挫敗時，特別在意別人是否看輕自己，為了逃避這種坐立不安的感覺，肖豬者一是突然放棄不幹，一是繼續固執下去，而以自我麻醉形式來強化心理，反而容易讓小挫折最終變成大挫折，更加難以處理。

偶發的衝動與不理性，也是肖豬者個性上的另一敗筆。肖豬者平常多數客客氣氣，但有時因為一刻的激動，卻會在轉瞬間爆發各種負面情緒，而且久久不能平伏心情。

有時肖豬者的批判也會過了火，他們太想追尋終極的答案，也對自己的看法十分有信心，一旦和他人展開辯論，肖豬者往往用盡一切辦法來希望對方了解及認同自己的觀點，難免有點咄咄逼人。

● 建議：積極面對失敗

肖豬者最大的問題，乃不擅於處理挫敗感。他們生活上可以十分獨立，但精神上卻很依賴別人認同自己的價值。當肖豬者未能獲得他人認同，甚至進入自我否定的狀態時，便會惶恐不安，令事情更加糟糕。

所以，肖豬者應該學習接受失敗，也要重新審視自己的價值觀。人人皆有軟弱之時，當需要他人協助便不妨主動一點，胡思亂想只會令意志更加消沉。

肖豬者之改名宜忌

【有利名字】

● 豬的地支為「亥」，取名宜用有利之生肖作配對。豬之六合生肖為虎（寅），三合生肖為兔（卯）及羊（未），所以名字上宜配相關之字根。

寅虎之字例：虔、豹、彪、獻、虎、號……等

卯兔之字例：印、逸、挽、勉、卿、昂……等

未羊之字例：姜、茱、洋、善、義、翔……等

● 豬看似什麼都吃，但其實只為生存，其本性該以田野間之雜糧為主，故取名宜用含有「田地」及「五穀」等字根，代表福祿富足。

田地之字例：畢、男、福、當、申、疇……等

五穀之字例：和、秀、秉、菊、豐、登……等

● 豬怕風吹雨打，故取名宜用「洞穴」、「門欄」及「大口」等字形較有利，有受保護及得依靠之象。

洞穴之字例：富、宏、寶、厚、康、勵……等

門欄之字例：間、開、閔、聞、闊、瀾……等

大口之字例：固、國、圓、園、圍、圖……等

【忌諱名字】

● 亥豬與巳蛇相沖，本身自刑，另與申猴相害，故取名宜避開相關字根為佳。

巳蛇之字例：虹、螢、強、川、之、建……等

亥豬之字例：眾、家、蒙、豪、緣、毅……等

申猴之字例：珅、坤、紳、媛、遠、環……等

● 豬為家禽，人類飼養只為吃其肉，而肉愈肥厚，則愈接近屠宰之時，所以凡含有「人」及「肉」等字根皆不宜取，以免有徒勞無功之象。

人形之字例：伯、佩、佳、偉、倫、健……等

肉類之字例：朋、望、朝、能、情、惠……等

- 豬常於祭祀或喜慶儀式作食物，有時上桌前更會被刻意裝飾一番，故肖豬者不但怕見「刀」及「君王」之字根，更不宜披「彩衣」，以免有遭受傷害之象。

  刀形之字例：分、昭、照、創、剛、劍……等

  君王之字例：琪、瑛、璇、瓊、瑪、珏……等

  彩衣之字例：采、彤、彬、依、祥、祖……等

二〇一九豬年出生之嬰孩運勢

從本年立春之日（二〇一九年二月四日十一時十六分）至翌年立春（二〇二〇年二月四日十七時零四分）止，其間出生的嬰孩生肖皆屬豬，出生年柱為「己亥」，「己」為天干，「亥」為地支。

十二生肖反映了出生年的地支，而各生肖之間也因地支屬性不同，而令生肖相遇時各有不同影響，有些生肖會互為抗拒，有些生肖能夠相輔相成。正因家庭成員之間的生肖組合不盡相同，父母與子女的基礎關係也不會人人一樣，相處上需要避重就輕，配合不同人的個性與特質來培育，家庭關係才能更融洽愉快。

以下除了列出己亥年肖豬嬰孩的出生月份命格要點，也提供肖豬子女與不同生肖父母的親子關係一覽。

【家長與肖豬子女的親子關係】

- 父母肖鼠：彼此皆頭腦靈活，相處和諧，亦容易一起催生新構思。
- 父母肖牛：牛較具權威及固執，肖豬子女會較聽話，但容易受壓。
- 父母肖虎：既合且刑，關係時好時壞，最好偶然稍作分開，給予個人空間。
- 父母肖兔：關係不俗，但因兔較慢熱冷靜，肖豬子女不易感受到其愛護之情。
- 父母肖龍：龍領導力強，有助推動肖豬子女，但也要慎防變成「扯線公仔」。
- 父母肖蛇：蛇與豬為六沖生肖，宜聚少離多，並避免過分管束。
- 父母肖馬：馬嚮往奔放自由，性格較自我，容易忽略照顧肖豬子女。
- 父母肖羊：兩者為六合生肖，相處頗佳，加上羊家庭觀念重，常守護肖豬子女。
- 父母肖猴：猴主動又多變，傾向覺得別人懶散，肖豬子女則容易感到不耐煩。
- 父母肖雞：事無大小，雞皆喜歡發表意見，易令肖豬

子女煩厭，敷衍了事。

- 父母肖狗：無沖無合，關係穩定，但因狗忠實為人，肖豬子女容易反過來欺負。
- 父母肖豬：性格相近，容易互相了解，但因暗藏相刑，要提防其中一方的健康。

【己亥年．肖豬寶寶之個別出生月份特點】

農曆正月（西曆一九年二月四日至三月五日）
出生年與月份相合，家庭關係較和洽，樂也融融，但要提防腳部容易受傷。

農曆二月（西曆一九年三月六日至四月四日）
思考靈活，創作力亦不俗，而且因溝通能力頗佳，有助提升人際關係。

農曆三月（西曆一九年四月五日至五月五日）
土旺之月份，生性較固執，但同時較具毅力，容易堅持自己所思所想。

農曆四月（西曆一九年五月六日至六月五日）
出生年與月份相沖，適合從小往外地讀書，而且又有曲腳煞，更要慎防腳患。

農曆五月（西曆一九年六月六日至七月六日）
命格貴人運強，一生容易得到別人支持；想像力佳，有利投身創作行業。

農曆六月（西曆一九年七月七日至八月七日）
生性較為內斂低調，做事也有點膽怯，不敢向前邁進，需要提升主動性。

農曆七月（西曆一九年八月八日至九月七日）
生於水旺之月，活潑好動，而且驛馬運重，有利外遊甚或移居外地發展。

農曆八月（西曆一九年九月八日至十月七日）
外表較為出眾，藝術天分亦高，但命中也容易破相開刀，慎防留下疤痕。

農曆九月（西曆一九年十月八日至十一月七日）
天干出現相合，除了提防手部受傷，也容易焦慮不安，要多關注身心情緒。

農曆十月（西曆一九年十一月八日至十二月六日）
出生年份與月份互刑，較多小毛病，出門有助提升運勢，與家庭亦最好聚少離多。

農曆十一月（西曆一九年十二月七日至二〇年一月五日）
水旺兼寒冷之月出生，表達能力強，一生宜多向外走動，尤以暖和地區為佳。

農曆十二月（西曆二〇年一月六日至二月三日）
土旺之月出生，堅毅過人，但同時固執被動，喜歡留守原有之地，作風保守。

犯太歲
化解錦囊

犯太歲自救法

犯太歲其實並非想像中嚴重，一般來説犯太歲代表該年的生活衝擊較大，情緒亦容易起伏不定，但不代表運勢一定走下坡，部分人可能愈變愈好，尤其常要接觸人群或外勤的工作，較容易在犯太歲之年有所突破。總之，踏進人生另一階段之際，變化在所難免，心理壓力亦較大，最重要還是做足心理準備，以正面態度迎接未來的變化。

另外，犯太歲只是坊間的統稱，其實仔細還可分作幾類，影響有輕有重，大家不必過分擔憂。

本年（二〇一九己亥豬年）犯太歲者包括：

豬、蛇、虎、猴

豬　犯本命年太歲＋刑太歲

本命年犯太歲者，生活會出現不少變化，好壞發展要視乎個人命格而定。但始終在本命年的情緒起落會特別大，容易胡思亂想，也會影響決策能力，因此務必注意情緒。凡是本命年犯太歲者，最適宜舉辦喜事，包括結婚、添丁、創業、轉工或搬遷等，有助化凶為吉。

另外，本命年犯太歲也會影響健康運，輕則撞傷擦損，重則有血光之災，所以日常生活宜多加注意安全，避免參加任何高危的活動之餘，自己主動捐血或洗牙等也有化解之用。

至於刑太歲，主有輕微麻煩及是非，容易影響人際關係；為免是非纏身及進一步影響情緒，凡事低調為佳。

本命年與刑太歲的雙重影響下，本年困擾自己之瑣碎事較多，宜做好兩手準備，也要多注意人緣運，切勿強出頭。

蛇　沖太歲

在各種犯太歲類別中，以沖太歲的變化最大，尤其容易涉及各種人生大事，例如在沖太歲之年轉換工作、置業、搬遷、結婚或分離等等。其中，感情關係乃最受影響的範疇，很多人在沖太歲之年正好遇上感情關口，有不進則退之象。

已有伴侶者如沒有計劃結婚或生兒育女，即容易出現感情上的重大衝擊，以致情海翻波甚或分手收場。因此在沖太歲之年宜採取主動為佳，包括訂婚、結婚、添丁或者聚少離多，皆有助穩定關係。單身者則容易開展一段感情，但較難穩定發展，有易來易去之象，所以沖太歲之年出現的新感情，還是抱觀望態度為佳。

虎　破太歲

破太歲有破壞之意，代表一些固有關係容易遭受破壞或與人反目。雖然不致於十分嚴重，但運勢也會略為受挫；流年宜加倍注意自己的言行舉止，慎防禍從口出。

猴　害太歲

害太歲之影響相對輕微，主有陷害之意，代表今年容易有小人作祟，但整體不足為忌，只要少說話、多做事便可。

各種化解犯太歲之法：

(一) 沖喜

古人說「太歲當頭坐，無喜必有禍」，又說「一喜擋三災」。其實用上「災禍」兩字又未免太嚴重，但犯太歲的人，如能在同一年籌辦喜事的確可以將壞影響減至最低。

各種喜事中尤以結婚、生兒育女及置業等最佳，但這些人生大事很難刻意「製造」，所以不妨透過其他喜慶事如上契、壽宴等沖喜。另外，不時出席喜慶活動及多吃喜慶食品都可略為提升運勢，但犯太歲者碰上探病問喪便可免則免。

(二) 小心部署計劃

犯太歲代表多變動，包括轉工、搬遷及有較大的投資計劃（如從事生意可以是倒閉或擴張業務）等。雖然今年會多變動，但好壞仍是未知之數，所以下決定前更應詳加考慮。

(三) 佩戴生肖飾物

傳統上犯太歲者都會佩戴生肖飾物來化煞。飾物質料方面，所有生肖皆可通用玉器，但春夏出世者也可同時選擇金銀物料，秋冬出世者則只適宜選用玉器。

二〇一九豬年・犯太歲生肖飾物配對

豬：宜貼身佩戴兔形及羊形之飾物
蛇：宜貼身佩戴牛形及雞形之飾物
虎：宜貼身佩戴馬形及狗形之飾物
猴：宜貼身佩戴鼠形及龍形之飾物

如何選擇化太歲之生肖飾物

有些人會察覺到，每年各玄學家所選的化太歲生肖飾物並非完全相同。其實玄學家教人用生肖飾物化太歲，一般都以「六合」或「三合」的生肖來計算。因為每一生肖的「有利拍檔」都不止一個，所以有時玄學家所介紹的化太歲生肖便略有出入。

在此順帶一提，其實所謂十二生肖就是十二地支的代表。中國古代的年份代號，均由十天干和十二地支配搭而成，共有六十個組合。如二〇一五年的乙未，二〇一六年的丙申……其中的「未」及「申」便屬地支。

十天干：甲、乙、丙、丁、戊、己、庚、辛、壬、癸

十二地支：子、丑、寅、卯、辰、巳、午、未、申、酉、戌、亥

因地支的力量在一般情況下比天干強，所以每一年的地支都較受玄學家的重視。但對於十二地支的名稱和意義，民間不易理解和流傳，於是古人便把十二地支與十二種動物配合起來，才出現了十二生肖。所以生肖飾物的宜忌配搭，實際也是十二地支的有利組合，亦即下文提到的「六合」和「三合」。

十二地支所代表的生肖

地支	生肖
子	鼠
丑	牛
寅	虎
卯	兔
辰	龍
巳	蛇
午	馬
未	羊
申	猴
酉	雞
戌	狗
亥	豬

用最淺白的比喻來解釋的話，「六合」就是把十二生肖分成六組，每組互相是對方的貴人；「三合」則把十二生肖分成四組，每組的生肖都特別包容及欣賞對方。兩者比較，當然以「六合」的互助力量較大，所以玄學家一般都會取「六合」的生肖作化煞之用。

不過大家別忘記，「六合」中每組只得兩個生肖，換言之「不是你幫我便是我幫你」，但每年都有數個生肖觸犯太歲，這些生肖本身已是「自身難保」，又如何

有力量幫助他人？所以如果「六合」幫不上忙，便應退一步從「三合」中選擇。如果「三合」的選擇中遇有犯太歲的生肖，亦應剔除。

下表列出了十二生肖的「六合」與「三合」配對，基本上年年適用。但因「豬、蛇、虎、猴」在己亥豬年皆屬犯太歲，未有能力幫助他人，所以我便特別加上「X」，讓大家更清晰知道每一生肖餘下的選擇共有多少。如果「六合」及「三合」可以任選，則以「六合」作首選。

二〇一九豬年化太歲之生肖飾物一覽表

所屬生肖	六合	三合
鼠	牛	~~猴~~、龍
牛	鼠	~~蛇~~、雞
虎（犯太歲）	~~豬~~	馬、狗
兔	狗	~~豬~~、羊
龍	雞	鼠、~~猴~~
蛇（犯太歲）	~~猴~~	牛、雞
馬	羊	~~虎~~、狗
羊	馬	~~豬~~、兔
猴（犯太歲）	~~蛇~~	鼠、龍
雞	龍	牛、~~蛇~~
狗	兔	馬、~~虎~~
豬（犯太歲）	~~虎~~	兔、羊

（X：今年不可選擇，只作參考）

（四）拜太歲

拜太歲亦是常見的化煞方法，但年輕一輩未必懂得當中的細節。其實拜太歲的方法可繁可簡，但下面的步驟則不可缺少。

一般來說拜太歲可粗略分為三類：

◎往大廟參拜

香港有很多寺廟都供奉了太歲，但當中最大規模則是荃灣的圓玄學院。進大廟和進細廟的拜祭方式略有不同，如欲到大型廟宇參拜，步驟應為：

- 先到廟外買一份太歲衣（太歲衣的作用有如一份表格，應將自己的名字、年齡及出生年月日寫在上面，以知會太歲應保佑哪一位）
- 首先往六十太歲的統領上香
- 往當年太歲上香（二〇一九己亥豬年的太歲為「謝太」）
- 再到自己出生年的所屬太歲上香（大廟設六十太歲一覽表）
- 逐一向其餘太歲上香
- 最後將太歲衣化掉

◎往細廟參拜

細廟因為地方淺窄，很多時會將六十位太歲放在一起，所以拜祭方式比大廟簡單：

- 廟外購買壽金（細廟一般沒有正式的太歲衣出售，所以通常用壽金代替）
- 壽金上寫上自己名字及出生年月日，壽金數目則按自己歲數多少而定。
- 向廟中太歲上香參拜
- 將準備好的壽金放到太歲像下（可請廟中工作人員代勞）
- 化掉其餘衣紙

◎家中自行拜祭

不論大廟細廟，新春前後總是人頭湧湧，如果不想往廟宇參拜，其實亦可在家中自行拜太歲，俗語稱為「拜當天」：

- 在紅紙上寫下該年太歲資料，以本年為例，可寫上「己亥年當年太歲之位」或「己亥年謝太太歲位」
- 將紅紙放到家中大神（如觀音、關帝）旁邊
- 以六色果（六款生果）、煎堆及齋菜等供奉，再誠

心參拜

● 將衣紙化掉

不論你用哪種方法，只要誠心太歲便會保佑。至於最適當的拜太歲的日子可以參考另表（P.408），而帶去供奉的物品不需有肉，只需簡單的香燭及生果便可。

拜太歲後亦記緊要於年尾「還太歲」，以酬謝神明一年來的庇佑。還太歲的最適當時間為每年的冬至前，即西曆十二月二十二日至二十三日左右，方法跟一般還神步驟一樣，同樣只需準備生果香燭便可。

人人適用趨吉避凶方法

如果你並非犯太歲，但從運程預測中得知來年運勢不佳，其實亦有其他方法趨吉避凶。

◎化血光之災：捐血或放生

如流年運勢特別容易受傷，甚至有血光之災，除了捐血，主動做全身檢查、洗牙或補牙等都算「應劫」。另外，「放生」也是一種福德，可減低運勢的負面衝擊，最好選擇那些快將成為「刀下亡魂」的家禽或海鮮，但必須留心放生的動物是否有充足覓食能力，亦要注意放生地點是否恰當，以免好心做壞事。如果流年易有血光之災，危險性活動切勿參加，也忌開快車，總之生活上更加要事事小心謹慎，也要備有足夠的醫療保障以求安心。

◎化白事：施棺或贈醫施藥

如流年家宅運不穩，甚至有白事之象，宜透過「施棺」或贈醫施藥來穩定整體家宅運。所謂「施棺」，其實指幫助那些過身後無以為殮的貧苦大眾。除了捐助殮葬費外，亦可向死者家屬提供生活上的幫助。這種善舉是莫大功德，亦助人助己，可以化解自己家中輕微白事。

此外，主動向其他病者贈醫施藥也是積福之舉。不妨直接捐款予非牟利的醫療機構，用作資助其他貧苦大眾購買藥物或改善醫療設施，既可助人，亦對自身的健康運及家宅運有所提升。

◎開運飾物：百解、如意手繩或掛飾

流年犯太歲者，可按下表配對開運飾物；如不屬於犯太歲的其中一員，但仍然想藉着開運飾物來提升整體運勢，亦可選擇「百解」或「玉如意結」的手繩或掛飾。

「百解」是中國靈獸之一，玄學上有鎮宅化煞、招福納財之意；「玉如意結」則是傳統的吉祥象徵，有生旺家宅、萬事如意之效用。

「百解」及「玉如意結」的吉祥物適合人人使用，與其他開運飾物沒有相沖，長期貼身佩戴有助消災解困、四季如意，保佑出入平安。

要注意的是，凡屬流年開運或化太歲的飾物主要為該年化煞擋災，只適合作一年時間的應用，不宜年年佩戴同一吉祥物。丟棄前最好先用紅紙或利是封包好，以表達過往一年得到保佑的謝意；新一年的開運吉祥物也應妥善保存，如有損壞宜及早更換。

二〇一九豬年・開運飾物配對

豬：宜貼身佩戴兔形及羊形之飾物

蛇：宜貼身佩戴牛形及雞形之飾物

虎：宜貼身佩戴馬形及狗形之飾物

猴：宜貼身佩戴鼠形及龍形之飾物

其他生肖：百解或玉如意結的手繩或掛飾

【十二生肖】

豬年運程

豬

本命年運勢起伏大 主動沖喜應驗變化

肖豬開運錦囊

★犯太歲加刑太歲，宜貼身佩戴兔形及羊形飾物保平安。

★結婚、添丁或置業有助沖喜，減低本命年的衝擊。

★健康運較弱，立春後宜主動捐血或洗牙以主動應驗血光之災。

★流年有利搬遷、翻新或維修家居，有助穩定家宅運勢。

★投資理財須謹慎保守，不宜投機炒賣。

（流年吉凶方位請參看374頁）

肖豬者出生時間（以西曆計算）

二〇一九年二月四日十一時十六分	至 二〇二〇年二月四日十七時四分
二〇〇七年二月四日十三時十九分	至 二〇〇八年二月四日十九時二分
一九九五年二月四日十五時十四分	至 一九九六年二月四日二十一時九分
一九八三年二月四日十七時四十一分	至 一九八四年二月四日二十三時二十分
一九七一年二月四日十九時二十六分	至 一九七二年二月五日一時二十分
一九五九年二月四日二十一時四十三分	至 一九六〇年二月五日三時二十三分
一九四七年二月四日二十三時五十一分	至 一九四八年二月五日五時四十三分
一九三五年二月五日一時四十九分	至 一九三六年二月五日七時三十分
一九二三年二月五日四時一分	至 一九二四年二月五日九時五十分

整體運程

己亥年是肖豬者的本命年，即所謂的犯太歲年份。其實犯太歲並非一面倒會帶來負面影響，只是運勢較為反覆，需要有心理準備迎接變化。所謂「一喜擋三災，無喜是非來」，既然本命年屬起伏不定的年份，若肖豬者有結婚、添丁、置業或創業打算，新一年不妨落實執行，主動沖喜對整體運勢將會較為有利。

吉星方面，豬年喜獲「歲駕」及「天解」入主，前者是皇帝坐轎出巡的吉星，代表肖豬者的事業發展順遂，才華得以彰顯，工作表現備受認同。而「天解」並非傳統的吉星，此星有先難後易、困難有待解決之意，因此新一年處事較容易一波三折，看似順利但過程中又會橫生枝節，肖豬者需要格外謹慎處理。可幸是整體的事業發展尚算不俗，只要多加付出、堅持到底，最終仍可見到曙光。

豬年亦有「劍鋒」、「三刑」、「血刃」一組與健康有關的凶星飛臨，代表容易扭傷、跌傷或受金屬所傷；加上肖豬者與流年形成「亥亥刑」，犯本命年再加上「刑太歲」，健康運難免最受衝擊。建議豬年不宜以身犯險，盡量避免參與攀山、爬石、潛水、滑雪等高危活動，亦可於狗年年底作詳細的身體檢查，立春後則攝太歲、捐血及洗牙，以減低對健康運的衝擊。而犯本命年家宅運亦會較為動盪，倘若未有搬遷或置業打算，不妨考慮更換家具或作小量裝修、維修等，有助穩定家宅運勢。

整體而言，己亥年不算是一帆風順的年份，運勢無可避免會較為起伏。而且本命年的情緒傾向負面，人際關係也容易無風起浪，建議須調節個人心態，亦可多出門走動或多接觸大自然，以樂觀正面的態度迎接挑戰。至於蠢蠢欲動希望作出新嘗試者，由於始終受制於本命年影響，建議無論工作、投資各方面都要盡量保守，不宜輕舉妄動。不妨視豬年為準備的年份，先裝備好自己，待本命年過去才主動出擊更易成功。

【財運】

受本命年影響，肖豬者新一年的財運起落較大，營商者需要謹慎控制經營成本，盡量避免客戶借貸賒數，以免出現「一去無回頭」的壞賬情況。由於犯太歲年份宜動不宜靜，豬年可考慮開拓海外市場，惟執行時需要按部就班，出門後亦要小心個人財物，以免因一時大意破財。受「天解」星影響，若有創業打算者，需有心理準備起步時會較為艱辛，凡事需要親力親為方有成功機會。

由於有「歲駕」入主，新一年與汽車相關的開銷將會增加，如購買座駕或汽車維修保養等；惟豬年容易惹上官非，簽署文件、合約前須細閱條款細則，以免招致損失。另外，受一組凶星衝擊，肖豬者的健康運較弱，不妨預先購買醫療保險、保健產品及多作贈醫施藥善舉，主動「破財擋災」應驗運勢。

既然新一年會有較多突如其來的開支，為免失去預算，肖豬者可準備一筆「應急錢」以備不時之需；惟亦不能作大量現金儲備，否則易有「財來財去」情況。建議可購買實物或置業保值，或將現金投放在穩健的中長線投資上，盡量保守則可避免失利。

【事業】

己亥年的人際關係較為疲弱，令肖豬者萌生轉工念頭，惟本命年的運勢較多變數，行動前務必要考慮周詳，盡量落實新工作才辭去原有職位，以免跌入「兩頭不到岸」的困局。另外，新一年即使能成功跳槽，現實環境亦可能與期望有所落差，故決定前必先審視大局，或考慮於下半年才作出變動較為理想。

至於打算留守原有位置者，豬年的人事鬥爭將會加劇，建議行事應盡量低調，不宜鋒芒太露，皆因圓融的人際關係將有助事業發展。雖然人事較為複雜，可幸仍有「歲駕」吉星拱照，無論是去是留，肖豬者的工作表現也會備受賞識，雖然未必有即時的晉升機會，但對日後的事業發展亦百利而無一害。而「天解」有先難後易之意，倘若從事銷售行業者，新一年可能會遇上較橫蠻無理的客戶，建議多加耐性，以包容忍讓的態度面對。

其實肖豬者本身的驛馬運較強，加上本命年適宜往外走動，故新一年不妨主動爭取出差或駐守海外，亦可嘗試新的工作範疇或於工作崗位上作出調動，主動應驗運勢變化，減低本命年的衝擊。

【感情】

本命年即所謂的「關口年」或「厄年」，感情關係最容易出現變化。所謂「一喜擋三災，無喜是非來」，若肖豬者與伴侶關係穩定，本來已有共諧連理打算，新一年不妨落實執行。即使未趕及於豬年籌辦喜事，亦可先訂婚以應驗變化。惟犯太歲年份加上「天解」星入主，事情容易增添變數，建議於籌備婚禮過程中要互相體諒，避免因為意見不合而導致分手收場。

至於關係未及進入人生另一階段者，豬年就要提防出現爭拗，又或會有熱情冷卻之感；建議雙方應多加溝通，坦誠相向，鞏固感情基礎。新一年亦可採取「聚少離多」的相處方式，各自專注於事業發展或多爭取出差機會，保持適當距離反而對關係更為有利。

而單身一族將有機會開展一段新戀情，惟關係只屬曇花一現，不宜過分急進，建議可多花時間溝通了解，待感情穩定性較高時才全情投入。已婚者的家宅運受衝擊，容易因為家族中的瑣事而與另一半起爭拗，謹記夫妻相處之道在於坦誠，凡事多加包容忍讓，以免破壞彼此建立的互信關係。

【健康】

受本命年及「刑太歲」影響，新一年的健康運難免受衝擊；再加上「劍鋒」、「三刑」、「血刃」一組凶星入主，容易有受傷、跌傷及金屬所傷情況，建議肖豬者須慎防家居陷阱，出門後亦要特別小心，避免參與攀山、爬石、潛水、滑雪等高危活動，亦可預先購買旅遊保險，以策萬全。

由於健康受挫，加上本命年思想較負面，令肖豬者有精神緊張、神經衰弱問題，若時間許可不妨多接觸大自然，亦可作適量的減壓運動如瑜伽、太極等，以正能量修補個人情緒。若想改善健康運，建議於狗年年底進行詳細的身體檢查，並於立春後捐血及洗牙，應驗輕微血光之災。另外，新一年亦可考慮搬遷、更換家具、床褥或維修家居設施，以求主動應驗變化；惟工程進行時需避開家中的五黃及二黑病位（西南及東北），以免進一步拖垮健康運勢。

除了個人的健康運轉弱，肖豬者亦要留意家中長者及伴侶的身體狀況，不妨主動購買保健品或多作中醫調理及贈醫施藥善舉，豬年之始做好拜太歲儀式，並貼身佩戴兔形或羊形飾物以保平安。

不同年份運程

一九二三年：癸亥年（虛齡九十七歲）

癸亥年出生的長者雖然踏入本命年，但整體健康運反而較狗年為佳，無論個人情緒及睡眠質素均有所改善，惟需留意較容易有關節扭傷、跌傷情況，宜多注意家居安全，留心浴室、廚房等陷阱，盡量不要觸動西南及東北兩個大小病位，或以銅製重物鎮壓平穩健康運勢。

一九三五年：乙亥年（虛齡八十五歲）

整體運勢不俗，身體亦無大礙，惟豬年屬「土木相剋」年份，關節容易受傷，尤其是上落樓梯、位於高處或行山郊遊時需要特別提防，以免意外受傷。新一年財運備受衝擊，尤其偏財運疲弱，若鍾情賽馬、麻雀耍樂等嗜好的長者亦只宜小賭怡情，切忌大手投注無辜破財。

一九四七年：丁亥年（虛齡七十三歲）

丁亥年的長者雖然年事已高，但新一年的學習運不俗，可結識一班志同道合的朋友發展共同興趣，亦可相約出門旅遊，整體屬心情開朗的年份。雖然健康上仍有小毛病困擾，可幸是人際關係理想、個人情緒正面，對整體運勢並無大影響。惟需留意豬年較容易與晚輩起爭執，建議多加溝通、了解對方想法即可。

一九五九年：己亥年（虛齡六十一歲）

由於出生年份與流年的天干地支完全相同，己亥年出生者將會是眾多肖豬者當中運勢最為反覆的一員。倘若新一年家宅中有結婚、置業、添丁等喜事沖喜，則可稍為化解不穩運勢，否則就要做好準備工夫，於狗年年底作全面的身體檢查，立春後捐血及洗牙，凡事謹慎。另外，豬年的財運動盪，投資要盡量保守，切忌高風險的投機炒賣，以免失利離場。傳統上亦有「男做齊頭，女做出一」的習俗，己亥年出生的女士可考慮以「做大壽」的方式沖喜，並選擇茹素、放生等方式進行，有助提升個人健康運。

一九七一年：辛亥年（虛齡四十九歲）

豬年的貴人運不俗，惟個人想法較為負面，容易因一時衝動而決策錯誤，建議新一年不宜作出重大變動，留守熟悉的範疇更佳。豬年亦宜多出門走動，惟出門後需注意人身安全，尤其關節最易扭傷、跌傷，應避免參與高危活動。財運一般，投資方面要格外謹慎保守，切忌投機炒賣，反而以「刀仔鋸大樹」方式進行有機會獲利。另外，新一年亦要多關心家人健康，遇有不適應及早陪同就醫。

一九八三年：癸亥年（虛齡三十七歲）

犯太歲屬宜動不宜靜的年份，加上新一年事業出現變化，當機遇來臨時需要努力把握。惟決策前亦要考慮周詳，尤其有意轉工者，務必要落實新工作才辭去原有職位，以免「兩頭不到岸」令自己跌入困境；亦要多審視大環境，避免轉工後與現實和期望有所落差。至於營商者則要留意客戶的財政狀況，避免借貸賒數，否則易有「一去不回頭」的壞賬情況。新一年亦要多留意文件、合約的細節，遇有疑問可向專業人士查詢，以免惹上官非訴訟。豬年亦會受噪音、漏水等瑣碎家居問題困擾，建議可作小量的裝修、維修，主動化解動盪運勢。

一九九五年：乙亥年（虛齡二十五歲）

豬年屬穩定性不高的年份，尤其感情關係最易生變，若有訂婚、結婚或置業打算，新一年可落實執行，主動應驗變化，否則就要加倍維繫，以免出現離合情況。事業上將有新的發展機遇，無論是轉換工作環境或開拓新的領域範疇均可放膽一試，整體事業發展不俗，財運亦受帶動有所進賬，惟需慎防「財來財去」情況，宜謹慎理財。

二〇〇七年：丁亥年（虛齡十三歲）

新一年容易與朋輩起爭拗，容易因為年少氣盛、言語誤會而開罪別人，建議相處時應謹言慎行，慎防「言者無心，聽者有意」情況。既然人際關係一般，豬年更不宜作中間人為他人排難解紛，以免吃力不討好影響心情。可幸是學習運不俗，只是稍有專注力不足問題影響考試運，需要加倍努力，不能以運氣蒙混過關。健康方面，豬年容易扭傷、跌傷，尤其運動時更要特別提防。

流月運勢

農曆正月（西曆一九年二月四日至三月五日）

踏入正月，肖豬者的運勢已開始受到犯太歲衝擊，瑣碎煩惱的小問題頻生，工作上亦會有較多波折，需要以無比耐性克服。本月健康運疲弱，較多傷風、感冒等小毛病，亦會有精神緊張、神經衰弱情況，需要調節心態面對。一九七一年出生者喉嚨、氣管及呼吸系統較弱，出入冷氣場所要特別小心。一九八三年出生者財運倒退，投機炒賣容易失利。

農曆二月（西曆一九年三月六日至四月四日）

運勢較上月順遂，惟工作上仍有一步之遙的感覺，凡事仍需勞心勞力。本月若遇上問題困擾，不妨找肖羊的朋友幫助，問題可望迎刃而解。一九四七年出生者不宜投機炒賣，易有破財機會。一九八三年出生者需留心有關眼睛方面的毛病，遇有不適應及早向專科求醫。

農曆三月（西曆一九年四月五日至五月五日）

事業逐漸向好的月份，惟個人壓力較大，需調節步伐繼續向前。本月簽署文件、合約時需要特別小心，容易因為一時大意而惹上官非。一九五九年出生者財運疲弱，須小心看管個人財物，以免無辜破財。一九九五年出生者有「財來財去」情況，可將現金化為實物保值。

農曆四月（西曆一九年五月六日至六月五日）

本月運勢多變、衝擊頻繁，若情況許可不妨主動爭取出差或出國旅遊，以「動中生財」的方式催旺運勢。一九五九年出生者雙腳容易扭傷、跌傷，戶外活動時需要打醒十二分精神。一九八三年出生者容易胡思亂想，亦有精神緊張、神經衰弱情況，建議可找朋輩傾訴減壓。

農曆五月（西曆一九年六月六日至七月六日）

財運轉趨順遂的月份，不妨「小試牛刀」以穩健的方式投資，只要不太貪心可有輕微收穫。惟一九七一年出生者跌入破財運，切忌投機炒賣，容易損手離場。一九九五年出生者睡眠質素欠佳，加上較情緒化，容易與朋輩起爭拗，建議調整作息時間，或多接觸大自然吸收正能量。

農曆六月（西曆一九年七月七日至八月七日）

事業運有上揚之勢，之前所遇到的困難、阻滯將會轉露曙光，屬漸入佳境的月份。一九三五年出生者容易受傷、跌傷，需慎防浴室及廚房等家居陷阱。一九七一年出生者受打針、食藥運困擾，較多傷風、感冒等小毛病，本月工作不宜過勞，需多爭取作息時間。

農曆七月（西曆一九年八月八日至九月七日）

貴人運旺盛的月份，遇有疑難不妨虛心向前輩請教，憑人脈及貴人之助，問題將可迎刃而解。惟本月的思緒較為混亂，容易杞人憂天，建議多出門接觸大自然，亦可多找朋輩傾訴解開心結。一九四七年出生者受失眠問題困擾，須調節個人心態應對。一九五九年出生者財運順遂，有機會獲得一筆橫財。

農曆八月（西曆一九年九月八日至十月七日）

本月的學習運旺盛，事業上亦會有新的機遇出現，建議積極爭取表現，可望有升遷機會。一九四七年出生者眼睛容易有敏感不適等小毛病，需多留意個人衛生，並向專科求診。一九八三年出生者手腳容易受傷，攀山、爬石、滑雪等高危活動可免則免，運動時亦要加倍小心。

農曆九月（西曆一九年十月八日至十一月七日）

人際關係倒退的月份，本月待人處事宜盡量低調，切勿強出頭為他人排難解紛，並要多留心自己的言行，以免因為無心之失而開罪別人。一九五九年出生者雙手容易受傷，尤其上落樓梯要特別提防。一九八三年出生者容易因為家中小朋友的瑣事而煩惱，建議毋須杞人憂天，以平常心面對即可。

農曆十月（西曆一九年十一月八日至十二月六日）

麻煩及阻滯較多，處事一波三折，看似簡單的事情亦會變得複雜，建議本月不宜作出重大決定，可幸是眼前的困局只屬暫時性，只要多加耐性即可。另外，本月宜出門旅遊，夏天出生者可到寒冷地方，冬天出生者則可到熱帶地方，以「借地運」的方式提升運勢。一九七一年出生者雙手及頭部容易受傷，駕駛人士要更加注意路面情況。一九九五年出生者人際關係疲弱，容易開罪別人，言行要特別謹慎。

農曆十一月（西曆一九年十二月七日至二〇年一月五日）

整體運勢轉趨穩定，工作亦較為順遂，之前遇到的困難可望解決，逐漸步向成功。財運持續向好，惟仍有「財來財去」情況，宜量入為出審慎理財。一九七一年出生者喉嚨、氣管及呼吸系統較弱，有吸煙習慣者應及早戒掉。一九八三年出生者財運不俗，本月不妨以「刀仔鋸大樹」的方式投資，將有輕微進賬。

農曆十二月（西曆二〇年一月六日至二月三日）

己亥年的最後一個月份，犯太歲的情況已臨近尾聲。雖然本月仍有瑣瑣碎碎的小問題，但情況已漸受控制，亦可尋找屬鼠的貴人幫忙。事業運有上揚之象，惟個人壓力較大，簽署文件、合約時須格外留神。一九五九年出生者個人焦慮較多，影響睡眠質素，不妨相約朋輩郊遊放鬆心情。二〇〇七年出生者較多傷風、感冒等小毛病，出入冷氣場所需要注意保暖。

鼠

桃花暢旺運勢上揚
貴人扶助把握機遇

肖鼠開運錦囊

- ★貴人運強，若有肖牛者協助更可事半功倍。
- ★流年有利出門，宜積極開拓海外市場。
- ★桃花遍地但不宜急進，已婚者更要保持克制。
- ★家宅運及長輩運易受衝擊，建議可在客廳擺放笑佛以保平安。
- ★應酬活動頻繁，注意飲食及作息方可保持拼勁。

（流年吉凶方位請參看374頁）

肖鼠者出生時間（以西曆計算）

二〇〇八年二月四日十九時二分	至	二〇〇九年二月四日零時五十二分
一九九六年二月四日二十一時九分	至	一九九七年二月四日三時四分
一九八四年二月四日二十三時二十分	至	一九八五年二月四日五時十三分
一九七二年二月五日一時二十分	至	一九七三年二月四日七時四分
一九六〇年二月五日三時二十三分	至	一九六一年二月四日九時二十三分
一九四八年二月五日五時四十三分	至	一九四九年二月四日十一時二十三分
一九三六年二月五日七時三十分	至	一九三七年二月四日十三時二十六分
一九二四年二月五日九時五十分	至	一九二五年二月四日十五時三十七分

整體運程

己亥年屬無沖無合之年，加上喜獲兩顆強而有力的吉星飛臨，肖鼠者將可獲得貴人助力，整體運勢穩步上揚。得「天乙」及「太陽」吉星拱照，新一年無論上司、下屬、朋友或家人都會對肖鼠者格外眷顧，從商者能獲新舊客戶支持，打工一族亦會備受上司賞識，事業可望更上一層樓。另外，「太陽」亦有光照遠方之意，倘若有意開拓海外市場，豬年將是合適的年份，不妨落實執行；尤其肖鼠者在豬年若能與肖牛者洽商合作，借助「亥子丑」會合之力，將會更加得心應手。而「太陽」同時代表男性貴人，倘若肖鼠者從事前線銷售，而顧客又以男性為主，如男士服裝、汽車、音響或模型等，新一年亦可受惠而帶動生意額有所提升。

由於「天乙」及「太陽」均屬光芒四射的吉星，肖鼠者的個人魅力將會大增，加上有「咸池桃花」入主，新一年將會是桃花遍地的年份，尤其女性有機會結識心儀對象，無論儀表言行、生活背景以至學識修養各項條件都甚為出眾，有望發展一段良緣。至於肖鼠的男性亦可於社交圈子中遇上合眼緣對象，惟受「咸池桃花」影響，鏡花水月的機會較高，故投放感情前要格外小心。另外，此星亦代表流連煙花之地，已婚或已有穩定伴侶者就要慎防誘惑，以免桃花過盛而令自己陷入糾纏不清的三角關係。

雖然豬年有貴人之助，惟亦同時有「晦氣」凶星入主，此星代表因小誤會而遭受埋怨，建議肖鼠者不宜鋒芒太露，以免行事高調而惹人白眼，拖垮原本向好的運勢。另外，由於人緣暢旺，豬年的應酬聚會亦會較為頻繁，肖鼠者須謹記凡事適可而止，以免因為飲食過量或休息不足而影響健康。

總括而言，己亥年算是豐收的年份，肖鼠者可望憑藉人際網絡帶旺運勢，事業上亦會出現新機遇；惟新一年始終未有大財星進駐，故投資或開展新業務時仍不宜過分進取，凡事按部就班，加上貴人助力則可水到渠成。

【財運】

己亥年有「天乙」吉星駕臨，肖鼠者將可得貴人助力，從商者可望獲客戶支持，亦能憑藉人際網絡而開拓新客源，帶動財運有所進賬。而「太陽」吉星亦代表男性貴人，倘若肖鼠者從事的行業與男性有關，如男士服裝、汽車、音響或模型等，豬年的銷售額將會節節上升，屬財源廣進的一年。另外，「太陽」亦有光芒四射之意，新一年較有利遠地之財，肖鼠者不妨積極開拓海外市場，離開原居地發展可望闖出一片新天地。

投資方面能得貴人眷顧，有機會憑小道消息而獲利，尤其男性帶來的資訊或與男性合作投資最為有利。惟財運仍以正財為主，偏財只屬中規中矩，故整體投資策略仍需以穩健保守為大前提，高風險的投機炒賣仍需三思。另外，豬年亦可考慮購買外幣或於海外置業，能將資金投放海外將較易獲取回報。

受惠於「天乙」及「太陽」吉星助力，豬年的人緣暢旺，兼會有較多應酬聚會；加上「咸池桃花」代表時有出入娛樂場所的機會，肖鼠者需要謹慎理財，以免因為應酬頻繁而出現財來財去情況。

【事業】

受「天乙」及「太陽」兩顆吉星的正面帶動，肖鼠者新一年的事業發展順遂，尤其人緣及貴人運最為暢旺，對從事前線銷售或中介者最為有利。由於「太陽」亦代表男性貴人，若肖鼠者的銷售項目以男性顧客為主，如男士服裝、汽車、音響或模型等，豬年的生意額必定水漲船高。若直屬的上司或老闆是男性，豬年亦可獲不俗的提拔機會，雖然未必是大幅度的薪酬調整，但權力或職位肯定有所提升，對未來事業發展將有裨益。

另外，「太陽」亦有光照遠方之意，豬年有利出門，若原有的公司有海外駐守機會不妨一試。惟豬年並非跳槽的最佳時機，有意轉換工作環境者不妨將計劃稍為押後，留守原有位置並多爭取出差機會，對事業運將有正面影響。

雖然己亥年的人緣暢旺，惟要留意亦有「晦氣」凶星入主，此星代表與人溝通不足、易生嫌隙，建議肖鼠者與人共事時應保持謙遜低調，切勿因鋒芒太露而遭受埋怨，始終於職場上保持圓融的人際關係，對日後的事業運將百利而無一害。

【感情】

對於肖鼠者而言，己亥年肯定是桃花遍地、機遇處處的一年，尤其有代表男性貴人的「太陽」吉星駕臨，肖鼠的單身女性有望遇上條件出眾的異性，無論儀表言行、生活背景以至學識修養各方面都甚為優越，建議可多留意身邊人並積極把握機會，可望發展一段良緣。

至於肖鼠的男性感情運雖不及女性多姿多采，可幸仍受到吉星眷顧，新一年可於不同圈子廣結良朋，亦有機會經貴人介紹而結識合眼緣對象；加上「太陽」之助力，令一眾肖鼠者的個人魅力大增，特別容易吸引異性。惟豬年亦受到「咸池桃花」影響，此星代表鏡花水月的短暫情緣，新一年雖然桃花旺盛，但亦有追追逐逐之感，未必能真正開花結果，故投入感情前不妨多加觀察了解，待時機成熟時才開展關係更為理想。

由於新一年的桃花暢旺，加上「咸池桃花」代表有較多機會出入煙花之地，已婚或已有穩定伴侶者就要保持克制，提防外來誘惑；亦要切記不宜對人過分熱情，以免捲入錯綜複雜的三角關係而徒添煩惱。

【健康】

豬年喜獲光芒四射的「太陽」吉星拱照，肖鼠者個人情緒正面，整體心態亦比狗年積極樂觀，連帶健康運也有所提升，整體屬無大礙的年份。惟新一年由於桃花旺盛，難免會有較多應酬活動的機會，建議肖鼠者需要加以克制，以免因為飲食過量而令體重上升，引發膽固醇、高血壓等都市病影響健康。

另外，豬年亦有利出門遠行，惟外遊時容易有水土不服或腸胃不適情況，須注意當地的衛生情況，並謹記「病從口入」的道理，不妨隨身帶備平安藥以作不時之需。除了注意飲食，豬年亦有機會因為開展新戀情而沉迷玩樂，加上「咸池桃花」代表出入煙花之地，肖鼠者容易因為應酬頻繁而睡眠不足，建議多爭取作息時間，凡事適可而止，以免拖垮健康。

由於己亥年亦有「晦氣」及「年煞」凶星入主，代表家宅運將會較受衝擊，建議肖鼠者需要多花時間關心家中長輩健康，遇有不適應立即陪同就醫。新一年亦可考慮以更換家具、床褥或為家居作小量裝修、維修的方式平穩運勢，謹記凡事加倍謹慎則可逢凶化吉。

不同年份運程

一九二四年：甲子年（虛齡九十六歲）

受「甲己合」影響，甲子年出生的長者新一年雙手及關節容易受傷，亦有機會出現偏頭痛問題，若有舊患者需要特別提防。豬年的個人情緒亦較負面，易生焦慮影響睡眠質素，建議可多出門散步，或與家人傾訴解開心結。可幸是新一年的偏財運不俗，若鍾情賽馬或麻雀耍樂不妨小賭怡情，將有輕微收穫。

一九三六年：丙子年（虛齡八十四歲）

丙子年出生者雖然已達松鶴之齡，但新一年仍能培養個人嗜好，閒時能與志同道合的朋友應酬聚會，暢所欲言，整體屬心情愉快的年份。惟豬年亦較容易招惹口舌是非，建議事不關己不宜多加意見，以免有「好心做壞事」情況。財運方面只屬不過不失，將會有較多無謂開支，投資方向宜以穩健保守為大前提，不應牽涉高風險的投機炒賣。

一九四八年：戊子年（虛齡七十二歲）

新一年屬容易破財的年份，戊子年出生者絕不宜為他人作借貸擔保，以免有「一去無回頭」情況。投資方面亦要以中長線或藍籌股為主，不宜投機短炒，否則易有失利情況。既然豬年屬「財來財去」的年份，不妨多出門旅遊或寄情吃喝輕鬆度過，亦可購買心頭好主動破歡喜財應驗運勢。健康方面腸胃及消化系統較弱，飲食宜以清淡為主，生冷及肥膩食物可免則免。

一九六〇年：庚子年（虛齡六十歲）

庚子年出生者踏入己亥年已達虛歲六十，傳統有「男做齊頭，女做出一」的習慣，男性不妨考慮做壽沖喜，並以茹素、放生等方式提升健康運。另外，虛歲六十即所謂的「轉角運」，個人情緒較受影響，建議新一年不宜作大手投資或重要決定，盡量輕鬆度過為佳。豬年亦是適合置業或搬遷的年份，若未有打算亦可考慮為家居作小量裝修、維修，有助提升整體家宅運。健康方面，需留意有關喉嚨、氣管及呼吸系統的毛病，生冷食物可免則免。由於豬年過後便是鼠年，除了代表犯本命年太歲，又因來年的天干地支與自己出生年完全相同，同為「庚子」，所以可預期鼠年的健康運必定較受衝擊，建議可於豬年年底作詳細的身體檢查，凡事作好準備則可逢凶化吉。

一九七二年：壬子年（虛齡四十八歲）

整體運勢較狗年順遂，工作上將有新機遇或新合作機會，若不牽涉大手投資不妨一試。財運不俗，惟仍以正財為主，高風險的投機炒賣不宜沾手。新一年亦宜以「動中生財」的方式助旺運勢，時間許可不妨多出門，惟外遊時應遠離一切高危活動，駕駛者亦要注意道路安全，日常工作需要接觸機械或金屬者則要特別提防，以免意外受傷。由於豬年過後是自己的本命年，建議可於狗年年底作詳細的身體檢查，提高健康意識對整體運勢亦有幫助。

一九八四年：甲子年（虛齡三十六歲）

受「合年柱」影響，新一年的家宅運較為動盪，若家族中有結婚、添丁或置業等喜事則可略為沖喜，否則就要多關心長輩健康；亦可考慮以更換家具、床褥或為家居作小量裝修、維修的方式穩定運勢。甲子年出生者個人會有較多受傷機會，尤其雙手及頭部最為脆弱，若有關節舊患需要特別提防；豬年亦不宜參與攀山、爬石、滑水等高危活動，以免意外受傷。可幸是事業及財運不俗，只是偶遇阻滯令個人壓力較大，只要調節心情，以耐性面對即可。另外，由於「合年柱」的年份較易破財，投資方向須盡量謹慎保守，切忌投機炒賣，以免失利離場。

一九九六年：丙子年（虛齡二十四歲）

豬年的人緣運不俗，能廣結不同背景的新朋友開闊眼界，事業上亦會有新的發展方向，趁年輕不妨放膽一試。新一年的學習運順遂，建議可報讀與工作相關的課程進修增值，為未來事業打好基礎。感情方面較為動盪，雖然可於社交圈子結識心儀對象，惟即使能開展感情亦未算穩定，宜多花點時間溝通了解。

二〇〇八年：戊子年（虛齡十二歲）

戊子年出生的年輕人豬年思考敏銳、頭腦清晰，連帶讀書運也有進步，惟始終有專注力薄弱問題，亦容易因為同輩之間的小誤會而影響情緒，建議家長可從旁輔導，教授待人接物的技巧。健康方面容易皮膚敏感，應多留意日常生活中的貼身物品，如床單、被鋪、沐浴露等，及早找出致敏源並採用有機產品代替。

流月運勢

農曆正月（西曆一九年二月四日至三月五日）

踏入正月，肖鼠者的人際關係較為疲弱，容易因為無心之失而招惹是非，建議言行要特別謹慎，亦不宜作中間人為他人排難解紛，以免有「吃力不討好」情況。一九七二年出生者睡眠質素欠佳，不妨多爭取作息時間。一九九六年出生者有「財來財去」情況，應謹慎理財避免透支。

農曆二月（西曆一九年三月六日至四月四日）

財運一般，投資策略要盡量穩健保守，否則有較大機會失利。另外本月的應酬聚會頻繁，容易有桃花破財情況，建議肖鼠者須謹慎理財，量入為出。一九三六年出生者健康運受衝擊，須平衡玩樂與作息時間。一九八四年出生者容易因為言語誤會而與人生嫌隙，宜「少說話、多做事」免起爭端。

農曆三月（西曆一九年四月五日至五月五日）

本月有新機遇、新合作機會出現，肖鼠者可放膽一試；惟開始前需要釐清文件合約的細節，以免惹上官非訴訟。一九四八年出生者偏財運疲弱，不宜投機投資，容易失利離場。一九七二年出生者工作壓力較大，影響個人情緒，建議多找朋友傾訴解開心結。

農曆四月（西曆一九年五月六日至六月五日）

財運不俗的月份，尤其投資方面只要不太貪心將可有輕微收穫。事業上會有輕微升遷機會，惟凡事需要親力親為，較為勞心勞力。一九六〇年出生者家宅運較動盪，需要多花時間關心長輩健康，遇有不適應立即陪同就醫。一九八四年出生者雙手容易扭傷跌傷，戶外活動時要加倍提防。

農曆五月（西曆一九年六月六日至七月六日）

本月為傳統的相沖月份，看似簡單的事情亦會遇上阻滯，需要多加時間耐性處理，屬「先難後易」的月份。家宅運同樣受衝擊，有機會受漏水、噪音等瑣碎問題困擾，建議可作小量裝修、維修穩定家宅運。一九六〇年出生者跌入破財運，需要小心看管個人財物。一九八四年出生者容易意外受傷，尤其雙手及頭部最為脆弱，戶外活動時要格外提防。

農曆六月（西曆一九年七月七日至八月七日）

人際關係倒退的月份，建議本月不宜作出重大決定，以免有失誤情況。若時間許可不妨考慮出門，有助提升整體運勢。一九七二年出生者貴人運暢旺，不妨多與長輩聊天，將會獲益良多。一九九六年出生者喉嚨、氣管及呼吸系統較弱，出入冷氣場所要注意添衣保暖。

農曆七月（西曆一九年八月八日至九月七日）

本月將有新合作機會出現，若不牽涉大手投資不妨一試，惟過程中需要按部就班，不宜急進壞事。一九三六年出生者有精神緊張、神經衰弱問題，影響睡眠質素，建議調節心情輕鬆面對。一九七二年出生者容易受傷跌傷，不宜參與高危活動。

農曆八月（西曆一九年九月八日至十月七日）

桃花遍地的月份，單身者可多留意身邊人，有機會結識合眼緣對象，開展一段新戀情。惟本月的桃花多屬鏡花水月，短暫情緣的機會較高。一九七二年出生者提防破財，建議謹慎理財量入為出。二〇〇八年出生者受瑣瑣碎碎的健康問題困擾，容易有傷風、感冒等小毛病，需調節玩樂與作息時間，不宜過勞。

農曆九月（西曆一九年十月八日至十一月七日）

本月學習運順遂，肖鼠者不妨報讀與工作相關的課程增值自己。事業上亦會有新機遇出現，雖然過程較為艱辛，但不妨努力爭取，將可有滿意成果。一九四八年出生者容易跌入詐騙陷阱，尤其簽署文件、合約時需要格外留神。一九六〇年出生者雙手及頭部容易受傷，尤其駕駛人士要時刻留意路面情況，以免發生碰撞。

農曆十月（西曆一九年十一月八日至十二月六日）

工作較為波動，需要較多時間、耐性解決。可幸只屬「先難後易」，不妨尋找肖牛的貴人幫忙，問題將可迎刃而解。一九六〇年出生者因個人情緒而影響睡眠質素，建議可多接觸大自然化解負能量。一九七二年出生者受是非口舌困擾，行事須盡量低調，不宜強出頭影響人際關係。

農曆十一月（西曆一九年十二月七日至二〇年一月五日）

宜出門走動、「動中生財」的月份，夏天出生者可到寒冷地方，冬天出生者則可到熱帶地方，以「借地運」的方式提升運勢。一九七二年出生者容易捲入朋輩紛爭，應避免強出頭，以免有「好心做壞事」情況。一九九六年出生者與家人有較多爭拗，需多加溝通互相體諒。

農曆十二月（西曆二〇年一月六日至二月三日）

來到豬年的最後一個月份，肖鼠者的家宅運將會較為動盪，需要多關心家中長輩健康。本月亦有機會受到漏水、噪音等家居問題困擾，影響個人情緒。既然豬年結束後將是肖鼠者的本命年，建議可趁年底及早籌劃，為家居作小量的裝修、維修，有助穩定來年運勢。一九七二年出生者思想較為負面，建議多找朋友傾訴解開鬱結。一九九六年出生者跌入破財運，需要量入為出謹慎理財。

牛

運勢回穩地位提升
實力顯現注意人緣

肖牛開運錦囊

★打工一族發展理想，宜進一步催旺四綠文昌星之方位。

★肖鼠者為流年有利之拍檔，不妨多向對方請教或合作。

★慎防受女性牽連，建議佩戴黑曜石飾物以抵禦負面能量。

★出門容易遇上小意外或小驚嚇，宜預先購買旅遊保險。

★盡量避免探病問喪，多出席喜慶場合沾染正能量。

(流年吉凶方位請參看374頁)

肖牛者出生時間（以西曆計算）

二〇〇九年二月四日零時五十二分 至 二〇一〇年二月四日六時四十九分

一九九七年二月四日三時四分 至 一九九八年二月四日八時五十八分

一九八五年二月四日五時十三分 至 一九八六年二月四日十一時九分

一九七三年二月四日七時四分 至 一九七四年二月四日十三時零分

一九六一年二月四日九時二十三分 至 一九六二年二月四日十五時十八分

一九四九年二月四日十一時二十三分 至 一九五〇年二月四日十七時二十一分

一九三七年二月四日十三時二十六分 至 一九三八年二月四日十九時十五分

一九二五年二月四日十五時三十七分 至 一九二六年二月四日二十一時三十九分

整體運程

因在剛過去的戊戌狗年受到「刑太歲」影響，肖牛者的運勢難免較多阻滯，無論事業、健康都會出現各種瑣碎問題，令肖牛者情緒備受困擾。可幸是踏入己亥豬年情況已有所改善，加上牛、豬、鼠本為「三合生肖」，有互惠互助之象，肖牛者身處豬年亦可因此得利，運勢將會較為回穩，屬重新出發的一年。

吉星方面，豬年喜獲「唐符」駕臨，此星代表權力與威望，尤其對擔任武職如警隊、海關、消防等紀律部隊，或從事大機構、公務員、行政管理者最為有利；肖牛者豬年精力充沛，可望發揮領導才能，於職場上大展拳腳。惟此星較為眷顧打工一族，從商者的助力較為輕微，事業運只屬不過不失。

雖然有吉星拱照，但豬年亦有「月煞」、「豹尾」、「飛簾」、「飛刃」及「喪門」一組小凶星入主，對人際關係、健康運及家宅運較有影響。「月煞」象徵女性帶來的麻煩，肖牛者新一年應盡量避免與女性親友有任何錢銀轇轕或投資合作，否則容易意見分歧，甚至因財失義而反目收場。至於「豹尾」是踏着豹的尾巴而被反噬，豬年容易因無心之失而開罪別人，建議待人處事應盡量低調，切勿鋒芒太露。「飛簾」及「飛刃」代表容易受傷，尤其是受金屬所傷，建議肖牛者在豬年應盡量避免參與滑雪、攀山、爬石、潛水等高危活動，即使鍾情刺激玩意亦必須結伴同行，以免樂極生悲。「喪門」則對家宅衝擊較大，若家中有長者更要格外關心其身體健康，亦要注意家居安全，避免意外發生。建議肖牛者可考慮為家居作小量裝修、維修，主動應驗動盪運勢。

整體而言，豬年的運勢雖不是突飛猛進，但相比起狗年已順遂及輕鬆得多；加上有吉星飛臨，肖牛者將可於工作崗位上一顯實力。惟財運及感情運只屬中規中矩，故投資方面仍需以穩健保守為前提，切忌投機短炒；亦要多關心個人及家中長輩健康，凡事加倍謹慎則可事事順心。

【財運】

狗年的「刑太歲」令肖牛者處處受阻，財運亦備受衝擊而難有所獲；來到己亥豬年，由於肖牛與肖豬較為合拍，新一年雖未致於財源滾滾，但相比較狗年已有進步，亦會有新機遇及新的合作機會出現，整體屬不過不失的年份。

豬年有「唐符」吉星進駐，此星象徵權力與威望，肖牛者的事業發展順遂，從商者將有貴人扶助，並於行內建立名氣；惟新一年始終未有大的財星進駐，只能守住原有的範疇，投資或拓展生意時需採取謹慎態度，投機炒賣的活動更要三思。可幸是「亥子丑」屬互利組合，肖牛者在豬年若得到肖鼠朋友的助力，在財運上可有所提升。

不過，新一年亦有「月煞」凶星入主，此星代表因女性而起的麻煩，肖牛者容易與女性親友出現齟齬，建議不宜投資或合作，容易有因財失義情況。另外，新一年亦有較多不利健康的凶星入主，肖牛者有機會因此而破財，故不妨主動花費於保健產品或購買旅遊保險上，應驗破財運勢之餘亦可平穩健康運，一舉兩得。

【事業】

己亥年喜獲「唐符」吉星進駐，此星是權力與威望的代表，亦象徵將軍能統領下屬、發揮領導才能，故對於擔任武職如警隊、海關、消防等紀律部隊最為有利，新一年可望有出色表現；而從事大機構或管理層者亦能受惠於「唐符」吉星之助力，豬年可獲提拔，並有不俗的晉升機會。至於打工一族亦會有輕微的升職加薪，雖未算是大幅度的薪酬調整，但權力上將有所提升，有利未來的事業發展。

惟豬年亦有「豹尾」及「月煞」凶星入主，代表人際關係進入倒退期，容易招惹口舌是非，建議肖牛者謹記「沉默是金」的道理，事不關己盡量不加意見，以免令人事轉趨複雜。由於「豹尾」代表踏着豹的尾巴而遭反噬，「月煞」則是女性帶來的麻煩，豬年尤其要小心處理與女同事或女上司的關係，否則容易開罪別人而遭針對或陷害。

至於有意作出轉變的肖牛者，建議不宜急進，不妨考慮先留守原有位置，靜待機遇來臨再作決定。若堅持要跳槽者則需要借助人際網絡，建議可尋求舊同事或舊老闆的協助，較容易水到渠成。

【感情】

已有伴侶的肖牛者在己亥年的感情運尚算穩定，惟因有「月煞」凶星入主，此星代表女性帶來的麻煩，豬年需要格外小心處理與女性長輩的關係，以免因為周遭的負面意見而令感情出現動搖。另外，豬年同時有「豹尾」飛臨，需留心有小人作祟，令原本穩定的感情變得猶豫不決。倘若尚未融入對方的家庭或朋友圈子，建議豬年可按兵不動，低調享受二人世界較為理想。

而單身一族將會較為寄情事業，對開展新感情的意欲不高；倘若單身已久、渴望一嘗戀愛甜蜜者，則可嘗試於工作環境中物色對象。惟豬年始終未有桃花星進駐，即使能結識合眼緣對象亦未必能即時開花結果，加上各方的閒言閒語不斷，容易影響雙方觀感，建議先以朋友方式溝通了解再作決定。

至於已婚的肖牛者家宅運較受衝擊，尤其與家族中的女性長輩相處時易生嫌隙，令夫妻關係較為緊張。建議處理人際關係時盡量面面俱圓，多加溝通解決問題。可幸新一年有添丁運，尤其豬年下半年及鼠年的機會較高，若有開枝散葉打算者不妨好好把握。

【健康】

狗年為「刑太歲」年份，相信肖牛者已經歷了身體較多小毛病及容易受傷的一年；踏入豬年健康運將有好轉，惟仍有象徵小意外、小驚嚇的「飛簾」及「飛刃」進駐。建議肖牛者不宜參與滑雪、攀山、爬石、潛水等高危活動，並適量進行太極及瑜伽等舒筋活絡運動，有助強身健體。這組凶星同時代表容易受金屬所傷，平日工作需要接觸機械者要格外留神，駕駛人士亦要時刻注意路面安全，以免發生碰撞。

由於有不利健康的凶星入主，新一年盡量不要觸動家中的五黃及二黑大小病位，並於年底進行詳細的身體檢查，立春後捐血或洗牙，主動應驗血光之災。另外，豬年出門後亦要萬事小心，慎防家居被賊匪覬覦或外遊時有財物遺失，建議可預先購買家居及旅遊保險，防患於未然較為安心。

己亥年的家宅運不穩，容易受漏水、噪音等問題困擾；加上「喪門」飛臨，探病問喪應可免則免，不妨多出席結婚、彌月等喜慶場合沾染正能量，亦可考慮更換床褥、家具或為家居作小量裝修、維修等，平穩動盪運勢。

不同年份運程

一九二五年：乙丑年（虛齡九十五歲）

乙丑年出生的長者豬年貴人運順遂，能與一班志同道合的好友聚會暢談，屬心情愉快的年份。惟個人焦慮較多，容易因為擔心家人後輩而影響睡眠質素，建議調整心態，讓年輕一輩自由發揮更為理想。健康方面，膀胱及泌尿系統較容易出毛病，亦要留意皮膚敏感問題，不妨將床單、被鋪、沐浴露等貼身物品改為有機產品，減少致敏機會。

一九三七年：丁丑年（虛齡八十三歲）

丁丑年的長者雖然年事已高，但新一年仍然精力充沛，亦有心力接觸新事物及培養新興趣，做到「活到老、學到老」的典範。惟財運一般，有機會誤墜騙局而破財，建議不宜為他人作任何借貸擔保，投資方面亦要盡量保守，即使鍾情賽馬或麻雀耍樂亦只宜小賭怡情，以免有金錢損失。健康並無大礙，只需稍為注意腸胃及消化系統毛病，飲食盡量清淡即可。

一九四九年：己丑年（虛齡七十一歲）

己丑年出生者踏入虛齡七十一歲，對家宅運的衝擊較大，若家族中有置業、添丁等喜事則較為理想，否則就要多留心健康情況，亦可為家居作小量裝修或維修平穩運勢。另外，傳統有「男做齊頭，女做出一」的習慣，己丑年出生的女性不妨考慮做大壽沖喜，並以茹素、放生的方式提升健康運。至於財運則有「一得一失」之象，容易財來財去，建議不宜進行高風險的投機炒賣，借貸擔保亦可免則免。新一年亦要留意有關文件、合約的細節問題，以免大意惹上官非。

一九六一年：辛丑年（虛齡五十九歲）

蠢蠢欲動作出轉變的年份，惟豬年未算是最佳時機，無論開拓新投資方向或轉換工作環境都會遇上較多阻滯，建議新一年不宜將目標訂得太高，不妨穩守原有範疇，閒時多出門旅遊調節心情，放慢腳步較為理想。可幸是豬年的貴人運不俗，只是較多是非口舌，建議盡量「少說話，多做事」，安分守己則可平安度過。

一九七三年：癸丑年（虛齡四十七歲）

戊戌狗年的家宅運遇上較多瑣碎問題，踏入豬年運勢將轉趨順遂，財運及事業運亦有進展，投資上只要不太貪心可有收穫。由於新一年個人情緒正面，睡眠質素有改善，連帶健康運也有所提升，整體屬心情開朗的年份。豬年亦有較多外遊機會，惟容易意外受傷，建議出門後需要特別小心慎防意外發生；亦可考慮於立春後捐血或洗牙，應驗輕微的血光之災。

一九八五年：乙丑年（虛齡三十五歲）

財運及事業運不俗的年份，工作上會有新的發展方向或新合作機會，若不牽涉大手投資不妨一試，有望可獲得合理回報。惟新一年感情上容易起變化，尤其已婚者需要克制自己、提防誘惑，以免因為一時意亂情迷而陷入糾纏不清的三角關係。健康方面需留意牙齒健康及皮膚敏感問題，建議保持個人衛生，遇有不適應立即求醫。

一九九七年：丁丑年（虛齡二十三歲）

丁丑年出生的年輕人來到豬年運勢未算穩定，尤其人際關係較為疲弱，容易因為無心之失而惹誤會，招來是非口舌。建議新一年待人接物需要特別謹慎，事不關己亦不宜多加意見，盡量安守本分較為順遂。財運雖未有大突破，可幸是事業上將有一展所長的機會，不妨積極爭取表現，亦可考慮進修與工作相關的課程增值自己，全力以赴將可獲得回報。

二〇〇九年：己丑年（虛齡十一歲）

新一年的思維清晰、接收及溝通能力較強，學習運順遂，父母不妨安排己丑年出生的小朋友於暑假期間參加遊學團，增廣見聞。健康方面需要留意喉嚨、氣管及腸胃的小毛病，生冷或肥膩食物可免則免。另外，豬年亦容易有扭傷跌傷情況，尤其雙腳較為脆弱，上落樓梯時需要格外小心。

流月運勢

農曆正月（西曆一九年二月四日至三月五日）

甫踏入正月，肖牛者的事業運會有不俗的新發展，惟個人壓力較大影響心情，建議調節心態積極面對。本月亦要多留意有關文件、合約的細節問題，容易因為大意出錯而惹上官非。一九六一年出生者喉嚨、氣管及呼吸系統較弱，出入冷氣地方需要注意保暖。一九九七年出生者跌入破財運，理財方面要較為謹慎。

農曆二月（西曆一九年三月六日至四月四日）

貴人運暢旺的月份，即使遇上困難阻滯亦會有人拔刀相助；惟個人壓力仍然較大，容易有胡思亂想、情緒低落情況，不妨多找朋友傾訴，亦可考慮出門放鬆身心。一九四九年出生者受失眠問題困擾，建議多爭取作息時間。一九七三年出生者眼睛容易有小毛病，需格外注意衛生；本月亦容易與朋輩起爭拗，應多加溝通免傷和氣。

農曆三月（西曆一九年四月五日至五月五日）

跌入破財運勢，切忌進行高風險的投機炒賣，容易有決策錯誤而失利情況。本月亦不宜作任何借貸擔保，否則會有「一去無回頭」情況，需要格外謹慎理財。健康運一般，腸胃及消化系統較弱，飲食宜盡量清淡，生冷、肥膩食物可免則免。一九七三年出生者個人情緒低落，可多接觸大自然吸收正能量。一九八五年出生者事業發展順遂，不妨把握助力勇往直前。

農曆四月（西曆一九年五月六日至六月五日）

有新機遇出現的月份，惟始終屬一步之遙，尚在洽商階段而未見成功，需要多加時間及耐性處理。本月若遇上困難阻滯，不妨尋求肖雞的朋友幫忙，事情將可有進展。一九九七年出生者容易招惹口舌是非，不宜強出頭為他人排難解紛。二〇〇九年出生者有機會受傷跌傷，不宜參與高危活動。

農曆五月（西曆一九年六月六日至七月六日）

人緣運倒退的月份，容易遭小人陷害而令工作一波三折，建議凡事要特別謹慎，並盡量保持圓融的人際關係事業運會較為理想。本月亦需要量入為出，以免有入不敷支情況。一九六一年出生者跌入破財運，需小心看管個人財物以免成為賊匪對象。一九八五年出生者雙手容易受傷跌傷，亦偶有失眠問題，建議平衡玩樂與作息時間，以免影響健康。

農曆六月（西曆一九年七月七日至八月七日）

慎防關節扭傷跌傷的月份，尤其是有運動習慣者需要特別小心，建議應避開滑雪、攀山、爬石、潛水等高風險的戶外活動，以免樂極生悲。本月個人脾氣較為暴躁，容易與身邊人起爭拗，需控制情緒免傷和氣。一九六一年出生者受打針、食藥運困擾，不宜工作過勞影響健康。一九八五年出生者人際關係疲弱，言行要保持謙遜以免發生爭執。

農曆七月（西曆一九年八月八日至九月七日）

本月運勢順遂，之前面對的困難、阻滯將可迎刃而解；工作上亦會有新的發展方向，惟管理層需要留心下屬的表現，容易因為大意出錯而令肖牛者受到牽連。一九七三年出生者財運疲弱，投資方面容易失利。一九九七年出生者情緒較為負面，不妨多找朋友傾訴或多接觸大自然解開鬱結。

農曆八月（西曆一九年九月八日至十月七日）

做事一波三折的月份，可幸只屬「先難後易」，只要多加耐性及恆心處理即可；若遇有疑難未能解決，不妨虛心向肖蛇的朋友尋求協助。可幸是本月的桃花運旺盛，肖牛者可多留意身邊人，有機會結識心儀對象。一九七三年出生者需提防受兄弟姊妹拖累，作借貸擔保前需要三思。一九九七年出生者眼睛易出毛病，如有不適應立即向專科求診，以免延誤診治。

農曆九月（西曆一九年十月八日至十一月七日）

與流月有所刑剋，建議本月不宜作任何重大決定，容易有決策錯誤情況。既然大事不宜，肖牛者本月不妨多出門走動，夏天出生者可到寒冷地方，冬天出生者則可到熱帶地方，以「借地運」的方式提升運勢。一九四九年出生者個人情緒低落，有機會因為心神恍惚而意外受傷，出入需要特別小心。一九八五年出生者跌入破財運，不宜投機炒賣。

農曆十月（西曆一九年十一月八日至十二月六日）

個人心情輕鬆、財運亦轉趨順遂，本月可嘗試以「刀仔鋸大樹」的方式投資，只要不太貪心可有收穫。一九六一年出生者雙手容易受傷，駕車人士要時刻打醒十二分精神，注意路面情況。一九八五年出生者容易破財，需小心看管個人財物，以免令賊匪有機可乘。

農曆十一月（西曆一九年十二月七日至二〇年一月五日）

有較多牙痛、傷風、感冒等瑣碎小毛病的月份，加上應酬頻繁，容易有過勞問題，建議肖牛者需平衡玩樂與作息時間，以免影響健康。本月亦要多關心家中長輩的身體狀況，遇有不適應立即陪同就醫。一九六一年出生者健康運較受衝擊，宜作息定時，建立良好的生活習慣。一九七三年出生者財運不俗，可作小量投資；惟本月容易受金屬所傷，駕駛人士需要特別提防。

農曆十二月（西曆二〇年一月六日至二月三日）

豬年的最後一個月份，肖牛者的家宅運將會較受衝擊，容易受到家居問題滋擾而影響情緒；由於之後的鼠年為肖牛者的合太歲年份，建議可趁年底預先籌謀，主動維修家居，亦可更換家具等提升運勢。一九七三年出生者財運順遂，可作小量投資；惟眼睛容易受傷。一九九七年出生者心情煩躁，待人處事要多加忍讓，盡量以平常心面對。

虎

既破且合運勢起伏
穩中求勝事業可進

肖虎開運錦囊

★「合中有破」運勢反覆，貼身佩戴馬形及狗形的生肖飾物有助化解。

★易有錢財損失及是非困擾，宜於工作地方擺放紫晶以作緩衝。

★感情關係有利突破，結婚或開始新戀情皆為理想時機。

★主動翻新家居及日常多作善舉，有利提升家宅運。

(流年吉凶方位請參看374頁)

肖虎者出生時間（以西曆計算）

二〇一〇年二月四日六時四十九分 至 二〇一一年二月四日十二時三十四分

一九九八年二月四日八時五十八分 至 一九九九年二月四日十四時五十八分

一九八六年二月四日十一時九分 至 一九八七年二月四日十六時五十三分

一九七四年二月四日十三時零分 至 一九七五年二月四日十八時五十九分

一九六二年二月四日十五時十八分 至 一九六三年二月四日二十一時八分

一九五〇年二月四日十七時二十一分 至 一九五一年二月四日二十三時十四分

一九三八年二月四日十九時十五分 至 一九三九年二月五日一時十一分

一九二六年二月四日二十一時三十九分 至 一九二七年二月五日三時三十一分

整體運程

己亥年是肖虎者的「合太歲」年份，太歲相合代表與太歲關係友好，原則上會有較多新的合作機會出現；惟「寅亥合」同時有「合中有破」之象，故新一年運勢會較為起伏不定，建議應做好心理準備迎戰。

其實「合太歲」與「犯太歲」情況相似，運勢並非一面倒變好或轉壞。肖虎者在「合太歲」之年的發展要視乎個人命格而定，當中約有七成人持續向好，亦有三成人波折重重，可以各走極端。而受「合中有破」影響，豬年無論感情運、事業運、家宅運甚至人際關係都會較多小風波；倘若能舉辦喜事，如結婚、添丁、置業或創業沖喜，則可令動盪的運勢較為平穩，否則就要凡事謹慎，並多留心家中長輩健康。豬年不妨為家居作小型翻新或維修工程，並多作贈醫施藥或施棺等善舉，有助提升整體家宅運。

雖說「合中有破」，但豬年仍有「太陰」、「國印」及「歲合」吉星進駐。「太陰」代表女性貴人，肖虎者新一年可獲女性長輩提拔，若上司或老闆是女性將會較為有利；倘若本身從事的生意以女性顧客為主，銷售額亦有望得到帶動。另外，「太陰」亦是一顆財星，不過進展較為緩慢，故豬年的財運不會大上大落，反而有循序漸進、拾級而上之勢。至於「國印」則是掌管權力的帥印，此星能助旺肖虎者的事業發展，加上有「太陰」幫忙，豬年將有不俗的晉升機會，不妨積極把握。

惟受「破太歲」影響，新一年的人際關係較為疲弱，容易招惹口舌是非，亦有機會因為無心之失而開罪別人；加上有「孤辰」及「貫索」凶星入主，代表個人感覺較為孤單，亦容易與合作夥伴出現金錢轇轕，建議凡事應謹言慎行，以免鋒芒太露而影響運勢。

總括而言，肖虎者在己亥年會不時受瑣碎問題困擾，情緒亦容易受牽動。建議肖虎者在豬年佩戴馬形及狗形的生肖飾物，以提升整體運勢；凡事也應保守為上，不宜冒險投資或草率地作重大決定。始終豬年屬「先難後易」，困局過後可見曙光，只要多加忍耐，盡量冷靜沉着應變即可。

【財運】

己亥年為肖虎者的「合太歲」年份，原則上將會遇上不少新合作機會；惟「寅亥合」屬「合中有破」格局，財運容易起伏不定，加上新一年的人際關係轉趨疲弱，即使各項新計劃前景看似樂觀，但落實執行時又會無故起變化，令原本簡單的事情一波三折。建議豬年的整體理財方向仍要謹慎保守，切勿投機取巧或涉獵不熟悉的範疇，以免受騙而令自己陷入財困。

由於新一年有代表金錢苛索的「貫索」凶星入主，從商者應專注原有的核心業務，並要多留意下屬的轉流及小心處理與合作夥伴之間的關係，建議賬目要分明，以免「因財失義」而要對簿公堂蒙受損失。

可幸是「太陰」仍屬一顆財星，只是進度較為緩慢，肖虎者新一年可望憑藉女性貴人的力量而得財，倘若本身經營的生意以女性顧客為主，如女士服裝、化妝美容或珠寶首飾等，銷售額可望得到帶動而有所進賬。惟所謂「財不入急門」，豬年始終不是財源滾滾的年份，不宜作高風險的投機炒賣，建議可選擇穩健的中長線投資，將較容易有獲利機會。

【事業】

豬年有象徵權力帥印的「國印」吉星飛臨，肖虎者的事業發展將會漸入佳境，尤其打工一族比從商者更能受惠，意味着權責會有所遞增，亦會有不俗的升遷機會。加上有「太陰」吉星拱照，新一年將可獲女性上司提拔，薪酬有望調整，事業屬穩步上揚的年份。

雖然豬年與太歲相合，惟同時又受到「合中有破」影響，人際關係會變得複雜，肖虎者能與同事相處融洽，但與下屬或客戶的關係則較為勞心勞力，尤其容易因為下屬犯錯而備受牽連，建議工作時要格外謹慎，待人接物亦要謙遜低調，以免鋒芒太露而遭受攻擊。

由於受「合太歲」影響，肖虎者新一年的事業或多或少會出現變動，打工一族可能會因為公司架構改變而萌生跳槽想法，惟豬年並非合適的年份，即使有新工作機會亦要三思，皆因過程中容易出現變數，又或是跳槽後新環境與期望有所落差，令肖虎者進退失據。至於從商者亦會有新機遇，惟很大程度只屬表面風光，故無論是打工或是從商，豬年亦應「以守為攻」，穩守原本的核心業務較為理想。

【感情】

「合太歲」年份是感情的「關口年」，倘若肖虎者與伴侶關係穩定、又有結婚打算，豬年不妨落實執行，主動應驗變化運勢。惟籌備婚禮過程中容易有意見分歧情況，建議肖虎者應與另一半多溝通，避免一時之氣而情海翻波。

至於已婚者若有添丁打算，豬年亦是合適的年份，不妨積極把握機會。惟由於「合太歲」較為衝擊家宅運，肖虎者容易為瑣碎的家宅問題而與伴侶起爭拗，切記夫婦相處之道在於坦誠，有商有量可免傷和氣。至於已有伴侶但又未打算步入下一階段者，則要提防「不結即分」的隱憂，相處時要格外忍讓，以免感情生變。

受「太陰」吉星拱照，單身一族可透過女性長輩介紹認識新對象，加上有「歲合」吉星，將有機會結識不同範疇的朋友，擴闊生活圈子；惟豬年始終不是桃花盛開的年份，未必可有突破性的進展，建議可多溝通了解再作決定。另外，「太陰」亦代表年紀稍大或思想成熟的女性，肖虎的男士有機會認識比自己稍為年長的對象，倘若不介意年齡差距不妨一試，可望開展一段新戀情。

【健康】

己亥年受「合太歲」及「破太歲」兩個不穩定因素影響，健康運將會較為波動，尤其「寅亥合」代表膝蓋及腰骨容易受傷，倘若本身有舊患者要格外提防。建議肖虎者新一年盡量避免參與攀山、爬石、滑雪、潛水等容易關節勞損的活動，以免樂極生悲發生意外。由於新一年亦容易受金屬所傷，有駕駛習慣者要時刻注意路面情況，出門後亦要多留心人身安全，提防突如其來的小碰撞或小驚嚇，亦可預先購買旅遊保險，以策萬全。

「合太歲」年份難免會有較多應酬聚會，肖虎者新一年也要慎防暴飲暴食而導致體重上升，謹記凡事適可而止，以免拖垮健康運勢。由於健康運不穩，建議肖虎者可於年底進行詳細的身體檢查，立春後捐血、洗牙及多作贈醫施藥善舉，主動化解動盪運勢。另外，新一年的家宅運同樣受衝擊，肖虎者要多關心長輩健康，慎防家居陷阱；避免觸動家中的五黃（西南）及二黑（東北）大小病位，盡量放置重物或銅器鎮壓，亦可考慮為家居作小量裝修、維修，有助提升整體的家宅運勢。

不同年份運程

一九二六年：丙寅年（虛齡九十四歲）

來到己亥年，丙寅年的長者需要格外注意身體健康，尤其是關節及血壓方面的小毛病，建議可於年底進行詳細的身體檢查，立春後多祈福或贈醫施藥，有助提升健康運。由於受瑣瑣碎碎的健康問題困擾，新一年容易產生負面情緒，丙寅年出生者不妨多接觸大自然緩解鬱結。另外，豬年亦是人際關係倒退的年份，即使與相識多年的朋友相處亦要謹言慎行，以免因言語誤會而開罪別人。可幸是豬年與家人相處融洽，晚輩的關心問候亦算充足，只要調節心情輕鬆度過即可。

一九三八年：戊寅年（虛齡八十二歲）

戊寅年出生的長者豬年跌入破財運勢，兄弟姊妹或親友有機會向你求助，建議即使借貸亦要量力而為，以免助人反令自己陷入財困。由於新一年的財運較為不穩，投資方面需要格外謹慎保守，高風險的投機炒賣不宜沾手，容易失利離場。健康方面並無大礙，只是較易扭傷跌傷，需慎防家居陷阱，以免發生意外。

一九五〇年：庚寅年（虛齡七十歲）

貴人運不俗的年份，可憑藉人際網絡而獲得投資上的小道消息，不妨以「刀仔鋸大樹」的方式進行，將可有輕微收穫。健康方面腸胃及消化系統較弱，生冷、肥膩食物可免則免；出門後亦要多留心當地的衛生情況，以免「病從口入」染上腸胃炎或有水土不服情況，影響出遊心情。

一九六二年：壬寅年（虛齡五十八歲）

事業發展順遂，亦會有新的合作機會出現，惟需要提防人事爭拗影響運勢，建議行事盡量謙虛低調，以免遭受攻擊。壬寅年出生者豬年會感到較大壓力，若時間許可不妨多出門旅遊或多做太極、瑜伽等輕量運動，放鬆身心。新一年亦要多留意家人及自己的身體健康，不妨於年底進行詳細的身體檢查，以策萬全。

一九七四年：甲寅年（虛齡四十六歲）

由於「甲己合」及「寅亥合」代表流年與自己的年柱有「天合地合」之象，故甲寅年出生者將會是眾多肖虎者當中變化最多的一員，運勢難免較為起伏，若有結婚、添丁、置業或創業喜事則可略為應驗變化，否則就要凡事格外留心。另外，新一年即使有創業打算也要以謹慎為上，皆因豬年容易因人事爭拗而影響運勢，亦較容易有破財機會。由於新一年的運勢動盪，打工一族有機會因為公司架構改變而有跳槽意向，惟豬年始終不是適合作重大決定的年份，寧可留守原有位置，多出門旅遊，輕鬆度過更為理想。至於家宅運亦較受衝擊，需多關心家中長者健康，亦要留意容易與身邊人起爭拗，不妨翻新家居以穩定家宅運。

一九八六年：丙寅年（虛齡三十四歲）

人際關係倒退的年份，容易招惹口舌是非，建議丙寅年出生者新一年行事要盡量低調，以免快人快語而開罪別人遭受攻擊。至於管理階層則要多留意下屬的工作情況，以免因為轉流太快而令自己疲於奔命，亦有機會因為下屬犯錯而備受牽連，需要格外謹慎。可幸是新一年的學習運不俗，在職者不妨報讀本地或海外進修課程，積極增值自己，對未來事業發展將有裨益。

一九九八年：戊寅年（虛齡二十二歲）

新一年學習運順遂，若戊寅年出生者仍在求學階段，豬年將可認清個人方向，屬有進步的年份。至於已投身社會者則需慎防有「財來財去」情況，雖然賺錢能力較狗年強，但亦會有較多無謂開支，建議須謹慎理財，投資方面亦只以「小試牛刀」，高風險的投機炒賣可免則免，否則容易失利離場。另外，倘若新一年有長輩或父母資助置業，戊寅年出生者亦要考慮個人財力，以免有入不敷支情況。至於有運動習慣者則要提防扭傷跌傷，不宜參與高風險的活動，以免意外受傷。

二〇一〇年：庚寅年（虛齡十歲）

庚寅年出生的小朋友新一年學習運順遂，可多接觸不同範疇的嗜好，尤其是個人想像力豐富，可重點培養藝術方面的才能，再尋找個人興趣重點發展。由於豬年的頭腦清晰、口齒伶俐，新一年亦屬萬千寵愛的年份，可獲得長輩疼惜。不過，由於豬年屬土重的年份，腸胃及消化系統難免較弱，建議生冷、肥膩食物應少吃為妙，出門後要留心水土不服問題，並多提防家居陷阱，以免受傷跌傷。

流月運勢

農曆正月（西曆一九年二月四日至三月五日）

踏入正月，肖虎者容易受傷跌傷，需要多留心個人健康。本月亦容易與身邊人或同事起爭拗，建議多尊重對方想法，以溝通為基礎解決問題。一九六二年出生者容易有皮膚敏感毛病，需多注意個人衛生。一九八六年出生者工作上會遇上麻煩阻滯，宜多加耐性面對解決。

農曆二月（西曆一九年三月六日至四月四日）

本月將有新的合作機會出現，不妨先作了解或「小試牛刀」，因豬年運勢始終較為動盪，不宜牽涉大手投資。一九六二年出生者有精神緊張、神經衰弱問題，影響睡眠質素，建議調節心情，多爭取作息時間。一九七四年出生者受是非口舌問題困擾，行事不宜高調。

農曆三月（西曆一九年四月五日至五月五日）

容易「財來財去」的月份，需留意個人理財方向，並盡量不作借貸擔保，即使家人親友求助亦只能量力而為，以免令自己陷入財困。本月有機會受傷跌傷，尤其上落樓梯時要特別提防。一九五〇年出生者經常胡思亂想、杞人憂天，建議放開懷抱，以「既來之、則安之」的心態面對。一九九八年出生者財運一般，須量入為出，以免有入不敷支情況。

農曆四月（西曆一九年五月六日至六月五日）

工作會遇上困難阻滯，看似簡單的事情會變得複雜，時有「一波三折」之感，故本月不宜作出重大決定，以免有決策錯誤情況。既然運勢一般，不妨多找朋友傾訴或出門旅遊，輕鬆度過更為理想。一九七四年出生者家宅運疲弱，須多花時間關心家中長者健康。一九八六年出生者有機會因為無心之失而開罪別人，言行要特別謹慎。

農曆五月（西曆一九年六月六日至七月六日）

漸入佳境的月份，無論財運及事業運均有進步，之前所遇到的困難可望有曙光，不妨積極把握。一九五〇年出生者與身邊人較多爭拗，需多加溝通免傷和氣。一九七四年出生者手及頭容易受傷，戶外運動要格外小心。

農曆六月（西曆一九年七月七日至八月七日）

財運轉趨順遂，投資方面只要不太貪心將可有收穫。惟本月會受噪音、漏水等家居問題困擾，不妨作小量裝修、維修穩定運勢。一九五〇年出生者將有朋友向你尋求協助，惟伸出援手前要了解清楚，以免有「因財失義」情況。一九八六年出生者喉嚨、氣管及呼吸系統較弱，亦容易有傷風、感冒等小毛病，需平衡玩樂與作息時間，以免影響健康。

農曆七月（西曆一九年八月八日至九月七日）

踏入全年運勢最動盪的月份，無論事業、感情都容易生變，建議重大決定應稍為押後，亦可考慮出門旅遊，夏天出生者可到寒冷地方，冬天出生者則可到熱帶地方，以「借地運」的方式提升運勢。一九六二年出生者健康運受衝擊，如有不適應立即求醫。一九八六年出生者與流月相沖，處事容易一波三折，需要多加時間及耐性處理。

農曆八月（西曆一九年九月八日至十月七日）

相對上月運勢已轉趨穩定，無論財運、事業運均有上揚之勢，本月亦會得貴人之助，若有困難不妨虛心向長輩求助，問題有望迎刃而解。一九六二年出生者跌入破財運，須小心看管財物。一九九八年出生者個人情緒低落，可多找朋友傾訴解開心結。

農曆九月（西曆一九年十月八日至十一月七日）

運勢持續向好的月份，從商者財運不俗，惟較易有「財來財去」情況，建議賺取一筆可觀收入後可購買實物保值。一九五〇年出生者容易與身邊人起爭拗，須坦誠溝通免傷和氣；本月雙手亦較容易受傷，慎防家居陷阱。一九七四年出生者受打針、食藥運困擾，飲食方面宜盡量清淡，以免有「病從口入」情況。

農曆十月（西曆一九年十一月八日至十二月六日）

本月有新的發展方向，若打算作出變動不妨落實執行，惟過程中仍會遇上小阻滯，可幸只屬「先難後易」，只要以耐性面對最終亦能成功。一九七四年出生者將有兄弟姊妹或親友向你尋求協助，惟凡事應量力而為，不宜強出頭。二〇一〇年出生者健康運較弱，尤其天氣轉變要注意添衣保暖。

農曆十一月（西曆一九年十二月七日至二〇年一月五日）

運勢順遂的月份，加上個人思路清晰、方向明確，只要奮力向目標進發將可獲成果，尤其是事業上會有新出路，可能是位置上的調動或輕微的升遷，整體算是穩步上揚。一九五〇年出生者簽署文件、合約時需要多留意細節，以免因為一時大意而惹上官非。一九六二年出生者家宅運一般，需多關心家中長輩健康。

農曆十二月（西曆二〇年一月六日至二月三日）

來到豬年的最後一個月份，整體運勢穩定性較高，年頭所遇到的動盪已開始有平伏之勢。加上財運及貴人運不俗，本月可憑藉人際網絡開展新計劃，投資方面亦可有輕微收穫，惟仍需謹記「見好即收」，以免因貪心而破財。一九六二年出生者受失眠問題困擾，容易有精神緊張、神經衰弱問題，不妨多接觸大自然驅散負能量。一九八六年出生者與同輩較多爭拗，不宜過分堅持己見，須多加溝通諒解。

兔

吉星助旺事業強勁
心緒不寧杞人憂天

肖兔者出生時間（以西曆計算）

二〇一一年二月四日十二時三十四分　至　二〇一二年二月四日十八時二十四分
一九九九年二月四日十四時五十八分　至　二〇〇〇年二月四日二十時四十二分
一九八七年二月四日十六時五十三分　至　一九八八年二月四日二十二時四十四分
一九七五年二月四日十八時五十九分　至　一九七六年二月五日零時四十分
一九六三年二月四日二十一時八分　至　一九六四年二月五日三時五分
一九五一年二月四日二十三時十四分　至　一九五二年二月五日四時五十四分
一九三九年二月五日一時十一分　至　一九四〇年二月五日七時八分
一九二七年二月五日三時三十一分　至　一九二八年二月五日九時十七分

肖兔開運錦囊

★紀律部隊及管理階層運勢佔優，把握機會可望大有進步。

★肖羊者為豬年有利之拍檔，宜多跟對方合作或請教意見。

★官符入主易有合約糾紛，可於工作桌上擺放「貴人鞋」或黑曜石擺設化解。

★五鬼進駐容易情緒焦慮，宜佩戴白水晶以穩定心神。

★與伴侶多出門散心或接觸大自然，有助鞏固關係。

（流年吉凶方位請參看374頁）

整體運程

連續受到雞年「沖太歲」及狗年「合太歲」影響，肖兔者過去兩年的運勢難免較為起伏，尤其頗多家宅問題困擾，令肖兔者疲於奔命。踏入己亥豬年，由於兔、豬及羊屬「三合生肖」，即與太歲的關係友好，故肖兔者運勢穩定性將會較高，倘若能有肖羊朋友之助力，豬年更會如虎添翼，整體屬昂首向前的年份。

此外，豬年更喜獲「將星」及「三台」吉星進駐。「將星」代表領導才能，肖兔者個人意志堅定、有堅毅不屈的精神，對從事武職如紀律部隊、公務員或管理階層最為有利。而象徵樓梯及步步高陞的「三台」，更令肖兔者在豬年情緒變得正面，加上人事關係順遂，工作自然得心應手，可收事半功倍之效。再者，「三台」的助力雖然主要反映在事業發展之上，但感情運其實亦可輕微受惠，尤其狗年或雞年曾經歷分手離合者，豬年將是重新出發的年份，可望廣結人緣或結識心儀對象，屬逐漸向好的年份。

惟豬年亦有「五鬼」凶星入主，此星有疑心生暗鬼、互相猜忌之意，肖兔者新一年既要留心情緒，亦要注意人際關係，例如同事之間容易存在競爭，朋友或伴侶亦會偶有猜疑情況，建議日常多作坦誠溝通，即可減少誤會。至於「官符」及「飛符」則代表官非訴訟，豬年需要留心文件、合約的細節內容，駕駛人士亦要奉公守法，凡事以和為貴，以免要對簿公堂。由於受「五鬼」及「官符」影響，從商者亦要格外留意新舊客戶的財政狀況，盡量避免借貸賒數，以免受牽連拖累而破財。

整體而言，肖兔者豬年的運勢比雞年及狗年順遂，雖未算是突飛猛進，但之前的煩惱困擾可望解決，加上有利事業的吉星飛臨，新一年不妨專注於事業之上，有望可見成果。健康方面並無大礙，只是「五鬼」加上工作壓力容易影響睡眠質素，建議放鬆心情從容面對，亦可多做減壓運動或多出門旅遊，平衡身心迎接好運駕臨。

【財運】

肖兔者連續兩年受到「沖太歲」及「合太歲」不穩定因素影響，約有三、四成人已經歷了財運不穩甚至破財情況。來到豬年因有「三台」吉星之助，財運明顯較為理想，而且此星有樓梯階拾級而上之意，新一年的財運雖然未有大額進賬，但無論賺錢及儲蓄能力均有進步，屬穩步上揚之年。

新一年的財運以正財為主，打工一族薪酬可望得到合理調整，從商者生意額亦會有所帶動，惟做事仍需親力親為，亦要留心「官符」凶星容易惹上官非訴訟，建議簽署文件、合約前要留心內容細節，遇有疑問可向專業人士請教。另外，豬年亦要留意新舊客戶的財政狀況，盡量不宜借貸賒數，以免因對方財困而要對簿公堂，甚至令自己無辜破財。

由於有「三台」吉星拱照，新一年不妨考慮購買穩健的藍籌或作中長線投資，惟必須經由個人分析研究，較難依靠小道消息獲利。另外，豬年亦會有較多新的合作機會，尤其與肖羊的朋友合作較易成功，倘若風險不高不妨以「小試牛刀」的方式試行，借助「三合生肖」格局將有助獲利。

【事業】

己亥年有「將星」及「三台」兩顆吉星飛臨，「將星」代表領導才能得以彰顯，肖兔者新一年意志高昂、亦有發奮圖強之心，尤其從事武職如紀律部隊、公務員或行政管理最能獲得助力，可望於職場上大展拳腳。至於「三台」有步步高陞之意，豬年的事業運有望拾級而上；此星亦有利學習及考試，倘若豬年有升級試或進修不妨積極爭取，可望有不俗表現甚至有晉升機會。雖然薪酬未必是大幅度的調整，但職銜及權責將會有所遞增，對未來事業發展亦有正面影響。

受吉星帶動，肖兔者無論留守原有公司或轉換工作環境同樣會有進步，若有意跳槽者，不妨考慮於農曆三月、四月、八月及九月實行較易成功。惟豬年因有「官符」凶星入主，簽署新合約時需要格外留心細節，以免大意出錯。雖然新一年的事業發展順遂，但因為工作壓力較大，加上有「五鬼」入主，容易令肖兔者有精神緊張、神經衰弱問題，其實豬年人際關係和諧，是非口舌亦較少，只要調節個人心態，以積極正面的態度面對即可。

【感情】

「合太歲」及「沖太歲」年份感情運較為波動，除非雞年或狗年有結婚、添丁等喜事沖喜，否則關係容易出現變化。來到己亥年，感情運將會較為穩定，倘若過去已經歷分手離合者，豬年可望有新的發展機會，雖然不算是桃花遍地，但整體仍屬重新出發、平穩有進步的年份。

由於肖兔者豬年的事業發展順遂，單身一族或會投放較多心力於工作之上，對談戀愛的意欲較為淡泊。若單身已久、渴望一嘗戀愛甜蜜者，則可多留意於職場上認識的朋友，遇上心儀對象不妨多溝通了解培養感情，有望進一步發展成為戀人。

豬年喜獲「三台」吉星拱照，已有伴侶者相處融洽，感情關係亦比前牢固，整體屬甜蜜愉快的年份。惟由於事業旺盛令肖兔者倍感壓力，已婚者容易因為工作忙碌而冷落另一半，加上有「五鬼」凶星入主，或會令二人之間出現猜疑不信任，建議肖兔者應平衡工作與私人時間，謹記夫妻相處之道貴乎坦誠，凡事應多加溝通忍讓，亦可尋找共同嗜好或多出門旅遊，重拾昔日的溫馨甜蜜時光。

【健康】

雞年受到「沖太歲」影響，肖兔者不時有受傷、跌傷情況；狗年則因為「合太歲」衝擊家宅運，受到瑣瑣碎碎的家居問題困擾，令肖兔者疲憊不堪。可幸是來到豬年，無論是健康運及家宅運均有進步，加上個人情緒正面，身體狀況亦會較為理想，只需稍為留意工作忙碌及受「五鬼」凶星影響，容易產生精神壓力，影響睡眠質素。建議新一年需平衡工作與休息時間，多做減壓運動或多接觸大自然，調節心態輕鬆面對即可。

由於「五鬼」凶星較為影響情緒，建議肖兔者新一年盡量不宜探病問喪，亦要避免前往僻靜的墳場或廟宇，以免有不良感應或疑心生暗鬼產生不必要的焦慮；不妨多出席壽宴或彌月等喜慶場合，亦可抽時間出門作短線旅遊，既可吸收正能量又可放鬆身心。

另外，豬年的應酬、聚會頻繁，肖兔者亦要留心有飲食過量或睡眠不足情況，提防膽固醇或高血壓等都市病，謹記凡事適可而止。雖然己亥年健康並無大礙，但「五鬼」容易令肖兔者杞人憂天，故平日可多作運動鍛煉，並定時作身體檢查以求安心。

不同年份運程

一九二七年：丁卯年（虛齡九十三歲）

新一年喉嚨、氣管及呼吸系統較弱，若丁卯年出生的長者有吸煙習慣，豬年就要多注意肺部健康，以免有久咳不癒或氣管敏感問題；建議可從改善空氣質素及家居衛生方面着手，及早找出致敏源，亦可考慮擺放銅器，有助強化不穩的健康運。可幸是豬年與晚輩相處融洽，家人的關心問候亦算充足，整體仍屬稱心如意的年份。

一九三九年：己卯年（虛齡八十一歲）

己卯年出生者雖然年事已高，但新一年仍活躍於社交圈子，能與志同道合的朋友吃喝玩樂、暢談心事，度過充實而愉快的一年。惟財運較弱，容易出現「財來財去」情況，須注意個人理財方向，亦要慎防受騙。另外，由於己卯與流年己亥的「己土合」犯「曲腳煞」，代表容易受傷、跌傷，新一年要格外注意家居安全，尤其慎防上落樓梯跌傷關節，亦要留心浴室陷阱，凡事謹慎則可平安度過。

一九五一年：辛卯年（虛齡六十九歲）

辛卯年出生的長者豬年魄力十足，仍有心力接觸不同範疇的新事物，加上聚會、活動不斷，亦有出門旅遊機會，屬心情開朗的年份。惟由於應酬頻繁，飲飲食食的機會較多，需要多留意腸胃及消化系統健康，尤其出門後要注意當地的衛生情況，生冷、肥膩食物少吃為妙，以免「病從口入」有水土不服問題。

一九六三年：癸卯年（虛齡五十七歲）

狗年受「戊癸合」及「卯戌合」影響，癸卯年出生者運勢較為動盪，來到豬年情況將有所改善，尤其財運轉趨順遂、家宅運亦較平穩，個人情緒正面，工作或投資上會有新的想法、新的發展方向躍躍欲試，執行前不妨多作研究分析，凡事需要親力親為，並以「小試牛刀」方式試行較容易有獲利機會。惟豬年始終不是財星高照的年份，不宜作大額或高風險投資，落實前亦要多留心文件、合約的細節，以免一時大意惹上官非。另外，新一年亦容易受金屬所傷，倘若日常工作需要接觸金屬者就要特別提防，駕駛人士亦要時刻注意道路安全，以免發生碰撞。既然健康較為不穩，建議癸卯年出生者可於立春後捐血、洗牙，主動應驗輕微血光之災。

一九七五年：乙卯年（虛齡四十五歲）

經歷了雞年及狗年的動盪，豬年的運勢將會全面回穩，尤其財運有進步兼可累積財富，事業運亦發展暢旺，將會有大大小小的新合作機會，建議毋須輕舉妄動，可多花時間了解再落實執行較易成功。感情方面則容易出現誘惑，已有伴侶或已婚者需要提防「牆外桃花」，建議不宜對人過分熱情，謹記要克制自己，以免因一時情迷意亂而捲入糾纏不清的三角關係。

一九八七年：丁卯年（虛齡三十三歲）

事業發展可有突破，有機會接觸不同範疇的新事物；加上新一年的學習運不俗，建議丁卯年出生者不妨積極爭取表現，亦可報讀與工作相關的課程進修增值。倘若有意轉換工作環境，豬年亦屬合適的年份，不妨於下半年落實執行，較容易水到渠成；惟需多留意人事關係，亦要留心與合作夥伴有錢銀轇輵，建議簽署文件、合約時要釐清細節內容，以免出現「因財失義」情況。

一九九九年：己卯年（虛齡二十一歲）

己卯年出生者新一年長輩運及貴人運不俗，但與同輩競爭較大，職場上亦會有瑣瑣碎碎的人事紛擾；建議毋須過分上心，謹守崗位做好本分即可。可幸是豬年的感情運將有突破，有機會於工作環境或經朋友介紹而結識心儀對象，惟不宜操之過急，不妨多與對方溝通了解，以朋友的方式開始交往再循序漸進開展關係更為理想。

二〇一一年：辛卯年（虛齡九歲）

辛卯年的小朋友豬年學習運順遂，個人思路清晰、乖巧聰敏，尤其可得到家人長輩疼惜。惟新一年較為情緒化，父母須多關心其感受，循循善誘灌輸正確態度。健康方面則要慎防有關呼吸系統方面的毛病，容易有喉嚨或氣管敏感問題，建議可多注意家居空氣質素，避開致敏源頭。新一年亦有較多受傷跌傷機會，運動時需格外小心。

流月運勢

農曆正月（西曆一九年二月四日至三月五日）

踏入正月人際關係順遂，可憑藉人脈接觸不同範疇的新工作，不妨積極把握機會。惟本月有機會受到噪音、漏水等瑣碎問題困擾，影響個人情緒，建議可作小量的家居維修穩定運勢。一九八七年出生者跌入破財運，不宜作高風險的投機炒賣，容易失利離場。二〇一一年出生的小朋友喉嚨、氣管及呼吸系統較弱，父母需多注意家居衛生及空氣質素。

農曆二月（西曆一九年三月六日至四月四日）

本月為桃花月，單身一族可多留意於工作環境認識的對象，惟不宜操之過急，可先作了解再循序漸進發展較為理想。一九六三年出生者人際關係疲弱，與身邊人容易起爭拗，凡事需多加忍讓；亦要注意眼睛容易受傷。一九八七年出生者個人情緒低落，不妨多接觸大自然放鬆身心，亦可找朋友傾訴解開心結。

農曆三月（西曆一九年四月五日至五月五日）

人際關係倒退的月份，健康上亦會有小問題出現，尤其腸胃及消化系統較弱，出門後需要特別注意飲食，生冷、肥膩食物少吃為妙，以免有水土不服情況，亦可隨身帶備平安藥以策萬全。一九六三年出生者受精神緊張、神經衰弱問題困擾，影響睡眠質素，建議多爭取作息時間。一九七五年出生者財運不俗，投資方面只要不太貪心可有輕微收穫。

農曆四月（西曆一九年五月六日至六月五日）

財運不俗的月份，投資方面將可有獲利機會，惟只宜「小試牛刀」，切忌大手投資。本月亦不宜作中間人為他人排難解紛，容易有「好心做壞事」情況。一九八七年出生者是非口舌較多，待人處事需謙虛低調，以免無辜被針對。一九九九年出生者容易受傷、跌傷，進行戶外活動時要格外注意安全。

農曆五月（西曆一九年六月六日至七月六日）

本月健康不穩，有較多傷風、感冒等小毛病，不妨出門往外走動，夏天出生者可到寒冷地方，冬天出生者則適宜到熱帶地方，以「借地運」的方式提升健康運。一九七五年出生者睡眠不足，容易精神緊張、杞人憂天，加上雙手較易受傷，建議調整作息時間，以免精神不集中引發小意外。一九八七年出生者財運不穩，不宜為他人作借貸擔保，容易有破財機會。

農曆六月（西曆一九年七月七日至八月七日）

將有新的合作機會出現，惟不宜輕舉妄動大手投資，建議可將本月視作籌備月份，多了解計劃的運作細節，再以「小試牛刀」方式試行較為有利。一九五一年出生者受打針、食藥運困擾，建議減少應酬活動，以免過於疲累影響健康。一九七五年出生者與身邊人有較多爭拗，討論時應尊重對方意見，切忌意氣用事。

農曆七月（西曆一九年八月八日至九月七日）

本月容易有官非訴訟，簽署文件、合約前要清楚細節，遇有疑問可向專業人士請教；駕駛人士亦要奉公守法，以免一時大意而收罰單。可幸是事業發展不俗，不妨努力把握。一九六三年出生者受破財運困擾，需小心看管個人財物。一九八七年出生者情緒低落，容易焦慮導致失眠，建議多找朋友傾訴解開心結。

農曆八月（西曆一九年九月八日至十月七日）

踏入傳統的相沖月份，做事容易「一波三折」，可幸一切只屬「先難後易」，只要循序漸進、不操之過急，則可有新局面出現。既然欲速則不達，本月不妨出門作短線旅遊，對整體運勢將有幫助。一九六三年出生者破財機會較高，不宜作高風險的投機炒賣。一九八七年出生者眼睛容易受傷，運動時需要格外小心。

農曆九月（西曆一九年十月八日至十一月七日）

事業順遂的月份，惟個人壓力較大，感覺亦較艱辛；建議肖兔者毋須獨力應付，不妨虛心向前輩請教，藉前人經驗可有助解決問題。一九七五年出生者陷入破財運勢，不宜為他人作借貸擔保。一九九九年出生者與家人關係緊張，容易因為瑣碎事情而爭拗頻繁，建議相處時應多加忍讓，免傷和氣。

農曆十月（西曆一九年十一月八日至十二月六日）

本月工作順暢，若有新思維、新想法不妨放膽一試，可望取得突破性發展。一九五一年出生者容易受傷，需留心廚房、浴室等家居陷阱，出入或上落樓梯亦要格外小心。一九七五年出生者持續受到破財運困擾，理財需要特別謹慎，以免有入不敷支情況。

農曆十一月（西曆一九年十二月七日至二〇年一月五日）

本月桃花運不俗，單身一族若有心儀對象可嘗試發展，關係上將有突破。惟周遭的朋友意見紛紜，建議開展新戀情後盡量低調，以免因閒言閒語而影響雙方觀感。一九五一年出生者喉嚨、氣管及呼吸系統較弱，天氣變化時需多注意添衣保暖。一九七五年出生者受是非口舌困擾，建議事不關己不宜多加意見，以免無辜捲入人事糾紛。

農曆十二月（西曆二〇年一月六日至二月三日）

來到豬年的最後一個月份，之前播下的事業種子可望見成果，若打算作出工作變動或進修，本月亦是合適的時機。財運不俗，無論正財及偏財同樣有進賬，投資方面只要不太貪心可有收穫。一九六三年出生者健康運一般，需注意有關心臟及血壓方面的毛病，建議可趁年底作詳細的身體檢查，以保平安。一九八七年出生者有機會受朋友牽連拖累，切記助人亦應量力而為，不宜強出頭令自己陷入困局。

龍

紅鸞星動人緣運強
正面處事收復失地

肖龍開運錦囊

★貴人扶持表現理想，佩戴粉晶有助進一步提升業績。

★長輩有利牽引良緣，單身者宜把握大好機會。

★小耗凶星代表輕微破財，宜在流年八白財星位置擺放黃晶聚寶盆。

★主動將現金變成實物或投資藍籌作保值，減少財來財去。

★轉職運未如理想，留守原有崗位更有保障。

（流年吉凶方位請參看374頁）

肖龍者出生時間（以西曆計算）

二〇一二年二月四日十八時二十四分	至	二〇一三年二月四日零時十五分
二〇〇〇年二月四日二十時四十二分	至	二〇〇一年二月四日二時三十分
一九八八年二月四日二十二時四十四分	至	一九八九年二月四日四時二十八分
一九七六年二月五日零時四十分	至	一九七七年二月五日六時三十四分
一九六四年二月五日三時五分	至	一九六五年二月四日八時四十六分
一九五二年二月五日四時五十四分	至	一九五三年二月四日十時四十六分
一九四〇年二月五日七時八分	至	一九四一年二月四日十二時五十分
一九二八年二月五日九時十七分	至	一九二九年二月四日十五時九分
一九一六年二月五日十一時十四分	至	一九一七年二月四日十六時五十八分

整體運程

剛過去的戊戌狗年受到十二生肖當中力量最強的「辰戌沖」影響，不少肖龍者已經歷了變化不定及波折重重的一年。來到己亥豬年，因擺脫了「沖太歲」的衝擊，整體運勢將會較為平穩。倘若狗年曾有結婚、添丁或置業等喜事沖喜，則豬年可延續運勢；即使狗年曾出現離合變化，新一年亦可收拾心情重新出發，屬逐漸向好的年份。

尤其豬年有「月德」貴人星駕臨，此星代表慈祥和悅、逢凶化吉，無論事業運及財運均有貴人之助，打工一族可獲上司及老闆賞識，從商者亦可憑人脈獲客戶支持，生意額更上一層樓。加上有「紅鸞」桃花星入主，豬年人際關係順遂，倘若肖龍者從事的工作需要與人接觸，新一年更會如虎添翼，故從商者不妨主動約見客戶，親力親為洽商成功機會更高。

既有「紅鸞」又有「月德」吉星，肖龍者新一年的桃花肯定是豐收的年份，尤其狗年曾經歷分手離合的單身一族，豬年將有機會開展新戀情，故不妨多留意身邊人，亦可透過貴人介紹而結識心儀對象，彼此關係發展迅速，甚至有「閃婚」機會。惟由於人緣暢旺，已婚者不宜對人過分熱情，以免觸發牆外桃花，令自己捲入複雜的三角關係。

凶星方面，豬年有代表輕微破財的「小耗」入主，雖然賺錢能力較狗年強，但仍有財來財去之象，建議可多行善或購買心頭好，以人為的「破歡喜財」方式主動應驗運勢，總比平白破財好。至於另一凶星「扳鞍」則有跳板之意，肖龍者會萌生轉工念頭，惟豬年並非最適當時機，其實新一年的整體事業運會較為順心，工作氣氛亦比狗年愉快，故肖龍者不妨按兵不動，留守原有崗位發展更為理想。

總括而言，肖龍者新一年事業發展順遂，加上個人心態正面，人際關係和諧，整體運勢比狗年理想；財運方面雖然未算是突飛猛進，但仍屬循序漸進，故不妨視豬年為「收復期」，積極裝備自己繼續向前。

【財運】

狗年的「沖太歲」令肖龍者財運不穩，踏入豬年，雖然仍有代表輕微破財的「小耗」凶星飛臨，但整體收入已轉趨穩定，財運亦可算是不過不失。

受惠於「紅鸞」及「月德」吉星之助力，肖龍者新一年賺錢能力將會較狗年強，從商者可望憑人脈而開拓新的客源，雖然未有大筆財富進賬，但生意額仍能水漲船高。倘若工作需要經常與人接觸，如從事公關、活動策劃或前線銷售等，豬年面對客戶時更加得心應手，可望帶動正財收入有所遞增。

惟始終有「小耗」凶星入主，豬年難免會有較多細瑣開支，令肖龍者難以聚財。要化解凶星力量，建議不宜持有過多現金；賺取可觀收入後不妨購買金器或藍籌等保值，亦可主動購買心頭好或多作捐獻，既可行善積德，又可以「破歡喜財」的方式應驗運勢，一舉兩得。惟需謹記不宜作高風險的投機炒賣，亦盡量不宜借貸擔保，否則要有「一去不回頭」的心理準備。另外，豬年有「紅鸞」及「月德」駕臨，肖龍者將會有較多活動應酬，建議審慎理財，以免有入不敷支情況。

【事業】

狗年的「辰戌沖」為部分肖龍者帶來事業變動，倘若已轉換工作環境者，豬年將可逐漸融入新環境；加上新一年有「紅鸞」及「月德」吉星之助力，人際關係順遂，與上司、下屬及客戶關係融洽，心情亦較為輕鬆，事業屬有進步之年。

不過，豬年亦有「扳鞍」入主，此星有跳板之意，肖龍者有機會萌生轉工念頭，惟不宜輕舉妄動，需多觀察大環境及深思熟慮，皆因過程中容易出現變化，又或轉職後與期望有所落差，令肖龍者陷入兩難局面。至於堅持跳槽者，不妨借助舊老闆或舊同事的人脈物色新工作，惟務必要落實新崗位才辭去原有職位，否則容易出現「兩頭不到岸」情況，需要加倍謹慎處理。

其實新一年有「月德」之助，若肖龍者選擇留守原有位置亦可獲貴人提拔，雖然未有大幅度的薪酬調整，但仍可有升遷機會。加上有「紅鸞」吉星拱照，從事以人為本的行業如公關、銷售等將更能受惠。既然事業發展漸見曙光，建議肖龍者視豬年為「播種期」，多作進修增值自己，對往後的事業發展將有正面影響。

豬 鼠 牛 虎 兔 龍 蛇 馬 羊 猴 雞 狗

【感情】

己亥年喜獲第一大桃花星「紅鸞」入主，肖龍者的感情生活將是十二生肖當中最多姿多采的一員。倘若已有固定伴侶者，豬年可考慮共諧連理組織家庭，讓彼此關係更進一步。至於單身一族，尤其狗年曾經歷分手離合者，新一年將會是重新出發的年份，可望借助「月德」吉星之助力，經貴人牽引而結識心儀對象，感情發展一日千里，甚至會有「閃婚」的可能。故豬年不妨多留意身邊人，亦可透過長輩介紹，有望開展一段良緣。

由於新一年桃花處處，已婚者就要謹記克制自己，不宜對人過分熱情，以免引起誤會或捲入錯綜複雜的三角關係，令自己徒添煩惱。另外，豬年因受到「小耗」凶星影響，用於應酬、活動方面的開支難免增加，倘若肖龍者有籌備婚禮或添丁打算，則可將之視作「破歡喜財」應驗運勢，否則就要慎防桃花破財的情況出現，尤其剛投入新戀情、關係未及穩定者，新一年不宜與伴侶牽涉太多金錢轇轕，尤其不宜合作投資或聯名置業，因始終受「小耗」凶星牽制，容易出現破財情況。

【健康】

狗年的「辰戌沖」衝擊力強大，肖龍者的健康備受衝擊，身體出現各種小毛病，亦會有較多受傷跌傷機會。踏入豬年，由於已脫離「沖太歲」的負面影響，個人情緒較為正面，心態亦樂觀積極，加上有一組吉星之助力，無論精神狀態以至身體健康均有所提升，屬朝氣勃勃的一年。

不過，新一年因有「紅鸞」及「月德」吉星飛臨，肖龍者的人緣運極為暢旺，有機會流連煙花之地，應酬活動亦頻繁，亦建議凡事適可而止，以免休息不足而令自己身心俱疲。同時也要慎防因飲食過量令體重上升，甚或引發如膽固醇或血壓等都市病而拖垮健康。另外，由於桃花過盛，肖龍的女性亦要多留心有關婦科方面的小毛病，不妨定期作身體檢查以求安心。

整體而言，新一年的健康運並無大礙，只需稍為注意體重管理，並作適量運動鍛煉強身健體即可。惟豬年的家宅運始終受到凶星影響，肖龍者須多關心家中長輩健康，遇有不適應立即陪同求醫；亦可考慮為家居作小量裝修、維修，如更換家具、床褥或髹油等，有助強化家宅運勢。

不同年份運程

一九二八年：戊辰年（虛齡九十二歲）

戊辰年出生的長者財運不俗，倘若對麻雀耍樂或賽馬活動有興趣，新一年不妨小賭怡情，只要不太貪心將可有收穫。惟豬年會有朋友向你提出借貸擔保要求，建議慎重考慮，或要有「一去無回頭」的心理準備。健康方面腸胃及消化系統較弱，飲食應以清淡為主，生冷、肥膩食物可免則免。

一九四〇年：庚辰年（虛齡八十歲）

庚辰年出生的長者雖然年事已高，但新一年仍然朝氣勃勃，既有心力學習及接觸新事物，亦有機會出門短線旅遊；加上與家人關係良好，晚輩的關心問候充足，整體屬愉悅的年份。惟健康方面需要多留意有關膀胱、泌尿系統及前列腺問題，不宜諱疾忌醫延誤病情。

一九五二年：壬辰年（虛齡六十八歲）

新一年屬容易受傷跌傷的年份，尤其有機會被金屬所傷，故壬辰年出生者要多留意家居陷阱，出入浴室、上落樓梯或出門後更要加倍提防，以免發生意外。由於健康運較為不穩，豬年不妨留意家中的五黃（西南）及二黑（東北）大小病星飛臨位置，盡量不要觸動或久留，以免令健康運進一步下滑。財運方面算是不過不失，惟仍需謹慎理財，投資以穩健保守為主。

一九六四年：甲辰年（虛齡五十六歲）

受「甲己合」影響，甲辰年出生者豬年容易受傷跌傷，尤其雙手及頭部首當其衝，若有運動習慣者需要加倍小心。家宅運同樣受衝擊，可考慮為家居作小量裝修、維修，如鬆油、更換家具或床褥等，有助提升運勢。可幸是財運不俗，無論正財及偏財均有進賬，不妨以「小試牛刀」的方式投資；惟始終受「小耗」影響，需謹記「見好即收」，不宜作大手的投機炒賣。其實甲辰年出生者豬年情緒較為波動，容易與身邊人起爭拗，故時間許可不妨多出門作短線旅遊，放鬆心情輕鬆度過為佳。

一九七六年：丙辰年（虛齡四十四歲）

經歷了狗年的衝擊，豬年將是重新開始的年份，無論學習運及進修運均有明顯進步，工作上可掌握新方向，並有輕微的升遷運，財運亦轉趨穩定，整體屬逐漸向好的年份，故不妨視豬年為「播種期」，積極裝備自己迎接挑戰。惟新一年仍處於工作壓力較大的狀態，需要調節個人心態，亦可作適量運動減壓。至於已婚者容易因為子女的瑣事而煩惱，建議毋須過分操心，讓下一代順其自然發展更為理想。

一九八八年：戊辰年（虛齡三十二歲）

事業能再進一步的年份，亦可得貴人之助力，倘若有意轉工者不妨一試，成功機會較高。惟財運只屬不過不失，雖可有錢財進賬，但亦有財來財去之象，投資方面不宜輕舉妄動，尤其不宜參與高風險的短炒投機，容易跌入破財陷阱，建議及早策劃理財方向。

二〇〇〇年：庚辰年（虛齡二十歲）

人際關係及學習運順遂的年份，仍在求學階段者固然能受惠，即使已投身社會亦可考慮報讀與工作相關的進修課程，有望可認清前路，幫助未來事業發展。另外，新一年可多聆聽長輩意見，參考前人經驗將可獲益良多。感情方面則處於不穩定狀態，建議即使遇上合眼緣對象亦不宜操之過急，可多花時間溝通了解，以免倉促開展關係後始發覺與期望有所落差，舉棋不定影響身邊人。

二〇一二年：壬辰年（虛齡八歲）

壬辰年出生的小朋友學習運極為暢旺，亦可得長輩疼惜，惟個人要求高令壓力較大，建議父母不宜安排太多興趣課程，反而如投放時間專注於一至兩項活動發展，成績將會更為理想。健康方面容易有皮膚敏感問題，不妨多留意床單、被鋪或沐浴露等日用品是否有致敏源，亦可改用有機配方減少致敏機會。

流月運勢

農曆正月（西曆一九年二月四日至三月五日）

踏入正月財運不俗，投資方面可以小本經營的方式試行可有輕微收穫，惟需謹記「見好即收」的道理。二〇〇〇年出生者喉嚨、氣管及呼吸系統較弱，出入冷氣場所要注意添衣保暖，以免引發氣管敏感毛病。二〇一二年出生的小朋友容易受傷、跌傷，運動時需要格外小心。

農曆二月（西曆一九年三月六日至四月四日）

工作遇到阻滯的月份，做事容易「一波三折」，可幸眼前的困局只屬先難後易，建議遇有問題不宜鑽牛角尖，不妨多向前輩請教，所獲之意見將有助解決問題。一九五二年出生者受失眠問題困擾，需爭取作息時間，以免影響健康。一九七六年出生者跌入破財運，不宜涉獵投資市場，容易有失利情況。

農曆三月（西曆一九年四月五日至五月五日）

本月健康會有瑣瑣碎碎的小毛病，尤其腸胃及消化系統最弱，飲食需要盡量清淡；若有出門機會則要小心有水土不服情況，建議可帶備平安藥物以策萬全。一九五二年出生者簽署文件、合約時要清楚內容細節，否則容易因為一時大意出錯而惹上官非。一九八八年出生者家宅運備受衝擊，宜多花時間關心長輩健康，遇有不適應立即陪同求醫。

農曆四月（西曆一九年五月六日至六月五日）

跌入破財運勢，不宜作任何借貸擔保，投資亦要盡量以保守為大前提。一九六四年出生者家宅運動盪，雙手容易受傷，不妨為家居作小量裝修、維修提升運勢。一九七六年出生者受口舌是非困擾，建議事不關己不宜多管閒事，以免捲入人事糾紛之中。

農曆五月（西曆一九年六月六日至七月六日）

本月個人情緒低落，容易焦慮及杞人憂天，不妨多找朋友傾訴解開心結，亦可考慮出門作短線旅遊，以輕鬆心態度過。一九六四年出生者容易與身邊人起爭拗，討論時需要互相尊重，多加溝通忍讓；本月關節亦容易受傷跌傷，出入浴室及上落樓梯需要特別提防。二〇〇〇年出生者財運疲弱，外出時宜謹慎看管個人財物，以免無辜破財。

農曆六月（西曆一九年七月七日至八月七日）

財來財去的月份，容易有入不敷支情況，建議肖龍者需要格外審慎理財。可幸是工作運不俗，能得貴人之助力向上發展。一九七六年出生者喉嚨、氣管及呼吸系統較弱，需注意空氣質素，以免引發敏感問題。二〇〇〇年出生者受輕微的打針、食藥運困擾，不妨多爭取休息時間，不宜過分操勞。

農曆七月（西曆一九年八月八日至九月七日）

本月運勢轉趨順遂，之前所遇到的困難、阻滯將可現曙光，工作上亦可憑人脈而有突破性發展，不妨積極把握。一九七六年出生者家宅運受衝擊，需注意家中長輩健康，遇有不適應立即陪同求醫。一九八八年出生者財運順遂，不妨作小量投資，只要不太貪心將可有收穫。

農曆八月（西曆一九年九月八日至十月七日）

有新合作機會出現的月份，惟本身從事的工作出現小波折，故不宜輕舉妄動，需先審視大環境再作決定。本月亦會有較多傷風、感冒等小毛病，宜多爭取休息時間，以免過勞影響健康。一九八八年出生者受家宅及自身的煩惱困擾，處事較多波折，需要以耐性克服。二〇一二年出生的小朋友容易受傷、跌傷，尤其戶外活動時需要特別小心。

農曆九月（西曆一九年十月八日至十一月七日）

踏入傳統的相沖月份，建議肖龍者可多出門走動，冬天出生者可到熱帶地方旅遊，而夏天出生者則可到寒冷地方，以「借地運」的方式提升運勢。一九六四年出生者身體健康運欠佳，不宜安排過多應酬，以免令自己疲於奔命。二〇〇〇年出生者人際關係陷入倒退期，尤其與朋友及家人爭拗頻繁，建議凡事多加忍讓免傷和氣。

農曆十月（西曆一九年十一月八日至十二月六日）

運勢轉趨順遂的月份，尤其財運理想，無論從商或打工一族均有得財機會，投資方面只要不太貪心可有得着。一九四〇年出生者備受失眠問題困擾，建議毋須杞人憂天，調節心態即可。一九五二年出生者容易招惹口舌是非，建議「少說話、多做事」，事不關己不宜多加意見。

農曆十一月（西曆一九年十二月七日至二〇年一月五日）

工作有所推進的月份，惟距離成功仍屬「一步之遙」，遇上樽頸位時不妨尋找肖猴的朋友幫忙，有望可解決問題。財運方面有一得一失之象，雖有錢財進賬但亦有瑣瑣碎碎的開支，建議審慎策劃理財方向。一九五二年出生者頭部容易受傷，駕駛人士要注意路面安全，以免發生碰撞。一九八八年出生者個人情緒低落，容易胡思亂想，建議多接觸大自然吸收正能量。

農曆十二月（西曆二〇年一月六日至二月三日）

本月家宅上會有瑣碎的小問題出現，已婚者容易因為下一代的瑣事而憂心，已有伴侶者亦會因為雙方家人而起爭拗，建議本月不宜與對方的家庭有緊密接觸，亦可考慮以「聚少離多」的方式相處，避免無謂爭執。一九七六年出生者有破財機會，不妨主動購買心頭好應驗運勢。二〇一二年出生的小朋友容易情緒低落，父母不妨多加關心鼓勵，從旁開解走出困局。

蛇

太歲相沖感情易變
驛馬入主動中生財

肖蛇開運錦囊

★沖太歲之年變化多端，宜貼身佩戴牛形及雞形飾物開運。

★立春後宜攝太歲，亦可捐血或洗牙化解輕微血光之災。

★大耗星入主容易破財，家中擺放貔貅有助守護財富。

★加緊化解流年五黃災星及二黑病星飛臨位置，以提升整體家宅運。

★豬年容易開罪權貴，待人接物要格外謙遜低調。

（流年吉凶方位請參看374頁）

肖蛇者出生時間（以西曆計算）

二〇一三年二月四日零時十四分 至 二〇一四年二月四日六時四分

二〇〇一年二月四日二時三十分 至 二〇〇二年二月四日八時二十五分

一九八九年二月四日四時二十八分 至 一九九〇年二月四日十時十五分

一九七七年二月五日六時三十四分 至 一九七八年二月四日十二時二十七分

一九六五年二月四日八時四十六分 至 一九六六年二月四日十四時三十八分

一九五三年二月四日十時四十六分 至 一九五四年二月四日十六時三十一分

一九四一年二月四日十二時五十分 至 一九四二年二月四日十八時四十九分

一九二九年二月四日十五時九分 至 一九三〇年二月四日二十時五十二分

一九一七年二月四日十六時五十八分 至 一九一八年二月四日二十二時五十三分

整體運程

踏入「沖太歲」年份，相沖力量比其他形式的犯太歲更為明顯，故肖蛇者將會是十二生肖當中運勢最為不穩定的一員。所謂「太歲當頭坐，無喜必有禍」，雖然相沖年未必一定處於劣勢，但難免會有較多暗湧，倘若豬年能有結婚、添丁、置業或創業沖喜，則可略為減輕衝擊力量，否則就要加倍謹慎。惟即使有結婚打算，亦要提防於籌備婚禮過程中出現爭拗，建議多加忍讓，免傷和氣。除了感情踏入關口年，事業上亦有機會出現變化，惟始終受「沖太歲」影響，不宜作冒險的決定，行動前需多觀察形勢，凡事以保守為上。

新一年有「天廚」及「驛馬」進駐，「天廚」是一顆代表飲飲食食的吉星，豬年會有較多吃喝玩樂及應酬機會，令肖蛇者在動盪中稍為喘息。而「驛馬」則象徵走動頻繁，無論自願與否也會有較多出門機會，既然豬年屬「相沖年」，若能多走動對運勢亦有裨益。

惟豬年亦有一組凶星飛臨，「歲破」象徵人際關係上的破敗，尤其容易得罪權貴，需要步步為營。「大耗」是大的破財，新一年會有較多開支，從商者需要開源節流，投資方面亦要格外審慎，以免失利離場。「欄干」則有波折重重之意，處事容易一波三折，建議凡事作好兩手準備。至於「披頭」則代表孝服白事，建議肖蛇者多關心家中長輩健康，除可多作贈醫施藥外，亦可考慮以施棺積福，即捐錢予無力為家人殮葬的家庭，既可助人又可提升家宅運勢。

總括而言，豬年是腹背受敵的年份，不宜將目標訂得太高，不妨多出門旅遊放鬆身心，亦可主動裝修或維修家居提升運勢。由於「沖太歲」年份容易受傷，建議肖蛇者新一年應避免一切高危活動，於狗年年底作詳細的身體檢查，立春後做好攝太歲工作，留意家中五黃及二黑病星飛臨位置，盡量移走具煞氣的物品，並貼身佩戴牛形及雞形的生肖飾物，以積極心態迎接挑戰。

【財運】

受「沖太歲」影響，肖蛇者新一年的財運動盪，從商者較多突如其來的開支，容易有「三更窮、五更富」情況，建議即使相熟客戶亦不宜借貸賒數，以免因對方周轉不靈而遭拖累蒙受損失。由於財運不穩，豬年的理財策略應以保守為大前提，不宜過度擴張生意，作重大決定前亦要三思，以免決策錯誤。而「巳亥沖」同時代表驛馬相沖，若時機成熟不妨考慮離開原居地拓展海外市場，凡事親力親為，動中生財將較為有利。

另外，「沖太歲」加上「大耗」凶星，新一年難免有破財機會，若肖蛇者有結婚或置業打算不妨落實執行，以「破歡喜財」的方式應驗運勢。至於「天廚」吉星代表用於吃喝玩樂及應酬的開銷會增多，故需要量入為出，謹慎理財，亦可考慮將現金化為實物保值，減低破財風險。投資方面，受制於「沖太歲」影響，不妨放眼於穩健的藍籌，大手買賣可免則免。既然豬年是容易受傷的年份，肖蛇者亦可主動花費於購買保健產品或醫療及旅遊保險上，多作贈醫施藥善舉平穩健康運勢。

【事業】

相沖年份令肖蛇者事業出現暗湧，有機會因為人事問題或工作環境欠佳而萌生轉工之念，惟變動前需要審視大環境形勢，尤其不宜衝動「裸辭」，否則容易跌入較長的等候期。倘若堅持跳槽者亦不妨待下半年才落實執行，否則容易有「一轉再轉」機會，令自己徒添煩惱。另外，即使成功受聘亦務必要落實新工作才辭去原有職位，以免新公司出現變卦，令肖蛇者陷入「兩頭不到岸」的困局。

由於「沖太歲」加上「欄干」凶星入主，豬年做事難免會困難重重，距離成功永遠是「一步之遙」，建議肖蛇者以平常心面對，亦可多爭取出差機會；因相沖年較為動盪，能動中生財運勢將會較為理想。另外，受「歲破」影響，豬年要小心處理職場上的人際關係，同事之間容易有明爭暗鬥及口舌是非，事不關己盡量不宜多加意見，以免開罪別人。由於豬年欠缺貴人助力，工作上需要額外付出努力，凡事親力親為，並有心理準備將是「多勞少得」的年份，不宜期望有大幅度的升遷或加薪，平平穩穩已屬一種進步。

【感情】

「沖太歲」是感情上的關口年，容易為關係帶來衝擊，倘若豬年有訂婚、結婚或置業同居打算則較為理想，否則就要提防出現「不結即分」情況。另外，即使籌備婚禮過程中亦要小心容易因為瑣事而起爭拗，建議凡事互相忍讓。至於已婚者若能於豬年添丁，則可令雙方感情較為穩定，否則亦難免較多爭執，即使二人關係甜蜜，也有機會因為雙方家庭之瑣事而意見分歧，建議凡事需互相尊重包容，以免一時衝動影響感情。

至於單身一族受「驛馬」吉星帶動，豬年較有利異地姻緣，可能是外遊時遇上合眼緣的對象，又或是於本地遇上從外地回流的異性，故不妨多出門走動，將着眼點投放於具地域距離的姻緣之上。另外，由於有「天廚」進駐，新一年將會有較多飲飲食食的應酬機會，惟豬年始終不是桃花年，「沖太歲」遇到的感情亦大多較為短暫，加上自身煩惱甚多，對開展關係的意欲不算大，建議肖蛇者不妨先擴闊社交圈子，以結交朋友為基礎，再待時機成熟慢慢發展更為理想。

【健康】

踏入相沖年，無論身體健康及家宅運皆受衝擊，加上新一年有「披頭」凶星入主，肖蛇者需要加倍注意自身及家人健康，多花時間關心長輩，慎防廚房、浴室等小陷阱，並留意流年的五黃（西南）及二黑（東北）大小病星位置不宜觸動，移走有煞氣的尖刀、石頭等，情況許可不妨考慮搬遷或作小量裝修、維修，有助穩定運勢。

另外，「巳亥沖」代表驛馬相沖，新一年雙腳及關節容易受傷，上落樓梯或運動時要格外留神；駕駛者亦要時刻注意道路安全，奉公守法切勿違規。由於「沖太歲」運勢不穩，豬年不妨多出門外遊，以動中生財的方式提升運勢。惟相沖年份容易遇上小意外、小驚嚇，故出門後留意目的地之天氣變化及航班延誤，亦要小心看管行李及個人財物，避開一切高危的戶外活動如攀山、爬石、潛水及跳傘等，亦可預先購買醫療及旅遊保險以策萬全。要進一步穩定健康運，肖蛇者可於狗年年底作詳細的身體檢查，並於豬年之始捐血或洗牙，化解輕微血光之災。

不同年份運程

一九二九年：己巳年（虛齡九十一歲）

健康運平平，尤其犯「曲腳煞」雙腳容易受傷跌傷，需慎防浴室、廚房等家居陷阱，上落樓梯或出入時要加倍小心。另外，豬年的消化系統及脾胃較弱，建議飲食盡量清淡，「利口不利身」的食物少吃為妙。由於健康運不穩，己亥年的長者需留意家居的五黃（西南）及二黑（東北）大小病星飛臨位置，盡量避免觸動及避免使用顏色鮮豔的物品，以免進一步強化病星力量；亦可考慮為家居作小量裝修、維修，如更換家具、床褥或髹油等，有助提升運勢。

一九四一年：辛巳年（虛齡七十九歲）

新一年貴人運不俗，投資上只要不太貪心可有輕微收穫，倘若鍾情賽馬或麻雀耍樂不妨小賭怡情，亦可與志同道合的朋友發展興趣及聚會歡談，整體屬愉快的年份。惟個人脾氣較為暴躁，與人相處時要多點耐性，以免一時衝動而起爭拗傷和睦。健康方面容易有關節扭傷跌傷，亦要注意血壓及膽固醇等都市病，盡量節制飲食，作息定時則可平安大吉。

一九五三年：癸巳年（虛齡六十七歲）

狗年的「戊癸合」令癸巳年出生者有精神緊張、神經衰弱毛病，來到己亥年個人情緒較為正面，加上有不少聚會應酬及出門機會，心情開朗帶動運勢也有所提升。唯一要留心容易有小手術或受金屬受傷，需多留意家居陷阱，移開尖刀、石頭等具煞氣的物品，亦可於立春後捐血或洗牙應驗輕微血光之災。財運只屬不過不失，不宜進行高風險的大手投資，容易失利離場。

一九六五年：乙巳年（虛齡五十五歲）

己亥年雖屬「沖太歲」年份，但整體運勢不算太差，乙巳年出生者亦會蠢蠢欲動作出變化，惟凡事需要謹慎保守，尤其投資方面不宜作高風險炒賣，不妨考慮穩健的中長線投資，並以「刀仔鋸大樹」方式試行較為有利。另外，乙巳遇上己亥犯「曲腳煞」，新一年需多保護關節，尤其雙腳最容易受傷，若雙手及肩膀有舊患亦要提防復發；建議乙巳年出生者不妨多外遊提升運勢，只要出門後注意安全即可。

一九七七年：丁巳年（虛齡四十三歲）

踏入四十三歲關口年，丁巳年出生者將是眾多肖蛇者當中變化最多的一員，倘若有搬遷、置業或轉職打算則可應驗變化，否則就要留心運勢起落較大。由於豬年為水旺的年份，農曆四月、五月及六月出生者會較為平穩，惟整體仍有波濤洶湧之象，需有心理準備迎戰。另外，豬年的人際關係步入倒退期，容易與人起爭拗，生意拍檔有機會因為意見分歧而反目甚至拆夥離場，建議不宜衝動，凡事以和為貴。至於打工一族亦不宜輕舉妄動，需多觀察大環境，以免決策錯誤甚至急進決定而有破財機會。既然豬年是四面受敵、多勞少得的年份，建議不宜將目標訂得太高，不妨視之為「播種期」，積穀防饑較為理想。健康方面則有較多傷風、感冒等小毛病，個人壓力較大，建議作息定時、適量運動，亦可於狗年年底作詳細的身體檢查以保平安。

一九八九年：己巳年（虛齡三十一歲）

己巳年出生者來到相沖年，若時機成熟不妨考慮結婚、添丁或置業沖喜，否則就要注意容易有離合危機。由於豬年運勢多暗湧，籌備婚禮的過程亦要提防爭拗，建議凡事有商有量，互相尊重方為上策。至於未有喜事者就要控制個人情緒，以免因瑣瑣碎碎的煩惱而令脾氣暴躁，與伴侶相處時需多加包容體諒。事業發展則尚算平穩，可有輕微進步，不妨主動爭取出差機會提升運勢。財運方面不宜作高風險或大手投資，借貸擔保亦可免則免，以免破財。

二〇〇一年：辛巳年（虛齡十九歲）

學習運順遂的年份，若有出國留學打算不妨落實執行，亦可考慮報讀興趣課程發展嗜好，惟要有心理準備因有機會接觸不同範疇的事物，需要較多時間及耐性適應。感情方面未算穩定，容易遇上短暫情緣，建議不宜抱太大期望。相沖年頭部及手腳亦容易受傷，有運動習慣或正在學習駕駛者需要打醒十二分精神，並避免參與攀山、潛水、爬石及跳傘等高危活動，盡量安全為上。

二〇一三年：癸巳年（虛齡七歲）

癸巳年的小朋友豬年有頗強的讀書運，學習態度積極主動，亦可嘗試不同範疇的嗜好，發展理想；加上個人聰敏乖巧、可愛活潑，能得到老師及長輩疼惜，屬心情愉快的年份。健康方面則要留心眼睛容易發炎及受感染，喉嚨、氣管及呼吸系統亦較弱，建議父母多留意家居空氣質素，盡量找出致敏源減少敏感機會。

流月運勢

農曆正月（西曆一九年二月四日至三月五日）

踏入正月，個人健康運及家宅運皆受衝擊，受到瑣瑣碎碎的家宅問題困擾，容易與身邊人起爭拗，建議盡量忍讓；亦要多花時間關心家中長輩健康，倘若有搬遷或裝修打算，本月不妨落實執行，有助穩定運勢。一九七七年出生者受破財運影響，容易有財物損失。二〇〇一年出生者人際關係進入倒退期，待人處事不宜心高氣傲，以免與身邊人生嫌隙。

農曆二月（西曆一九年三月六日至四月四日）

財運略有進步，不妨考慮穩健的中長線投資，只要不進行高風險的投機炒賣將可有得着。一九六五年出生者受是非口舌困擾，建議事不關己不宜多加意見，以免事後遭受埋怨。一九八九年出生者容易胡思亂想、杞人憂天，不妨多找朋友傾訴解開心結。

農曆三月（西曆一九年四月五日至五月五日）

健康上會有瑣瑣碎碎的小毛病，尤其腸胃首當其衝，飲食需盡量清淡。事業上有輕微進步，惟壓力較大，需要調節身心適應。一九五三年出生者容易因精神緊張而導致失眠，時間許可不妨出門旅遊放鬆身心。一九八九年出生者容易招惹是非口舌，盡量「少説話、多做事」避免捲入爭端。

農曆四月（西曆一九年五月六日至六月五日）

適宜走動的月份，惟出門後要小心看管行李及個人財物，亦要留心有航班延誤情況。本月容易受傷跌傷，尤其雙腳最為脆弱，有運動習慣者要特別提防。一九六五年出生者健康運一般，提防意外受傷。一九八九年出生者家宅受衝擊，需多關心家中長者健康，遇有不適應陪同就醫。

農曆五月（西曆一九年六月六日至七月六日）

有新合作機會出現，惟不宜輕舉妄動，開展前應多作了解。倘若計劃中有肖羊的朋友協助將較易成功，惟始終受「沖太歲」影響，只能以小本經營的方式進行，高風險或大手投資萬萬不能。一九六五年出生者雙手容易受傷，駕駛人士要格外注意道路安全。一九七七年出生者有輕微的財運進賬，不妨購買心頭好獎勵自己。

農曆六月（西曆一九年七月七日至八月七日）

本月學習運順遂，倘若有意報讀進修課程不妨落實執行，將會有不俗成果。惟受瑣瑣碎碎的是非口舌困擾，心情會較受影響。一九四一年出生者有輕微打針、食藥運，出入冷氣場所要注意添衣保暖。二〇〇一年出生者與家人關係緊張，相處時宜多加忍讓免傷和氣。

農曆七月（西曆一九年八月八日至九月七日）

相合月份將會遇到較多突如其來的變化衝擊，看似順遂原來只屬表面風光，事情亦會一波三折，運勢起落較大，建議作好兩手準備迎接。一九五三年出生者受破財運影響，不宜投資投機。一九七七年出生者家宅運不穩，需多關心家中長者及個人健康。

農曆八月（西曆一九年九月八日至十月七日）

與之前的月份比較，本月運勢相對穩定，早前遇到的麻煩、阻滯亦會現曙光，事業上有所突破，亦可有少量意外之財，不妨好好把握。一九六五年出生者貴人運不俗，遇有疑難不妨多向朋友請教，可望得到協助。一九七七年出生者眼睛容易受感染或發炎，需多注意個人衛生。

豬 鼠 牛 虎 兔 龍 蛇 馬 羊 猴 雞 狗

農曆九月（西曆一九年十月八日至十一月七日）

自身的努力終於獲得回報，事業及財運不俗，運勢有上揚之象。惟本月會有家人或朋友向你尋求協助，建議凡事量力而為，以免無辜受拖累。一九五三年出生者人際關係一般，提防與身邊人有反目情況。一九六五年出生者有輕微破財運，出門後需謹慎看管個人財物。

農曆十月（西曆一九年十一月八日至十二月六日）

本月雖是傳統的相沖月份，但肖蛇者的運勢有回穩迹象，無論事業及財運均逐步向好。惟健康運一般，較多傷風、感冒等小毛病，有運動習慣或駕駛者亦要提防關節受傷。一九六五年出生者宜細閱文件、合約的內容細節，遇有不明白的地方可向專業人士請教，以免捲入官非訴訟。二〇〇一年出生者與家人爭拗頻繁，建議尊重對方意見，不宜衝動行事。

農曆十一月（西曆一九年十二月七日至二〇年一月五日）

事業有輕微晉升機會，個人亦適合作出變化，惟凡事需要按部就班，不宜急進。財運不俗，投資上只要不太貪心可有收穫。一九五三年出生者可以「小試牛刀」的方式投資，本月有機會獲利。二〇〇一年出生者喉嚨、氣管及呼吸系統較弱，不宜進食生冷食物。

農曆十二月（西曆二〇年一月六日至二月三日）

來到一年之末，「沖太歲」的影響已來到尾聲，各方面的運勢將會較為穩定，無論是財運及人際關係亦有好轉。肖蛇者亦會有新的發展方向，謹記本月肖雞者是閣下的貴人，遇有問題不妨虛心請教。一九七七年出生者容易破財，理財方向需格外謹慎。二〇一三年出生的小朋友受打針、食藥運困擾，眼睛亦容易受傷，戶外活動時需格外小心。

馬

吉星進駐貴人助旺
謹慎理財收成在望

肖馬開運錦囊

★貴人星拱照，打工一族積極爭取表現必有所得。

★事業運順遂，宜進一步催旺流年四綠文昌星方位。

★暴敗星入主提防財運反覆，宜在家中或公司擺放催財金元寶。

★言多必失，注意言行舉止以加強人際關係。

★出門容易有小意外，宜預先購買旅遊保險以策萬全。

（流年吉凶方位請參看374頁）

肖馬者出生時間（以西曆計算）

二〇一四年二月四日六時四分	至	二〇一五年二月四日十二時正
二〇〇二年二月四日八時二十五分	至	二〇〇三年二月四日十四時六分
一九九〇年二月四日十時十五分	至	一九九一年二月四日十六時九分
一九七八年二月四日十二時二十七分	至	一九七九年二月四日十八時十三分
一九六六年二月四日十四時三十八分	至	一九六七年二月四日二十時三十一分
一九五四年二月四日十六時三十一分	至	一九五五年二月四日二十二時十八分
一九四二年二月四日十八時四十九分	至	一九四三年二月五日零時四十一分
一九三〇年二月四日二十時五十二分	至	一九三一年二月五日二時四十一分
一九一八年二月四日二十二時五十三分	至	一九一九年二月五日四時四十分

整體運程

踏入己亥年，肖馬者與流年太歲既無沖也無合；加上有一組吉星進駐，整體運勢將會穩步上揚，屬有進步的年份。

豬年喜獲「紫微」、「龍德」兩顆強而有力的貴人星拱照，肖馬者的事業發展順遂，個人領導地位得以彰顯；加上貴人之助力，即使遇上波折也能逢凶化吉、遇難呈祥，平穩度過新一年。此外，豬年也有象徵朝廷俸祿的「祿勳」吉星駕臨，此星對打工一族有利，尤其任職大機構者更佳，可望在職場上大展拳腳，亦有升職加薪機會；至於從商者則可憑藉人脈而帶動生意額上升，無論事業及人際關係都有突破。

惟新一年亦有「暴敗」凶星入主，此星代表財運上落較大，雖然賺錢能力強但亦容易有突如其來的開支，令肖馬者無辜破財；建議豬年不宜進行高風險的投機炒賣，盡量謹慎理財、積穀防饑，以免出現「三更窮、五更富」情況。另外，此星亦有「言多必失」之意，豬年容易因為言行而開罪別人，建議盡量「少說話、多做事」，避免招惹口舌是非。至於「地解」則主地方上的變動及物業上的花費，除了置業、搬家或裝修維修外，從商者亦有機會因為店鋪或寫字樓搬遷而要動用一筆資金，故不妨多作儲備。「天厄」則是出門後的小意外、小驚嚇，外遊時需多留意目的地的天氣變化、航班或行李延誤等，凡事多作準備則可平安大吉。

總括而言，豬年雖有瑣碎的凶星飛臨，可幸是吉星力量充足，整體仍屬有進步之年，只要提防暗湧即可。既然豬年財運存在不穩定因素，建議肖馬者做好財政管理，並準備一筆「應急錢」以備不時之需。健康方面並無大礙，只是因為工作壓力而有精神緊張、神經衰弱毛病，學懂調適身心紓壓即可。惟由於豬年過後的鼠年將踏入「沖太歲」年份，運勢將會較為動盪，故肖馬者不妨於豬年的第三、四季作好準備，迎接相沖年的變化。

【財運】

豬年既有「紫微」、「龍德」兩顆大貴人星拱照，又有代表朝廷俸祿的「祿勛」飛臨，肖馬者的財運原則上會較為順遂，打工一族可有不俗的薪酬調整，從商者亦能憑藉良好的人際網絡而得到新舊客戶支持，只要能親力親為則可帶動生意進賬，整體屬向好的年份。

惟豬年有「暴敗」凶星，代表財運的起伏較大，尤其從商者需要提防暗湧，即使生意順境也要積穀防饑，多控制經營成本及開源節流，面對相熟客戶亦盡量不宜借貸賒數，以免被拖累而令資金周轉不靈。由於豬年能得貴人助力，肖馬者有機會獲得投資上的小道消息，惟始終受「暴敗」凶星影響，只宜「小試牛刀」，不宜進行大手或高風險的投機炒賣，並需要時刻提防市況變動，以免招致損失。

至於「地解」星則有變遷之意，除了物業買賣或家居裝修、維修外，從商者亦有機會因為店舖或寫字樓需要搬遷而動用額外開支。既然豬年的財運不甚穩定，建議肖馬者注意現金流向，並於豬年之始做好理財策劃，否則即使有不俗的賺錢能力亦較難守財。

【事業】

己亥年喜獲一組與事業相關的吉星拱照，肖馬者能於職場上發揮個人領導才能，事業發展算是稱心如意的一年。豬年有「紫微」、「龍德」兩顆強而有力的吉星入主，新一年可獲得貴人助力，尤其打工一族最能受惠，無論是老闆、上司或前輩都會對肖馬者照顧有加；加上有代表朝廷俸祿的「祿勛」吉星進駐，豬年可望有不俗的薪酬調整及職位升遷，整體算是一個進步運勢。

惟始終受「暴敗」凶星影響，此星除了代表財運的起伏較大，同時亦有「言多必失」之意，肖馬者有機會因為升遷而招人妒忌，雖然與上司關係融洽，但同事之間則難免有明爭暗鬥，亦會有較多口舌是非，建議謹守崗位，盡量「少說話、多做事」，謹記若能保持圓融的人際關係，對原本向好的事業運將會更為有利。

至於有意轉換工作環境者，建議可於下半年落實執行，能覓得心水工作的機會將會較高。另外，由於新一年有利學習進修，肖馬者不妨報讀與工作相關的課程積極自我增值，對未來的事業發展將會有所裨益。

【感情】

由於己亥年入主的吉星以拱照事業為主，並無明顯的桃花星進駐，肖馬者的感情運只能以平穩及不過不失來形容，未算有太大突破。

倘若已有伴侶或已婚者，豬年的關係穩定性會較高，彼此相處融洽，未見出現重大爭拗；惟因為工作忙碌、個人精神壓力較大，二人相處時間減少，肖馬者容易因為過分專注事業發展而冷落另一半，甚至遭到伴侶埋怨；建議即使公事繁忙亦要平衡事業與家庭，多花時間關心及陪伴對方，亦可多出門旅遊或舊地重遊，重拾昔日的溫馨甜蜜片段，有助長遠維繫感情。

至於單身一族受到「祿勳」吉星影響，豬年將會較為醉心於工作之上，對談戀愛的意欲較為淡泊；加上始終未有桃花星，感情狀況很大程度是有原地踏步之勢。倘若單身已久、渴望能獲得愛情滋潤者，不妨嘗試透過貴人介紹，尤其是社會地位崇高的長輩，可憑藉其人脈而廣結人緣、甚至認識心儀對象；亦可於工作環境多留意身邊人，惟即使遇上合眼緣對象亦不宜操之過急，循序漸進了解再開展戀情將較為持久。

【健康】

己亥年有「紫微」、「龍德」兩顆力量強大的貴人吉星駕臨，肖馬者的身體健康並無大礙，情緒亦較為正面，即使有瑣瑣碎碎的小毛病或小意外，最終仍能逢凶化吉、遇難呈祥，整體屬穩定性高、平安大吉的年份。

惟始終有「天厄」凶星入主，代表出門後容易遇上小意外、小驚嚇，建議肖馬者外遊時應多留意當地的天氣變化，亦要提防有航班或行李延誤情況，建議出發前多搜集資料作好準備。另外，由於「天厄」亦有機會意外受傷，建議肖馬者盡量避免參與高風險的戶外活動如攀山、爬石、潛水及跳傘等，亦可預先購買醫療及旅遊保險以策萬全，謹記凡事需以安全為上。

至於「暴敗」凶星代表上落較大，新一年需要注意體重管理，避免因為貴人運旺盛、太多應酬聚會而暴飲暴食，引發血壓、膽固醇等都市病。建議肖馬者凡事適可而止，盡量作息定時，並以平常心面對工作壓力。由於豬年過後的鼠年將是相沖年，建議可於豬年年底作詳細的身體檢查，提升健康意識迎接健康較為不穩的「沖太歲」來臨。

不同年份運程

一九三〇年：庚午年（虛齡九十歲）

貴人運順遂的年份，投資方面可憑個人心水而有得着，倘若鍾情賽馬或麻將耍樂亦可小賭怡情，屬心情開朗的年份。惟新一年容易因為堅持己見而與朋輩出現爭拗，相處時應慎言，以免有「言者無心，聽者有意」情況開罪別人。健康方面喉嚨、氣管及呼吸系統較弱，需多留意家居空氣質素，天氣轉變亦要添衣保暖，減低氣管敏感機會。

一九四二年：壬午年（虛齡七十八歲）

新一年是容易受傷跌傷的年份，尤其容易受金屬所傷，若有入廚習慣者需要格外留神，亦要提防家居陷阱，移走具煞氣的擺設，以免發生意外；建議壬午年出生者可於立春過後驗血或洗牙，應驗輕微血光之災。另外，豬年有機會因為擔心焦慮而導致失眠，不妨放鬆心情，閒時亦可以打坐、瑜伽等輕量運動紓壓。

一九五四年：甲午年（虛齡六十六歲）

由於出生年柱與流年屬「甲己合」，甲午年出生的長者雙手容易受傷，亦會有偏頭痛毛病；若本身已有肩膊痛或五十肩等舊患就要特別留神，不宜進行關節勞損的運動，並多作針灸保健保平安。豬年亦要多留意家宅問題，容易受漏水、噪音等瑣碎問題困擾，情況許可不妨作小量裝修、維修穩定運勢。可幸是財運不俗，投資方面只要不太貪心可有進賬。

一九六六年：丙午年（虛齡五十四歲）

丙午年出生者豬年事業發展不俗，無論打工一族或從商者都可找到新方向，屬有進步突破的年份。惟簽署文件、合約時需要多留意內容細節，遇有疑問應向專業人士請教，以免無辜捲入官非訴訟。另外，由於工作運旺令個人壓力較大，建議作息定時，閒時可作適量運動減壓，並略為提防心臟或血壓等都市病即可。

一九七八年：戊午年（虛齡四十二歲）

相比戊戌狗年，豬年的運勢將會有所推進，個人情緒較為正面，財運亦比前順遂，整體屬穩定性高的年份。惟新一年仍有「財來財去」之象，建議戊午年出生者要謹慎理財，賺取一筆可觀收入後化為實物保值，減少破財機會。投資方面建議投放於穩健的中長線藍籌，不宜作任何高風險的投機炒賣。豬年亦會有新合作機會出現，惟需謹記「不熟不做」的原則，凡事保守而行，並盡量親力親為則可平安大吉。

一九九〇年：庚午年（虛齡三十歲）

社交運順遂，能廣結人緣認識不同範疇的朋友，擴闊社交圈子為自己未來事業鋪路。工作上亦有貴人之助，與上司關係良好，原則上屬有進步的年份；惟需提防同輩之間的口舌是非，說話盡量謹慎，不宜鋒芒太露，始終保持圓融的人際關係對事業發展較為有利。桃花運不俗，單身一族有機會遇上合眼緣對象，惟已婚者則不宜對人過分熱情，以免引發誤會捲入糾纏不清的三角關係之中。財運算是不過不失，整體仍以正財為主。

二〇〇二年：壬午年（虛齡十八歲）

學習運順遂的年份，若仍在求學階段不妨好好把握，即使已投身社會，亦可考慮報讀與工作相關的課程增值自己。惟新一年容易受傷，尤其是關節扭傷跌傷，若本身較為好動或有運動習慣就要加倍提防，進行戶外運動時需結伴同行；並盡量避免參與高風險的活動如潛水、爬石、攀山、滑雪等，若堅持參與亦應找專業人士陪同。感情運則未算穩定，遇上對象亦大多是短暫桃花，建議毋須花時間尋尋覓覓。

二〇一四年：甲午年（虛齡六歲）

讀書運不俗，頭腦靈活、聰明伶俐，不妨安排接觸不同範疇的嗜好，再尋找其興趣所在，將有不俗發展。雖然甲午年出生的小朋友新一年可得老師及長輩疼惜，但個人較為情緒化，心情起伏較大，父母應多加關心及溝通，了解小朋友的想法。豬年亦屬容易有受傷跌傷的年份，頭部及雙腳首當其衝，戶外活動時要加倍留神。

流月運勢

農曆正月（西曆一九年二月四日至三月五日）

踏入正月，肖馬者的貴人運順遂，將會有新的合作機會出現，倘若能有肖狗的朋友作橋樑協調，將較容易水到渠成。惟實踐時仍需謹慎保守，不宜大手投資。一九六六年出生者容易受傷跌傷，不宜參與高風險的戶外活動。二〇〇二年出生者個人脾氣較為暴躁，容易與他人起爭拗，建議互相尊重免傷和睦。

農曆二月（西曆一九年三月六日至四月四日）

有輕微桃花運，單身一族不妨多留意身邊人，惟屬短暫情緣的機會較高，建議多加觀察，不宜操之過急開展戀情。一九四二年出生者受失眠問題困擾，可多接觸大自然放鬆身心。一九七八年出生者容易胡思亂想，較多擔心焦慮，建議找朋友或長輩傾訴解開心結。

農曆三月（西曆一九年四月五日至五月五日）

工作上會遇上困難阻滯，加上肖馬者個性較為急進，容易有決策錯誤情況；其實眼前問題只屬先難後易，只需多加耐性即可見曙光，三思後行對解決困難較為有利。一九六六年出生者容易受是非口舌困擾，不宜作中間人為他人排難解紛。一九七八年出生者提防破財，不妨將現金化作實物保值。

農曆四月（西曆一九年五月六日至六月五日）

家宅運較受衝擊，容易因為家中長輩健康或小朋友的瑣事而煩惱，需要多花時間關心照顧家人。本月將有親友或兄弟姊妹向肖馬者尋求協助，惟需謹記凡事量力而為，切勿超出能力範圍而令自己徒添麻煩。一九五四年出生者健康運較弱，遇有不適應立即求醫。一九九〇年出生者與家人關係緊張，建議多加溝通，互相體諒。

農曆五月（西曆一九年六月六日至七月六日）

本月健康運較為疲弱，尤其容易有傷風、感冒等小毛病，建議於火旺月份多使用米色、白色或藍色物品，尤其夏天出生者更為適合。由於流月與肖馬者的地支有所衝擊，時間許可不妨出門旅遊，冬天出生者可到熱帶國家城市，夏天出生者則可到寒冷地方，以「借地運」的方式提升運勢。一九五四年出生者與朋輩較多爭拗，相處時應控制個人情緒，不宜衝動行事。一九九〇出生者容易受傷跌傷，有運動習慣者需要特別提防。

農曆六月（西曆一九年七月七日至八月七日）

屬「一得一失」的月份，之前遇到的麻煩、阻滯可見曙光，但又會引申新的問題，令肖馬者心情忐忑。建議本月盡量謹守崗位，面對困局需要多加耐性，亦可找朋友或長輩協助提供意見。一九六六年出生者喉嚨、氣管及呼吸系統容易出現毛病，家宅運亦受衝擊，建議多照顧自己及家人健康。

農曆七月（西曆一九年八月八日至九月七日）

運勢逐漸向好的月份，財運順遂、事業亦有突破迹象，距離成功目標不遠，令肖馬者感覺較為輕鬆。一九六六年出生者容易受傷，駕駛人士應時刻注意道路安全；本月心臟及血壓亦容易出毛病，不妨檢查身體以保平安。二〇〇二年出生者財運一般，有「財來財去」之象，需留意理財方向並量入為出。

農曆八月（西曆一九年九月八日至十月七日）

豬年的桃花月份，單身一族可於工作場所多留意身邊人，又或經長輩介紹結識心儀對象，有機會開展一段戀情；惟不宜操之過急，以免太急進令對方卻步。一九七八年出生者情緒低落，影響睡眠質素，建議多接觸大自然吸收正能量。一九九〇年出生者受人事糾紛困擾，較多是非口舌。

豬 鼠 牛 虎 兔 龍 蛇 馬 羊 猴 雞 狗

農曆九月（西曆一九年十月八日至十一月七日）

工作運有突破的月份，惟家宅較受衝擊，容易因為意見分歧而與家人起爭拗，建議需多聆聽對方意見，不宜各執一詞。一九七八年出生者容易惹上官非訴訟，需留心文件、合約的細節內容。一九九〇年出生者與身邊人爭拗頻繁，謹記凡事以和為貴。

農曆十月（西曆一九年十一月八日至十二月六日）

運勢順遂，無論財運及事業均有進步空間，建議本月不妨往外走動，以「動中生財」的方式進一步提升運勢。投資方面亦有收穫，只要不太貪心可得理想回報。一九五四年出生者提防受朋友拖累，謹記提供協助亦只能量力而為。一九九〇年出生者受失眠問題困擾，有機會引發頭痛問題，建議作息定時，不宜給予自己太大壓力。

農曆十一月（西曆一九年十二月七日至二〇年一月五日）

豬年的相沖月份，人際關係進入倒退期，是非口舌亦較多；加上即將踏入鼠年的「沖太歲」年份，建議肖馬者提早作好部署，並趁年底裝修或維修家居穩定運勢。一九四二年出生者身體健康較弱，遇有不適應立即向專科求診。一九六六年出生者容易因為瑣事而動氣，建議控制個人情緒，凡事多加忍讓。

農曆十二月（西曆二〇年一月六日至二月三日）

迎接即將來臨的「沖太歲」年份，瑣瑣碎碎的煩惱阻滯將會陸續出現，尤其健康上要多加注意，建議本月可作詳細的身體檢查，對迎接變化多端的相沖年份將有幫助。可幸是本月財運不俗，有機會獲得一筆可觀的收入。二〇〇二年出生者情緒低落，不妨多找朋友傾訴解開心結。

羊

才華顯現大利創作
親力親為穩守向前

肖羊開運錦囊

★肖兔者為自己豬年之貴人，可多聽取對方意見或合作投資。

★人際關係吉中藏凶，宜佩戴粉晶手串以提升人緣。

★受白虎星影響，慎防遇上強勢或無理取鬧的女性。

★加緊注意道路安全，立春後適宜捐血或洗牙。

★宜於床頭擺放心經擺設，並多作善舉以破財擋災。

（流年吉凶方位請參看374頁）

肖羊者出生時間（以西曆計算）

二〇一五年二月四日十二時正 至 二〇一六年二月四日十七時四十七分

二〇〇三年二月四日十四時六分 至 二〇〇四年二月四日十九時五十七分

一九九一年二月四日十六時九分 至 一九九二年二月四日二十一時四十九分

一九七九年二月四日十八時十三分 至 一九八〇年二月五日零時十分

一九六七年二月四日二十時三十一分 至 一九六八年二月五日二時八分

一九五五年二月四日二十二時十八分 至 一九五六年二月五日四時十三分

一九四三年二月五日零時四十一分 至 一九四四年二月五日六時二十三分

一九三一年二月五日二時四十一分 至 一九三二年二月五日八時三十分

一九一九年二月五日四時四十分 至 一九二〇年二月五日十時二十七分

整體運程

剛過去的戊戌狗年因受到「破太歲」及「刑太歲」影響，無論身體健康及人際關係都受困擾，令肖羊者疲於奔命。來到己亥豬年，既脫離了「犯太歲」的影響，加上肖羊與肖豬關係友好，故整體運勢將有所提升，屬站穩陣腳的年份。另外，由於「亥卯未」屬三合生肖，肖兔的朋友將會是肖羊者的貴人，倘若新一年遇上困難阻滯，不妨向肖兔者尋求協助或意見，困局有望出現曙光；亦可考慮與肖兔者合作投資，成功機會將會較高。

豬年只有「華蓋」吉星飛臨，此星是古時皇帝出巡的羅傘，代表藝術才華出眾，受到萬人景仰，對從事宗教或創作行業如廣告、設計、編劇等最為有利，新一年的靈感將如行雲流水般絡繹不絕。惟此星感覺較為孤單，亦有孤芳自賞、獨行獨斷之意，較為不利感情運及人際關係，加上豬年始終不是桃花年，社交生活未見豐盛，肖羊者會較為享受獨處時光，若工作需要與人合作或從事前線銷售者，要有心理準備會是較為艱辛的一年。

另外，新一年受到凶星影響，肖羊者要多注意身體健康。「羊刃」是代表受傷的星，雖然整體已較狗年為佳，但仍要注意容易受金屬所傷；「白虎」則較為衝擊人際關係，肖羊者除留心會遇上脾氣剛烈、無理取鬧的女性外，亦要時刻注意道路安全，以免意外受傷。至於「空亡」及「天哭」則是出門後的突發事件，尤其要注意航班延誤、行李或財物損失，建議可預先購買旅遊及醫療保險，亦可於立春後捐血或洗牙，應驗輕微的血光之災。

其實肖羊者不妨視豬年為重整期，運勢雖然未算是突飛猛進，但整體仍屬平穩向前；建議不妨把握「華蓋」吉星的助力，穩守原有的範疇，多進修增值及花心力於事業發展上。另外，由於新一年較難依靠貴人助力，肖羊者無論生意或投資都要經過個人分析思量，謹記只要凡事能親力親為則可平安大吉。

【財運】

踏入己亥年，因脫離了「犯太歲」的負面影響，加上「亥卯未」屬三合生肖，肖羊者與太歲關係友好，財運的穩定性將會較有進步。不過，由於豬年只有代表思想創作、藝術才華的「華蓋」吉星進駐，未有明顯的財星，倘若從商者希望生意額能有所提升，必須放棄因循守舊，並借助吉星力量，構思出與市場截然不同的新思維、新點子，突圍而出反而會有成功機會。

由於豬年的財運將以正財為主，加上「華蓋」星本來就較為不利人際關係，故新一年凡事需要親力親為，即使投資也要經過個人的分析思量，多留意大勢及研究市場走向，難以依靠人脈關係或小道消息而得財，亦不宜作大手或高風險的投機炒賣，以免失利離場。

另外，雖然新一年不算是大的破財年份，惟仍有「羊刃」及「白虎」凶星入主，代表較容易受傷，建議肖羊者除可於立春後捐血或洗牙應驗血光之災外，亦可預先購買旅遊及醫療保險，並多作贈醫施藥等善舉，一來可為個人帶來保障，二來亦可以「破財擋災」的方式提升運勢，一舉兩得。

【事業】

肖羊者豬年的事業發展，很大程度要視乎其行業本質而定。由於「華蓋」是古時皇帝出巡的羅傘，有高高在上、萬人仰望之意，倘若工作與宗教或藝術創作有關，如廣告、設計、編劇等，則新一年將會靈感不絕，事業發展如意。惟此星亦有孤芳自賞、獨行獨斷之意，對人際關係較為不利，若肖羊者從事前線銷售、又或工作需經常與人接觸，則要有心理準備難得貴人助力，與客戶溝通時有無從入手之感，故需要加倍努力，亦要多留心言行，以免開罪客人。至於「白虎」代表性格剛烈的女性，倘若肖羊者的上司或老闆是女性，又或客戶群以女性為主，豬年就要格外小心，容易有無理取鬧情況，需要多花時間及耐性處理解決。

其實有「華蓋」入主代表才華得以發揮，惟受人事影響出現阻滯，建議肖羊者新一年多與同事溝通，待人處事盡量謙遜低調，不宜恃才傲物；亦可報讀與工作相關的課程進修增值，調節個人心態面對。至於有意轉換工作環境者，新一年不算是最佳時機，建議不宜操之過急，留守原有範疇較為理想。

【感情】

由於己亥年不是大的桃花年，加上「華蓋」本來就是藝術才華及宗教方面的吉星，反映在感情上較為孤單，亦有形單影隻之意，故肖羊者新一年對談戀愛的意欲將會較為淡泊，加上社交生活平淡，傾向享受獨處時光，故感情運只能以不過不失來形容。

新一年有「白虎」星入主，肖羊的男性將會遇上較為強勢、性格剛烈的異性，若喜歡小鳥依人、性格和順的伴侶，新一年恐怕未能成事。至於肖羊的女性則較難結識心儀對象，倘若單身已久、渴望一嘗戀愛甜蜜者，不妨嘗試透過朋友介紹，又或於宗教場合、學習場所或出門時多加留意，惟豬年始終不是桃花遍地的年份，即使能結識異性亦不夠主動，感情較難開花結果。建議新一年不妨調節個人心態，先以結交朋友為目標，靜待合適時機才考慮男女感情之事。

至於已有伴侶或已婚者，豬年總覺得伴侶不夠了解自己，較需要私人空間。既然心態使然，不妨考慮以「聚少離多」的方式相處，各自發展個人興趣，並多溝通交流，向對方展示關心，有利於長遠維繫一段關係。

【健康】

由於肖羊者與太歲相合，豬年的健康運將會較狗年進步，只是仍受凶星影響，容易有意外受傷機會，需要加倍提防。「羊刃」代表破相、開刀或小手術，「白虎」則是道路上的危險，肖羊者新一年需時刻注意安全，尤其要遵守交通規則，提防發生碰撞；倘若工作需要接觸金屬者亦要提高警覺，以免意外受傷。至於「空亡」及「天哭」則是出門後的小驚嚇，肖羊者要留心行李延誤或財物遺失情況，外遊時不宜參與高危的戶外活動，不妨於出發前預先購買醫療及旅遊保險，以「破財擋災」的方式保平安。

由於有凶星入主，建議肖羊者可於年底作好部署，將家居內有煞氣的物品如尖刀、石頭等移走，並留意流年五黃及二黑大小病位的飛臨位置，盡量不要觸動，以免加強病星力量。另外，豬年亦可作小量裝修、維修，多作贈醫施藥善舉，助人之餘有助提升健康運勢。由於「華蓋」星感覺較為孤單，肖羊者容易有情緒低落及失眠問題，新一年亦可多接觸大自然，又或尋找合適的信仰或發展個人興趣，心情輕鬆則可平安大吉。

不同年份運程

一九三一年：辛未年（虛齡八十九歲）

貴人運順遂的年份，己亥年出生的年長者能結識一班志同道合的朋友，閒時聚會品茗，言談甚歡。倘若本身鍾情賽馬、麻雀耍樂亦不妨小賭怡情，只要不太貪心可有收穫。健康運比狗年有進步，惟始終屬土重的年份，需多注意腸胃毛病，建議飲食應盡量清淡，生冷、肥膩食物可免則免。

一九四三年：癸未年（虛齡七十七歲）

心情愉快、個人情緒較為正面，睡眠質素亦比狗年時有改善；惟仍需注意膀胱及腎臟較弱，加上容易受傷，尤其容易跌傷及受金屬所傷，建議多留心廚房、浴室等家居陷阱，倘若有入廚習慣者亦要將剪刀、利器收好，以免發生意外。另外，癸未年出生者新一年可考慮為家居作小量裝修、維修，亦可以更換家具、床褥等方式提升運勢。財運方面只屬不過不失，不宜進行高風險的投資炒賣，容易失利離場。

一九五五年：乙未年（虛齡六十五歲）

新一年人際關係順遂，可與志同道合的朋友聚會歡談，度過心情愉快的一年。財運有進步，不妨考慮保守的中長線投資，將有獲利機會；惟投資時不宜與他人合作，容易有「因財失義」情況而起爭拗。健康方面雙腳容易扭傷跌傷，有運動習慣者需要格外提防。

一九六七年：丁未年（虛齡五十三歲）

有新嘗試、新合作機會出現的年份，不妨以「小試牛刀」的方式進行，可望有發揮機會；惟始終不建議大手投資，凡事需謹慎而行。打工一族事業運有進步，惟人際關係較弱，不宜作中間人排難解紛，容易有「好心做壞事」情況而遭受埋怨。另外，新一年亦容易招惹口舌是非，與家人或朋輩相處時容易因為意見不合而起爭拗，建議需加強溝通，不宜堅持己見。健康方面需留心眼睛有退化毛病，若本身有偏頭痛問題亦要提防舊患復發，遇有不適應盡快求醫。

一九七九年：己未年（虛齡四十一歲）

己未年出生者於狗年及豬年均處於轉角運，倘若有結婚、置業或添丁等喜事沖喜，則可令動盪運勢較為平穩，否則就要提防變化；建議己未年出生者凡事謹慎而行，事業方面盡量守住原有的範疇，不宜操之過急大興土木。投資方面則同樣需要審慎保守，不宜進行高風險的投機炒賣，以免失利離場。另外，由於豬年的擔心、焦慮較多，容易情緒低落，己未年出生者需要調節個人心態，盡量輕鬆度過。由於新一年屬土重的年份，健康方面容易受傷跌傷，建議減少進行關節勞損的運動，亦可多用綠色或間條物品助旺運勢。

一九九一年：辛未年（虛齡二十九歲）

事業運不俗，惟土重的年份容易有「厚土埋金」情況，於競爭激烈的職場未能表現自己，埋沒了辛未年出生者本身的才華。建議新一年不妨多作主動，工作上盡量積極進取，事業將可有更好發揮。另外，新一年貴人運不俗，倘若有轉工打算，可借助長輩人脈而覓得心水工作，不妨好好把握。惟個人焦慮較多，容易胡思亂想，建議毋須杞人憂天，多調節心態樂觀面對。感情方面有進步，已有伴侶者若感情穩定，不妨考慮將關係更進一步；單身一族亦有機會於朋友圈中認識心儀對象，有望可開展一段新戀情。

二〇〇三年：癸未年（虛齡十七歲）

新一年學習運順遂，專注力較狗年進步，只是個人壓力較大，與家人關係緊張，容易因為瑣事而起爭拗，建議面對不同意見時應互相尊重，多聆聽及從多角度思考，不宜盲目堅持己見。健康方面腸胃及消化系統較弱，外遊時需留心有水土不服情況，建議多注意食物衛生，生冷食物可免則免。

二〇一五年：乙未年（虛齡五歲）

學業運順遂，加上頭腦清晰、口齒伶俐，能得老師及長輩疼惜，屬萬千寵愛的年份。既然有學習助力，父母不妨安排乙未年出生的小朋友學習一、兩項興趣，集中發展將可有優異成績。惟新一年較容易受傷、跌傷，需多留心廚房、浴室等家居陷阱，若小朋友本身較為活潑亦要多加注意，以免意外受傷。

流月運勢

農曆正月（西曆一九年二月四日至三月五日）

踏入正月工作壓力較大，容易精神緊張，尤其簽署文件、合約時需要留意細節內容，以免大意犯錯；建議肖羊者調節心態，不宜杞人憂天。一九六七年出生者不宜投資投機，容易失利離場。一九九一年出生者呼吸系統較弱，容易有氣管敏感毛病，出入冷氣場所要注意添衣保暖。

農曆二月（西曆一九年三月六日至四月四日）

原則上屬事業進步的月份，惟仍會遇上波折，可幸一切只屬先難後易，建議準備好後備方案應付困局。一九四三年出生者眼睛容易受傷，戶外活動時需要特別提防。一九七九年出生者情緒受困擾，容易胡思亂想，可多找朋友傾訴解開心結。

農曆三月（西曆一九年四月五日至五月五日）

來到豬年的劫財月份，不宜進行任何投資投機，建議可將現金化為實物保值，減少破財機會。一九六七年出生者受是非口舌困擾，與朋輩相處時應「少説話、多做事」，以免開罪別人。二〇〇三年出生者個人情緒低落，不妨多接觸大自然吸收正能量。

農曆四月（西曆一九年五月六日至六月五日）

本月將有新的合作機會出現，惟不宜輕舉妄動，須多作了解，並以「小試牛刀」的方式進行，切忌大興土木。一九七九年出生者容易受金屬所傷，有入廚習慣者需要格外小心。二〇〇三年出生者與家人關係緊張，建議尊重對方的想法，不宜堅持己見。

農曆五月（西曆一九年六月六日至七月六日）

有新機會出現的月份，惟表面順遂、實際卻有「吉中藏凶」之兆，故決定時需要加倍謹慎，提防突如其來的變化令事情節外生枝。若時間許可本月不妨出門外遊，冬天出生者可到熱帶地方，夏天出生者則適宜到寒冷地方，以「借地運」的方式提升運勢。一九五五年出生者無論家宅運及個人健康運均受衝擊，建議作息定時，並多花時間關心家人。一九九一年出生者需小心看管個人財物，容易因為一時大意而破財。

農曆六月（西曆一九年七月七日至八月七日）

助力充足的月份，憑人脈可於工作上有突破，惟需留心理財方向，容易因為應酬太多而有「財來財去」情況。一九五五年出生者雙手容易受傷，駕駛人士需提高警覺，以免發生意外。一九九一年出生者受打針、食藥運困擾，較多傷風、感冒等毛病，不妨抽時間作適量運動強身健體。

農曆七月（西曆一九年八月八日至九月七日）

工作上有突破，不妨積極爭取表現，惟容易因此而招惹是非，謹記於工作與人事之間作出平衡，盡量保持圓融的人際關係。一九四三年出生者不宜投資投機，容易失利離場。一九六七年出生者受失眠問題困擾，建議調節心情，亦可多接觸大自然吸收正能量。

農曆八月（西曆一九年九月八日至十月七日）

有輕微桃花運的月份，不妨多留意身邊人，若遇上合眼緣對象可較為主動出擊，亦可借助朋友力量令關係有所推進。一九六七年出生者視力衰退，建議找專科醫生作詳細檢查。二〇〇三年出生者財運不穩，容易有入不敷支情況，需要量入為出。

農曆九月（西曆一九年十月八日至十一月七日）

健康運備受衝擊，容易有傷風、感冒等小毛病，腸胃亦較為疲弱，建議飲食盡量清淡，不宜安排太多應酬聚會，盡量作息定時，並作適量運動強身健體。一九五五年出生者不宜投機炒賣，容易招致損失。一九七九年出生者雙手容易受傷，不宜進行高風險的戶外活動。

農曆十月（西曆一九年十一月八日至十二月六日）

本月運勢不俗，無論事業運及財運均轉趨順遂，唯一要留心是家宅運受衝擊，建議多花時間關心長輩健康，亦有機會受噪音或漏水問題困擾，需立即找專業人士維修，以免情況惡化。一九五五年出生者雙腳容易受傷，不宜進行關節勞損運動。一九九一年出生者有機會遇上道路上的小碰撞，尤其頭部首當其衝，建議時刻注意安全。

農曆十一月（西曆一九年十二月七日至二〇年一月五日）

人際關係倒退的月份，待人處事應盡量低調，不宜為他人作借貸擔保，容易有「好心做壞事」情況而遭受埋怨。一九六七年出生者不宜投資投機，亦要留心容易被親人拖累而破財。一九九一年出生者喉嚨及氣管較弱，容易有久咳不癒情況，遇有不適應立即求醫。

農曆十二月（西曆二〇年一月六日至二月三日）

人事紛亂的月份，容易與朋輩或伴侶因意見不合而爭持不下，建議溝通時不宜動氣，多控制個人情緒，並坦誠相向互相尊重對方想法。可幸是財運屬有突破，有機會獲得一筆意外之財。一九六七年出生者容易受傷跌傷，有運動習慣者要加倍留神。二〇〇三年出生者眼睛容易發炎，需要注意個人衛生；與朋友相處時需多留意說話態度，容易因言語而惹誤會。

猴

人事紛擾慎防暗箭
吉星拱照逢凶化吉

肖猴者出生時間（以西曆計算）

二〇一六年二月四日十七時四十七分 至 二〇一七年二月三日廿三時三十五分
二〇〇四年二月四日十九時五十七分 至 二〇〇五年二月四日一時四十四分
一九九二年二月四日二十一時四十九分 至 一九九三年二月四日三時三十八分
一九八〇年二月五日零時十分 至 一九八一年二月四日五時五十六分
一九六八年二月五日二時八分 至 一九六九年二月四日七時五十九分
一九五六年二月五日四時十三分 至 一九五七年二月四日九時五十五分
一九四四年二月五日六時二十三分 至 一九四五年二月四日二十一時二十分
一九三二年二月五日八時三十分 至 一九三三年二月四日十四時十分

肖猴開運錦囊

★流年出現害太歲，宜貼身佩戴鼠形及龍形之飾物。
★口舌是非特別多，需加以化解流年三碧是非星之方位。
★家中擺放白玉葫蘆或銅葫蘆，有助穩定健康運及家宅運。
★多出席婚宴、彌月或壽宴等喜慶場合，沾染旺氣及正能量。
★單身一族不妨透過長輩認識新對象，並催旺流年一白桃花星之方位。
（流年吉凶方位請參看374頁）

整體運程

己亥年是肖猴者的「害太歲」年份，其衝擊力量雖不及本命年或相沖年強大，惟仍會有繁瑣的健康或家宅問題出現，人際關係亦較受衝擊，需要格外提防。可幸是新一年亦有力量強大的吉星拱照，能得貴人扶持，有助化解輕微的犯太歲運勢。

顧名思義，「害太歲」即遭人陷害或中傷，肖猴者新一年需多留意個人言行，盡量避免擔當中間人或介紹人的角色，事不關己亦不宜多加意見，盡量「少說話、多做事」，以免有「好心做壞事」情況而遭受埋怨。雖然「害太歲」年份人事關係較為紛擾，可幸能獲得力量強大的「天德」貴人吉星眷顧，此星代表上天之德，亦有逢凶化吉、慈祥和悅之意；加上有「福星」及「八座」入主，豬年仍屬稱心如意、福星高照的年份。至於「玉堂」吉星則代表金玉滿堂，肖猴者新一年可望憑藉貴人力量而帶動事業及財運有所推進，大方向仍屬有拾級而上之年。

惟豬年亦有「捲舌」、「六害」及「絞煞」一組較為不利人際關係的凶星，代表容易招惹口舌是非及糾纏不清的麻煩，建議肖猴者待人處事應盡量低調，切忌鋒芒太露；尤其從商者面對同行競爭，有機會遭人惡意中傷或抹黑，需要加倍提防。至於「披麻」及「劫煞」則較衝擊家宅運，肖猴者需要多花時間關心長輩健康，亦可考慮為家居作小量裝修、維修提升運勢。

總體而言，肖猴者豬年的運勢有「一得一失」之象，人際關係上可得貴人之助力，但又會遇上口舌是非。幸好個人心態樂觀正面，即使遇上困難阻滯亦能以積極態度面對，而且吉星助力能將「害太歲」的負面影響稍為驅散；只要避免生旺正南方的三碧是非星飛臨位置，並貼身佩戴鼠形及龍形之飾物自然更有幫助。日常生活中亦不妨多出席各種喜慶場合以沾染旺氣，並保持圓融的人際關係，則無阻原本向好的進步運勢。

【財運】

豬年有代表金玉滿堂的「玉堂」吉星飛臨，肖猴者的財運大致向好，無論正財、偏財都可有進賬；惟受到輕微的「害太歲」影響，從商者與同行競爭激烈，甚至會遭到惡意中傷，可幸仍有「天德」、「福星」及「八座」飛臨，吉星力量強大，肖猴者新一年將可憑貴人力量而逢凶化吉，建議把握機遇積極開拓客源，有助帶動財運向上增長。

由於新一年個人財運順遂，加上能得貴人之助力，肖猴者有機會憑藉人脈而獲得投資方面的小道消息，倘若風險不高、不牽涉大筆資金不妨一試，只要不太貪心將可有理想收穫。

雖然新一年的財運有所推進，惟始終是「害太歲」年份，加上有「絞煞」及「劫煞」凶星入主，容易與合作夥伴有金錢轇轕，建議生意上的賬目往來需要清晰明細，以免出現「因財失義」甚或反目情況。另外，豬年的家宅運輕微受到衝擊，肖猴者需要多關心家中長輩健康，建議可主動花費於家居裝修、維修上，又或為家中長者更換家具、床褥等，以「破財擋災」的方式提升家宅運。

【事業】

己亥年有「天德」、「福星」及「玉堂」吉星進駐，原則上肖猴者的事業運屬可發揮之年，打工一族能得上司及老闆器重，在職場上大展拳腳，薪酬可有合理的調整，兼獲得不俗的晉升機會；至於從事前線銷售者亦可憑藉人脈而拓展業務範疇，整體算是穩步上揚的年份。

惟豬年始終是「害太歲」年份，加上有「六害」及「捲舌」凶星入主，肖猴者雖然能得上司賞識，但與同事及下屬的關係則較為薄弱，容易有明爭暗鬥及口舌是非，亦要提防有被人陷害或惡意中傷情況。建議肖猴者應多花時間溝通，即使表現出色亦不宜高調，避免捲入人事糾紛當中。另外，新一年監管下屬的工作進度時亦要加倍上心，否則有機會因為對方的失誤而連累自己，拖垮原本向好的事業運勢。

至於有意轉換工作環境者，新一年不妨尋求舊同事、舊老闆的支援，借助貴人力量水到渠成的機會較高。惟豬年不算是有重大轉變的年份，倘若情況許可下不妨以靜制動留守原有位置，積極進修增值及報考升職試，為未來事業發展打好基礎。

【感情】

肖猴者豬年喜獲吉星拱照，個人情緒樂觀正面，心情開朗與伴侶相處時亦會倍覺甜蜜，雙方爭拗較少，關係屬平穩有進步的年份。既然能得吉星助力，建議已有伴侶或已婚者不妨嘗試發展共同興趣，亦可考慮與另一半舊地重遊，重拾昔日的溫馨浪漫時光，令感情更加牢固。

惟新一年或多或少受到「害太歲」影響，加上有「捲舌」及「六害」飛臨，肖猴者較容易招惹口舌是非，建議剛開展戀情者不宜急於融入對方圈子，以免因為雙方家人或朋友的流言蜚語而影響觀感，低調處理感情發展會更為理想。而已婚者同樣受制於凶星力量，不宜作中間人為雙方的親友排難解紛，事不關己亦盡量不宜多加意見，否則容易因為家族中的其他成員而影響夫妻關係，得不償失。

若單身一族希望開展戀情，不妨透過長輩或朋友介紹，亦可於工作場所或喜慶場合多留意身邊人；惟豬年始終不屬大桃花年，即使能認識心儀對象亦不宜操之過急，建議可先從朋友開始溝通了解，到時機成熟再開展感情對維繫一段長遠關係將更為有利。

【健康】

受到「天德」、「福星」及「八座」等吉星帶動，肖猴者新一年的個人心態樂觀正面，睡眠質素也較狗年有所改善，傷風、感冒等瑣瑣碎碎的健康毛病亦較少，整體健康運將會有所提升。惟由於新一年的活動應酬頻繁，肖猴者需要多注意體重管理，慎防因為飲食沒有節制而引發膽固醇、高血壓等都市病；亦要稍為留心有關喉嚨、氣管及呼吸系統的毛病，建議豬年不妨多出席婚宴、壽宴或彌月等喜慶聚會沾染旺氣，心情開朗則可帶動健康運同步向好。

惟豬年亦有「披麻」凶星入主，加上「害太歲」年份較為衝擊家宅運，肖猴者新一年需要多花時間關心長輩健康，遇有不適應立即陪同求醫；亦要多留意廚房、浴室等家居陷阱，不妨考慮為家中長者更換家具、床褥等，又或為家居作小量裝修、維修，多作贈醫施藥善舉，助人自助兼可提升家宅及健康運。另外，由於受到「劫煞」凶星影響，出門後容易遇上行李、航班延誤或財物損失情況，建議出發前預先購買旅遊及醫療保險，以策萬全。

不同年份運程

一九三二年：壬申年（虛齡八十八歲）

豬年屬容易受傷的年份，尤其有機會受金屬所傷，建議壬申年出生的長者需要提防廚房、浴室等家居陷阱，有入廚習慣則要將利器收納妥當，橫過馬路時亦要提高警覺，注意道路安全。既然健康運不穩，不妨於立春後接受詳細的身體檢查，以驗血或洗牙的方式應驗輕微血光之災。除了健康較為疲弱，運勢尚算順遂，與家人及後輩相處融洽，財運亦算平穩，整體屬心情愉快的年份。

一九四四年：甲申年（虛齡七十六歲）

由於流年與個人的天干屬「甲己合」，代表頭部、雙手及肩膊容易受傷，亦有機會因痛症而引發失眠，倘若本身已有五十肩、網球肘等舊患則要加倍提防，不妨考慮以針灸或中醫藥治療，亦可多用綠色或間條的隨身物品，有助加強運勢。財運屬不過不失，偏財方面只要不作大手投資亦可有收穫。

一九五六年：丙申年（虛齡六十四歲）

丙申年出生者新一年仍有雄心壯志履行新的投資合作計劃，惟進行時不宜操之過急，亦不應冒進作高風險投資，建議凡事以穩健保守為大前提，或可以「小試牛刀」的方式進行將會較容易獲利。另外，豬年口舌是非較多，尤其容易與合作夥伴出現爭拗，建議留意個人言行，以免反目收場。可幸是新一年有不少出門機會，不妨相約朋友短線旅遊，寄情山水放鬆心情。

一九六八年：戊申年（虛齡五十二歲）

欲試行新想法、拓展不同市場的年份，不妨把握機遇一試；惟從商者新一年下屬運較弱，凡事需要加倍親力親為，否則容易因為下屬出錯而遭受牽連。新一年亦會有親友或兄弟姊妹提出合作或借貸擔保的要求，謹記凡事量力而為，以免招致損失。可幸是財運略有進步，可憑貴人之助力獲得投資上的小道消息，只要不太貪心將可有收穫。

一九八〇年：庚申年（虛齡四十歲）

事業運及貴人運不俗，有利進修學習，屬有進步之年。惟庚申年出生者於個人心態上欲作出改變，建議即使投資也應考慮個人熟悉的範疇，並以「小試牛刀」的方式進行，不宜操之過急。感情關係備受衝擊，容易與身邊人因瑣事而起爭拗，凡事需多加溝通忍讓，亦可考慮與另一半舊地重遊，重拾昔日的溫馨甜蜜片段，有利維繫二人感情。

一九九二年：壬申年（虛齡二十八歲）

事業運不俗的年份，惟職場上競爭較大，加上需要接觸不熟悉的範疇，令壬申年出生者壓力倍增，甚至有「多勞少得」之感。其實新一年可獲貴人之助力，只是工作上難免要經歷一段「播種期」，建議多花時間耐性應付，努力付出將可有收穫。感情關係則較為反覆，倘若對伴侶有所不滿，建議心平氣和道出自己的想法，切忌隱藏心底令關係生縫隙。健康方面較容易扭傷跌傷，有運動習慣或駕駛者需要打醒十二分精神，建議可於立春後捐血或洗牙，應驗輕微血光之災。

二〇〇四年：甲申年（虛齡十六歲）

人際關係順遂的年份，惟因為人緣暢旺、活動應酬頻繁，較難專注學業，令家人略有微言，兩代關係轉趨緊張。建議甲申年出生的年輕人需平衡玩樂與學習時間，盡量作息定時，並多聆聽長輩意見，以溝通尊重為基石。新一年亦較容易受傷跌傷，尤其雙手及頭部首當其衝，進行球類活動時需要特別小心，至於攀山、爬石、潛水等高危活動應可免則免。

二〇一六年：丙申年（虛齡四歲）

學習運順遂、吸收能力強的年份，建議父母可安排一至兩項課外活動，惟不宜亂石投林，專注發展反而會有更理想表現。由於丙申年出生的小朋友年紀尚輕，新一年情緒起伏較大，父母照顧時應給予耐性，灌輸正確的情緒控制技巧。健康方面容易有皮膚敏感問題，需注意日用品如床單、被鋪是否有致敏源，不妨考慮採用有機產品代替。

流月運勢

農曆正月（西曆一九年二月四日至三月五日）

踏入正月家宅運較為疲弱，容易受噪音、漏水等瑣瑣碎碎的家居問題困擾，建議不妨作小量裝修、維修穩定運勢。一九五六年出生者跌入破財運，不宜投資投機。一九九二出生者與家人爭拗頻繁，建議相處時需要多溝通忍讓，不宜意氣用事。

農曆二月（西曆一九年三月六日至四月四日）

進入「金木相剋」的月份，關節容易扭傷，倘若有運動習慣者需要格外留心。可幸是財運不俗，只要不太貪心可有輕微的偏財進賬。一九三二年出生者受失眠問題困擾，宜調節作息時間。一九五六年出生者容易因為大意而破財，需要小心看管個人財物。

農曆三月（西曆一九年四月五日至五月五日）

本月肖鼠的朋友將是肖猴者的貴人，倘若欲開展新合作或遇上困難阻滯，不妨尋找對方協助，事情將可有突破。惟本月亦容易招惹口舌是非，行事不宜高調，以免引人妒忌惹來閒言閒語。一九六八年出生者容易無辜破財，可主動購買心頭好應驗破財運勢。一九八〇年出生者擔心焦慮較多，容易胡思亂想，建議毋須杞人憂天，以「既來之，則安之」的心態面對變化即可。

農曆四月（西曆一九年五月六日至六月五日）

遇上困難、波折的月份，突如其來的變化令肖猴者不知所措，可幸一切只屬先難後易，只要有兩手準備迎接變動即可。本月的人事關係較為複雜，是非口舌不斷，建議盡量「少說話、多做事」，以免捲入無謂紛爭。一九四四年出生者容易意外受傷，出入及上落樓梯需要特別小心。一九六八年出生者持續受到破財運困擾，建議量入為出，以免有入不敷支情況。

農曆五月（西曆一九年六月六日至七月六日）

本月的事業運不俗，亦可有輕微晉升機會，惟個人壓力較大，建議調節心態，遇有疑難不妨虛心向前輩請教。一九四四年出生者雙手容易受傷，尤其要慎防廚房、浴室等家居陷阱。一九八〇年出生者與家人及朋輩爭拗不斷，與人相處時要控制自己情緒，免傷和氣；本月亦容易意外受傷，駕駛人士要注意道路安全。

農曆六月（西曆一九年七月七日至八月七日）

個人情緒低落，擔心、焦慮較多，若時間許可不妨出門作短線旅遊，有助放鬆心情。一九九二年出生者本月有「財來財去」之象，需要格外謹慎理財。二〇一六年出生的小朋友呼吸系統較弱，容易有氣管敏感問題，父母應多注意家居空氣質素。

農曆七月（西曆一九年八月八日至九月七日）

本月受輕微的打針、食藥運困擾，容易有瑣瑣碎碎的健康小毛病，若有不適應立即求醫，以免延誤病情。可幸是事業發展不俗，不妨把握機遇積極表現自己。一九三二年出生的長者較容易患上傷風、感冒，出入冷氣場所需要注意添衣保暖。一九五六年出生者頭部容易受傷，有運動習慣者要多加留心。

農曆八月（西曆一九年九月八日至十月七日）

事業有進步、欲作出改變的月份，惟不宜輕舉妄動，倘若情況許可，不妨主動爭取出差機會，離開原有地方擴闊視野，以「動中生財」的方式帶動運勢。一九六八年出生者因瑣事而擔心焦慮，容易引發失眠，建議毋須杞人憂天。一九九二年出生者不宜為他人作借貸擔保，否則要有心理準備出現「一去無回頭」情況。

農曆九月（西曆一九年十月八日至十一月七日）

本月可接觸不同範圍的新事物，亦適合進修增值，不妨多聆聽別人意見，切忌固步自封，尤其從商者可嘗試改變經營策略或推出新點子，生意額將可有突破。一九六八年出生者的領導才能得以發揮，才華亦會備受他人賞識。一九八〇年出生者提防與身邊人起爭拗，相處時要互相尊重；本月頭及手部亦容易受傷，不宜參與高危的戶外活動。

農曆十月（西曆一九年十一月八日至十二月六日）

事業及財運拾級而上的月份，惟需要提防人際關係出現倒退，容易招惹口舌是非，建議行事應盡量低調，以免遭受攻擊。一九八〇年出生者睡眠質素欠佳，應平衡玩樂與作息時間。二〇〇四年出生者友儕關係遭受考驗，與朋友相處時不宜口沒遮攔，以免開罪別人。

農曆十一月（西曆一九年十二月七日至二〇年一月五日）

能作出改變的月份，若有意轉換工作環境者不妨落實執行，惟應有心理準備新環境將會帶來較大壓力，需要一段時間適應。本月簽署文件合約時要格外小心，容易因為大意出錯而惹官非。一九五六年出生者受破財運影響，心情欠佳。一九九二年出生者與家人因瑣事而起爭拗，建議理性討論，不宜意氣用事。

農曆十二月（西曆二〇年一月六日至二月三日）

踏入豬年的最後一個月份，整體運勢較為穩定，貴人運順遂，肖猴者可大膽嘗試新的範疇，投資方面亦可以「小試牛刀」的方式進行，只要不太貪心可有收穫。一九九二年出生者有失眠問題，不宜令自己過勞。二〇一六年出生的小朋友健康運欠佳，尤其喉嚨、氣管及呼吸系統較弱，父母需要多注意為其添衣保暖。

雞

文昌拱照創作力強
重新出發事業順遂

肖雞開運錦囊

★文昌星入主，書桌上擺放玉石官印可相輔相成。

★增值進修正合時宜，把握機會自可事半功倍。

★正財及偏財運均需親力親為方有進步，不宜聽信小道消息胡亂投資。

★驚嚇之事較多，宜隨身佩戴百解吉祥物，並於家中擺放龍龜以鎮宅。

★感情大致平穩，單身者有利於外遊或工作之地結識對象。

（流年吉凶方位請參看374頁）

肖雞者出生時間（以西曆計算）		
二〇一七年二月三日二十三時三十五分	至	二〇一八年二月四日五時三十分
二〇〇五年二月四日一時四十四分	至	二〇〇六年二月四日七時二十八分
一九九三年二月四日三時三十八分	至	一九九四年二月四日九時三十三分
一九八一年二月四日五時五十六分	至	一九八二年二月四日十一時四十五分
一九六九年二月四日七時五十九分	至	一九七〇年二月四日十三時四十六分
一九五七年二月四日九時五十五分	至	一九五八年二月四日十五時五十分
一九四五年二月四日二十一時二十分	至	一九四六年二月四日十八時五分
一九三三年二月四日十四時十分	至	一九三四年二月四日二十時四分
一九二一年二月四日十六時二十一分	至	一九二二年二月四日二十二時七分

整體運程

肖雞者在過去兩年連續受到犯太歲的衝擊，先是雞年的「本命年」，其後又到狗年的「害太歲」，因此近年的運勢一直較為反覆。來到己亥豬年，既擺脫了犯太歲的動盪衝擊，再加上個人思想情緒正面、心態樂觀積極，故無論在財運、事業運及健康運各方面均有進步，能站穩陣腳，屬重新出發的年份。

雖然新一年未算有太多的吉星飛臨，可幸仍受到「文昌」眷顧，肖雞者的思路清晰，無論學習及分析能力均勝人一籌，對讀書進修、升職考核及工作面試也極為有利；加上豬年有輕微的貴人運，擔任文職或管理階層將可得心應手，從事創作行業者，靈感亦會手到拿來，事業能有明顯進步。既然豬年能得吉星助力，不妨落實進修計劃或參加升遷考試，有望獲得理想成績，令事業更上一層樓。除了報讀與工作相關的增值課程，即使只是參加烹飪、繪畫、攝影等興趣小組，肖雞者亦同樣有所發揮，故不妨努力把握機遇充實自己。

惟豬年亦有「天狗」、「吊客」及「災煞」瑣碎碎的凶星飛臨，代表出門後容易遇小意外，倘若肖雞者新一年有出國進修或外遊打算，建議預先購買旅遊保險，皆因豬年較容易有行李或財物損失，又或遇上道路上的輕微碰撞，最好做足應變準備。另外，由於「天狗」凶星亦代表容易被動物所傷，倘若家中有飼養寵物，豬年需要多留意其情緒，面對陌生的動物時則應少接觸為妙，以免無辜受傷。

整體而言，肖雞者擺脫了犯太歲影響，整體運勢將可拾級而上；惟由於只有「文昌」吉星進駐，未見有財星或桃花星飛臨，故吉星力量將集中在事業發展之上，新一年需要加倍親力親為，經營生意要依靠個人努力營運而得財，即使投資也要透過自己分析研究而獲利。況且姻緣亦有原地踏步之勢，肖雞者不妨加倍專注事業發展，視豬年為重整步伐之年，積極裝備自己則可迎接好運來臨。

【財運】

肖雞者連續兩年受到犯太歲的影響，財運的起落較大；來到豬年運勢終於較為穩定，雖然未算是財星拱照的年份，但整體仍有輕微增長，屬平穩向上的一年。

新一年有「文昌」吉星入主，此星象徵才華、有利讀書考試，代表肖雞者豬年的財運不能假手於人，需要透過個人努力方可帶動財運；從商者不妨運用大數據分析市場走勢及客戶喜好，有利於行業中作出突破。倘若新一年有投資打算，亦要靠研究分析方可有進賬，較難憑人脈或小道消息而獲利。可幸是「文昌」助力充足，令肖雞者的思路清晰，策略及方向正確，有助提升正財收入。

不過，由於新一年亦有「天狗」及「吊客」凶星飛臨，肖雞者外遊時有機會遇上行李或財物損失，建議出發前應預先購買旅遊保險，人在外地亦要時刻提高警覺，減少破財機會。由於「吊客」亦較為衝擊家宅運，肖雞者新一年需要多花時間關心長者健康，情況許可不妨為家居作少量裝修、維修，亦可為長輩更換家具或床褥等，以「破財擋災」的方式主動應驗變化運勢。

【事業】

己亥年喜獲「文昌」吉星入主，此星代表才華橫溢、天資聰敏，肖雞者新一年無論在專注度、觀察力及分析能力方面都優勝過人，對在職進修、考核或工作面試將會極為有利，而當中又以文職、管理階層或從事創作行業如廣告設計、編劇等所獲之助力最大，豬年將會是靈感澎湃的一年，工作能力亦會備受賞識，事業運可望扶搖直上。

由於能得吉星之助力，倘若新一年能獲公司引薦參加升職考試，建議肖雞者需要積極把握，可望獲取佳績甚至有晉升機會。至於有意轉換工作環境者，亦可受惠於吉星力量而有出色表現，面試時在競爭對手當中突圍而出，獲取錄的機會大大提升，故不妨把握機遇積極求進，幫助事業發展更上一層樓。

另外，「文昌」吉星駕臨的年份亦適宜多作進修，肖雞者不妨報讀與工作相關的課程增值自己，打穩事業基礎。除了在職培訓及術科項目，既然學習運處於強勢，肖雞者亦可考慮參加烹飪、繪畫、攝影等興趣小組或習藝課程，既可放鬆心情，亦可多學習一門手藝，一舉兩得。

【感情】

由於豬年並未有明顯的桃花星進駐，肖雞者的感情運只能以原地踏步來形容。倘若曾於本命年或狗年有結婚或添丁等喜事沖喜，則豬年的感情穩定性將會較高，與伴侶爭拗較少，彼此關係和諧，屬相處愉快的年份。惟由於受到「文昌」吉星帶動，事業發展如意，肖雞者有機會因為過於專注事業發展而冷落另一半，建議需要於工作與家庭之間取得平衡，亦可考慮與伴侶舊地重遊，又或報讀興趣課程打開共同話題，關係自然能更加親密。

至於雞年或狗年曾經歷分手離合者，豬年將是重新出發的年份，惟新一年只有「文昌」吉星，未見有其他桃花星進駐，倘若孤單已久、渴望脱離單身行列者，不妨於進修場合、工作場所或於出門外遊時多留意身邊人，看是否能結識心儀對象。但豬年始終不屬應酬聚會頻繁的年份，加上肖雞者的個人心態較為靜態，故即使能遇上亦不屬於一見鍾情、發展迅速的類型，建議不宜急進，不妨多花時間溝通了解，靜待時機成熟才考慮開展戀情，對維繫一段長遠關係將更為有利。

【健康】

「本命年」容易意外受傷，「害太歲」則較衝擊家宅運，肖雞者經歷了連續兩年的犯太歲運勢，來到豬年健康運終於較為平穩，加上心情開朗、思想情緒正面，個人對健康的意識亦有所提高，作息定時亦有適量運動，整體健康運自然有好轉，屬邁步向前的年份。

雖然整體健康並無大礙，惟新一年仍有瑣瑣碎碎的凶星入主，「天狗」代表出門時遇到的小意外、小驚嚇，新一年若有外遊機會建議以安全至上，進行戶外活動時必須結伴同行，盡量避免參與攀山、爬石、潛水及跳傘等高危的活動，注意人身安全，以免樂極生悲。倘若想提升健康運勢，建議豬年盡量不宜探病問喪，反而多出席喜慶場合則有助沾染旺氣。

另外，「天狗」亦有被動物所傷之意，倘若肖雞者本身有飼養寵物，新一年應多留意其情緒，面對陌生的動物則不宜主動接觸，以免無辜受傷。受「吊客」凶星影響，豬年亦要多關心家中長者健康，遇有不適應立即陪同就醫；亦可考慮更換家具、床褥或為家居作小量裝修維修，應驗家宅變化。

不同年份運程

一九二一年：辛酉年（虛齡九十九歲）

辛酉年的長者豬年跌入是非口舌運，與家人或朋輩相處時容易有拗撬，建議凡事多加包容忍讓，事不關己亦不宜給予意見或當中間人作引薦，以免「好心做壞事」遭受埋怨。健康方面喉嚨、氣管及呼吸系統較弱，需要多留意空氣質素，生冷食物不宜多吃，以免有久咳不癒問題。

一九三三年：癸酉年（虛齡八十七歲）

整體運勢較狗年順遂，個人情緒樂觀正面，心情輕鬆、連帶健康運也有進步，惟豬年仍有輕微受傷機會，尤其容易扭傷跌傷或受金屬所傷，建議做好浴室的防滑工作，並將廚房的利器收納妥當以策萬全。財運不過不失，投資上不妨保守而行，將可有緩慢增長。

一九四五年：乙酉年（虛齡七十五歲）

豬年有較多遊山玩水的機會，乙酉年出生者可與家人出門作短線旅遊，亦可與志同道合的朋友聚會研習興趣；加上新一年財運不俗，無論賽馬、麻雀等都可以小賭怡情兼有進賬，整體屬心情愉快的年份。惟新一年將有「土木相剋」情況，需要多注意脾胃健康，建議飲食宜盡量清淡，煎炸油膩食物可免則免。

一九五七年：丁酉年（虛齡六十三歲）

丁酉年出生者新一年無論事業及財運均發展順利，從商者只需留守原有的生意範疇將可有進賬；惟個人壓力較大，簽署文件、合約時容易有大意出錯情況，建議多留意內容細節，遇有疑問不妨向專業人士請教。健康方面則要留意有關心臟及血壓方面的毛病，亦有機會出現視力衰退問題，建議改良閱讀習慣，以免視力進一步退化。

一九六九年：己酉年（虛齡五十一歲）

由於流年與出生年的天干相同代表犯「曲腳煞」，己酉年出生者新一年雙腳會較容易扭傷跌傷，尤其腳跟及膝蓋首當其衝，倘若個性好動、鍾情戶外活動者就要加倍提防，平日出入或上落樓梯亦要格外留神。可幸是新一年財運不俗，賺錢能力亦較狗年有進步，惟仍有輕微「財來財去」情況，較多無謂開支及容易破財，建議多留意個人理財方向，從商者則要謹慎控制經營成本，資金充裕時不妨儲備一筆「應急錢」，以備不時之需。

一九八一年：辛酉年（虛齡三十九歲）

豬年運勢不俗，尤其學習運最為順遂，能接觸不同範圍的新知識、新技能，有助未來事業發展。惟新一年的人際關係較為疲弱，與人相處時容易有誤會爭拗，亦要提防同事之間的明爭暗鬥，建議待人處事應盡量低調，不宜鋒芒太露，始終保持圓融的人際關係對事業發展較有幫助。健康方面並無大礙，惟女士要多注意婦科毛病，不妨定期作身體檢查保平安；豬年亦要多關心長輩健康，遇有不適應立即陪同就醫。

一九九三年：癸酉年（虛齡二十七歲）

運勢轉趨穩定的年份，倘若狗年曾結婚沖喜，豬年將可延續喜慶運勢，有望可為家中再添新成員；至於已經歷分手離合者，新一年則屬重新出發的年份，不妨努力把握。事業方面可有新發展，加上個人鬥志旺盛、工作上亦逐漸找到方向，於職場上表現出色，屬有明顯進步的年份。惟面對新環境及各項挑戰壓力較大，建議癸酉年出生者毋須操之過急，不妨調節心態樂觀面對，亦可多接觸大自然或出門作短線旅遊，放鬆身心。財運亦有上揚之象，惟仍以正財為主，偏財只屬一般，不宜大手投資。

二〇〇五年：乙酉年（虛齡十五歲）

學習運及長輩運俱佳，個人頭腦清晰，思考及分析能力強，建議乙酉年出生的年輕人可趁長假期到外地遊學，既可吸收不同知識，亦可開闊眼界及增廣見聞。健康方面則較容易受傷，尤其容易有關節扭傷情況，倘若鍾情球類活動者需要加倍小心，出門後亦要提高警覺，以免意外受傷。

二〇一七年：丁酉年（虛齡三歲）

學習及理解能力有進步的年份，惟丁酉年的小朋友始終年紀尚輕，未懂表達情感，故新一年的情緒上落較大，予人較為固執的感覺，建議父母需要多加關心陪伴，教育小朋友表達個人情緒。可幸是豬年的健康運不俗，只是喉嚨、氣管及呼吸系統較弱，偶有腸胃方面的小毛病，建議少吃生冷食物，並於家居中找出致敏源，以免引發敏感情況。

流月運勢

農曆正月（西曆一九年二月四日至三月五日）

正月屬「金木相剋」的月份，肖雞者容易受傷，有運動習慣者需提防關節扭傷，駕駛人士亦要多注意道路安全。一九五七年出生者受破財運影響，需小心看管個人財物。一九八一年出生者喉嚨、氣管較弱，容易有久咳不癒情況，遇有不適應立即求醫。

農曆二月（西曆一九年三月六日至四月四日）

人際關係倒退的月份，與家人爭拗頻仍，相處時應多加溝通忍讓，以免傷和氣。可幸是財運不俗，偏財方面可有輕微收穫。一九五七年出生者提防受兄弟姊妹或親友拖累，助人亦只宜量力而為，不宜強出頭令自己陷入困局。一九九三年出生者雙眼容易受感染或受傷，需多注意個人衛生。

農曆三月（西曆一九年四月五日至五月五日）

工作遇上困難阻滯的月份，可幸一切只屬「先難後易」，只需以耐性面對即可。本月亦適宜外遊或多出門走動，有助提升運勢。一九六九年出生者有無辜破財機會，不妨主動購買心頭好應驗運勢。一九九三年出生者家宅運一般，受瑣瑣碎碎的家事問題困擾引發失眠，需調節個人心態，並多爭取休息時間。

農曆四月（西曆一九年五月六日至六月五日）

本月事業運順遂，亦可有升遷機會，惟個人壓力大，需要調節心態適應。一九六九年出生者雙腳容易受傷，不宜進行勞損關節的運動。一九九三出生者簽署文件、合約時需要留心條款細節，容易跌入銷售陷阱。

農曆五月（西曆一九年六月六日至七月六日）

有輕微桃花運的月份，倘若單身一族想開展戀情，不妨多留意於工作場所或進修時所認識的朋友，有機會遇上合適對象。惟始終不宜操之過急，以免嚇退對方。一九四五年出生者頭部及雙手容易受傷，尤其戶外工作者需要特別提防。一九八一年出生者跌入破財運勢，不宜投資投機。

農曆六月（西曆一九年七月七日至八月七日）

貴人運旺盛的月份，倘若有意轉工者不妨尋求舊老闆、舊同事的協助，可憑人脈覓得心水工作；從商者亦可以借助貴人力量開拓新的生意範圍，不妨把握助力發展。一九八一年出生者受輕微的打針、食藥運困擾，遇有不適應立即向專科求診。二〇〇五年出生者雙手容易受傷，進行球類活動時需要格外留心。

農曆七月（西曆一九年八月八日至九月七日）

本月將有新的合作機會出現，倘若牽涉的資金不多不妨一試；惟需注意容易出現人事爭拗，遇有問題時需要心平氣和處理。一九五七年出生者睡眠質素欠佳，不妨作適量瑜伽、太極等運動減壓。一九九三年出生者將有兄弟姊妹或親友向你尋求協助，凡事需要量力而為，切勿超出自己的能力範圍。

農曆八月（西曆一九年九月八日至十月七日）

容易扭傷或受金屬所傷的月份，有運動習慣者需要格外留心，駕駛人士亦要打醒十二分精神，以防發生碰撞。本月腸胃較弱，外遊時需注意當地的衛生情況，容易有水土不服情況。一九五七年出生者與家人意見分歧，爭執拗撬較多，需控制個人情緒，以免影響家庭和睦。一九九三年出生者跌入破財運勢，理財時需要量入為出。

農曆九月（西曆一九年十月八日至十一月七日）

事業上可有突破，惟過程較為辛勞，需要以耐性克服。家宅運一般，容易受到噪音、漏水等問題滋擾，建議可為家居作少量裝修、維修提升運勢。一九六九年出生者受瑣瑣碎碎的健康問題困難，加上個人壓力較大，睡眠質素較差難以集中，亦要留心容易因心神恍惚而令雙手受傷。

農曆十月（西曆一九年十一月八日至十二月六日）

本月運勢轉趨順遂，事業運有進步，正財、偏財都可有進賬，不妨積極把握。一九六九年出生者容易惹上官非，建議遵守交通規則，奉公守法。一九八一年出生者雙手容易受傷，有入廚習慣者需要加倍小心。

農曆十一月（西曆一九年十二月七日至二〇年一月五日）

學習運順遂，亦有輕微桃花運的月份，不妨多留意身邊人，亦可透過長輩或朋友推動，有望遇上合適對象。一九五七年出生者需留意心臟或血壓方面的毛病，遇有不適應立即向專科求診。一九九三年出生者人際關係疲弱，容易與身邊人出現爭拗，相處時需多加忍讓。

農曆十二月（西曆二〇年一月六日至二月三日）

本月運勢持續向好，之前部署的計劃可望有所收成，惟工作忙碌容易有休息不足情況，建議爭取休息時間，並作適量運動，以免影響健康。一九八一年出生者簽署文件、合約時需要注意細節內容，以免大意出錯惹上官非。一九九三年出生者眼睛容易有敏感問題，需多注意個人衛生。

狗

恢復元氣抖擻振作
人緣暢旺喜氣洋洋

肖狗開運錦囊

★人際關係理想之年，開展銷售業務更會如魚得水。

★流年有利閃婚或開枝散葉，催旺流年九紫喜慶星之方位可加速成事。

★病符飛臨，有意添丁者宜佩戴紅瑪瑙飾物以安胎助孕。

★陌越星入主容易有精神壓力，宜放慢腳步，並注意睡眠質素。

★主動破歡喜財及贈醫施藥，有助加強個人運勢及家宅運。

（流年吉凶方位請參看374頁）

肖狗者出生時間（以西曆計算）

二〇一八年二月四日五時三十分	至	二〇一九年二月四日十一時十六分
二〇〇六年二月四日七時二十八分	至	二〇〇七年二月四日十三時十九分
一九九四年二月四日九時三十三分	至	一九九五年二月四日十五時十四分
一九八二年二月四日十一時四十五分	至	一九八三年二月四日十七時四十一分
一九七〇年二月四日十三時四十六分	至	一九七一年二月四日十九時二十六分
一九五八年二月四日十五時五十分	至	一九五九年二月四日二十一時四十三分
一九四六年二月四日十八時五分	至	一九四七年二月四日二十三時五十一分
一九三四年二月四日二十時四分	至	一九三五年二月五日一時四十九分
一九二二年二月四日二十二時七分	至	一九二三年二月五日四時一分

整體運程

因為戊戌年為肖狗者的本命年，過去一年的經歷自然起伏不定，頗多挑戰。踏入己亥豬年既無犯太歲之象，又有「天喜」吉星駕臨，整體運勢將會全面回穩，生活亦較稱心如意。

「天喜」既代表福氣，同時亦是一顆桃花星，有喜事重重之象。倘若狗年已結婚沖喜，豬年則可將運勢延續，有利為家庭開枝散葉。至於狗年曾經歷分手離合者，豬年亦不妨好好把握，有望於婚宴、彌月或壽宴等喜慶場合遇上合眼緣對象，而且感情有迅速發展之勢，甚至出現閃婚或雙喜臨門機會。惟已婚者遇上「天喜」吉星，則要提防有桃花過旺情況，建議新一年不宜對人過分熱情，以免捲入糾纏不清的三角關係之中。

「天喜」吉星除了能催旺桃花，其助力亦會反映在人際關係之上。倘若肖狗者從事銷售、客戶服務等前線行業，豬年將會特別有利，可望憑藉良好的人際關係而令事業有所進步。新一年的財運亦較狗年順遂，無論正財收入或偏財均有幸運之神眷顧，但豬年仍有輕微「財來財去」之象，倘若肖狗者有結婚、添丁或置業打算，則可視之為「破歡喜財」應驗運勢。

雖然整體運勢向好，惟仍有一組凶星入主，肖狗者不能掉以輕心。「病符」代表傷風、感冒等小毛病，較為影響睡眠質素，建議新一年需要多留意健康，亦可多做運動強身健體。「陌越」則是陌生環境所帶來的壓力，倘若狗年曾作出事業變動，豬年則仍在適應階段，需要調節心態積極面對。至於「寡宿」感覺較為孤單，肖狗者會覺得伴侶不夠了解自己，再加上有衝擊家宅運的「黃幡」凶星，豬年需要特別注意伴侶及家中長者健康，遇有不適宜立即陪同就醫。

總括而言，肖狗者脫離了犯太歲的動盪衝擊，整體運勢將會較為平穩順暢；加上新一年個人心態樂觀正面，又有「天喜」吉星飛臨，只要稍為注意身體則無大礙。

【財運】

肖狗者於雞年及狗年的財運起落較大，容易有無辜破財或投資失利情況，來到豬年運勢相對穩定，加上有「天喜」吉星助旺人緣，從商者可望得到客戶支持，生意額亦會有所提升。由於新一年有輕微的貴人運，倘若肖狗者鍾情麻雀耍樂或賽馬活動，豬年亦不妨小賭怡情，將可憑個人運氣靈感而有所得着。

不過，新一年仍有輕微「財來財去」之象，倘若狗年曾結婚沖喜，豬年較大機會因為添丁或置業而需要動用資金。至於本命年曾經歷分手離合者，豬年亦容易遇上心儀對象，隨時有閃婚或雙喜臨門的可能。建議肖狗者積穀防饑，資金充裕時不妨儲備一筆「應急錢」，提防突如其來的喜事而需要金錢周轉；可幸婚事或添丁等花費屬於「破歡喜財」，肖狗者不妨欣然接受。

另外，豬年亦有「病符」及「寡宿」凶星入主，代表自己及伴侶均會受到瑣碎的健康問題困擾。為求安心，不妨與另一半於狗年年底作詳細的身體檢查，亦可主動花費於購買保健品之上，並多作贈醫施藥善舉，以「破財擋災」的方式平穩運勢。

【事業】

經歷了戊戌狗年的犯太歲年份，肖狗者的事業運將會有所進步，雖然未至於是突飛猛進的年份，可幸是個人心態正面，加上有代表福氣的「天喜」吉星飛臨，人事關係將會較為順遂，職場上的明爭暗鬥亦會減少，肖狗者無論與上司、同輩或下屬相處也能融洽自在，整體合作性將會有所提高。

受惠於「天喜」吉星之助力，倘若肖狗者從事的工作需要經常與人接觸，例如前線銷售或客戶服務等，新一年將會得心應手，生意額亦會穩步上揚。至於從事管理階層亦能發揮領導才能，工作表現理想，屬愉快及勞而有功的年份。

惟豬年始終受「陌越」凶星影響，此星代表輕微壓力，倘若曾於本命年作出事業變動，豬年似乎仍在探索階段，需要調節個人心態適應；可幸是有吉星之助，即使面對挑戰仍能樂觀面對，只要多花時間、耐性將可勝任有餘。既然新一年的事業運屬站穩陣腳的年份，工作上較少重大改變機會；倘若有意轉工者則要較為主動，建議可聯絡舊老闆或舊朋友，擴闊自己的人際網絡亦有利尋找機遇。

【感情】

己亥年有「天喜」桃花星駕臨，肖狗者的感情運將會是豐盛、多姿多采的一年。倘若已於雞年或狗年共諧連理，豬年則可延續喜慶運勢，尤其有添丁打算者不妨落實執行，願望成真機會特別大。

至於已經歷分手離合者，豬年亦是重新出發的年份。由於人緣暢旺、個人魅力倍增，肖狗者能於婚宴、壽宴或彌月等喜慶場合物色心儀對象，而且二人感情發展一日千里，有望可開花結果甚至有閃婚或雙喜臨門機會。不過，由於豬年屬容易有喜之年，倘若未有心理準備組織家庭或生兒育女者就要計劃周詳，慎防突如其來的喜事而打亂陣腳。

由於吉星力量令肖狗者魅力非凡，已有穩定伴侶或已婚者就要提防出現「牆外桃花」，建議豬年不宜對人過分熱情，以免一時衝動捲入糾纏不清的三角關係。另外，新一年亦有「寡宿」凶星入主，此星有孤枕獨眠之意，肖狗者會覺得伴侶不夠了解自己，其實夫妻相處之道在於坦誠，建議二人多加溝通，亦可考慮舊地重遊或尋找共同興趣，有助長遠維繫感情。

【健康】

經歷了害太歲及本命年後，肖狗者新一年的健康運將會全面回穩；加上有「天喜」吉星飛臨，個人心情開朗，精神壓力較小，整體健康將會有所提升，屬休養生息、恢復元氣之年。

惟豬年仍有代表小毛病的「病符」入主，肖狗者要多加注意家中五黃災星及二黑病星的飛臨位置，避免床頭為病星方位，亦不宜在病星所到一帶擺放顏色鮮豔的物品，以免催旺病氣。而「陌越」則是陌生環境所帶來的壓力，肖狗者對本命年的變動其實尚未完全適應，需要調節心態面對，不妨多做運動或多接觸大自然減壓。至於「寡宿」較為衝擊伴侶健康，建議新一年需多關心問候，亦可多作贈醫施藥善舉，助人自助提升運勢。

另外，有「天喜」吉星飛臨的年份難免會有較多飲食應酬機會，肖狗者需要注意體重，慎防因為暴飲暴食而引發膽固醇、血壓等都市病。而此星亦代表容易有喜，若懷孕初期需要按照傳統不宜張揚，待胎兒穩定後才公布喜訊；懷胎十月期間亦不宜裝修家居，以免觸動「胎神」，緊記凡事謹慎則可平安大吉。

不同年份運程

一九二二年：壬戌年（虛齡九十八歲）

豬年屬水旺的年份，壬戌年出生者需要多注意有關膀胱及腎臟方面的毛病；加上新一年有較多受傷機會，尤其容易受金屬所傷，建議需要留心廚房、浴室等家居陷阱，將尖刀、利剪等利器收納妥當，亦可多使用啡色及黃色的隨身物品，有助提升健康運。

一九三四年：甲戌年（虛齡八十六歲）

由於流年與出生者的天干屬「甲己合」，甲戌年出生者新一年容易有頭痛毛病，雙手亦較容易受傷跌傷，倘若本身已有偏頭痛或關節舊患者就要特別提防，亦可多作針灸或按摩保健保平安。家宅方面，豬年容易受到噪音、漏水等瑣碎問題困擾，較為影響睡眠質素，不妨為家居作少量裝修、維修提升運勢。

一九四六年：丙戌年（虛齡七十四歲）

運勢不俗的年份，尤其活動應酬頻繁，能與志同道合的朋友遊山玩水、聚會暢談，屬心情開朗的一年。惟財運則有「財來財去」之象，投資方面只宜選擇穩健的中長線藍籌，不宜進行高風險的投機炒賣，否則將會有決策錯誤及破財情況。既然豬年財運一般，建議盡量不宜為他人作借貸擔保，要有心理準備容易有「一去無回頭」情況。

一九五八年：戊戌年（虛齡六十二歲）

由於戊戌狗年的流年與個人出生年的天干地支完全相同，戊戌年出生者相信已經歷了運勢較為不穩的一年。來到豬年擺脫了犯太歲的影響，整體運勢將會有所回升，無論事業發展及投資方向都會有所突破，惟始終受輕微「財來財去」影響，即使有賺錢機會亦較難聚財，故新一年的投資方向仍需以穩健保守為主，不宜作高風險的投機炒賣。另外，豬年亦會有家人或親友向你尋求協助，建議助人亦需要量力而為，衡量自己的財政狀況，以免因為借貸擔保而令自己陷入財困。健康方面則脾胃及消化系統較弱，飲食需要格外清淡，亦要注意體重控制，慎防因飲食過量而引發膽固醇及血壓等都市病。

一九七〇年：庚戌年（虛齡五十歲）

庚戌年出生者踏入虛齡五十歲的「關口年」，雖然運勢已較本命年穩定，惟始終處於「轉角運」不宜輕舉妄動，尤其投資方面需要格外審慎保守，勿大興土木作高風險的投機炒賣，否則容易招致損失。可幸是新一年的個人思路清晰，工作上將會遇上新機遇，事業發展及財運將會有所突破，不妨積極把握。不過，從商者豬年的下屬運較弱，凡事需要親力親為，難以假手於人。健康方面則容易出現視力衰退問題，建議改善個人閱讀習慣；豬年亦容易有氣管或皮膚敏感情況，需要多注意家居衛生，亦可將床單、被鋪等貼身物品換成有機產品，減少過敏機會。

一九八二年：壬戌年（虛齡三十八歲）

壬戌年出生者豬年的意志堅定、集中力強，能於職場上有所發揮，事業算是有突破的年份。惟新一年要多注意人際關係，尤其與合作夥伴或同事之間容易出現誤會，建議說話盡量謹慎，待人處事應謙遜低調，以免鋒芒太露而招人話柄。可幸是財運有進步，惟亦會有較多無謂開支，建議賺取一筆可觀收入後可化為實物保值。健康方面較容易扭傷、跌傷，倘若鍾情戶外活動者需要加倍留心，外遊時亦要以安全為上，並多關心家中長者健康，遇有不適應立即陪同就醫。

一九九四年：甲戌年（虛齡二十六歲）

家宅運備受衝擊的年份，除非新一年有置業或搬遷等家居變動，否則甲戌年出生者新一年與家人的關係將會較為緊張，加上受到瑣瑣碎碎的家事問題困擾，容易有情緒低落問題，建議需要調節個人心態，亦可多做運動、多接觸大自然或找朋友傾訴，倘若時間許可則不妨外遊減壓，多出門走動對整體運勢將有提升。

二〇〇六年：丙戌年（虛齡十四歲）

學習運及長輩運旺盛的年份，個人思路清晰、目標明確，讀書成績將有進步。惟寄語丙戌年出生的年輕人不宜給予自己太大壓力，參與課外活動亦不宜太多太雜，選擇一至兩項有興趣的項目專注發展，將可獲取更理想成績。

二〇一八年：戊戌年（虛齡兩歲）

由於豬年屬水土重的年份，戊戌年出生的小朋友容易有皮膚敏感問題，建議父母多留意小朋友的日用品，如床單、被鋪、沐浴露等是否有致敏源，亦可考慮改為有機產品減少敏感機會。另外，新一年亦不妨多穿着米色、白色或藍色的衣服或隨身物品，房間布置亦可以此色為主調，有助提升健康運勢。

流月運勢

農曆正月（西曆一九年二月四日至三月五日）

踏入正月貴人運順遂，肖狗者將會遇上新的合作機遇，倘若不牽涉大手投資不妨一試，惟高風險的投機炒賣則不宜沾手，否則容易有破財機會。本月簽署文件、合約前亦要釐清細節，以免捲入官非訴訟。一九四六年出生者與家人關係緊張、爭拗頻繁，建議相處時需要多加忍讓免傷和氣。一九五八年出生者情緒上落較大，心情欠佳，不妨多找朋友傾訴解開心結。

農曆二月（西曆一九年三月六日至四月四日）

工作方面較為勞心勞力，令肖狗者有勞而少得的感覺，可幸眼前困局只屬先難後易，只要多加耐性時間處理將可見曙光。一九八二年出生者受家宅問題困擾，容易有失眠問題，時間許可不妨出門作短線旅遊，有助放鬆身心。

農曆三月（西曆一九年四月五日至五月五日）

人事紛擾的月份，本月不宜作中間人為他人排難解紛，事不關己亦不宜多加意見，以免有「好心做壞事」情況而招惹是非口舌。一九五八年出生者跌入破財運勢，不宜投資投機。一九九四年出生者關節容易受傷，尤其進行球類活動時需要格外小心。

農曆四月（西曆一九年五月六日至六月五日）

財運屬「一得一失」的月份，正財收入尚算滿意，惟亦會有破財機會，需要留意個人理財方向，不宜投機炒賣，以免有入不敷支情況。一九三四年出生者雙手容易受傷，有入廚習慣者要將利器妥善收納，以免意外受傷。一九七〇年出生者與朋輩相處時容易出現意見分歧，建議尊重對方想法，不宜過分堅持己見。

農曆五月（西曆一九年六月六日至七月六日）

本月事業上將會有新發展，惟過程中要較為勞心勞力，令肖狗者壓力較大，建議調節心態輕鬆面對。家宅方面容易受噪音、漏水等瑣碎問題滋擾，需要多加耐性解決。一九七〇年出生者有機會無辜破財，不妨主動購買心頭好應驗運勢。一九九四年出生者人際關係疲弱，與同輩爭拗頻繁，需要多加忍讓；本月雙手亦容易受傷，不宜參與高危的戶外活動。

農曆六月（西曆一九年七月七日至八月七日）

本月能得貴人助力，惟肖狗者過分堅持己見，建議多聆聽身邊人意見，從多角度思考可有更理想出路。一九四六年出生者呼吸系統較弱，容易有氣管敏感毛病，出入冷氣場所應注意添衣保暖。一九八二年出生者情緒低落，不妨多接觸大自然吸收正能量。

農曆七月（西曆一九年八月八日至九月七日）

運勢順遂、有新合作機會出現的月份，之前所遇到的困難、阻滯可望見曙光，無論事業及財運都有上揚之勢，建議積極把握。一九四六年出生者頭部容易受傷，需要做好浴室防滑工作，慎防家居陷阱。一九八二年出生者將有兄弟姊妹或親友向你求助，惟凡事需要量力而為，不宜強出頭而令自己陷入困境。

農曆八月（西曆一九年九月八日至十月七日）

運勢波動、吉中藏凶的月份，尤其工作上容易有一波三折情況，建議肖狗者作好兩手準備，亦可虛心向前輩請教尋求協助。一九五八年出生者健康運及家宅運疲弱，需要多關心自己及長輩的身體健康。

農曆九月（西曆一九年十月八日至十一月七日）

本月運勢不俗，面對繁複的工作仍能應付自如，惟個人擔心焦慮較多，不妨多找朋友傾訴解開心結，亦可多接觸大自然吸收正能量。一九七〇年出生者雙手容易受傷，駕駛人士要多注意道路安全。一九九四年出生者受輕微的打針、食藥運困擾，需要平衡玩樂與休息時間，不宜安排過多活動應酬。

農曆十月（西曆一九年十一月八日至十二月六日）

財運暢旺的月份，從商者有機會開拓新的生意網絡，打工一族亦有兼職或賺外快機會，整體財運向好。一九五八年出生者容易惹上官非訴訟，簽署文件、合約前需要多留意細節。一九七〇年出生者受失眠問題困擾，建議毋須杞人憂天，放鬆心情則可迎來好運。

農曆十一月（西曆一九年十二月七日至二〇年一月五日）

事業運順遂，打工一族將可有出差機會，不妨把握機遇積極表現自己；惟下屬運較為疲弱，容易因為溝通不足而遭受埋怨，作為管理階層需要多加留意。一九四六年出生者不宜投資投機，容易失利離場。一九八二年出生者健康運受衝擊，容易有偏頭痛問題及意外受傷情況，凡事需要加倍小心。

農曆十二月（西曆二〇年一月六日至二月三日）

運程有「一得一失」之勢，工作上可有新突破，但財運則容易有損耗，建議本月不宜投資投機，借貸擔保亦可免則免，否則容易無辜破財。一九八二年出生者個人焦慮較多，影響睡眠質素，建議打開心扉，以平常心面對困難。二〇〇六年出生者受傷風、感冒等瑣瑣碎碎的健康問題困擾，需要多爭取休息時間。

出生日流年運勢

從【出生日】看流年運程

環顧坊間的運程書，都喜以十二生肖作運程預測。其實單以出生年份分出十二種類別來推算流年運程，雖有一定的參考價值，但卻未免流於簡單。因此，我便突破性地精算出六十個「出生日」(「日柱」) 流年運勢預測，來補充生肖運程之不足。

「日柱」對命格的影響可說是舉足輕重的，玄學家均相信「日柱」的影響比年份、月份及時辰都要大。要是生肖流年運程好，但「日柱」流年運程卻欠佳，這是一個壞消息；而如果生肖流年運程甚差，然而「日柱」流年運程形勢卻大好，你便毋須擔心，因為你的運勢會是偏向好方面的。由於深知以「日柱」來推算流年運勢可更為準確、詳細，於是我便花盡心思為讀者精算出六十個「日柱」的流年運程。

那麼大家應如何得悉自己所屬的出生「日柱」?很簡單，翻閱後頁的「出生日對照表」，便可憑着自己的西曆出生年、月、日來找出命格中所屬的「日柱」了。

舉例說，你的出生年、月、日是西曆一九六〇年一月一日，那你便可翻到西曆一九六〇年那一頁，找出月、日小格子中所註明的「日柱」，查出是「戊子」；接下來，便可翻閱「戊子日」流年運勢解說本文那一頁，來查看你在流年的運勢。

大家亦可以瀏覽麥玲玲風水網站 (www.makingling.com.hk)，進入「子平八字」一項，然後按指示輸入出生資料，即可查到自己的八字命格；而從右面數起的第三欄，「日」字下的兩個大字，即為自己的出生日柱 (上為天干，下為地支)。

六十【出生日】解說本文頁碼索引

西曆一九三四年

12月	11月	10月	9月	8月	7月	6月	5月	4月	3月	2月	1月	月/日
丙午	丙子	乙巳	乙亥	甲辰	癸酉	癸卯	壬申	壬寅	辛未	癸卯	壬申	1
丁未	丁丑	丙午	丙子	乙巳	甲戌	甲辰	癸酉	癸卯	壬申	甲辰	癸酉	2
戊申	戊寅	丁未	丁丑	丙午	乙亥	乙巳	甲戌	甲辰	癸酉	乙巳	甲戌	3
己酉	己卯	戊申	戊寅	丁未	丙子	丙午	乙亥	乙巳	甲戌	丙午	乙亥	4
庚戌	庚辰	己酉	己卯	戊申	丁丑	丁未	丙子	丙午	乙亥	丁未	丙子	5
辛亥	辛巳	庚戌	庚辰	己酉	戊寅	戊申	丁丑	丁未	丙子	戊申	丁丑	6
十一月 壬子	十月 壬午	辛亥	辛巳	庚戌	己卯	己酉	戊寅	戊申	丁丑	己酉	戊寅	7
癸丑	癸未	九月 壬子	壬午	辛亥	庚辰	庚戌	己卯	己酉	戊寅	庚戌	己卯	8
甲寅	甲申	癸丑	八月 癸未	壬子	辛巳	辛亥	庚辰	庚戌	己卯	辛亥	庚辰	9
乙卯	乙酉	甲寅	甲申	七月 癸丑	壬午	壬子	辛巳	辛亥	庚辰	壬子	辛巳	10
丙辰	丙戌	乙卯	乙酉	甲寅	癸未	癸丑	壬午	壬子	辛巳	癸丑	壬午	11
丁巳	丁亥	丙辰	丙戌	乙卯	六月 甲申	五月 甲寅	癸未	癸丑	壬午	甲寅	癸未	12
戊午	戊子	丁巳	丁亥	丙辰	乙酉	乙卯	四月 甲申	甲寅	癸未	乙卯	甲申	13
己未	己丑	戊午	戊子	丁巳	丙戌	丙辰	乙酉	三月 乙卯	甲申	正月 丙辰	乙酉	14
庚申	庚寅	己未	己丑	戊午	丁亥	丁巳	丙戌	丙辰	二月 乙酉	丁巳	十二月 丙戌	15
辛酉	辛卯	庚申	庚寅	己未	戊子	戊午	丁亥	丁巳	丙戌	戊午	丁亥	16
壬戌	壬辰	辛酉	辛卯	庚申	己丑	己未	戊子	戊午	丁亥	己未	戊子	17
癸亥	癸巳	壬戌	壬辰	辛酉	庚寅	庚申	己丑	己未	戊子	庚申	己丑	18
甲子	甲午	癸亥	癸巳	壬戌	辛卯	辛酉	庚寅	庚申	己丑	辛酉	庚寅	19
乙丑	乙未	甲子	甲午	癸亥	壬辰	壬戌	辛卯	辛酉	庚寅	壬戌	辛卯	20
丙寅	丙申	乙丑	乙未	甲子	癸巳	癸亥	壬辰	壬戌	辛卯	癸亥	壬辰	21
丁卯	丁酉	丙寅	丙申	乙丑	甲午	甲子	癸巳	癸亥	壬辰	甲子	癸巳	22
戊辰	戊戌	丁卯	丁酉	丙寅	乙未	乙丑	甲午	甲子	癸巳	乙丑	甲午	23
己巳	己亥	戊辰	戊戌	丁卯	丙申	丙寅	乙未	乙丑	甲午	丙寅	乙未	24
庚午	庚子	己巳	己亥	戊辰	丁酉	丁卯	丙申	丙寅	乙未	丁卯	丙申	25
辛未	辛丑	庚午	庚子	己巳	戊戌	戊辰	丁酉	丁卯	丙申	戊辰	丁酉	26
壬申	壬寅	辛未	辛丑	庚午	己亥	己巳	戊戌	戊辰	丁酉	己巳	戊戌	27
癸酉	癸卯	壬申	壬寅	辛未	庚子	庚午	己亥	己巳	戊戌	庚午	己亥	28
甲戌	甲辰	癸酉	癸卯	壬申	辛丑	辛未	庚子	庚午	己亥		庚子	29
乙亥	乙巳	甲戌	甲辰	癸酉	壬寅	壬申	辛丑	辛未	庚子		辛丑	30
丙子		乙亥		甲戌	癸卯		壬寅		辛丑		壬寅	31

農曆初一　農曆十五

西曆一九三五年

12月	11月	10月	9月	8月	7月	6月	5月	4月	3月	2月	1月	月/日
辛亥	辛巳	庚戌	庚辰	己酉	六月 戊寅	五月 戊申	丁丑	丁未	丙子	戊申	丁丑	1
壬子	壬午	辛亥	辛巳	庚戌	己卯	己酉	戊寅	戊申	丁丑	己酉	戊寅	2
癸丑	癸未	壬子	壬午	辛亥	庚辰	庚戌	四月 己卯	三月 己酉	戊寅	庚戌	己卯	3
甲寅	甲申	癸丑	癸未	壬子	辛巳	辛亥	庚辰	庚戌	己卯	正月 辛亥	庚辰	4
乙卯	乙酉	甲寅	甲申	癸丑	壬午	壬子	辛巳	辛亥	二月 庚辰	壬子	十二月 辛巳	5
丙辰	丙戌	乙卯	乙酉	甲寅	癸未	癸丑	壬午	壬子	辛巳	癸丑	壬午	6
丁巳	丁亥	丙辰	丙戌	乙卯	甲申	甲寅	癸未	癸丑	壬午	甲寅	癸未	7
戊午	戊子	丁巳	丁亥	丙辰	乙酉	乙卯	甲申	甲寅	癸未	乙卯	甲申	8
己未	己丑	戊午	戊子	丁巳	丙戌	丙辰	乙酉	乙卯	甲申	丙辰	乙酉	9
庚申	庚寅	己未	己丑	戊午	丁亥	丁巳	丙戌	丙辰	乙酉	丁巳	丙戌	10
辛酉	辛卯	庚申	庚寅	己未	戊子	戊午	丁亥	丁巳	丙戌	戊午	丁亥	11
壬戌	壬辰	辛酉	辛卯	庚申	己丑	己未	戊子	戊午	丁亥	己未	戊子	12
癸亥	癸巳	壬戌	壬辰	辛酉	庚寅	庚申	己丑	己未	戊子	庚申	己丑	13
甲子	甲午	癸亥	癸巳	壬戌	辛卯	辛酉	庚寅	庚申	己丑	辛酉	庚寅	14
乙丑	乙未	甲子	甲午	癸亥	壬辰	壬戌	辛卯	辛酉	庚寅	壬戌	辛卯	15
丙寅	丙申	乙丑	乙未	甲子	癸巳	癸亥	壬辰	壬戌	辛卯	癸亥	壬辰	16
丁卯	丁酉	丙寅	丙申	乙丑	甲午	甲子	癸巳	癸亥	壬辰	甲子	癸巳	17
戊辰	戊戌	丁卯	丁酉	丙寅	乙未	乙丑	甲午	甲子	癸巳	乙丑	甲午	18
己巳	己亥	戊辰	戊戌	丁卯	丙申	丙寅	乙未	乙丑	甲午	丙寅	乙未	19
庚午	庚子	己巳	己亥	戊辰	丁酉	丁卯	丙申	丙寅	乙未	丁卯	丙申	20
辛未	辛丑	庚午	庚子	己巳	戊戌	戊辰	丁酉	丁卯	丙申	戊辰	丁酉	21
壬申	壬寅	辛未	辛丑	庚午	己亥	己巳	戊戌	戊辰	丁酉	己巳	戊戌	22
癸酉	癸卯	壬申	壬寅	辛未	庚子	庚午	己亥	己巳	戊戌	庚午	己亥	23
甲戌	甲辰	癸酉	癸卯	壬申	辛丑	辛未	庚子	庚午	己亥	辛未	庚子	24
乙亥	乙巳	甲戌	甲辰	癸酉	壬寅	壬申	辛丑	辛未	庚子	壬申	辛丑	25
十二月 丙子	十一月 丙午	乙亥	乙巳	甲戌	癸卯	癸酉	壬寅	壬申	辛丑	癸酉	壬寅	26
丁丑	丁未	十月 丙子	丙午	乙亥	甲辰	甲戌	癸卯	癸酉	壬寅	甲戌	癸卯	27
戊寅	戊申	丁丑	九月 丁未	丙子	乙巳	乙亥	甲辰	甲戌	癸卯	乙亥	甲辰	28
己卯	己酉	戊寅	戊申	八月 丁丑	丙午	丙子	乙巳	乙亥	甲辰		乙巳	29
庚辰	庚戌	己卯	己酉	戊寅	七月 丁未	丁丑	丙午	丙子	乙巳		丙午	30
辛巳		庚辰		己卯	戊申		丁未		丙午		丁未	31

農曆初一　農曆十五

西曆一九三六年

12月	11月	10月	9月	8月	7月	6月	5月	4月	3月	2月	1月	月/日
丁巳	丁亥	丙辰	丙戌	乙卯	甲申	甲寅	癸未	癸丑	壬午	癸丑	壬午	1
戊午	戊子	丁巳	丁亥	丙辰	乙酉	乙卯	甲申	甲寅	癸未	甲寅	癸未	2
己未	己丑	戊午	戊子	丁巳	丙戌	丙辰	乙酉	乙卯	甲申	乙卯	甲申	3
庚申	庚寅	己未	己丑	戊午	丁亥	丁巳	丙戌	丙辰	乙酉	丙辰	乙酉	4
辛酉	辛卯	庚申	庚寅	己未	戊子	戊午	丁亥	丁巳	丙戌	丁巳	丙戌	5
壬戌	壬辰	辛酉	辛卯	庚申	己丑	己未	戊子	戊午	丁亥	戊午	丁亥	6
癸亥	癸巳	壬戌	壬辰	辛酉	庚寅	庚申	己丑	己未	戊子	己未	戊子	7
甲子	甲午	癸亥	癸巳	壬戌	辛卯	辛酉	庚寅	庚申	己丑	庚申	己丑	8
乙丑	乙未	甲子	甲午	癸亥	壬辰	壬戌	辛卯	辛酉	庚寅	辛酉	庚寅	9
丙寅	丙申	乙丑	乙未	甲子	癸巳	癸亥	壬辰	壬戌	辛卯	壬戌	辛卯	10
丁卯	丁酉	丙寅	丙申	乙丑	甲午	甲子	癸巳	癸亥	壬辰	癸亥	壬辰	11
戊辰	戊戌	丁卯	丁酉	丙寅	乙未	乙丑	甲午	甲子	癸巳	甲子	癸巳	12
己巳	己亥	戊辰	戊戌	丁卯	丙申	丙寅	乙未	乙丑	甲午	乙丑	甲午	13
(十一月)庚午	(十月)庚子	己巳	己亥	戊辰	丁酉	丁卯	丙申	丙寅	乙未	丙寅	乙未	14
辛未	辛丑	(九月)庚午	庚子	己巳	戊戌	戊辰	丁酉	丁卯	丙申	丁卯	丙申	15
壬申	壬寅	辛未	(八月)辛丑	庚午	己亥	己巳	戊戌	戊辰	丁酉	戊辰	丁酉	16
癸酉	癸卯	壬申	壬寅	(七月)辛未	庚子	庚午	己亥	己巳	戊戌	己巳	戊戌	17
甲戌	甲辰	癸酉	癸卯	壬申	(六月)辛丑	辛未	庚子	庚午	己亥	庚午	己亥	18
乙亥	乙巳	甲戌	甲辰	癸酉	壬寅	(五月)壬申	辛丑	辛未	庚子	辛未	庚子	19
丙子	丙午	乙亥	乙巳	甲戌	癸卯	癸酉	壬寅	壬申	辛丑	壬申	辛丑	20
丁丑	丁未	丙子	丙午	乙亥	甲辰	甲戌	(四月)癸卯	(閏三月)癸酉	壬寅	癸酉	壬寅	21
戊寅	戊申	丁丑	丁未	丙子	乙巳	乙亥	甲辰	甲戌	癸卯	甲戌	癸卯	22
己卯	己酉	戊寅	戊申	丁丑	丙午	丙子	乙巳	乙亥	(三月)甲辰	(二月)乙亥	甲辰	23
庚辰	庚戌	己卯	己酉	戊寅	丁未	丁丑	丙午	丙子	乙巳	丙子	(正月)乙巳	24
辛巳	辛亥	庚辰	庚戌	己卯	戊申	戊寅	丁未	丁丑	丙午	丁丑	丙午	25
壬午	壬子	辛巳	辛亥	庚辰	己酉	己卯	戊申	戊寅	丁未	戊寅	丁未	26
癸未	癸丑	壬午	壬子	辛巳	庚戌	庚辰	己酉	己卯	戊申	己卯	戊申	27
甲申	甲寅	癸未	癸丑	壬午	辛亥	辛巳	庚戌	庚辰	己酉	庚辰	己酉	28
乙酉	乙卯	甲申	甲寅	癸未	壬子	壬午	辛亥	辛巳	庚戌	辛巳	庚戌	29
丙戌	丙辰	乙酉	乙卯	甲申	癸丑	癸未	壬子	壬午	辛亥		辛亥	30
丁亥		丙戌		乙酉	甲寅		癸丑		壬子		壬子	31

農曆初一　農曆十五

西曆一九三七年

12月	11月	10月	9月	8月	7月	6月	5月	4月	3月	2月	1月	月/日
壬戌	壬辰	辛酉	辛卯	庚申	己丑	己未	戊子	戊午	丁亥	己未	戊子	1
癸亥	癸巳	壬戌	壬辰	辛酉	庚寅	庚申	己丑	己未	戊子	庚申	己丑	2
十一月 甲子	十月 甲午	癸亥	癸巳	壬戌	辛卯	辛酉	庚寅	庚申	己丑	辛酉	庚寅	3
乙丑	乙未	九月 甲子	甲午	癸亥	壬辰	壬戌	辛卯	辛酉	庚寅	壬戌	辛卯	4
丙寅	丙申	乙丑	八月 乙未	甲子	癸巳	癸亥	壬辰	壬戌	辛卯	癸亥	壬辰	5
丁卯	丁酉	丙寅	丙申	七月 乙丑	甲午	甲子	癸巳	癸亥	壬辰	甲子	癸巳	6
戊辰	戊戌	丁卯	丁酉	丙寅	乙未	乙丑	甲午	甲子	癸巳	乙丑	甲午	7
己巳	己亥	戊辰	戊戌	丁卯	六月 丙申	丙寅	乙未	乙丑	甲午	丙寅	乙未	8
庚午	庚子	己巳	己亥	戊辰	丁酉	五月 丁卯	丙申	丙寅	乙未	丁卯	丙申	9
辛未	辛丑	庚午	庚子	己巳	戊戌	戊辰	四月 丁酉	丁卯	丙申	戊辰	丁酉	10
壬申	壬寅	辛未	辛丑	庚午	己亥	己巳	戊戌	三月 戊辰	丁酉	正月 己巳	戊戌	11
癸酉	癸卯	壬申	壬寅	辛未	庚子	庚午	己亥	己巳	戊戌	庚午	己亥	12
甲戌	甲辰	癸酉	癸卯	壬申	辛丑	辛未	庚子	庚午	二月 己亥	辛未	十二月 庚子	13
乙亥	乙巳	甲戌	甲辰	癸酉	壬寅	壬申	辛丑	辛未	庚子	壬申	辛丑	14
丙子	丙午	乙亥	乙巳	甲戌	癸卯	癸酉	壬寅	壬申	辛丑	癸酉	壬寅	15
丁丑	丁未	丙子	丙午	乙亥	甲辰	甲戌	癸卯	癸酉	壬寅	甲戌	癸卯	16
戊寅	戊申	丁丑	丁未	丙子	乙巳	乙亥	甲辰	甲戌	癸卯	乙亥	甲辰	17
己卯	己酉	戊寅	戊申	丁丑	丙午	丙子	乙巳	乙亥	甲辰	丙子	乙巳	18
庚辰	庚戌	己卯	己酉	戊寅	丁未	丁丑	丙午	丙子	乙巳	丁丑	丙午	19
辛巳	辛亥	庚辰	庚戌	己卯	戊申	戊寅	丁未	丁丑	丙午	戊寅	丁未	20
壬午	壬子	辛巳	辛亥	庚辰	己酉	己卯	戊申	戊寅	丁未	己卯	戊申	21
癸未	癸丑	壬午	壬子	辛巳	庚戌	庚辰	己酉	己卯	戊申	庚辰	己酉	22
甲申	甲寅	癸未	癸丑	壬午	辛亥	辛巳	庚戌	庚辰	己酉	辛巳	庚戌	23
乙酉	乙卯	甲申	甲寅	癸未	壬子	壬午	辛亥	辛巳	庚戌	壬午	辛亥	24
丙戌	丙辰	乙酉	乙卯	甲申	癸丑	癸未	壬子	壬午	辛亥	癸未	壬子	25
丁亥	丁巳	丙戌	丙辰	乙酉	甲寅	甲申	癸丑	癸未	壬子	甲申	癸丑	26
戊子	戊午	丁亥	丁巳	丙戌	乙卯	乙酉	甲寅	甲申	癸丑	乙酉	甲寅	27
己丑	己未	戊子	戊午	丁亥	丙辰	丙戌	乙卯	乙酉	甲寅	丙戌	乙卯	28
庚寅	庚申	己丑	己未	戊子	丁巳	丁亥	丙辰	丙戌	乙卯		丙辰	29
辛卯	辛酉	庚寅	庚申	己丑	戊午	戊子	丁巳	丁亥	丙辰		丁巳	30
壬辰		辛卯		庚寅	己未		戊午		丁巳		戊午	31

農曆初一　農曆十五

西曆一九三八年

12月	11月	10月	9月	8月	7月	6月	5月	4月	3月	2月	1月	月/日
丁卯	丁酉	丙寅	丙申	乙丑	甲午	甲子	癸巳	三月 癸亥	壬辰	甲子	癸巳	1
戊辰	戊戌	丁卯	丁酉	丙寅	乙未	乙丑	甲午	甲子	二月 癸巳	乙丑	十二月 甲午	2
己巳	己亥	戊辰	戊戌	丁卯	丙申	丙寅	乙未	乙丑	甲午	丙寅	乙未	3
庚午	庚子	己巳	己亥	戊辰	丁酉	丁卯	丙申	丙寅	乙未	丁卯	丙申	4
辛未	辛丑	庚午	庚子	己巳	戊戌	戊辰	丁酉	丁卯	丙申	戊辰	丁酉	5
壬申	壬寅	辛未	辛丑	庚午	己亥	己巳	戊戌	戊辰	丁酉	己巳	戊戌	6
癸酉	癸卯	壬申	壬寅	辛未	庚子	庚午	己亥	己巳	戊戌	庚午	己亥	7
甲戌	甲辰	癸酉	癸卯	壬申	辛丑	辛未	庚子	庚午	己亥	辛未	庚子	8
乙亥	乙巳	甲戌	甲辰	癸酉	壬寅	壬申	辛丑	辛未	庚子	壬申	辛丑	9
丙子	丙午	乙亥	乙巳	甲戌	癸卯	癸酉	壬寅	壬申	辛丑	癸酉	壬寅	10
丁丑	丁未	丙子	丙午	乙亥	甲辰	甲戌	癸卯	癸酉	壬寅	甲戌	癸卯	11
戊寅	戊申	丁丑	丁未	丙子	乙巳	乙亥	甲辰	甲戌	癸卯	乙亥	甲辰	12
己卯	己酉	戊寅	戊申	丁丑	丙午	丙子	乙巳	乙亥	甲辰	丙子	乙巳	13
庚辰	庚戌	己卯	己酉	戊寅	丁未	丁丑	丙午	丙子	乙巳	丁丑	丙午	14
辛巳	辛亥	庚辰	庚戌	己卯	戊申	戊寅	丁未	丁丑	丙午	戊寅	丁未	15
壬午	壬子	辛巳	辛亥	庚辰	己酉	己卯	戊申	戊寅	丁未	己卯	戊申	16
癸未	癸丑	壬午	壬子	辛巳	庚戌	庚辰	己酉	己卯	戊申	庚辰	己酉	17
甲申	甲寅	癸未	癸丑	壬午	辛亥	辛巳	庚戌	庚辰	己酉	辛巳	庚戌	18
乙酉	乙卯	甲申	甲寅	癸未	壬子	壬午	辛亥	辛巳	庚戌	壬午	辛亥	19
丙戌	丙辰	乙酉	乙卯	甲申	癸丑	癸未	壬子	壬午	辛亥	癸未	壬子	20
丁亥	丁巳	丙戌	丙辰	乙酉	甲寅	甲申	癸丑	癸未	壬子	甲申	癸丑	21
十一月 戊子	十月 戊午	丁亥	丁巳	丙戌	乙卯	乙酉	甲寅	甲申	癸丑	乙酉	甲寅	22
己丑	己未	九月 戊子	戊午	丁亥	丙辰	丙戌	乙卯	乙酉	甲寅	丙戌	乙卯	23
庚寅	庚申	己丑	八月 己未	戊子	丁巳	丁亥	丙辰	丙戌	乙卯	丁亥	丙辰	24
辛卯	辛酉	庚寅	庚申	閏七月 己丑	戊午	戊子	丁巳	丁亥	丙辰	戊子	丁巳	25
壬辰	壬戌	辛卯	辛酉	庚寅	己未	己丑	戊午	戊子	丁巳	己丑	戊午	26
癸巳	癸亥	壬辰	壬戌	辛卯	七月 庚申	庚寅	己未	己丑	戊午	庚寅	己未	27
甲午	甲子	癸巳	癸亥	壬辰	辛酉	六月 辛卯	庚申	庚寅	己未	辛卯	庚申	28
乙未	乙丑	甲午	甲子	癸巳	壬戌	壬辰	五月 辛酉	辛卯	庚申		辛酉	29
丙申	丙寅	乙未	乙丑	甲午	癸亥	癸巳	壬戌	四月 壬辰	辛酉		壬戌	30
丁酉		丙申		乙未	甲子		癸亥		壬戌		正月 癸亥	31

農曆初一　農曆十五

西曆一九三九年

12月	11月	10月	9月	8月	7月	6月	5月	4月	3月	2月	1月	月/日
壬申	壬寅	辛未	辛丑	庚午	己亥	己巳	戊戌	戊辰	丁酉	己巳	戊戌	1
癸酉	癸卯	壬申	壬寅	辛未	庚子	庚午	己亥	己巳	戊戌	庚午	己亥	2
甲戌	甲辰	癸酉	癸卯	壬申	辛丑	辛未	庚子	庚午	己亥	辛未	庚子	3
乙亥	乙巳	甲戌	甲辰	癸酉	壬寅	壬申	辛丑	辛未	庚子	壬申	辛丑	4
丙子	丙午	乙亥	乙巳	甲戌	癸卯	癸酉	壬寅	壬申	辛丑	癸酉	壬寅	5
丁丑	丁未	丙子	丙午	乙亥	甲辰	甲戌	癸卯	癸酉	壬寅	甲戌	癸卯	6
戊寅	戊申	丁丑	丁未	丙子	乙巳	乙亥	甲辰	甲戌	癸卯	乙亥	甲辰	7
己卯	己酉	戊寅	戊申	丁丑	丙午	丙子	乙巳	乙亥	甲辰	丙子	乙巳	8
庚辰	庚戌	己卯	己酉	戊寅	丁未	丁丑	丙午	丙子	乙巳	丁丑	丙午	9
辛巳	辛亥	庚辰	庚戌	己卯	戊申	戊寅	丁未	丁丑	丙午	戊寅	丁未	10
壬午（十一月）	壬子（十月）	辛巳	辛亥	庚辰	己酉	己卯	戊申	戊寅	丁未	己卯	戊申	11
癸未	癸丑	壬午	壬子	辛巳	庚戌	庚辰	己酉	己卯	戊申	庚辰	己酉	12
甲申	甲寅	癸未（九月）	癸丑（八月）	壬午	辛亥	辛巳	庚戌	庚辰	己酉	辛巳	庚戌	13
乙酉	乙卯	甲申	甲寅	癸未	壬子	壬午	辛亥	辛巳	庚戌	壬午	辛亥	14
丙戌	丙辰	乙酉	乙卯	甲申（七月）	癸丑	癸未	壬子	壬午	辛亥	癸未	壬子	15
丁亥	丁巳	丙戌	丙辰	乙酉	甲寅	甲申	癸丑	癸未	壬子	甲申	癸丑	16
戊子	戊午	丁亥	丁巳	丙戌	乙卯（六月）	乙酉（五月）	甲寅	甲申	癸丑	乙酉	甲寅	17
己丑	己未	戊子	戊午	丁亥	丙辰	丙戌	乙卯	乙酉	甲寅	丙戌	乙卯	18
庚寅	庚申	己丑	己未	戊子	丁巳	丁亥	丙辰（四月）	丙戌	乙卯	丁亥（正月）	丙辰	19
辛卯	辛酉	庚寅	庚申	己丑	戊午	戊子	丁巳	丁亥（三月）	丙辰	戊子	丁巳（十二月）	20
壬辰	壬戌	辛卯	辛酉	庚寅	己未	己丑	戊午	戊子	丁巳（二月）	己丑	戊午	21
癸巳	癸亥	壬辰	壬戌	辛卯	庚申	庚寅	己未	己丑	戊午	庚寅	己未	22
甲午	甲子	癸巳	癸亥	壬辰	辛酉	辛卯	庚申	庚寅	己未	辛卯	庚申	23
乙未	乙丑	甲午	甲子	癸巳	壬戌	壬辰	辛酉	辛卯	庚申	壬辰	辛酉	24
丙申	丙寅	乙未	乙丑	甲午	癸亥	癸巳	壬戌	壬辰	辛酉	癸巳	壬戌	25
丁酉	丁卯	丙申	丙寅	乙未	甲子	甲午	癸亥	癸巳	壬戌	甲午	癸亥	26
戊戌	戊辰	丁酉	丁卯	丙申	乙丑	乙未	甲子	甲午	癸亥	乙未	甲子	27
己亥	己巳	戊戌	戊辰	丁酉	丙寅	丙申	乙丑	乙未	甲子	丙申	乙丑	28
庚子	庚午	己亥	己巳	戊戌	丁卯	丁酉	丙寅	丙申	乙丑		丙寅	29
辛丑	辛未	庚子	庚午	己亥	戊辰	戊戌	丁卯	丁酉	丙寅		丁卯	30
壬寅		辛丑		庚子	己巳		戊辰		丁卯		戊辰	31

農曆初一　農曆十五

西曆一九四〇年

12月	11月	10月	9月	8月	7月	6月	5月	4月	3月	2月	1月	月/日
戊寅	戊申	(九月)丁丑	丁未	丙子	乙巳	乙亥	甲辰	甲戌	癸卯	甲戌	癸卯	1
己卯	己酉	戊寅	(八月)戊申	丁丑	丙午	丙子	乙巳	乙亥	甲辰	乙亥	甲辰	2
庚辰	庚戌	己卯	己酉	戊寅	丁未	丁丑	丙午	丙子	乙巳	丙子	乙巳	3
辛巳	辛亥	庚辰	庚戌	(七月)己卯	戊申	戊寅	丁未	丁丑	丙午	丁丑	丙午	4
壬午	壬子	辛巳	辛亥	庚辰	(六月)己酉	己卯	戊申	戊寅	丁未	戊寅	丁未	5
癸未	癸丑	壬午	壬子	辛巳	庚戌	(五月)庚辰	己酉	己卯	戊申	己卯	戊申	6
甲申	甲寅	癸未	癸丑	壬午	辛亥	辛巳	(四月)庚戌	庚辰	己酉	庚辰	己酉	7
乙酉	乙卯	甲申	甲寅	癸未	壬子	壬午	辛亥	(三月)辛巳	庚戌	(正月)辛巳	庚戌	8
丙戌	丙辰	乙酉	乙卯	甲申	癸丑	癸未	壬子	壬午	(二月)辛亥	壬午	(十二月)辛亥	9
丁亥	丁巳	丙戌	丙辰	乙酉	甲寅	甲申	癸丑	癸未	壬子	癸未	壬子	10
戊子	戊午	丁亥	丁巳	丙戌	乙卯	乙酉	甲寅	甲申	癸丑	甲申	癸丑	11
己丑	己未	戊子	戊午	丁亥	丙辰	丙戌	乙卯	乙酉	甲寅	乙酉	甲寅	12
庚寅	庚申	己丑	己未	戊子	丁巳	丁亥	丙辰	丙戌	乙卯	丙戌	乙卯	13
辛卯	辛酉	庚寅	庚申	己丑	戊午	戊子	丁巳	丁亥	丙辰	丁亥	丙辰	14
壬辰	壬戌	辛卯	辛酉	庚寅	己未	己丑	戊午	戊子	丁巳	戊子	丁巳	15
癸巳	癸亥	壬辰	壬戌	辛卯	庚申	庚寅	己未	己丑	戊午	己丑	戊午	16
甲午	甲子	癸巳	癸亥	壬辰	辛酉	辛卯	庚申	庚寅	己未	庚寅	己未	17
乙未	乙丑	甲午	甲子	癸巳	壬戌	壬辰	辛酉	辛卯	庚申	辛卯	庚申	18
丙申	丙寅	乙未	乙丑	甲午	癸亥	癸巳	壬戌	壬辰	辛酉	壬辰	辛酉	19
丁酉	丁卯	丙申	丙寅	乙未	甲子	甲午	癸亥	癸巳	壬戌	癸巳	壬戌	20
戊戌	戊辰	丁酉	丁卯	丙申	乙丑	乙未	甲子	甲午	癸亥	甲午	癸亥	21
己亥	己巳	戊戌	戊辰	丁酉	丙寅	丙申	乙丑	乙未	甲子	乙未	甲子	22
庚子	庚午	己亥	己巳	戊戌	丁卯	丁酉	丙寅	丙申	乙丑	丙申	乙丑	23
辛丑	辛未	庚子	庚午	己亥	戊辰	戊戌	丁卯	丁酉	丙寅	丁酉	丙寅	24
壬寅	壬申	辛丑	辛未	庚子	己巳	己亥	戊辰	戊戌	丁卯	戊戌	丁卯	25
癸卯	癸酉	壬寅	壬申	辛丑	庚午	庚子	己巳	己亥	戊辰	己亥	戊辰	26
甲辰	甲戌	癸卯	癸酉	壬寅	辛未	辛丑	庚午	庚子	己巳	庚子	己巳	27
乙巳	乙亥	甲辰	甲戌	癸卯	壬申	壬寅	辛未	辛丑	庚午	辛丑	庚午	28
(十二月)丙午	(十一月)丙子	乙巳	乙亥	甲辰	癸酉	癸卯	壬申	壬寅	辛未	壬寅	辛未	29
丁未	丁丑	丙午	丙子	乙巳	甲戌	甲辰	癸酉	癸卯	壬申		壬申	30
戊申		(十月)丁未		丙午	乙亥		甲戌		癸酉		癸酉	31

農曆初一　農曆十五

西曆一九四一年

12月	11月	10月	9月	8月	7月	6月	5月	4月	3月	2月	1月	月/日
癸未	癸丑	壬午	壬子	辛巳	庚戌	庚辰	己酉	己卯	戊申	庚辰	己酉	1
甲申	甲寅	癸未	癸丑	壬午	辛亥	辛巳	庚戌	庚辰	己酉	辛巳	庚戌	2
乙酉	乙卯	甲申	甲寅	癸未	壬子	壬午	辛亥	辛巳	庚戌	壬午	辛亥	3
丙戌	丙辰	乙酉	乙卯	甲申	癸丑	癸未	壬子	壬午	辛亥	癸未	壬子	4
丁亥	丁巳	丙戌	丙辰	乙酉	甲寅	甲申	癸丑	癸未	壬子	甲申	癸丑	5
戊子	戊午	丁亥	丁巳	丙戌	乙卯	乙酉	甲寅	甲申	癸丑	乙酉	甲寅	6
己丑	己未	戊子	戊午	丁亥	丙辰	丙戌	乙卯	乙酉	甲寅	丙戌	乙卯	7
庚寅	庚申	己丑	己未	戊子	丁巳	丁亥	丙辰	丙戌	乙卯	丁亥	丙辰	8
辛卯	辛酉	庚寅	庚申	己丑	戊午	戊子	丁巳	丁亥	丙辰	戊子	丁巳	9
壬辰	壬戌	辛卯	辛酉	庚寅	己未	己丑	戊午	戊子	丁巳	己丑	戊午	10
癸巳	癸亥	壬辰	壬戌	辛卯	庚申	庚寅	己未	己丑	戊午	庚寅	己未	11
甲午	甲子	癸巳	癸亥	壬辰	辛酉	辛卯	庚申	庚寅	己未	辛卯	庚申	12
乙未	乙丑	甲午	甲子	癸巳	壬戌	壬辰	辛酉	辛卯	庚申	壬辰	辛酉	13
丙申	丙寅	乙未	乙丑	甲午	癸亥	癸巳	壬戌	壬辰	辛酉	癸巳	壬戌	14
丁酉	丁卯	丙申	丙寅	乙未	甲子	甲午	癸亥	癸巳	壬戌	甲午	癸亥	15
戊戌	戊辰	丁酉	丁卯	丙申	乙丑	乙未	甲子	甲午	癸亥	乙未	甲子	16
己亥	己巳	戊戌	戊辰	丁酉	丙寅	丙申	乙丑	乙未	甲子	丙申	乙丑	17
十一月 庚子	庚午	己亥	己巳	戊戌	丁卯	丁酉	丙寅	丙申	乙丑	丁酉	丙寅	18
辛丑	十月 辛未	庚子	庚午	己亥	戊辰	戊戌	丁卯	丁酉	丙寅	戊戌	丁卯	19
壬寅	壬申	九月 辛丑	辛未	庚子	己巳	己亥	戊辰	戊戌	丁卯	己亥	戊辰	20
癸卯	癸酉	壬寅	八月 壬申	辛丑	庚午	庚子	己巳	己亥	戊辰	庚子	己巳	21
甲辰	甲戌	癸卯	癸酉	壬寅	辛未	辛丑	庚午	庚子	己巳	辛丑	庚午	22
乙巳	乙亥	甲辰	甲戌	七月 癸卯	壬申	壬寅	辛未	辛丑	庚午	壬寅	辛未	23
丙午	丙子	乙巳	乙亥	甲辰	閏六月 癸酉	癸卯	壬申	壬寅	辛未	癸卯	壬申	24
丁未	丁丑	丙午	丙子	乙巳	甲戌	六月 甲辰	癸酉	癸卯	壬申	甲辰	癸酉	25
戊申	戊寅	丁未	丁丑	丙午	乙亥	乙巳	五月 甲戌	四月 甲辰	癸酉	二月 乙巳	甲戌	26
己酉	己卯	戊申	戊寅	丁未	丙子	丙午	乙亥	乙巳	甲戌	丙午	正月 乙亥	27
庚戌	庚辰	己酉	己卯	戊申	丁丑	丁未	丙子	丙午	三月 乙亥	丁未	丙子	28
辛亥	辛巳	庚戌	庚辰	己酉	戊寅	戊申	丁丑	丁未	丙子		丁丑	29
壬子	壬午	辛亥	辛巳	庚戌	己卯	己酉	戊寅	戊申	丁丑		戊寅	30
癸丑		壬子		辛亥	庚辰		己卯		戊寅		己卯	31

農曆初一　農曆十五

西曆一九四二年

12月	11月	10月	9月	8月	7月	6月	5月	4月	3月	2月	1月	月/日
戊子	戊午	丁亥	丁巳	丙戌	乙卯	乙酉	甲寅	甲申	癸丑	乙酉	甲寅	1
己丑	己未	戊子	戊午	丁亥	丙辰	丙戌	乙卯	乙酉	甲寅	丙戌	乙卯	2
庚寅	庚申	己丑	己未	戊子	丁巳	丁亥	丙辰	丙戌	乙卯	丁亥	丙辰	3
辛卯	辛酉	庚寅	庚申	己丑	戊午	戊子	丁巳	丁亥	丙辰	戊子	丁巳	4
壬辰	壬戌	辛卯	辛酉	庚寅	己未	己丑	戊午	戊子	丁巳	己丑	戊午	5
癸巳	癸亥	壬辰	壬戌	辛卯	庚申	庚寅	己未	己丑	戊午	庚寅	己未	6
甲午	甲子	癸巳	癸亥	壬辰	辛酉	辛卯	庚申	庚寅	己未	辛卯	庚申	7
十一月 乙未	十月 乙丑	甲午	甲子	癸巳	壬戌	壬辰	辛酉	辛卯	庚申	壬辰	辛酉	8
丙申	丙寅	乙未	乙丑	甲午	癸亥	癸巳	壬戌	壬辰	辛酉	癸巳	壬戌	9
丁酉	丁卯	九月 丙申	八月 丙寅	乙未	甲子	甲午	癸亥	癸巳	壬戌	甲午	癸亥	10
戊戌	戊辰	丁酉	丁卯	丙申	乙丑	乙未	甲子	甲午	癸亥	乙未	甲子	11
己亥	己巳	戊戌	戊辰	七月 丁酉	丙寅	丙申	乙丑	乙未	甲子	丙申	乙丑	12
庚子	庚午	己亥	己巳	戊戌	六月 丁卯	丁酉	丙寅	丙申	乙丑	丁酉	丙寅	13
辛丑	辛未	庚子	庚午	己亥	戊辰	五月 戊戌	丁卯	丁酉	丙寅	戊戌	丁卯	14
壬寅	壬申	辛丑	辛未	庚子	己巳	己亥	四月 戊辰	三月 戊戌	丁卯	正月 己亥	戊辰	15
癸卯	癸酉	壬寅	壬申	辛丑	庚午	庚子	己巳	己亥	戊辰	庚子	己巳	16
甲辰	甲戌	癸卯	癸酉	壬寅	辛未	辛丑	庚午	庚子	二月 己巳	辛丑	十二月 庚午	17
乙巳	乙亥	甲辰	甲戌	癸卯	壬申	壬寅	辛未	辛丑	庚午	壬寅	辛未	18
丙午	丙子	乙巳	乙亥	甲辰	癸酉	癸卯	壬申	壬寅	辛未	癸卯	壬申	19
丁未	丁丑	丙午	丙子	乙巳	甲戌	甲辰	癸酉	癸卯	壬申	甲辰	癸酉	20
戊申	戊寅	丁未	丁丑	丙午	乙亥	乙巳	甲戌	甲辰	癸酉	乙巳	甲戌	21
己酉	己卯	戊申	戊寅	丁未	丙子	丙午	乙亥	乙巳	甲戌	丙午	乙亥	22
庚戌	庚辰	己酉	己卯	戊申	丁丑	丁未	丙子	丙午	乙亥	丁未	丙子	23
辛亥	辛巳	庚戌	庚辰	己酉	戊寅	戊申	丁丑	丁未	丙子	戊申	丁丑	24
壬子	壬午	辛亥	辛巳	庚戌	己卯	己酉	戊寅	戊申	丁丑	己酉	戊寅	25
癸丑	癸未	壬子	壬午	辛亥	庚辰	庚戌	己卯	己酉	戊寅	庚戌	己卯	26
甲寅	甲申	癸丑	癸未	壬子	辛巳	辛亥	庚辰	庚戌	己卯	辛亥	庚辰	27
乙卯	乙酉	甲寅	甲申	癸丑	壬午	壬子	辛巳	辛亥	庚辰	壬子	辛巳	28
丙辰	丙戌	乙卯	乙酉	甲寅	癸未	癸丑	壬午	壬子	辛巳		壬午	29
丁巳	丁亥	丙辰	丙戌	乙卯	甲申	甲寅	癸未	癸丑	壬午		癸未	30
戊午		丁巳		丙辰	乙酉		甲申		癸未		甲申	31

農曆初一　農曆十五

西曆一九四三年

12月	11月	10月	9月	8月	7月	6月	5月	4月	3月	2月	1月	月/日
癸巳	癸亥	壬辰	壬戌	七月 辛卯	庚申	庚寅	己未	己丑	戊午	庚寅	己未	1
甲午	甲子	癸巳	癸亥	壬辰	六月 辛酉	辛卯	庚申	庚寅	己未	辛卯	庚申	2
乙未	乙丑	甲午	甲子	癸巳	壬戌	五月 壬辰	辛酉	辛卯	庚申	壬辰	辛酉	3
丙申	丙寅	乙未	乙丑	甲午	癸亥	癸巳	四月 壬戌	壬辰	辛酉	癸巳	壬戌	4
丁酉	丁卯	丙申	丙寅	乙未	甲子	甲午	癸亥	三月 癸巳	壬戌	正月 甲午	癸亥	5
戊戌	戊辰	丁酉	丁卯	丙申	乙丑	乙未	甲子	甲午	二月 癸亥	乙未	十二月 甲子	6
己亥	己巳	戊戌	戊辰	丁酉	丙寅	丙申	乙丑	乙未	甲子	丙申	乙丑	7
庚子	庚午	己亥	己巳	戊戌	丁卯	丁酉	丙寅	丙申	乙丑	丁酉	丙寅	8
辛丑	辛未	庚子	庚午	己亥	戊辰	戊戌	丁卯	丁酉	丙寅	戊戌	丁卯	9
壬寅	壬申	辛丑	辛未	庚子	己巳	己亥	戊辰	戊戌	丁卯	己亥	戊辰	10
癸卯	癸酉	壬寅	壬申	辛丑	庚午	庚子	己巳	己亥	戊辰	庚子	己巳	11
甲辰	甲戌	癸卯	癸酉	壬寅	辛未	辛丑	庚午	庚子	己巳	辛丑	庚午	12
乙巳	乙亥	甲辰	甲戌	癸卯	壬申	壬寅	辛未	辛丑	庚午	壬寅	辛未	13
丙午	丙子	乙巳	乙亥	甲辰	癸酉	癸卯	壬申	壬寅	辛未	癸卯	壬申	14
丁未	丁丑	丙午	丙子	乙巳	甲戌	甲辰	癸酉	癸卯	壬申	甲辰	癸酉	15
戊申	戊寅	丁未	丁丑	丙午	乙亥	乙巳	甲戌	甲辰	癸酉	乙巳	甲戌	16
己酉	己卯	戊申	戊寅	丁未	丙子	丙午	乙亥	乙巳	甲戌	丙午	乙亥	17
庚戌	庚辰	己酉	己卯	戊申	丁丑	丁未	丙子	丙午	乙亥	丁未	丙子	18
辛亥	辛巳	庚戌	庚辰	己酉	戊寅	戊申	丁丑	丁未	丙子	戊申	丁丑	19
壬子	壬午	辛亥	辛巳	庚戌	己卯	己酉	戊寅	戊申	丁丑	己酉	戊寅	20
癸丑	癸未	壬子	壬午	辛亥	庚辰	庚戌	己卯	己酉	戊寅	庚戌	己卯	21
甲寅	甲申	癸丑	癸未	壬子	辛巳	辛亥	庚辰	庚戌	己卯	辛亥	庚辰	22
乙卯	乙酉	甲寅	甲申	癸丑	壬午	壬子	辛巳	辛亥	庚辰	壬子	辛巳	23
丙辰	丙戌	乙卯	乙酉	甲寅	癸未	癸丑	壬午	壬子	辛巳	癸丑	壬午	24
丁巳	丁亥	丙辰	丙戌	乙卯	甲申	甲寅	癸未	癸丑	壬午	甲寅	癸未	25
戊午	戊子	丁巳	丁亥	丙辰	乙酉	乙卯	甲申	甲寅	癸未	乙卯	甲申	26
十二月 己未	十一月 己丑	戊午	戊子	丁巳	丙戌	丙辰	乙酉	乙卯	甲申	丙辰	乙酉	27
庚申	庚寅	己未	己丑	戊午	丁亥	丁巳	丙戌	丙辰	乙酉	丁巳	丙戌	28
辛酉	辛卯	十月 庚申	九月 庚寅	己未	戊子	戊午	丁亥	丁巳	丙戌		丁亥	29
壬戌	壬辰	辛酉	辛卯	庚申	己丑	己未	戊子	戊午	丁亥		戊子	30
癸亥		壬戌		八月 辛酉	庚寅		己丑		戊子		己丑	31

農曆初一　農曆十五

西曆一九四四年

12月	11月	10月	9月	8月	7月	6月	5月	4月	3月	2月	1月	月/日
己亥	己巳	戊戌	戊辰	丁酉	丙寅	丙申	乙丑	乙未	甲子	乙未	甲子	1
庚子	庚午	己亥	己巳	戊戌	丁卯	丁酉	丙寅	丙申	乙丑	丙申	乙丑	2
辛丑	辛未	庚子	庚午	己亥	戊辰	戊戌	丁卯	丁酉	丙寅	丁酉	丙寅	3
壬寅	壬申	辛丑	辛未	庚子	己巳	己亥	戊辰	戊戌	丁卯	戊戌	丁卯	4
癸卯	癸酉	壬寅	壬申	辛丑	庚午	庚子	己巳	己亥	戊辰	己亥	戊辰	5
甲辰	甲戌	癸卯	癸酉	壬寅	辛未	辛丑	庚午	庚子	己巳	庚子	己巳	6
乙巳	乙亥	甲辰	甲戌	癸卯	壬申	壬寅	辛未	辛丑	庚午	辛丑	庚午	7
丙午	丙子	乙巳	乙亥	甲辰	癸酉	癸卯	壬申	壬寅	辛未	壬寅	辛未	8
丁未	丁丑	丙午	丙子	乙巳	甲戌	甲辰	癸酉	癸卯	壬申	癸卯	壬申	9
戊申	戊寅	丁未	丁丑	丙午	乙亥	乙巳	甲戌	甲辰	癸酉	甲辰	癸酉	10
己酉	己卯	戊申	戊寅	丁未	丙子	丙午	乙亥	乙巳	甲戌	乙巳	甲戌	11
庚戌	庚辰	己酉	己卯	戊申	丁丑	丁未	丙子	丙午	乙亥	丙午	乙亥	12
辛亥	辛巳	庚戌	庚辰	己酉	戊寅	戊申	丁丑	丁未	丙子	丁未	丙子	13
壬子	壬午	辛亥	辛巳	庚戌	己卯	己酉	戊寅	戊申	丁丑	戊申	丁丑	14
十一月 癸丑	癸未	壬子	壬午	辛亥	庚辰	庚戌	己卯	己酉	戊寅	己酉	戊寅	15
甲寅	十月 甲申	癸丑	癸未	壬子	辛巳	辛亥	庚辰	庚戌	己卯	庚戌	己卯	16
乙卯	乙酉	九月 甲寅	八月 甲申	癸丑	壬午	壬子	辛巳	辛亥	庚辰	辛亥	庚辰	17
丙辰	丙戌	乙卯	乙酉	甲寅	癸未	癸丑	壬午	壬子	辛巳	壬子	辛巳	18
丁巳	丁亥	丙辰	丙戌	七月 乙卯	甲申	甲寅	癸未	癸丑	壬午	癸丑	壬午	19
戊午	戊子	丁巳	丁亥	丙辰	六月 乙酉	乙卯	甲申	甲寅	癸未	甲寅	癸未	20
己未	己丑	戊午	戊子	丁巳	丙戌	五月 丙辰	乙酉	乙卯	甲申	乙卯	甲申	21
庚申	庚寅	己未	己丑	戊午	丁亥	丁巳	閏四月 丙戌	丙辰	乙酉	丙辰	乙酉	22
辛酉	辛卯	庚申	庚寅	己未	戊子	戊午	丁亥	四月 丁巳	丙戌	丁巳	丙戌	23
壬戌	壬辰	辛酉	辛卯	庚申	己丑	己未	戊子	戊午	三月 丁亥	二月 戊午	丁亥	24
癸亥	癸巳	壬戌	壬辰	辛酉	庚寅	庚申	己丑	己未	戊子	己未	正月 戊子	25
甲子	甲午	癸亥	癸巳	壬戌	辛卯	辛酉	庚寅	庚申	己丑	庚申	己丑	26
乙丑	乙未	甲子	甲午	癸亥	壬辰	壬戌	辛卯	辛酉	庚寅	辛酉	庚寅	27
丙寅	丙申	乙丑	乙未	甲子	癸巳	癸亥	壬辰	壬戌	辛卯	壬戌	辛卯	28
丁卯	丁酉	丙寅	丙申	乙丑	甲午	甲子	癸巳	癸亥	壬辰	癸亥	壬辰	29
戊辰	戊戌	丁卯	丁酉	丙寅	乙未	乙丑	甲午	甲子	癸巳		癸巳	30
己巳		戊辰		丁卯	丙申		乙未		甲午		甲午	31

農曆初一　農曆十五

西曆一九四五年

12月	11月	10月	9月	8月	7月	6月	5月	4月	3月	2月	1月	月/日
甲辰	甲戌	癸卯	癸酉	壬寅	辛未	辛丑	庚午	庚子	己巳	辛丑	庚午	1
乙巳	乙亥	甲辰	甲戌	癸卯	壬申	壬寅	辛未	辛丑	庚午	壬寅	辛未	2
丙午	丙子	乙巳	乙亥	甲辰	癸酉	癸卯	壬申	壬寅	辛未	癸卯	壬申	3
丁未	丁丑	丙午	丙子	乙巳	甲戌	甲辰	癸酉	癸卯	壬申	甲辰	癸酉	4
戊申（十一月）	戊寅（十月）	丁未	丁丑	丙午	乙亥	乙巳	甲戌	甲辰	癸酉	乙巳	甲戌	5
己酉	己卯	戊申（九月）	戊寅（八月）	丁未	丙子	丙午	乙亥	乙巳	甲戌	丙午	乙亥	6
庚戌	庚辰	己酉	己卯	戊申	丁丑	丁未	丙子	丙午	乙亥	丁未	丙子	7
辛亥	辛巳	庚戌	庚辰	己酉（七月）	戊寅	戊申	丁丑	丁未	丙子	戊申	丁丑	8
壬子	壬午	辛亥	辛巳	庚戌	己卯（六月）	己酉	戊寅	戊申	丁丑	己酉	戊寅	9
癸丑	癸未	壬子	壬午	辛亥	庚辰	庚戌（五月）	己卯	己酉	戊寅	庚戌	己卯	10
甲寅	甲申	癸丑	癸未	壬子	辛巳	辛亥	庚辰	庚戌	己卯	辛亥	庚辰	11
乙卯	乙酉	甲寅	甲申	癸丑	壬午	壬子	辛巳（四月）	辛亥（三月）	庚辰	壬子	辛巳	12
丙辰	丙戌	乙卯	乙酉	甲寅	癸未	癸丑	壬午	壬子	辛巳	癸丑（正月）	壬午	13
丁巳	丁亥	丙辰	丙戌	乙卯	甲申	甲寅	癸未	癸丑	壬午（二月）	甲寅	癸未（十二月）	14
戊午	戊子	丁巳	丁亥	丙辰	乙酉	乙卯	甲申	甲寅	癸未	乙卯	甲申	15
己未	己丑	戊午	戊子	丁巳	丙戌	丙辰	乙酉	乙卯	甲申	丙辰	乙酉	16
庚申	庚寅	己未	己丑	戊午	丁亥	丁巳	丙戌	丙辰	乙酉	丁巳	丙戌	17
辛酉	辛卯	庚申	庚寅	己未	戊子	戊午	丁亥	丁巳	丙戌	戊午	丁亥	18
壬戌	壬辰	辛酉	辛卯	庚申	己丑	己未	戊子	戊午	丁亥	己未	戊子	19
癸亥	癸巳	壬戌	壬辰	辛酉	庚寅	庚申	己丑	己未	戊子	庚申	己丑	20
甲子	甲午	癸亥	癸巳	壬戌	辛卯	辛酉	庚寅	庚申	己丑	辛酉	庚寅	21
乙丑	乙未	甲子	甲午	癸亥	壬辰	壬戌	辛卯	辛酉	庚寅	壬戌	辛卯	22
丙寅	丙申	乙丑	乙未	甲子	癸巳	癸亥	壬辰	壬戌	辛卯	癸亥	壬辰	23
丁卯	丁酉	丙寅	丙申	乙丑	甲午	甲子	癸巳	癸亥	壬辰	甲子	癸巳	24
戊辰	戊戌	丁卯	丁酉	丙寅	乙未	乙丑	甲午	甲子	癸巳	乙丑	甲午	25
己巳	己亥	戊辰	戊戌	丁卯	丙申	丙寅	乙未	乙丑	甲午	丙寅	乙未	26
庚午	庚子	己巳	己亥	戊辰	丁酉	丁卯	丙申	丙寅	乙未	丁卯	丙申	27
辛未	辛丑	庚午	庚子	己巳	戊戌	戊辰	丁酉	丁卯	丙申	戊辰	丁酉	28
壬申	壬寅	辛未	辛丑	庚午	己亥	己巳	戊戌	戊辰	丁酉		戊戌	29
癸酉	癸卯	壬申	壬寅	辛未	庚子	庚午	己亥	己巳	戊戌		己亥	30
甲戌		癸酉		壬申	辛丑		庚子		己亥		庚子	31

農曆初一　農曆十五

西曆一九四六年

12月	11月	10月	9月	8月	7月	6月	5月	4月	3月	2月	1月	月/日
己酉	己卯	戊申	戊寅	丁未	丙子	丙午	四月 乙亥	乙巳	甲戌	丙午	乙亥	1
庚戌	庚辰	己酉	己卯	戊申	丁丑	丁未	丙子	三月 丙午	乙亥	正月 丁未	丙子	2
辛亥	辛巳	庚戌	庚辰	己酉	戊寅	戊申	丁丑	丁未	丙子	戊申	十二月 丁丑	3
壬子	壬午	辛亥	辛巳	庚戌	己卯	己酉	戊寅	戊申	二月 丁丑	己酉	戊寅	4
癸丑	癸未	壬子	壬午	辛亥	庚辰	庚戌	己卯	己酉	戊寅	庚戌	己卯	5
甲寅	甲申	癸丑	癸未	壬子	辛巳	辛亥	庚辰	庚戌	己卯	辛亥	庚辰	6
乙卯	乙酉	甲寅	甲申	癸丑	壬午	壬子	辛巳	辛亥	庚辰	壬子	辛巳	7
丙辰	丙戌	乙卯	乙酉	甲寅	癸未	癸丑	壬午	壬子	辛巳	癸丑	壬午	8
丁巳	丁亥	丙辰	丙戌	乙卯	甲申	甲寅	癸未	癸丑	壬午	甲寅	癸未	9
戊午	戊子	丁巳	丁亥	丙辰	乙酉	乙卯	甲申	甲寅	癸未	乙卯	甲申	10
己未	己丑	戊午	戊子	丁巳	丙戌	丙辰	乙酉	乙卯	甲申	丙辰	乙酉	11
庚申	庚寅	己未	己丑	戊午	丁亥	丁巳	丙戌	丙辰	乙酉	丁巳	丙戌	12
辛酉	辛卯	庚申	庚寅	己未	戊子	戊午	丁亥	丁巳	丙戌	戊午	丁亥	13
壬戌	壬辰	辛酉	辛卯	庚申	己丑	己未	戊子	戊午	丁亥	己未	戊子	14
癸亥	癸巳	壬戌	壬辰	辛酉	庚寅	庚申	己丑	己未	戊子	庚申	己丑	15
甲子	甲午	癸亥	癸巳	壬戌	辛卯	辛酉	庚寅	庚申	己丑	辛酉	庚寅	16
乙丑	乙未	甲子	甲午	癸亥	壬辰	壬戌	辛卯	辛酉	庚寅	壬戌	辛卯	17
丙寅	丙申	乙丑	乙未	甲子	癸巳	癸亥	壬辰	壬戌	辛卯	癸亥	壬辰	18
丁卯	丁酉	丙寅	丙申	乙丑	甲午	甲子	癸巳	癸亥	壬辰	甲子	癸巳	19
戊辰	戊戌	丁卯	丁酉	丙寅	乙未	乙丑	甲午	甲子	癸巳	乙丑	甲午	20
己巳	己亥	戊辰	戊戌	丁卯	丙申	丙寅	乙未	乙丑	甲午	丙寅	乙未	21
庚午	庚子	己巳	己亥	戊辰	丁酉	丁卯	丙申	丙寅	乙未	丁卯	丙申	22
十二月 辛未	辛丑	庚午	庚子	己巳	戊戌	戊辰	丁酉	丁卯	丙申	戊辰	丁酉	23
壬申	十一月 壬寅	辛未	辛丑	庚午	己亥	己巳	戊戌	戊辰	丁酉	己巳	戊戌	24
癸酉	癸卯	十月 壬申	九月 壬寅	辛未	庚子	庚午	己亥	己巳	戊戌	庚午	己亥	25
甲戌	甲辰	癸酉	癸卯	壬申	辛丑	辛未	庚子	庚午	己亥	辛未	庚子	26
乙亥	乙巳	甲戌	甲辰	八月 癸酉	壬寅	壬申	辛丑	辛未	庚子	壬申	辛丑	27
丙子	丙午	乙亥	乙巳	甲戌	七月 癸卯	癸酉	壬寅	壬申	辛丑	癸酉	壬寅	28
丁丑	丁未	丙子	丙午	乙亥	甲辰	六月 甲戌	癸卯	癸酉	壬寅		癸卯	29
戊寅	戊申	丁丑	丁未	丙子	乙巳	乙亥	甲辰	甲戌	癸卯		甲辰	30
己卯		戊寅		丁丑	丙午		五月 乙巳		甲辰		乙巳	31

農曆初一　農曆十五

西曆一九四七年

12月	11月	10月	9月	8月	7月	6月	5月	4月	3月	2月	1月	月/日
甲寅	甲申	癸丑	癸未	壬子	辛巳	辛亥	庚辰	庚戌	己卯	辛亥	庚辰	1
乙卯	乙酉	甲寅	甲申	癸丑	壬午	壬子	辛巳	辛亥	庚辰	壬子	辛巳	2
丙辰	丙戌	乙卯	乙酉	甲寅	癸未	癸丑	壬午	壬子	辛巳	癸丑	壬午	3
丁巳	丁亥	丙辰	丙戌	乙卯	甲申	甲寅	癸未	癸丑	壬午	甲寅	癸未	4
戊午	戊子	丁巳	丁亥	丙辰	乙酉	乙卯	甲申	甲寅	癸未	乙卯	甲申	5
己未	己丑	戊午	戊子	丁巳	丙戌	丙辰	乙酉	乙卯	甲申	丙辰	乙酉	6
庚申	庚寅	己未	己丑	戊午	丁亥	丁巳	丙戌	丙辰	乙酉	丁巳	丙戌	7
辛酉	辛卯	庚申	庚寅	己未	戊子	戊午	丁亥	丁巳	丙戌	戊午	丁亥	8
壬戌	壬辰	辛酉	辛卯	庚申	己丑	己未	戊子	戊午	丁亥	己未	戊子	9
癸亥	癸巳	壬戌	壬辰	辛酉	庚寅	庚申	己丑	己未	戊子	庚申	己丑	10
甲子	甲午	癸亥	癸巳	壬戌	辛卯	辛酉	庚寅	庚申	己丑	辛酉	庚寅	11
十一月 乙丑	乙未	甲子	甲午	癸亥	壬辰	壬戌	辛卯	辛酉	庚寅	壬戌	辛卯	12
丙寅	十月 丙申	乙丑	乙未	甲子	癸巳	癸亥	壬辰	壬戌	辛卯	癸亥	壬辰	13
丁卯	丁酉	九月 丙寅	丙申	乙丑	甲午	甲子	癸巳	癸亥	壬辰	甲子	癸巳	14
戊辰	戊戌	丁卯	八月 丁酉	丙寅	乙未	乙丑	甲午	甲子	癸巳	乙丑	甲午	15
己巳	己亥	戊辰	戊戌	七月 丁卯	丙申	丙寅	乙未	乙丑	甲午	丙寅	乙未	16
庚午	庚子	己巳	己亥	戊辰	丁酉	丁卯	丙申	丙寅	乙未	丁卯	丙申	17
辛未	辛丑	庚午	庚子	己巳	六月 戊戌	戊辰	丁酉	丁卯	丙申	戊辰	丁酉	18
壬申	壬寅	辛未	辛丑	庚午	己亥	五月 己巳	戊戌	戊辰	丁酉	己巳	戊戌	19
癸酉	癸卯	壬申	壬寅	辛未	庚子	庚午	四月 己亥	己巳	戊戌	庚午	己亥	20
甲戌	甲辰	癸酉	癸卯	壬申	辛丑	辛未	庚子	三月 庚午	己亥	二月 辛未	庚子	21
乙亥	乙巳	甲戌	甲辰	癸酉	壬寅	壬申	辛丑	辛未	庚子	壬申	正月 辛丑	22
丙子	丙午	乙亥	乙巳	甲戌	癸卯	癸酉	壬寅	壬申	閏二月 辛丑	癸酉	壬寅	23
丁丑	丁未	丙子	丙午	乙亥	甲辰	甲戌	癸卯	癸酉	壬寅	甲戌	癸卯	24
戊寅	戊申	丁丑	丁未	丙子	乙巳	乙亥	甲辰	甲戌	癸卯	乙亥	甲辰	25
己卯	己酉	戊寅	戊申	丁丑	丙午	丙子	乙巳	乙亥	甲辰	丙子	乙巳	26
庚辰	庚戌	己卯	己酉	戊寅	丁未	丁丑	丙午	丙子	乙巳	丁丑	丙午	27
辛巳	辛亥	庚辰	庚戌	己卯	戊申	戊寅	丁未	丁丑	丙午	戊寅	丁未	28
壬午	壬子	辛巳	辛亥	庚辰	己酉	己卯	戊申	戊寅	丁未		戊申	29
癸未	癸丑	壬午	壬子	辛巳	庚戌	庚辰	己酉	己卯	戊申		己酉	30
甲申		癸未		壬午	辛亥		庚戌		己酉		庚戌	31

農曆初一　農曆十五

西曆一九四八年

12月	11月	10月	9月	8月	7月	6月	5月	4月	3月	2月	1月	月/日
十一月 庚申	十月 庚寅	己未	己丑	戊午	丁亥	丁巳	丙戌	丙辰	乙酉	丙辰	乙酉	1
辛酉	辛卯	庚申	庚寅	己未	戊子	戊午	丁亥	丁巳	丙戌	丁巳	丙戌	2
壬戌	壬辰	九月 辛酉	八月 辛卯	庚申	己丑	己未	戊子	戊午	丁亥	戊午	丁亥	3
癸亥	癸巳	壬戌	壬辰	辛酉	庚寅	庚申	己丑	己未	戊子	己未	戊子	4
甲子	甲午	癸亥	癸巳	七月 壬戌	辛卯	辛酉	庚寅	庚申	己丑	庚申	己丑	5
乙丑	乙未	甲子	甲午	癸亥	壬辰	壬戌	辛卯	辛酉	庚寅	辛酉	庚寅	6
丙寅	丙申	乙丑	乙未	甲子	六月 癸巳	五月 癸亥	壬辰	壬戌	辛卯	壬戌	辛卯	7
丁卯	丁酉	丙寅	丙申	乙丑	甲午	甲子	癸巳	癸亥	壬辰	癸亥	壬辰	8
戊辰	戊戌	丁卯	丁酉	丙寅	乙未	乙丑	四月 甲午	三月 甲子	癸巳	甲子	癸巳	9
己巳	己亥	戊辰	戊戌	丁卯	丙申	丙寅	乙未	乙丑	甲午	正月 乙丑	甲午	10
庚午	庚子	己巳	己亥	戊辰	丁酉	丁卯	丙申	丙寅	二月 乙未	丙寅	十二月 乙未	11
辛未	辛丑	庚午	庚子	己巳	戊戌	戊辰	丁酉	丁卯	丙申	丁卯	丙申	12
壬申	壬寅	辛未	辛丑	庚午	己亥	己巳	戊戌	戊辰	丁酉	戊辰	丁酉	13
癸酉	癸卯	壬申	壬寅	辛未	庚子	庚午	己亥	己巳	戊戌	己巳	戊戌	14
甲戌	甲辰	癸酉	癸卯	壬申	辛丑	辛未	庚子	庚午	己亥	庚午	己亥	15
乙亥	乙巳	甲戌	甲辰	癸酉	壬寅	壬申	辛丑	辛未	庚子	辛未	庚子	16
丙子	丙午	乙亥	乙巳	甲戌	癸卯	癸酉	壬寅	壬申	辛丑	壬申	辛丑	17
丁丑	丁未	丙子	丙午	乙亥	甲辰	甲戌	癸卯	癸酉	壬寅	癸酉	壬寅	18
戊寅	戊申	丁丑	丁未	丙子	乙巳	乙亥	甲辰	甲戌	癸卯	甲戌	癸卯	19
己卯	己酉	戊寅	戊申	丁丑	丙午	丙子	乙巳	乙亥	甲辰	乙亥	甲辰	20
庚辰	庚戌	己卯	己酉	戊寅	丁未	丁丑	丙午	丙子	乙巳	丙子	乙巳	21
辛巳	辛亥	庚辰	庚戌	己卯	戊申	戊寅	丁未	丁丑	丙午	丁丑	丙午	22
壬午	壬子	辛巳	辛亥	庚辰	己酉	己卯	戊申	戊寅	丁未	戊寅	丁未	23
癸未	癸丑	壬午	壬子	辛巳	庚戌	庚辰	己酉	己卯	戊申	己卯	戊申	24
甲申	甲寅	癸未	癸丑	壬午	辛亥	辛巳	庚戌	庚辰	己酉	庚辰	己酉	25
乙酉	乙卯	甲申	甲寅	癸未	壬子	壬午	辛亥	辛巳	庚戌	辛巳	庚戌	26
丙戌	丙辰	乙酉	乙卯	甲申	癸丑	癸未	壬子	壬午	辛亥	壬午	辛亥	27
丁亥	丁巳	丙戌	丙辰	乙酉	甲寅	甲申	癸丑	癸未	壬子	癸未	壬子	28
戊子	戊午	丁亥	丁巳	丙戌	乙卯	乙酉	甲寅	甲申	癸丑	甲申	癸丑	29
十二月 己丑	己未	戊子	戊午	丁亥	丙辰	丙戌	乙卯	乙酉	甲寅		甲寅	30
庚寅		己丑		戊子	丁巳		丙辰		乙卯		乙卯	31

農曆初一　農曆十五

西曆一九四九年

12月	11月	10月	9月	8月	7月	6月	5月	4月	3月	2月	1月	月/日
乙丑	乙未	甲子	甲午	癸亥	壬辰	壬戌	辛卯	辛酉	庚寅	壬戌	辛卯	1
丙寅	丙申	乙丑	乙未	甲子	癸巳	癸亥	壬辰	壬戌	辛卯	癸亥	壬辰	2
丁卯	丁酉	丙寅	丙申	乙丑	甲午	甲子	癸巳	癸亥	壬辰	甲子	癸巳	3
戊辰	戊戌	丁卯	丁酉	丙寅	乙未	乙丑	甲午	甲子	癸巳	乙丑	甲午	4
己巳	己亥	戊辰	戊戌	丁卯	丙申	丙寅	乙未	乙丑	甲午	丙寅	乙未	5
庚午	庚子	己巳	己亥	戊辰	丁酉	丁卯	丙申	丙寅	乙未	丁卯	丙申	6
辛未	辛丑	庚午	庚子	己巳	戊戌	戊辰	丁酉	丁卯	丙申	戊辰	丁酉	7
壬申	壬寅	辛未	辛丑	庚午	己亥	己巳	戊戌	戊辰	丁酉	己巳	戊戌	8
癸酉	癸卯	壬申	壬寅	辛未	庚子	庚午	己亥	己巳	戊戌	庚午	己亥	9
甲戌	甲辰	癸酉	癸卯	壬申	辛丑	辛未	庚子	庚午	己亥	辛未	庚子	10
乙亥	乙巳	甲戌	甲辰	癸酉	壬寅	壬申	辛丑	辛未	庚子	壬申	辛丑	11
丙子	丙午	乙亥	乙巳	甲戌	癸卯	癸酉	壬寅	壬申	辛丑	癸酉	壬寅	12
丁丑	丁未	丙子	丙午	乙亥	甲辰	甲戌	癸卯	癸酉	壬寅	甲戌	癸卯	13
戊寅	戊申	丁丑	丁未	丙子	乙巳	乙亥	甲辰	甲戌	癸卯	乙亥	甲辰	14
己卯	己酉	戊寅	戊申	丁丑	丙午	丙子	乙巳	乙亥	甲辰	丙子	乙巳	15
庚辰	庚戌	己卯	己酉	戊寅	丁未	丁丑	丙午	丙子	乙巳	丁丑	丙午	16
辛巳	辛亥	庚辰	庚戌	己卯	戊申	戊寅	丁未	丁丑	丙午	戊寅	丁未	17
壬午	壬子	辛巳	辛亥	庚辰	己酉	己卯	戊申	戊寅	丁未	己卯	戊申	18
癸未	癸丑	壬午	壬子	辛巳	庚戌	庚辰	己酉	己卯	戊申	庚辰	己酉	19
十一月 甲申	十月 甲寅	癸未	癸丑	壬午	辛亥	辛巳	庚戌	庚辰	己酉	辛巳	庚戌	20
乙酉	乙卯	甲申	甲寅	癸未	壬子	壬午	辛亥	辛巳	庚戌	壬午	辛亥	21
丙戌	丙辰	九月 乙酉	八月 乙卯	甲申	癸丑	癸未	壬子	壬午	辛亥	癸未	壬子	22
丁亥	丁巳	丙戌	丙辰	乙酉	甲寅	甲申	癸丑	癸未	壬子	甲申	癸丑	23
戊子	戊午	丁亥	丁巳	閏七月 丙戌	乙卯	乙酉	甲寅	甲申	癸丑	乙酉	甲寅	24
己丑	己未	戊子	戊午	丁亥	丙辰	丙戌	乙卯	乙酉	甲寅	丙戌	乙卯	25
庚寅	庚申	己丑	己未	戊子	七月 丁巳	六月 丁亥	丙辰	丙戌	乙卯	丁亥	丙辰	26
辛卯	辛酉	庚寅	庚申	己丑	戊午	戊子	丁巳	丁亥	丙辰	戊子	丁巳	27
壬辰	壬戌	辛卯	辛酉	庚寅	己未	己丑	五月 戊午	四月 戊子	丁巳	二月 己丑	戊午	28
癸巳	癸亥	壬辰	壬戌	辛卯	庚申	庚寅	己未	己丑	三月 戊午		正月 己未	29
甲午	甲子	癸巳	癸亥	壬辰	辛酉	辛卯	庚申	庚寅	己未		庚申	30
乙未		甲午		癸巳	壬戌		辛酉		庚申		辛酉	31

農曆初一　農曆十五

西曆一九五〇年

12月	11月	10月	9月	8月	7月	6月	5月	4月	3月	2月	1月	月/日
庚午	庚子	己巳	己亥	戊辰	丁酉	丁卯	丙申	丙寅	乙未	丁卯	丙申	1
辛未	辛丑	庚午	庚子	己巳	戊戌	戊辰	丁酉	丁卯	丙申	戊辰	丁酉	2
壬申	壬寅	辛未	辛丑	庚午	己亥	己巳	戊戌	戊辰	丁酉	己巳	戊戌	3
癸酉	癸卯	壬申	壬寅	辛未	庚子	庚午	己亥	己巳	戊戌	庚午	己亥	4
甲戌	甲辰	癸酉	癸卯	壬申	辛丑	辛未	庚子	庚午	己亥	辛未	庚子	5
乙亥	乙巳	甲戌	甲辰	癸酉	壬寅	壬申	辛丑	辛未	庚子	壬申	辛丑	6
丙子	丙午	乙亥	乙巳	甲戌	癸卯	癸酉	壬寅	壬申	辛丑	癸酉	壬寅	7
丁丑	丁未	丙子	丙午	乙亥	甲辰	甲戌	癸卯	癸酉	壬寅	甲戌	癸卯	8
十一月 戊寅	戊申	丁丑	丁未	丙子	乙巳	乙亥	甲辰	甲戌	癸卯	乙亥	甲辰	9
己卯	十月 己酉	戊寅	戊申	丁丑	丙午	丙子	乙巳	乙亥	甲辰	丙子	乙巳	10
庚辰	庚戌	九月 己卯	己酉	戊寅	丁未	丁丑	丙午	丙子	乙巳	丁丑	丙午	11
辛巳	辛亥	庚辰	八月 庚戌	己卯	戊申	戊寅	丁未	丁丑	丙午	戊寅	丁未	12
壬午	壬子	辛巳	辛亥	庚辰	己酉	己卯	戊申	戊寅	丁未	己卯	戊申	13
癸未	癸丑	壬午	壬子	七月 辛巳	庚戌	庚辰	己酉	己卯	戊申	庚辰	己酉	14
甲申	甲寅	癸未	癸丑	壬午	六月 辛亥	五月 辛巳	庚戌	庚辰	己酉	辛巳	庚戌	15
乙酉	乙卯	甲申	甲寅	癸未	壬子	壬午	辛亥	辛巳	庚戌	壬午	辛亥	16
丙戌	丙辰	乙酉	乙卯	甲申	癸丑	癸未	四月 壬子	三月 壬午	辛亥	正月 癸未	壬子	17
丁亥	丁巳	丙戌	丙辰	乙酉	甲寅	甲申	癸丑	癸未	二月 壬子	甲申	十二月 癸丑	18
戊子	戊午	丁亥	丁巳	丙戌	乙卯	乙酉	甲寅	甲申	癸丑	乙酉	甲寅	19
己丑	己未	戊子	戊午	丁亥	丙辰	丙戌	乙卯	乙酉	甲寅	丙戌	乙卯	20
庚寅	庚申	己丑	己未	戊子	丁巳	丁亥	丙辰	丙戌	乙卯	丁亥	丙辰	21
辛卯	辛酉	庚寅	庚申	己丑	戊午	戊子	丁巳	丁亥	丙辰	戊子	丁巳	22
壬辰	壬戌	辛卯	辛酉	庚寅	己未	己丑	戊午	戊子	丁巳	己丑	戊午	23
癸巳	癸亥	壬辰	壬戌	辛卯	庚申	庚寅	己未	己丑	戊午	庚寅	己未	24
甲午	甲子	癸巳	癸亥	壬辰	辛酉	辛卯	庚申	庚寅	己未	辛卯	庚申	25
乙未	乙丑	甲午	甲子	癸巳	壬戌	壬辰	辛酉	辛卯	庚申	壬辰	辛酉	26
丙申	丙寅	乙未	乙丑	甲午	癸亥	癸巳	壬戌	壬辰	辛酉	癸巳	壬戌	27
丁酉	丁卯	丙申	丙寅	乙未	甲子	甲午	癸亥	癸巳	壬戌	甲午	癸亥	28
戊戌	戊辰	丁酉	丁卯	丙申	乙丑	乙未	甲子	甲午	癸亥		甲子	29
己亥	己巳	戊戌	戊辰	丁酉	丙寅	丙申	乙丑	乙未	甲子		乙丑	30
庚子		己亥		戊戌	丁卯		丙寅		乙丑		丙寅	31

農曆初一　農曆十五

西曆一九五一年

12月	11月	10月	9月	8月	7月	6月	5月	4月	3月	2月	1月	月/日
乙亥	乙巳	九月 甲戌	八月 甲辰	癸酉	壬寅	壬申	辛丑	辛未	庚子	壬申	辛丑	1
丙子	丙午	乙亥	乙巳	甲戌	癸卯	癸酉	壬寅	壬申	辛丑	癸酉	壬寅	2
丁丑	丁未	丙子	丙午	七月 乙亥	甲辰	甲戌	癸卯	癸酉	壬寅	甲戌	癸卯	3
戊寅	戊申	丁丑	丁未	丙子	六月 乙巳	乙亥	甲辰	甲戌	癸卯	乙亥	甲辰	4
己卯	己酉	戊寅	戊申	丁丑	丙午	五月 丙子	乙巳	乙亥	甲辰	丙子	乙巳	5
庚辰	庚戌	己卯	己酉	戊寅	丁未	丁丑	四月 丙午	三月 丙子	乙巳	正月 丁丑	丙午	6
辛巳	辛亥	庚辰	庚戌	己卯	戊申	戊寅	丁未	丁丑	丙午	戊寅	丁未	7
壬午	壬子	辛巳	辛亥	庚辰	己酉	己卯	戊申	戊寅	二月 丁未	己卯	十二月 戊申	8
癸未	癸丑	壬午	壬子	辛巳	庚戌	庚辰	己酉	己卯	戊申	庚辰	己酉	9
甲申	甲寅	癸未	癸丑	壬午	辛亥	辛巳	庚戌	庚辰	己酉	辛巳	庚戌	10
乙酉	乙卯	甲申	甲寅	癸未	壬子	壬午	辛亥	辛巳	庚戌	壬午	辛亥	11
丙戌	丙辰	乙酉	乙卯	甲申	癸丑	癸未	壬子	壬午	辛亥	癸未	壬子	12
丁亥	丁巳	丙戌	丙辰	乙酉	甲寅	甲申	癸丑	癸未	壬子	甲申	癸丑	13
戊子	戊午	丁亥	丁巳	丙戌	乙卯	乙酉	甲寅	甲申	癸丑	乙酉	甲寅	14
己丑	己未	戊子	戊午	丁亥	丙辰	丙戌	乙卯	乙酉	甲寅	丙戌	乙卯	15
庚寅	庚申	己丑	己未	戊子	丁巳	丁亥	丙辰	丙戌	乙卯	丁亥	丙辰	16
辛卯	辛酉	庚寅	庚申	己丑	戊午	戊子	丁巳	丁亥	丙辰	戊子	丁巳	17
壬辰	壬戌	辛卯	辛酉	庚寅	己未	己丑	戊午	戊子	丁巳	己丑	戊午	18
癸巳	癸亥	壬辰	壬戌	辛卯	庚申	庚寅	己未	己丑	戊午	庚寅	己未	19
甲午	甲子	癸巳	癸亥	壬辰	辛酉	辛卯	庚申	庚寅	己未	辛卯	庚申	20
乙未	乙丑	甲午	甲子	癸巳	壬戌	壬辰	辛酉	辛卯	庚申	壬辰	辛酉	21
丙申	丙寅	乙未	乙丑	甲午	癸亥	癸巳	壬戌	壬辰	辛酉	癸巳	壬戌	22
丁酉	丁卯	丙申	丙寅	乙未	甲子	甲午	癸亥	癸巳	壬戌	甲午	癸亥	23
戊戌	戊辰	丁酉	丁卯	丙申	乙丑	乙未	甲子	甲午	癸亥	乙未	甲子	24
己亥	己巳	戊戌	戊辰	丁酉	丙寅	丙申	乙丑	乙未	甲子	丙申	乙丑	25
庚子	庚午	己亥	己巳	戊戌	丁卯	丁酉	丙寅	丙申	乙丑	丁酉	丙寅	26
辛丑	辛未	庚子	庚午	己亥	戊辰	戊戌	丁卯	丁酉	丙寅	戊戌	丁卯	27
十二月 壬寅	壬申	辛丑	辛未	庚子	己巳	己亥	戊辰	戊戌	丁卯	己亥	戊辰	28
癸卯	十一月 癸酉	壬寅	壬申	辛丑	庚午	庚子	己巳	己亥	戊辰		己巳	29
甲辰	甲戌	十月 癸卯	癸酉	壬寅	辛未	辛丑	庚午	庚子	己巳		庚午	30
乙巳		甲辰		癸卯	壬申		辛未		庚午		辛未	31

農曆初一　農曆十五

西曆一九五二年

12月	11月	10月	9月	8月	7月	6月	5月	4月	3月	2月	1月	月/日
辛巳	辛亥	庚辰	庚戌	己卯	戊申	戊寅	丁未	丁丑	丙午	丁丑	丙午	1
壬午	壬子	辛巳	辛亥	庚辰	己酉	己卯	戊申	戊寅	丁未	戊寅	丁未	2
癸未	癸丑	壬午	壬子	辛巳	庚戌	庚辰	己酉	己卯	戊申	己卯	戊申	3
甲申	甲寅	癸未	癸丑	壬午	辛亥	辛巳	庚戌	庚辰	己酉	庚辰	己酉	4
乙酉	乙卯	甲申	甲寅	癸未	壬子	壬午	辛亥	辛巳	庚戌	辛巳	庚戌	5
丙戌	丙辰	乙酉	乙卯	甲申	癸丑	癸未	壬子	壬午	辛亥	壬午	辛亥	6
丁亥	丁巳	丙戌	丙辰	乙酉	甲寅	甲申	癸丑	癸未	壬子	癸未	壬子	7
戊子	戊午	丁亥	丁巳	丙戌	乙卯	乙酉	甲寅	甲申	癸丑	甲申	癸丑	8
己丑	己未	戊子	戊午	丁亥	丙辰	丙戌	乙卯	乙酉	甲寅	乙酉	甲寅	9
庚寅	庚申	己丑	己未	戊子	丁巳	丁亥	丙辰	丙戌	乙卯	丙戌	乙卯	10
辛卯	辛酉	庚寅	庚申	己丑	戊午	戊子	丁巳	丁亥	丙辰	丁亥	丙辰	11
壬辰	壬戌	辛卯	辛酉	庚寅	己未	己丑	戊午	戊子	丁巳	戊子	丁巳	12
癸巳	癸亥	壬辰	壬戌	辛卯	庚申	庚寅	己未	己丑	戊午	己丑	戊午	13
甲午	甲子	癸巳	癸亥	壬辰	辛酉	辛卯	庚申	庚寅	己未	庚寅	己未	14
乙未	乙丑	甲午	甲子	癸巳	壬戌	壬辰	辛酉	辛卯	庚申	辛卯	庚申	15
丙申	丙寅	乙未	乙丑	甲午	癸亥	癸巳	壬戌	壬辰	辛酉	壬辰	辛酉	16
十一月 丁酉	十月 丁卯	丙申	丙寅	乙未	甲子	甲午	癸亥	癸巳	壬戌	癸巳	壬戌	17
戊戌	戊辰	丁酉	丁卯	丙申	乙丑	乙未	甲子	甲午	癸亥	甲午	癸亥	18
己亥	己巳	九月 戊戌	八月 戊辰	丁酉	丙寅	丙申	乙丑	乙未	甲子	乙未	甲子	19
庚子	庚午	己亥	己巳	七月 戊戌	丁卯	丁酉	丙寅	丙申	乙丑	丙申	乙丑	20
辛丑	辛未	庚子	庚午	己亥	戊辰	戊戌	丁卯	丁酉	丙寅	丁酉	丙寅	21
壬寅	壬申	辛丑	辛未	庚子	六月 己巳	閏五月 己亥	戊辰	戊戌	丁卯	戊戌	丁卯	22
癸卯	癸酉	壬寅	壬申	辛丑	庚午	庚子	己巳	己亥	戊辰	己亥	戊辰	23
甲辰	甲戌	癸卯	癸酉	壬寅	辛未	辛丑	五月 庚午	四月 庚子	己巳	庚子	己巳	24
乙巳	乙亥	甲辰	甲戌	癸卯	壬申	壬寅	辛未	辛丑	庚午	二月 辛丑	庚午	25
丙午	丙子	乙巳	乙亥	甲辰	癸酉	癸卯	壬申	壬寅	三月 辛未	壬寅	辛未	26
丁未	丁丑	丙午	丙子	乙巳	甲戌	甲辰	癸酉	癸卯	壬申	癸卯	正月 壬申	27
戊申	戊寅	丁未	丁丑	丙午	乙亥	乙巳	甲戌	甲辰	癸酉	甲辰	癸酉	28
己酉	己卯	戊申	戊寅	丁未	丙子	丙午	乙亥	乙巳	甲戌	乙巳	甲戌	29
庚戌	庚辰	己酉	己卯	戊申	丁丑	丁未	丙子	丙午	乙亥		乙亥	30
辛亥		庚戌		己酉	戊寅		丁丑		丙子		丙子	31

農曆初一　農曆十五

西曆一九五三年

12月	11月	10月	9月	8月	7月	6月	5月	4月	3月	2月	1月	月/日
丙戌	丙辰	乙酉	乙卯	甲申	癸丑	癸未	壬子	壬午	辛亥	癸未	壬子	1
丁亥	丁巳	丙戌	丙辰	乙酉	甲寅	甲申	癸丑	癸未	壬子	甲申	癸丑	2
戊子	戊午	丁亥	丁巳	丙戌	乙卯	乙酉	甲寅	甲申	癸丑	乙酉	甲寅	3
己丑	己未	戊子	戊午	丁亥	丙辰	丙戌	乙卯	乙酉	甲寅	丙戌	乙卯	4
庚寅	庚申	己丑	己未	戊子	丁巳	丁亥	丙辰	丙戌	乙卯	丁亥	丙辰	5
十一月 辛卯	辛酉	庚寅	庚申	己丑	戊午	戊子	丁巳	丁亥	丙辰	戊子	丁巳	6
壬辰	十月 壬戌	辛卯	辛酉	庚寅	己未	己丑	戊午	戊子	丁巳	己丑	戊午	7
癸巳	癸亥	九月 壬辰	八月 壬戌	辛卯	庚申	庚寅	己未	己丑	戊午	庚寅	己未	8
甲午	甲子	癸巳	癸亥	壬辰	辛酉	辛卯	庚申	庚寅	己未	辛卯	庚申	9
乙未	乙丑	甲午	甲子	七月 癸巳	壬戌	壬辰	辛酉	辛卯	庚申	壬辰	辛酉	10
丙申	丙寅	乙未	乙丑	甲午	六月 癸亥	五月 癸巳	壬戌	壬辰	辛酉	癸巳	壬戌	11
丁酉	丁卯	丙申	丙寅	乙未	甲子	甲午	癸亥	癸巳	壬戌	甲午	癸亥	12
戊戌	戊辰	丁酉	丁卯	丙申	乙丑	乙未	四月 甲子	甲午	癸亥	乙未	甲子	13
己亥	己巳	戊戌	戊辰	丁酉	丙寅	丙申	乙丑	三月 乙未	甲子	正月 丙申	乙丑	14
庚子	庚午	己亥	己巳	戊戌	丁卯	丁酉	丙寅	丙申	二月 乙丑	丁酉	十二月 丙寅	15
辛丑	辛未	庚子	庚午	己亥	戊辰	戊戌	丁卯	丁酉	丙寅	戊戌	丁卯	16
壬寅	壬申	辛丑	辛未	庚子	己巳	己亥	戊辰	戊戌	丁卯	己亥	戊辰	17
癸卯	癸酉	壬寅	壬申	辛丑	庚午	庚子	己巳	己亥	戊辰	庚子	己巳	18
甲辰	甲戌	癸卯	癸酉	壬寅	辛未	辛丑	庚午	庚子	己巳	辛丑	庚午	19
乙巳	乙亥	甲辰	甲戌	癸卯	壬申	壬寅	辛未	辛丑	庚午	壬寅	辛未	20
丙午	丙子	乙巳	乙亥	甲辰	癸酉	癸卯	壬申	壬寅	辛未	癸卯	壬申	21
丁未	丁丑	丙午	丙子	乙巳	甲戌	甲辰	癸酉	癸卯	壬申	甲辰	癸酉	22
戊申	戊寅	丁未	丁丑	丙午	乙亥	乙巳	甲戌	甲辰	癸酉	乙巳	甲戌	23
己酉	己卯	戊申	戊寅	丁未	丙子	丙午	乙亥	乙巳	甲戌	丙午	乙亥	24
庚戌	庚辰	己酉	己卯	戊申	丁丑	丁未	丙子	丙午	乙亥	丁未	丙子	25
辛亥	辛巳	庚戌	庚辰	己酉	戊寅	戊申	丁丑	丁未	丙子	戊申	丁丑	26
壬子	壬午	辛亥	辛巳	庚戌	己卯	己酉	戊寅	戊申	丁丑	己酉	戊寅	27
癸丑	癸未	壬子	壬午	辛亥	庚辰	庚戌	己卯	己酉	戊寅	庚戌	己卯	28
甲寅	甲申	癸丑	癸未	壬子	辛巳	辛亥	庚辰	庚戌	己卯		庚辰	29
乙卯	乙酉	甲寅	甲申	癸丑	壬午	壬子	辛巳	辛亥	庚辰		辛巳	30
丙辰		乙卯		甲寅	癸未		壬午		辛巳		壬午	31

農曆初一　農曆十五

西曆一九五四年

12月	11月	10月	9月	8月	7月	6月	5月	4月	3月	2月	1月	月/日
辛卯	辛酉	庚寅	庚申	己丑	戊午	五月 戊子	丁巳	丁亥	丙辰	戊子	丁巳	1
壬辰	壬戌	辛卯	辛酉	庚寅	己未	己丑	戊午	戊子	丁巳	己丑	戊午	2
癸巳	癸亥	壬辰	壬戌	辛卯	庚申	庚寅	四月 己未	三月 己丑	戊午	正月 庚寅	己未	3
甲午	甲子	癸巳	癸亥	壬辰	辛酉	辛卯	庚申	庚寅	己未	辛卯	庚申	4
乙未	乙丑	甲午	甲子	癸巳	壬戌	壬辰	辛酉	辛卯	二月 庚申	壬辰	十二月 辛酉	5
丙申	丙寅	乙未	乙丑	甲午	癸亥	癸巳	壬戌	壬辰	辛酉	癸巳	壬戌	6
丁酉	丁卯	丙申	丙寅	乙未	甲子	甲午	癸亥	癸巳	壬戌	甲午	癸亥	7
戊戌	戊辰	丁酉	丁卯	丙申	乙丑	乙未	甲子	甲午	癸亥	乙未	甲子	8
己亥	己巳	戊戌	戊辰	丁酉	丙寅	丙申	乙丑	乙未	甲子	丙申	乙丑	9
庚子	庚午	己亥	己巳	戊戌	丁卯	丁酉	丙寅	丙申	乙丑	丁酉	丙寅	10
辛丑	辛未	庚子	庚午	己亥	戊辰	戊戌	丁卯	丁酉	丙寅	戊戌	丁卯	11
壬寅	壬申	辛丑	辛未	庚子	己巳	己亥	戊辰	戊戌	丁卯	己亥	戊辰	12
癸卯	癸酉	壬寅	壬申	辛丑	庚午	庚子	己巳	己亥	戊辰	庚子	己巳	13
甲辰	甲戌	癸卯	癸酉	壬寅	辛未	辛丑	庚午	庚子	己巳	辛丑	庚午	14
乙巳	乙亥	甲辰	甲戌	癸卯	壬申	壬寅	辛未	辛丑	庚午	壬寅	辛未	15
丙午	丙子	乙巳	乙亥	甲辰	癸酉	癸卯	壬申	壬寅	辛未	癸卯	壬申	16
丁未	丁丑	丙午	丙子	乙巳	甲戌	甲辰	癸酉	癸卯	壬申	甲辰	癸酉	17
戊申	戊寅	丁未	丁丑	丙午	乙亥	乙巳	甲戌	甲辰	癸酉	乙巳	甲戌	18
己酉	己卯	戊申	戊寅	丁未	丙子	丙午	乙亥	乙巳	甲戌	丙午	乙亥	19
庚戌	庚辰	己酉	己卯	戊申	丁丑	丁未	丙子	丙午	乙亥	丁未	丙子	20
辛亥	辛巳	庚戌	庚辰	己酉	戊寅	戊申	丁丑	丁未	丙子	戊申	丁丑	21
壬子	壬午	辛亥	辛巳	庚戌	己卯	己酉	戊寅	戊申	丁丑	己酉	戊寅	22
癸丑	癸未	壬子	壬午	辛亥	庚辰	庚戌	己卯	己酉	戊寅	庚戌	己卯	23
甲寅	甲申	癸丑	癸未	壬子	辛巳	辛亥	庚辰	庚戌	己卯	辛亥	庚辰	24
十二月 乙卯	十一月 乙酉	甲寅	甲申	癸丑	壬午	壬子	辛巳	辛亥	庚辰	壬子	辛巳	25
丙辰	丙戌	乙卯	乙酉	甲寅	癸未	癸丑	壬午	壬子	辛巳	癸丑	壬午	26
丁巳	丁亥	十月 丙辰	九月 丙戌	乙卯	甲申	甲寅	癸未	癸丑	壬午	甲寅	癸未	27
戊午	戊子	丁巳	丁亥	八月 丙辰	乙酉	乙卯	甲申	甲寅	癸未	乙卯	甲申	28
己未	己丑	戊午	戊子	丁巳	丙戌	丙辰	乙酉	乙卯	甲申		乙酉	29
庚申	庚寅	己未	己丑	戊午	七月 丁亥	六月 丁巳	丙戌	丙辰	乙酉		丙戌	30
辛酉		庚申		己未	戊子		丁亥		丙戌		丁亥	31

農曆初一　農曆十五

西曆一九五五年

12月	11月	10月	9月	8月	7月	6月	5月	4月	3月	2月	1月	月/日
丙申	丙寅	乙未	乙丑	甲午	癸亥	癸巳	壬戌	壬辰	辛酉	癸巳	壬戌	1
丁酉	丁卯	丙申	丙寅	乙未	甲子	甲午	癸亥	癸巳	壬戌	甲午	癸亥	2
戊戌	戊辰	丁酉	丁卯	丙申	乙丑	乙未	甲子	甲午	癸亥	乙未	甲子	3
己亥	己巳	戊戌	戊辰	丁酉	丙寅	丙申	乙丑	乙未	甲子	丙申	乙丑	4
庚子	庚午	己亥	己巳	戊戌	丁卯	丁酉	丙寅	丙申	乙丑	丁酉	丙寅	5
辛丑	辛未	庚子	庚午	己亥	戊辰	戊戌	丁卯	丁酉	丙寅	戊戌	丁卯	6
壬寅	壬申	辛丑	辛未	庚子	己巳	己亥	戊辰	戊戌	丁卯	己亥	戊辰	7
癸卯	癸酉	壬寅	壬申	辛丑	庚午	庚子	己巳	己亥	戊辰	庚子	己巳	8
甲辰	甲戌	癸卯	癸酉	壬寅	辛未	辛丑	庚午	庚子	己巳	辛丑	庚午	9
乙巳	乙亥	甲辰	甲戌	癸卯	壬申	壬寅	辛未	辛丑	庚午	壬寅	辛未	10
丙午	丙子	乙巳	乙亥	甲辰	癸酉	癸卯	壬申	壬寅	辛未	癸卯	壬申	11
丁未	丁丑	丙午	丙子	乙巳	甲戌	甲辰	癸酉	癸卯	壬申	甲辰	癸酉	12
戊申	戊寅	丁未	丁丑	丙午	乙亥	乙巳	甲戌	甲辰	癸酉	乙巳	甲戌	13
十一月 己酉	十月 己卯	戊申	戊寅	丁未	丙子	丙午	乙亥	乙巳	甲戌	丙午	乙亥	14
庚戌	庚辰	己酉	己卯	戊申	丁丑	丁未	丙子	丙午	乙亥	丁未	丙子	15
辛亥	辛巳	九月 庚戌	八月 庚辰	己酉	戊寅	戊申	丁丑	丁未	丙子	戊申	丁丑	16
壬子	壬午	辛亥	辛巳	庚戌	己卯	己酉	戊寅	戊申	丁丑	己酉	戊寅	17
癸丑	癸未	壬子	壬午	七月 辛亥	庚辰	庚戌	己卯	己酉	戊寅	庚戌	己卯	18
甲寅	甲申	癸丑	癸未	壬子	六月 辛巳	辛亥	庚辰	庚戌	己卯	辛亥	庚辰	19
乙卯	乙酉	甲寅	甲申	癸丑	壬午	五月 壬子	辛巳	辛亥	庚辰	壬子	辛巳	20
丙辰	丙戌	乙卯	乙酉	甲寅	癸未	癸丑	壬午	壬子	辛巳	癸丑	壬午	21
丁巳	丁亥	丙辰	丙戌	乙卯	甲申	甲寅	四月 癸未	閏三月 癸丑	壬午	二月 甲寅	癸未	22
戊午	戊子	丁巳	丁亥	丙辰	乙酉	乙卯	甲申	甲寅	癸未	乙卯	甲申	23
己未	己丑	戊午	戊子	丁巳	丙戌	丙辰	乙酉	乙卯	三月 甲申	丙辰	正月 乙酉	24
庚申	庚寅	己未	己丑	戊午	丁亥	丁巳	丙戌	丙辰	乙酉	丁巳	丙戌	25
辛酉	辛卯	庚申	庚寅	己未	戊子	戊午	丁亥	丁巳	丙戌	戊午	丁亥	26
壬戌	壬辰	辛酉	辛卯	庚申	己丑	己未	戊子	戊午	丁亥	己未	戊子	27
癸亥	癸巳	壬戌	壬辰	辛酉	庚寅	庚申	己丑	己未	戊子	庚申	己丑	28
甲子	甲午	癸亥	癸巳	壬戌	辛卯	辛酉	庚寅	庚申	己丑		庚寅	29
乙丑	乙未	甲子	甲午	癸亥	壬辰	壬戌	辛卯	辛酉	庚寅		辛卯	30
丙寅		乙丑		甲子	癸巳		壬辰		辛卯		壬辰	31

農曆初一　農曆十五

西曆一九五六年

12月	11月	10月	9月	8月	7月	6月	5月	4月	3月	2月	1月	月/日
壬寅	壬申	辛丑	辛未	庚子	己巳	己亥	戊辰	戊戌	丁卯	戊戌	丁卯	1
十一月 癸卯	癸酉	壬寅	壬申	辛丑	庚午	庚子	己巳	己亥	戊辰	己亥	戊辰	2
甲辰	十月 甲戌	癸卯	癸酉	壬寅	辛未	辛丑	庚午	庚子	己巳	庚子	己巳	3
乙巳	乙亥	九月 甲辰	甲戌	癸卯	壬申	壬寅	辛未	辛丑	庚午	辛丑	庚午	4
丙午	丙子	乙巳	八月 乙亥	甲辰	癸酉	癸卯	壬申	壬寅	辛未	壬寅	辛未	5
丁未	丁丑	丙午	丙子	七月 乙巳	甲戌	甲辰	癸酉	癸卯	壬申	癸卯	壬申	6
戊申	戊寅	丁未	丁丑	丙午	乙亥	乙巳	甲戌	甲辰	癸酉	甲辰	癸酉	7
己酉	己卯	戊申	戊寅	丁未	六月 丙子	丙午	乙亥	乙巳	甲戌	乙巳	甲戌	8
庚戌	庚辰	己酉	己卯	戊申	丁丑	五月 丁未	丙子	丙午	乙亥	丙午	乙亥	9
辛亥	辛巳	庚戌	庚辰	己酉	戊寅	戊申	四月 丁丑	丁未	丙子	丁未	丙子	10
壬子	壬午	辛亥	辛巳	庚戌	己卯	己酉	戊寅	三月 戊申	丁丑	戊申	丁丑	11
癸丑	癸未	壬子	壬午	辛亥	庚辰	庚戌	己卯	己酉	二月 戊寅	正月 己酉	戊寅	12
甲寅	甲申	癸丑	癸未	壬子	辛巳	辛亥	庚辰	庚戌	己卯	庚戌	十二月 己卯	13
乙卯	乙酉	甲寅	甲申	癸丑	壬午	壬子	辛巳	辛亥	庚辰	辛亥	庚辰	14
丙辰	丙戌	乙卯	乙酉	甲寅	癸未	癸丑	壬午	壬子	辛巳	壬子	辛巳	15
丁巳	丁亥	丙辰	丙戌	乙卯	甲申	甲寅	癸未	癸丑	壬午	癸丑	壬午	16
戊午	戊子	丁巳	丁亥	丙辰	乙酉	乙卯	甲申	甲寅	癸未	甲寅	癸未	17
己未	己丑	戊午	戊子	丁巳	丙戌	丙辰	乙酉	乙卯	甲申	乙卯	甲申	18
庚申	庚寅	己未	己丑	戊午	丁亥	丁巳	丙戌	丙辰	乙酉	丙辰	乙酉	19
辛酉	辛卯	庚申	庚寅	己未	戊子	戊午	丁亥	丁巳	丙戌	丁巳	丙戌	20
壬戌	壬辰	辛酉	辛卯	庚申	己丑	己未	戊子	戊午	丁亥	戊午	丁亥	21
癸亥	癸巳	壬戌	壬辰	辛酉	庚寅	庚申	己丑	己未	戊子	己未	戊子	22
甲子	甲午	癸亥	癸巳	壬戌	辛卯	辛酉	庚寅	庚申	己丑	庚申	己丑	23
乙丑	乙未	甲子	甲午	癸亥	壬辰	壬戌	辛卯	辛酉	庚寅	辛酉	庚寅	24
丙寅	丙申	乙丑	乙未	甲子	癸巳	癸亥	壬辰	壬戌	辛卯	壬戌	辛卯	25
丁卯	丁酉	丙寅	丙申	乙丑	甲午	甲子	癸巳	癸亥	壬辰	癸亥	壬辰	26
戊辰	戊戌	丁卯	丁酉	丙寅	乙未	乙丑	甲午	甲子	癸巳	甲子	癸巳	27
己巳	己亥	戊辰	戊戌	丁卯	丙申	丙寅	乙未	乙丑	甲午	乙丑	甲午	28
庚午	庚子	己巳	己亥	戊辰	丁酉	丁卯	丙申	丙寅	乙未	丙寅	乙未	29
辛未	辛丑	庚午	庚子	己巳	戊戌	戊辰	丁酉	丁卯	丙申		丙申	30
壬申		辛未		庚午	己亥		戊戌		丁酉		丁酉	31

農曆初一　農曆十五

西曆一九五七年

12月	11月	10月	9月	8月	7月	6月	5月	4月	3月	2月	1月	月/日
丁未	丁丑	丙午	丙子	乙巳	甲戌	甲辰	癸酉	癸卯	壬申	甲辰	十二月 癸酉	1
戊申	戊寅	丁未	丁丑	丙午	乙亥	乙巳	甲戌	甲辰	二月 癸酉	乙巳	甲戌	2
己酉	己卯	戊申	戊寅	丁未	丙子	丙午	乙亥	乙巳	甲戌	丙午	乙亥	3
庚戌	庚辰	己酉	己卯	戊申	丁丑	丁未	丙子	丙午	乙亥	丁未	丙子	4
辛亥	辛巳	庚戌	庚辰	己酉	戊寅	戊申	丁丑	丁未	丙子	戊申	丁丑	5
壬子	壬午	辛亥	辛巳	庚戌	己卯	己酉	戊寅	戊申	丁丑	己酉	戊寅	6
癸丑	癸未	壬子	壬午	辛亥	庚辰	庚戌	己卯	己酉	戊寅	庚戌	己卯	7
甲寅	甲申	癸丑	癸未	壬子	辛巳	辛亥	庚辰	庚戌	己卯	辛亥	庚辰	8
乙卯	乙酉	甲寅	甲申	癸丑	壬午	壬子	辛巳	辛亥	庚辰	壬子	辛巳	9
丙辰	丙戌	乙卯	乙酉	甲寅	癸未	癸丑	壬午	壬子	辛巳	癸丑	壬午	10
丁巳	丁亥	丙辰	丙戌	乙卯	甲申	甲寅	癸未	癸丑	壬午	甲寅	癸未	11
戊午	戊子	丁巳	丁亥	丙辰	乙酉	乙卯	甲申	甲寅	癸未	乙卯	甲申	12
己未	己丑	戊午	戊子	丁巳	丙戌	丙辰	乙酉	乙卯	甲申	丙辰	乙酉	13
庚申	庚寅	己未	己丑	戊午	丁亥	丁巳	丙戌	丙辰	乙酉	丁巳	丙戌	14
辛酉	辛卯	庚申	庚寅	己未	戊子	戊午	丁亥	丁巳	丙戌	戊午	丁亥	15
壬戌	壬辰	辛酉	辛卯	庚申	己丑	己未	戊子	戊午	丁亥	己未	戊子	16
癸亥	癸巳	壬戌	壬辰	辛酉	庚寅	庚申	己丑	己未	戊子	庚申	己丑	17
甲子	甲午	癸亥	癸巳	壬戌	辛卯	辛酉	庚寅	庚申	己丑	辛酉	庚寅	18
乙丑	乙未	甲子	甲午	癸亥	壬辰	壬戌	辛卯	辛酉	庚寅	壬戌	辛卯	19
丙寅	丙申	乙丑	乙未	甲子	癸巳	癸亥	壬辰	壬戌	辛卯	癸亥	壬辰	20
十一月 丁卯	丁酉	丙寅	丙申	乙丑	甲午	甲子	癸巳	癸亥	壬辰	甲子	癸巳	21
戊辰	十月 戊戌	丁卯	丁酉	丙寅	乙未	乙丑	甲午	甲子	癸巳	乙丑	甲午	22
己巳	己亥	九月 戊辰	戊戌	丁卯	丙申	丙寅	乙未	乙丑	甲午	丙寅	乙未	23
庚午	庚子	己巳	閏八月 己亥	戊辰	丁酉	丁卯	丙申	丙寅	乙未	丁卯	丙申	24
辛未	辛丑	庚午	庚子	八月 己巳	戊戌	戊辰	丁酉	丁卯	丙申	戊辰	丁酉	25
壬申	壬寅	辛未	辛丑	庚午	己亥	己巳	戊戌	戊辰	丁酉	己巳	戊戌	26
癸酉	癸卯	壬申	壬寅	辛未	七月 庚子	庚午	己亥	己巳	戊戌	庚午	己亥	27
甲戌	甲辰	癸酉	癸卯	壬申	辛丑	六月 辛未	庚子	庚午	己亥	辛未	庚子	28
乙亥	乙巳	甲戌	甲辰	癸酉	壬寅	壬申	五月 辛丑	辛未	庚子		辛丑	29
丙子	丙午	乙亥	乙巳	甲戌	癸卯	癸酉	壬寅	四月 壬申	辛丑		壬寅	30
丁丑		丙子		乙亥	甲辰		癸卯		三月 壬寅		正月 癸卯	31

農曆初一　農曆十五

西曆一九五八年

12月	11月	10月	9月	8月	7月	6月	5月	4月	3月	2月	1月	月/日
壬子	壬午	辛亥	辛巳	庚戌	己卯	己酉	戊寅	戊申	丁丑	己酉	戊寅	1
癸丑	癸未	壬子	壬午	辛亥	庚辰	庚戌	己卯	己酉	戊寅	庚戌	己卯	2
甲寅	甲申	癸丑	癸未	壬子	辛巳	辛亥	庚辰	庚戌	己卯	辛亥	庚辰	3
乙卯	乙酉	甲寅	甲申	癸丑	壬午	壬子	辛巳	辛亥	庚辰	壬子	辛巳	4
丙辰	丙戌	乙卯	乙酉	甲寅	癸未	癸丑	壬午	壬子	辛巳	癸丑	壬午	5
丁巳	丁亥	丙辰	丙戌	乙卯	甲申	甲寅	癸未	癸丑	壬午	甲寅	癸未	6
戊午	戊子	丁巳	丁亥	丙辰	乙酉	乙卯	甲申	甲寅	癸未	乙卯	甲申	7
己未	己丑	戊午	戊子	丁巳	丙戌	丙辰	乙酉	乙卯	甲申	丙辰	乙酉	8
庚申	庚寅	己未	己丑	戊午	丁亥	丁巳	丙戌	丙辰	乙酉	丁巳	丙戌	9
辛酉	辛卯	庚申	庚寅	己未	戊子	戊午	丁亥	丁巳	丙戌	戊午	丁亥	10
十一月 壬戌	十月 壬辰	辛酉	辛卯	庚申	己丑	己未	戊子	戊午	丁亥	己未	戊子	11
癸亥	癸巳	壬戌	壬辰	辛酉	庚寅	庚申	己丑	己未	戊子	庚申	己丑	12
甲子	甲午	九月 癸亥	八月 癸巳	壬戌	辛卯	辛酉	庚寅	庚申	己丑	辛酉	庚寅	13
乙丑	乙未	甲子	甲午	癸亥	壬辰	壬戌	辛卯	辛酉	庚寅	壬戌	辛卯	14
丙寅	丙申	乙丑	乙未	七月 甲子	癸巳	癸亥	壬辰	壬戌	辛卯	癸亥	壬辰	15
丁卯	丁酉	丙寅	丙申	乙丑	甲午	甲子	癸巳	癸亥	壬辰	甲子	癸巳	16
戊辰	戊戌	丁卯	丁酉	丙寅	六月 乙未	五月 乙丑	甲午	甲子	癸巳	乙丑	甲午	17
己巳	己亥	戊辰	戊戌	丁卯	丙申	丙寅	乙未	乙丑	甲午	正月 丙寅	乙未	18
庚午	庚子	己巳	己亥	戊辰	丁酉	丁卯	四月 丙申	三月 丙寅	乙未	丁卯	丙申	19
辛未	辛丑	庚午	庚子	己巳	戊戌	戊辰	丁酉	丁卯	二月 丙申	戊辰	十二月 丁酉	20
壬申	壬寅	辛未	辛丑	庚午	己亥	己巳	戊戌	戊辰	丁酉	己巳	戊戌	21
癸酉	癸卯	壬申	壬寅	辛未	庚子	庚午	己亥	己巳	戊戌	庚午	己亥	22
甲戌	甲辰	癸酉	癸卯	壬申	辛丑	辛未	庚子	庚午	己亥	辛未	庚子	23
乙亥	乙巳	甲戌	甲辰	癸酉	壬寅	壬申	辛丑	辛未	庚子	壬申	辛丑	24
丙子	丙午	乙亥	乙巳	甲戌	癸卯	癸酉	壬寅	壬申	辛丑	癸酉	壬寅	25
丁丑	丁未	丙子	丙午	乙亥	甲辰	甲戌	癸卯	癸酉	壬寅	甲戌	癸卯	26
戊寅	戊申	丁丑	丁未	丙子	乙巳	乙亥	甲辰	甲戌	癸卯	乙亥	甲辰	27
己卯	己酉	戊寅	戊申	丁丑	丙午	丙子	乙巳	乙亥	甲辰	丙子	乙巳	28
庚辰	庚戌	己卯	己酉	戊寅	丁未	丁丑	丙午	丙子	乙巳		丙午	29
辛巳	辛亥	庚辰	庚戌	己卯	戊申	戊寅	丁未	丁丑	丙午		丁未	30
壬午		辛巳		庚辰	己酉		戊申		丁未		戊申	31

農曆初一　農曆十五

西曆一九五九年

12月	11月	10月	9月	8月	7月	6月	5月	4月	3月	2月	1月	月/日
丁巳	十月 丁亥	丙辰	丙戌	乙卯	甲申	甲寅	癸未	癸丑	壬午	甲寅	癸未	1
戊午	戊子	九月 丁巳	丁亥	丙辰	乙酉	乙卯	甲申	甲寅	癸未	乙卯	甲申	2
己未	己丑	戊午	八月 戊子	丁巳	丙戌	丙辰	乙酉	乙卯	甲申	丙辰	乙酉	3
庚申	庚寅	己未	己丑	七月 戊午	丁亥	丁巳	丙戌	丙辰	乙酉	丁巳	丙戌	4
辛酉	辛卯	庚申	庚寅	己未	戊子	戊午	丁亥	丁巳	丙戌	戊午	丁亥	5
壬戌	壬辰	辛酉	辛卯	庚申	六月 己丑	五月 己未	戊子	戊午	丁亥	己未	戊子	6
癸亥	癸巳	壬戌	壬辰	辛酉	庚寅	庚申	己丑	己未	戊子	庚申	己丑	7
甲子	甲午	癸亥	癸巳	壬戌	辛卯	辛酉	四月 庚寅	三月 庚申	己丑	正月 辛酉	庚寅	8
乙丑	乙未	甲子	甲午	癸亥	壬辰	壬戌	辛卯	辛酉	二月 庚寅	壬戌	十二月 辛卯	9
丙寅	丙申	乙丑	乙未	甲子	癸巳	癸亥	壬辰	壬戌	辛卯	癸亥	壬辰	10
丁卯	丁酉	丙寅	丙申	乙丑	甲午	甲子	癸巳	癸亥	壬辰	甲子	癸巳	11
戊辰	戊戌	丁卯	丁酉	丙寅	乙未	乙丑	甲午	甲子	癸巳	乙丑	甲午	12
己巳	己亥	戊辰	戊戌	丁卯	丙申	丙寅	乙未	乙丑	甲午	丙寅	乙未	13
庚午	庚子	己巳	己亥	戊辰	丁酉	丁卯	丙申	丙寅	乙未	丁卯	丙申	14
辛未	辛丑	庚午	庚子	己巳	戊戌	戊辰	丁酉	丁卯	丙申	戊辰	丁酉	15
壬申	壬寅	辛未	辛丑	庚午	己亥	己巳	戊戌	戊辰	丁酉	己巳	戊戌	16
癸酉	癸卯	壬申	壬寅	辛未	庚子	庚午	己亥	己巳	戊戌	庚午	己亥	17
甲戌	甲辰	癸酉	癸卯	壬申	辛丑	辛未	庚子	庚午	己亥	辛未	庚子	18
乙亥	乙巳	甲戌	甲辰	癸酉	壬寅	壬申	辛丑	辛未	庚子	壬申	辛丑	19
丙子	丙午	乙亥	乙巳	甲戌	癸卯	癸酉	壬寅	壬申	辛丑	癸酉	壬寅	20
丁丑	丁未	丙子	丙午	乙亥	甲辰	甲戌	癸卯	癸酉	壬寅	甲戌	癸卯	21
戊寅	戊申	丁丑	丁未	丙子	乙巳	乙亥	甲辰	甲戌	癸卯	乙亥	甲辰	22
己卯	己酉	戊寅	戊申	丁丑	丙午	丙子	乙巳	乙亥	甲辰	丙子	乙巳	23
庚辰	庚戌	己卯	己酉	戊寅	丁未	丁丑	丙午	丙子	乙巳	丁丑	丙午	24
辛巳	辛亥	庚辰	庚戌	己卯	戊申	戊寅	丁未	丁丑	丙午	戊寅	丁未	25
壬午	壬子	辛巳	辛亥	庚辰	己酉	己卯	戊申	戊寅	丁未	己卯	戊申	26
癸未	癸丑	壬午	壬子	辛巳	庚戌	庚辰	己酉	己卯	戊申	庚辰	己酉	27
甲申	甲寅	癸未	癸丑	壬午	辛亥	辛巳	庚戌	庚辰	己酉	辛巳	庚戌	28
乙酉	乙卯	甲申	甲寅	癸未	壬子	壬午	辛亥	辛巳	庚戌		辛亥	29
十二月 丙戌	十一月 丙辰	乙酉	乙卯	甲申	癸丑	癸未	壬子	壬午	辛亥		壬子	30
丁亥		丙戌		乙酉	甲寅		癸丑		壬子		癸丑	31

農曆初一　農曆十五

西曆一九六〇年

12月	11月	10月	9月	8月	7月	6月	5月	4月	3月	2月	1月	月/日
癸亥	癸巳	壬戌	壬辰	辛酉	庚寅	庚申	己丑	己未	戊子	己未	戊子	1
甲子	甲午	癸亥	癸巳	壬戌	辛卯	辛酉	庚寅	庚申	己丑	庚申	己丑	2
乙丑	乙未	甲子	甲午	癸亥	壬辰	壬戌	辛卯	辛酉	庚寅	辛酉	庚寅	3
丙寅	丙申	乙丑	乙未	甲子	癸巳	癸亥	壬辰	壬戌	辛卯	壬戌	辛卯	4
丁卯	丁酉	丙寅	丙申	乙丑	甲午	甲子	癸巳	癸亥	壬辰	癸亥	壬辰	5
戊辰	戊戌	丁卯	丁酉	丙寅	乙未	乙丑	甲午	甲子	癸巳	甲子	癸巳	6
己巳	己亥	戊辰	戊戌	丁卯	丙申	丙寅	乙未	乙丑	甲午	乙丑	甲午	7
庚午	庚子	己巳	己亥	戊辰	丁酉	丁卯	丙申	丙寅	乙未	丙寅	乙未	8
辛未	辛丑	庚午	庚子	己巳	戊戌	戊辰	丁酉	丁卯	丙申	丁卯	丙申	9
壬申	壬寅	辛未	辛丑	庚午	己亥	己巳	戊戌	戊辰	丁酉	戊辰	丁酉	10
癸酉	癸卯	壬申	壬寅	辛未	庚子	庚午	己亥	己巳	戊戌	己巳	戊戌	11
甲戌	甲辰	癸酉	癸卯	壬申	辛丑	辛未	庚子	庚午	己亥	庚午	己亥	12
乙亥	乙巳	甲戌	甲辰	癸酉	壬寅	壬申	辛丑	辛未	庚子	辛未	庚子	13
丙子	丙午	乙亥	乙巳	甲戌	癸卯	癸酉	壬寅	壬申	辛丑	壬申	辛丑	14
丁丑	丁未	丙子	丙午	乙亥	甲辰	甲戌	癸卯	癸酉	壬寅	癸酉	壬寅	15
戊寅	戊申	丁丑	丁未	丙子	乙巳	乙亥	甲辰	甲戌	癸卯	甲戌	癸卯	16
己卯	己酉	戊寅	戊申	丁丑	丙午	丙子	乙巳	乙亥	甲辰	乙亥	甲辰	17
十一月 庚辰	庚戌	己卯	己酉	戊寅	丁未	丁丑	丙午	丙子	乙巳	丙子	乙巳	18
辛巳	十月 辛亥	庚辰	庚戌	己卯	戊申	戊寅	丁未	丁丑	丙午	丁丑	丙午	19
壬午	壬子	九月 辛巳	辛亥	庚辰	己酉	己卯	戊申	戊寅	丁未	戊寅	丁未	20
癸未	癸丑	壬午	八月 壬子	辛巳	庚戌	庚辰	己酉	己卯	戊申	己卯	戊申	21
甲申	甲寅	癸未	癸丑	七月 壬午	辛亥	辛巳	庚戌	庚辰	己酉	庚辰	己酉	22
乙酉	乙卯	甲申	甲寅	癸未	壬子	壬午	辛亥	辛巳	庚戌	辛巳	庚戌	23
丙戌	丙辰	乙酉	乙卯	甲申	閏六月 癸丑	六月 癸未	壬子	壬午	辛亥	壬午	辛亥	24
丁亥	丁巳	丙戌	丙辰	乙酉	甲寅	甲申	五月 癸丑	癸未	壬子	癸未	壬子	25
戊子	戊午	丁亥	丁巳	丙戌	乙卯	乙酉	甲寅	四月 甲申	癸丑	甲申	癸丑	26
己丑	己未	戊子	戊午	丁亥	丙辰	丙戌	乙卯	乙酉	三月 甲寅	二月 乙酉	甲寅	27
庚寅	庚申	己丑	己未	戊子	丁巳	丁亥	丙辰	丙戌	乙卯	丙戌	正月 乙卯	28
辛卯	辛酉	庚寅	庚申	己丑	戊午	戊子	丁巳	丁亥	丙辰	丁亥	丙辰	29
壬辰	壬戌	辛卯	辛酉	庚寅	己未	己丑	戊午	戊子	丁巳		丁巳	30
癸巳		壬辰		辛卯	庚申		己未		戊午		戊午	31

農曆初一　農曆十五

西曆一九六一年

12月	11月	10月	9月	8月	7月	6月	5月	4月	3月	2月	1月	月/日
戊辰	戊戌	丁卯	丁酉	丙寅	乙未	乙丑	甲午	甲子	癸巳	乙丑	甲午	1
己巳	己亥	戊辰	戊戌	丁卯	丙申	丙寅	乙未	乙丑	甲午	丙寅	乙未	2
庚午	庚子	己巳	己亥	戊辰	丁酉	丁卯	丙申	丙寅	乙未	丁卯	丙申	3
辛未	辛丑	庚午	庚子	己巳	戊戌	戊辰	丁酉	丁卯	丙申	戊辰	丁酉	4
壬申	壬寅	辛未	辛丑	庚午	己亥	己巳	戊戌	戊辰	丁酉	己巳	戊戌	5
癸酉	癸卯	壬申	壬寅	辛未	庚子	庚午	己亥	己巳	戊戌	庚午	己亥	6
甲戌	甲辰	癸酉	癸卯	壬申	辛丑	辛未	庚子	庚午	己亥	辛未	庚子	7
十一月 乙亥	十月 乙巳	甲戌	甲辰	癸酉	壬寅	壬申	辛丑	辛未	庚子	壬申	辛丑	8
丙子	丙午	乙亥	乙巳	甲戌	癸卯	癸酉	壬寅	壬申	辛丑	癸酉	壬寅	9
丁丑	丁未	九月 丙子	八月 丙午	乙亥	甲辰	甲戌	癸卯	癸酉	壬寅	甲戌	癸卯	10
戊寅	戊申	丁丑	丁未	七月 丙子	乙巳	乙亥	甲辰	甲戌	癸卯	乙亥	甲辰	11
己卯	己酉	戊寅	戊申	丁丑	丙午	丙子	乙巳	乙亥	甲辰	丙子	乙巳	12
庚辰	庚戌	己卯	己酉	戊寅	六月 丁未	五月 丁丑	丙午	丙子	乙巳	丁丑	丙午	13
辛巳	辛亥	庚辰	庚戌	己卯	戊申	戊寅	丁未	丁丑	丙午	戊寅	丁未	14
壬午	壬子	辛巳	辛亥	庚辰	己酉	己卯	四月 戊申	三月 戊寅	丁未	正月 己卯	戊申	15
癸未	癸丑	壬午	壬子	辛巳	庚戌	庚辰	己酉	己卯	戊申	庚辰	己酉	16
甲申	甲寅	癸未	癸丑	壬午	辛亥	辛巳	庚戌	庚辰	二月 己酉	辛巳	十二月 庚戌	17
乙酉	乙卯	甲申	甲寅	癸未	壬子	壬午	辛亥	辛巳	庚戌	壬午	辛亥	18
丙戌	丙辰	乙酉	乙卯	甲申	癸丑	癸未	壬子	壬午	辛亥	癸未	壬子	19
丁亥	丁巳	丙戌	丙辰	乙酉	甲寅	甲申	癸丑	癸未	壬子	甲申	癸丑	20
戊子	戊午	丁亥	丁巳	丙戌	乙卯	乙酉	甲寅	甲申	癸丑	乙酉	甲寅	21
己丑	己未	戊子	戊午	丁亥	丙辰	丙戌	乙卯	乙酉	甲寅	丙戌	乙卯	22
庚寅	庚申	己丑	己未	戊子	丁巳	丁亥	丙辰	丙戌	乙卯	丁亥	丙辰	23
辛卯	辛酉	庚寅	庚申	己丑	戊午	戊子	丁巳	丁亥	丙辰	戊子	丁巳	24
壬辰	壬戌	辛卯	辛酉	庚寅	己未	己丑	戊午	戊子	丁巳	己丑	戊午	25
癸巳	癸亥	壬辰	壬戌	辛卯	庚申	庚寅	己未	己丑	戊午	庚寅	己未	26
甲午	甲子	癸巳	癸亥	壬辰	辛酉	辛卯	庚申	庚寅	己未	辛卯	庚申	27
乙未	乙丑	甲午	甲子	癸巳	壬戌	壬辰	辛酉	辛卯	庚申	壬辰	辛酉	28
丙申	丙寅	乙未	乙丑	甲午	癸亥	癸巳	壬戌	壬辰	辛酉		壬戌	29
丁酉	丁卯	丙申	丙寅	乙未	甲子	甲午	癸亥	癸巳	壬戌		癸亥	30
戊戌		丁酉		丙申	乙丑		甲子		癸亥		甲子	31

農曆初一　農曆十五

西曆一九六二年

12月	11月	10月	9月	8月	7月	6月	5月	4月	3月	2月	1月	月/日
癸酉	癸卯	壬申	壬寅	辛未	庚子	庚午	己亥	己巳	戊戌	庚午	己亥	1
甲戌	甲辰	癸酉	癸卯	壬申	六月 辛丑	五月 辛未	庚子	庚午	己亥	辛未	庚子	2
乙亥	乙巳	甲戌	甲辰	癸酉	壬寅	壬申	辛丑	辛未	庚子	壬申	辛丑	3
丙子	丙午	乙亥	乙巳	甲戌	癸卯	癸酉	四月 壬寅	壬申	辛丑	癸酉	壬寅	4
丁丑	丁未	丙子	丙午	乙亥	甲辰	甲戌	癸卯	三月 癸酉	壬寅	正月 甲戌	癸卯	5
戊寅	戊申	丁丑	丁未	丙子	乙巳	乙亥	甲辰	甲戌	二月 癸卯	乙亥	十二月 甲辰	6
己卯	己酉	戊寅	戊申	丁丑	丙午	丙子	乙巳	乙亥	甲辰	丙子	乙巳	7
庚辰	庚戌	己卯	己酉	戊寅	丁未	丁丑	丙午	丙子	乙巳	丁丑	丙午	8
辛巳	辛亥	庚辰	庚戌	己卯	戊申	戊寅	丁未	丁丑	丙午	戊寅	丁未	9
壬午	壬子	辛巳	辛亥	庚辰	己酉	己卯	戊申	戊寅	丁未	己卯	戊申	10
癸未	癸丑	壬午	壬子	辛巳	庚戌	庚辰	己酉	己卯	戊申	庚辰	己酉	11
甲申	甲寅	癸未	癸丑	壬午	辛亥	辛巳	庚戌	庚辰	己酉	辛巳	庚戌	12
乙酉	乙卯	甲申	甲寅	癸未	壬子	壬午	辛亥	辛巳	庚戌	壬午	辛亥	13
丙戌	丙辰	乙酉	乙卯	甲申	癸丑	癸未	壬子	壬午	辛亥	癸未	壬子	14
丁亥	丁巳	丙戌	丙辰	乙酉	甲寅	甲申	癸丑	癸未	壬子	甲申	癸丑	15
戊子	戊午	丁亥	丁巳	丙戌	乙卯	乙酉	甲寅	甲申	癸丑	乙酉	甲寅	16
己丑	己未	戊子	戊午	丁亥	丙辰	丙戌	乙卯	乙酉	甲寅	丙戌	乙卯	17
庚寅	庚申	己丑	己未	戊子	丁巳	丁亥	丙辰	丙戌	乙卯	丁亥	丙辰	18
辛卯	辛酉	庚寅	庚申	己丑	戊午	戊子	丁巳	丁亥	丙辰	戊子	丁巳	19
壬辰	壬戌	辛卯	辛酉	庚寅	己未	己丑	戊午	戊子	丁巳	己丑	戊午	20
癸巳	癸亥	壬辰	壬戌	辛卯	庚申	庚寅	己未	己丑	戊午	庚寅	己未	21
甲午	甲子	癸巳	癸亥	壬辰	辛酉	辛卯	庚申	庚寅	己未	辛卯	庚申	22
乙未	乙丑	甲午	甲子	癸巳	壬戌	壬辰	辛酉	辛卯	庚申	壬辰	辛酉	23
丙申	丙寅	乙未	乙丑	甲午	癸亥	癸巳	壬戌	壬辰	辛酉	癸巳	壬戌	24
丁酉	丁卯	丙申	丙寅	乙未	甲子	甲午	癸亥	癸巳	壬戌	甲午	癸亥	25
戊戌	戊辰	丁酉	丁卯	丙申	乙丑	乙未	甲子	甲午	癸亥	乙未	甲子	26
十二月 己亥	十一月 己巳	戊戌	戊辰	丁酉	丙寅	丙申	乙丑	乙未	甲子	丙申	乙丑	27
庚子	庚午	十月 己亥	己巳	戊戌	丁卯	丁酉	丙寅	丙申	乙丑	丁酉	丙寅	28
辛丑	辛未	庚子	九月 庚午	己亥	戊辰	戊戌	丁卯	丁酉	丙寅		丁卯	29
壬寅	壬申	辛丑	辛未	八月 庚子	己巳	己亥	戊辰	戊戌	丁卯		戊辰	30
癸卯		壬寅		辛丑	七月 庚午		己巳		戊辰		己巳	31

農曆初一　農曆十五

西曆一九六三年

12月	11月	10月	9月	8月	7月	6月	5月	4月	3月	2月	1月	月/日
戊寅	戊申	丁丑	丁未	丙子	乙巳	乙亥	甲辰	甲戌	癸卯	乙亥	甲辰	1
己卯	己酉	戊寅	戊申	丁丑	丙午	丙子	乙巳	乙亥	甲辰	丙子	乙巳	2
庚辰	庚戌	己卯	己酉	戊寅	丁未	丁丑	丙午	丙子	乙巳	丁丑	丙午	3
辛巳	辛亥	庚辰	庚戌	己卯	戊申	戊寅	丁未	丁丑	丙午	戊寅	丁未	4
壬午	壬子	辛巳	辛亥	庚辰	己酉	己卯	戊申	戊寅	丁未	己卯	戊申	5
癸未	癸丑	壬午	壬子	辛巳	庚戌	庚辰	己酉	己卯	戊申	庚辰	己酉	6
甲申	甲寅	癸未	癸丑	壬午	辛亥	辛巳	庚戌	庚辰	己酉	辛巳	庚戌	7
乙酉	乙卯	甲申	甲寅	癸未	壬子	壬午	辛亥	辛巳	庚戌	壬午	辛亥	8
丙戌	丙辰	乙酉	乙卯	甲申	癸丑	癸未	壬子	壬午	辛亥	癸未	壬子	9
丁亥	丁巳	丙戌	丙辰	乙酉	甲寅	甲申	癸丑	癸未	壬子	甲申	癸丑	10
戊子	戊午	丁亥	丁巳	丙戌	乙卯	乙酉	甲寅	甲申	癸丑	乙酉	甲寅	11
己丑	己未	戊子	戊午	丁亥	丙辰	丙戌	乙卯	乙酉	甲寅	丙戌	乙卯	12
庚寅	庚申	己丑	己未	戊子	丁巳	丁亥	丙辰	丙戌	乙卯	丁亥	丙辰	13
辛卯	辛酉	庚寅	庚申	己丑	戊午	戊子	丁巳	丁亥	丙辰	戊子	丁巳	14
壬辰	壬戌	辛卯	辛酉	庚寅	己未	己丑	戊午	戊子	丁巳	己丑	戊午	15
十一月 癸巳	十月 癸亥	壬辰	壬戌	辛卯	庚申	庚寅	己未	己丑	戊午	庚寅	己未	16
甲午	甲子	九月 癸巳	癸亥	壬辰	辛酉	辛卯	庚申	庚寅	己未	辛卯	庚申	17
乙未	乙丑	甲午	八月 甲子	癸巳	壬戌	壬辰	辛酉	辛卯	庚申	壬辰	辛酉	18
丙申	丙寅	乙未	乙丑	七月 甲午	癸亥	癸巳	壬戌	壬辰	辛酉	癸巳	壬戌	19
丁酉	丁卯	丙申	丙寅	乙未	甲子	甲午	癸亥	癸巳	壬戌	甲午	癸亥	20
戊戌	戊辰	丁酉	丁卯	丙申	六月 乙丑	五月 乙未	甲子	甲午	癸亥	乙未	甲子	21
己亥	己巳	戊戌	戊辰	丁酉	丙寅	丙申	乙丑	乙未	甲子	丙申	乙丑	22
庚子	庚午	己亥	己巳	戊戌	丁卯	丁酉	閏四月 丙寅	丙申	乙丑	丁酉	丙寅	23
辛丑	辛未	庚子	庚午	己亥	戊辰	戊戌	丁卯	四月 丁酉	丙寅	二月 戊戌	丁卯	24
壬寅	壬申	辛丑	辛未	庚子	己巳	己亥	戊辰	戊戌	三月 丁卯	己亥	正月 戊辰	25
癸卯	癸酉	壬寅	壬申	辛丑	庚午	庚子	己巳	己亥	戊辰	庚子	己巳	26
甲辰	甲戌	癸卯	癸酉	壬寅	辛未	辛丑	庚午	庚子	己巳	辛丑	庚午	27
乙巳	乙亥	甲辰	甲戌	癸卯	壬申	壬寅	辛未	辛丑	庚午	壬寅	辛未	28
丙午	丙子	乙巳	乙亥	甲辰	癸酉	癸卯	壬申	壬寅	辛未		壬申	29
丁未	丁丑	丙午	丙子	乙巳	甲戌	甲辰	癸酉	癸卯	壬申		癸酉	30
戊申		丁未		丙午	乙亥		甲戌		癸酉		甲戌	31

農曆初一　農曆十五

西曆一九六四年

12月	11月	10月	9月	8月	7月	6月	5月	4月	3月	2月	1月	月/日
甲申	甲寅	癸未	癸丑	壬午	辛亥	辛巳	庚戌	庚辰	己酉	庚辰	己酉	1
乙酉	乙卯	甲申	甲寅	癸未	壬子	壬午	辛亥	辛巳	庚戌	辛巳	庚戌	2
丙戌	丙辰	乙酉	乙卯	甲申	癸丑	癸未	壬子	壬午	辛亥	壬午	辛亥	3
十一月 丁亥	十月 丁巳	丙戌	丙辰	乙酉	甲寅	甲申	癸丑	癸未	壬子	癸未	壬子	4
戊子	戊午	丁亥	丁巳	丙戌	乙卯	乙酉	甲寅	甲申	癸丑	甲申	癸丑	5
己丑	己未	九月 戊子	八月 戊午	丁亥	丙辰	丙戌	乙卯	乙酉	甲寅	乙酉	甲寅	6
庚寅	庚申	己丑	己未	戊子	丁巳	丁亥	丙辰	丙戌	乙卯	丙戌	乙卯	7
辛卯	辛酉	庚寅	庚申	七月 己丑	戊午	戊子	丁巳	丁亥	丙辰	丁亥	丙辰	8
壬辰	壬戌	辛卯	辛酉	庚寅	六月 己未	己丑	戊午	戊子	丁巳	戊子	丁巳	9
癸巳	癸亥	壬辰	壬戌	辛卯	庚申	五月 庚寅	己未	己丑	戊午	己丑	戊午	10
甲午	甲子	癸巳	癸亥	壬辰	辛酉	辛卯	庚申	庚寅	己未	庚寅	己未	11
乙未	乙丑	甲午	甲子	癸巳	壬戌	壬辰	四月 辛酉	三月 辛卯	庚申	辛卯	庚申	12
丙申	丙寅	乙未	乙丑	甲午	癸亥	癸巳	壬戌	壬辰	辛酉	正月 壬辰	辛酉	13
丁酉	丁卯	丙申	丙寅	乙未	甲子	甲午	癸亥	癸巳	二月 壬戌	癸巳	壬戌	14
戊戌	戊辰	丁酉	丁卯	丙申	乙丑	乙未	甲子	甲午	癸亥	甲午	十二月 癸亥	15
己亥	己巳	戊戌	戊辰	丁酉	丙寅	丙申	乙丑	乙未	甲子	乙未	甲子	16
庚子	庚午	己亥	己巳	戊戌	丁卯	丁酉	丙寅	丙申	乙丑	丙申	乙丑	17
辛丑	辛未	庚子	庚午	己亥	戊辰	戊戌	丁卯	丁酉	丙寅	丁酉	丙寅	18
壬寅	壬申	辛丑	辛未	庚子	己巳	己亥	戊辰	戊戌	丁卯	戊戌	丁卯	19
癸卯	癸酉	壬寅	壬申	辛丑	庚午	庚子	己巳	己亥	戊辰	己亥	戊辰	20
甲辰	甲戌	癸卯	癸酉	壬寅	辛未	辛丑	庚午	庚子	己巳	庚子	己巳	21
乙巳	乙亥	甲辰	甲戌	癸卯	壬申	壬寅	辛未	辛丑	庚午	辛丑	庚午	22
丙午	丙子	乙巳	乙亥	甲辰	癸酉	癸卯	壬申	壬寅	辛未	壬寅	辛未	23
丁未	丁丑	丙午	丙子	乙巳	甲戌	甲辰	癸酉	癸卯	壬申	癸卯	壬申	24
戊申	戊寅	丁未	丁丑	丙午	乙亥	乙巳	甲戌	甲辰	癸酉	甲辰	癸酉	25
己酉	己卯	戊申	戊寅	丁未	丙子	丙午	乙亥	乙巳	甲戌	乙巳	甲戌	26
庚戌	庚辰	己酉	己卯	戊申	丁丑	丁未	丙子	丙午	乙亥	丙午	乙亥	27
辛亥	辛巳	庚戌	庚辰	己酉	戊寅	戊申	丁丑	丁未	丙子	丁未	丙子	28
壬子	壬午	辛亥	辛巳	庚戌	己卯	己酉	戊寅	戊申	丁丑	戊申	丁丑	29
癸丑	癸未	壬子	壬午	辛亥	庚辰	庚戌	己卯	己酉	戊寅		戊寅	30
甲寅		癸丑		壬子	辛巳		庚辰		己卯		己卯	31

農曆初一　農曆十五

西曆一九六五年

12月	11月	10月	9月	8月	7月	6月	5月	4月	3月	2月	1月	月/日
己丑	己未	戊子	戊午	丁亥	丙辰	丙戌	四月 乙卯	乙酉	甲寅	丙戌	乙卯	1
庚寅	庚申	己丑	己未	戊子	丁巳	丁亥	丙辰	三月 丙戌	乙卯	正月 丁亥	丙辰	2
辛卯	辛酉	庚寅	庚申	己丑	戊午	戊子	丁巳	丁亥	二月 丙辰	戊子	十二月 丁巳	3
壬辰	壬戌	辛卯	辛酉	庚寅	己未	己丑	戊午	戊子	丁巳	己丑	戊午	4
癸巳	癸亥	壬辰	壬戌	辛卯	庚申	庚寅	己未	己丑	戊午	庚寅	己未	5
甲午	甲子	癸巳	癸亥	壬辰	辛酉	辛卯	庚申	庚寅	己未	辛卯	庚申	6
乙未	乙丑	甲午	甲子	癸巳	壬戌	壬辰	辛酉	辛卯	庚申	壬辰	辛酉	7
丙申	丙寅	乙未	乙丑	甲午	癸亥	癸巳	壬戌	壬辰	辛酉	癸巳	壬戌	8
丁酉	丁卯	丙申	丙寅	乙未	甲子	甲午	癸亥	癸巳	壬戌	甲午	癸亥	9
戊戌	戊辰	丁酉	丁卯	丙申	乙丑	乙未	甲子	甲午	癸亥	乙未	甲子	10
己亥	己巳	戊戌	戊辰	丁酉	丙寅	丙申	乙丑	乙未	甲子	丙申	乙丑	11
庚子	庚午	己亥	己巳	戊戌	丁卯	丁酉	丙寅	丙申	乙丑	丁酉	丙寅	12
辛丑	辛未	庚子	庚午	己亥	戊辰	戊戌	丁卯	丁酉	丙寅	戊戌	丁卯	13
壬寅	壬申	辛丑	辛未	庚子	己巳	己亥	戊辰	戊戌	丁卯	己亥	戊辰	14
癸卯	癸酉	壬寅	壬申	辛丑	庚午	庚子	己巳	己亥	戊辰	庚子	己巳	15
甲辰	甲戌	癸卯	癸酉	壬寅	辛未	辛丑	庚午	庚子	己巳	辛丑	庚午	16
乙巳	乙亥	甲辰	甲戌	癸卯	壬申	壬寅	辛未	辛丑	庚午	壬寅	辛未	17
丙午	丙子	乙巳	乙亥	甲辰	癸酉	癸卯	壬申	壬寅	辛未	癸卯	壬申	18
丁未	丁丑	丙午	丙子	乙巳	甲戌	甲辰	癸酉	癸卯	壬申	甲辰	癸酉	19
戊申	戊寅	丁未	丁丑	丙午	乙亥	乙巳	甲戌	甲辰	癸酉	乙巳	甲戌	20
己酉	己卯	戊申	戊寅	丁未	丙子	丙午	乙亥	乙巳	甲戌	丙午	乙亥	21
庚戌	庚辰	己酉	己卯	戊申	丁丑	丁未	丙子	丙午	乙亥	丁未	丙子	22
十二月 辛亥	十一月 辛巳	庚戌	庚辰	己酉	戊寅	戊申	丁丑	丁未	丙子	戊申	丁丑	23
壬子	壬午	十月 辛亥	辛巳	庚戌	己卯	己酉	戊寅	戊申	丁丑	己酉	戊寅	24
癸丑	癸未	壬子	九月 壬午	辛亥	庚辰	庚戌	己卯	己酉	戊寅	庚戌	己卯	25
甲寅	甲申	癸丑	癸未	壬子	辛巳	辛亥	庚辰	庚戌	己卯	辛亥	庚辰	26
乙卯	乙酉	甲寅	甲申	八月 癸丑	壬午	壬子	辛巳	辛亥	庚辰	壬子	辛巳	27
丙辰	丙戌	乙卯	乙酉	甲寅	七月 癸未	癸丑	壬午	壬子	辛巳	癸丑	壬午	28
丁巳	丁亥	丙辰	丙戌	乙卯	甲申	六月 甲寅	癸未	癸丑	壬午		癸未	29
戊午	戊子	丁巳	丁亥	丙辰	乙酉	乙卯	甲申	甲寅	癸未		甲申	30
己未		戊午		丁巳	丙戌		五月 乙酉		甲申		乙酉	31

農曆初一　農曆十五

西曆一九六六年

12月	11月	10月	9月	8月	7月	6月	5月	4月	3月	2月	1月	月/日
甲午	甲子	癸巳	癸亥	壬辰	辛酉	辛卯	庚申	庚寅	己未	辛卯	庚申	1
乙未	乙丑	甲午	甲子	癸巳	壬戌	壬辰	辛酉	辛卯	庚申	壬辰	辛酉	2
丙申	丙寅	乙未	乙丑	甲午	癸亥	癸巳	壬戌	壬辰	辛酉	癸巳	壬戌	3
丁酉	丁卯	丙申	丙寅	乙未	甲子	甲午	癸亥	癸巳	壬戌	甲午	癸亥	4
戊戌	戊辰	丁酉	丁卯	丙申	乙丑	乙未	甲子	甲午	癸亥	乙未	甲子	5
己亥	己巳	戊戌	戊辰	丁酉	丙寅	丙申	乙丑	乙未	甲子	丙申	乙丑	6
庚子	庚午	己亥	己巳	戊戌	丁卯	丁酉	丙寅	丙申	乙丑	丁酉	丙寅	7
辛丑	辛未	庚子	庚午	己亥	戊辰	戊戌	丁卯	丁酉	丙寅	戊戌	丁卯	8
壬寅	壬申	辛丑	辛未	庚子	己巳	己亥	戊辰	戊戌	丁卯	己亥	戊辰	9
癸卯	癸酉	壬寅	壬申	辛丑	庚午	庚子	己巳	己亥	戊辰	庚子	己巳	10
甲辰	甲戌	癸卯	癸酉	壬寅	辛未	辛丑	庚午	庚子	己巳	辛丑	庚午	11
十一月 乙巳	十月 乙亥	甲辰	甲戌	癸卯	壬申	壬寅	辛未	辛丑	庚午	壬寅	辛未	12
丙午	丙子	乙巳	乙亥	甲辰	癸酉	癸卯	壬申	壬寅	辛未	癸卯	壬申	13
丁未	丁丑	九月 丙午	丙子	乙巳	甲戌	甲辰	癸酉	癸卯	壬申	甲辰	癸酉	14
戊申	戊寅	丁未	八月 丁丑	丙午	乙亥	乙巳	甲戌	甲辰	癸酉	乙巳	甲戌	15
己酉	己卯	戊申	戊寅	七月 丁未	丙子	丙午	乙亥	乙巳	甲戌	丙午	乙亥	16
庚戌	庚辰	己酉	己卯	戊申	丁丑	丁未	丙子	丙午	乙亥	丁未	丙子	17
辛亥	辛巳	庚戌	庚辰	己酉	六月 戊寅	戊申	丁丑	丁未	丙子	戊申	丁丑	18
壬子	壬午	辛亥	辛巳	庚戌	己卯	五月 己酉	戊寅	戊申	丁丑	己酉	戊寅	19
癸丑	癸未	壬子	壬午	辛亥	庚辰	庚戌	四月 己卯	己酉	戊寅	二月 庚戌	己卯	20
甲寅	甲申	癸丑	癸未	壬子	辛巳	辛亥	庚辰	閏三月 庚戌	己卯	辛亥	正月 庚辰	21
乙卯	乙酉	甲寅	甲申	癸丑	壬午	壬子	辛巳	辛亥	三月 庚辰	壬子	辛巳	22
丙辰	丙戌	乙卯	乙酉	甲寅	癸未	癸丑	壬午	壬子	辛巳	癸丑	壬午	23
丁巳	丁亥	丙辰	丙戌	乙卯	甲申	甲寅	癸未	癸丑	壬午	甲寅	癸未	24
戊午	戊子	丁巳	丁亥	丙辰	乙酉	乙卯	甲申	甲寅	癸未	乙卯	甲申	25
己未	己丑	戊午	戊子	丁巳	丙戌	丙辰	乙酉	乙卯	甲申	丙辰	乙酉	26
庚申	庚寅	己未	己丑	戊午	丁亥	丁巳	丙戌	丙辰	乙酉	丁巳	丙戌	27
辛酉	辛卯	庚申	庚寅	己未	戊子	戊午	丁亥	丁巳	丙戌	戊午	丁亥	28
壬戌	壬辰	辛酉	辛卯	庚申	己丑	己未	戊子	戊午	丁亥		戊子	29
癸亥	癸巳	壬戌	壬辰	辛酉	庚寅	庚申	己丑	己未	戊子		己丑	30
甲子		癸亥		壬戌	辛卯		庚寅		己丑		庚寅	31

農曆初一　農曆十五

西曆一九六七年

12月	11月	10月	9月	8月	7月	6月	5月	4月	3月	2月	1月	月/日
己亥	己巳	戊戌	戊辰	丁酉	丙寅	丙申	乙丑	乙未	甲子	丙申	乙丑	1
十一月 庚子	十月 庚午	己亥	己巳	戊戌	丁卯	丁酉	丙寅	丙申	乙丑	丁酉	丙寅	2
辛丑	辛未	庚子	庚午	己亥	戊辰	戊戌	丁卯	丁酉	丙寅	戊戌	丁卯	3
壬寅	壬申	九月 辛丑	八月 辛未	庚子	己巳	己亥	戊辰	戊戌	丁卯	己亥	戊辰	4
癸卯	癸酉	壬寅	壬申	辛丑	庚午	庚子	己巳	己亥	戊辰	庚子	己巳	5
甲辰	甲戌	癸卯	癸酉	七月 壬寅	辛未	辛丑	庚午	庚子	己巳	辛丑	庚午	6
乙巳	乙亥	甲辰	甲戌	癸卯	壬申	壬寅	辛未	辛丑	庚午	壬寅	辛未	7
丙午	丙子	乙巳	乙亥	甲辰	六月 癸酉	五月 癸卯	壬申	壬寅	辛未	癸卯	壬申	8
丁未	丁丑	丙午	丙子	乙巳	甲戌	甲辰	四月 癸酉	癸卯	壬申	正月 甲辰	癸酉	9
戊申	戊寅	丁未	丁丑	丙午	乙亥	乙巳	甲戌	三月 甲辰	癸酉	乙巳	甲戌	10
己酉	己卯	戊申	戊寅	丁未	丙子	丙午	乙亥	乙巳	二月 甲戌	丙午	十二月 乙亥	11
庚戌	庚辰	己酉	己卯	戊申	丁丑	丁未	丙子	丙午	乙亥	丁未	丙子	12
辛亥	辛巳	庚戌	庚辰	己酉	戊寅	戊申	丁丑	丁未	丙子	戊申	丁丑	13
壬子	壬午	辛亥	辛巳	庚戌	己卯	己酉	戊寅	戊申	丁丑	己酉	戊寅	14
癸丑	癸未	壬子	壬午	辛亥	庚辰	庚戌	己卯	己酉	戊寅	庚戌	己卯	15
甲寅	甲申	癸丑	癸未	壬子	辛巳	辛亥	庚辰	庚戌	己卯	辛亥	庚辰	16
乙卯	乙酉	甲寅	甲申	癸丑	壬午	壬子	辛巳	辛亥	庚辰	壬子	辛巳	17
丙辰	丙戌	乙卯	乙酉	甲寅	癸未	癸丑	壬午	壬子	辛巳	癸丑	壬午	18
丁巳	丁亥	丙辰	丙戌	乙卯	甲申	甲寅	癸未	癸丑	壬午	甲寅	癸未	19
戊午	戊子	丁巳	丁亥	丙辰	乙酉	乙卯	甲申	甲寅	癸未	乙卯	甲申	20
己未	己丑	戊午	戊子	丁巳	丙戌	丙辰	乙酉	乙卯	甲申	丙辰	乙酉	21
庚申	庚寅	己未	己丑	戊午	丁亥	丁巳	丙戌	丙辰	乙酉	丁巳	丙戌	22
辛酉	辛卯	庚申	庚寅	己未	戊子	戊午	丁亥	丁巳	丙戌	戊午	丁亥	23
壬戌	壬辰	辛酉	辛卯	庚申	己丑	己未	戊子	戊午	丁亥	己未	戊子	24
癸亥	癸巳	壬戌	壬辰	辛酉	庚寅	庚申	己丑	己未	戊子	庚申	己丑	25
甲子	甲午	癸亥	癸巳	壬戌	辛卯	辛酉	庚寅	庚申	己丑	辛酉	庚寅	26
乙丑	乙未	甲子	甲午	癸亥	壬辰	壬戌	辛卯	辛酉	庚寅	壬戌	辛卯	27
丙寅	丙申	乙丑	乙未	甲子	癸巳	癸亥	壬辰	壬戌	辛卯	癸亥	壬辰	28
丁卯	丁酉	丙寅	丙申	乙丑	甲午	甲子	癸巳	癸亥	壬辰		癸巳	29
戊辰	戊戌	丁卯	丁酉	丙寅	乙未	乙丑	甲午	甲子	癸巳		甲午	30
十二月 己巳		戊辰		丁卯	丙申		乙未		甲午		乙未	31

農曆初一　農曆十五

西曆一九六八年

12月	11月	10月	9月	8月	7月	6月	5月	4月	3月	2月	1月	月/日
乙巳	乙亥	甲辰	甲戌	癸卯	壬申	壬寅	辛未	辛丑	庚午	辛丑	庚午	1
丙午	丙子	乙巳	乙亥	甲辰	癸酉	癸卯	壬申	壬寅	辛未	壬寅	辛未	2
丁未	丁丑	丙午	丙子	乙巳	甲戌	甲辰	癸酉	癸卯	壬申	癸卯	壬申	3
戊申	戊寅	丁未	丁丑	丙午	乙亥	乙巳	甲戌	甲辰	癸酉	甲辰	癸酉	4
己酉	己卯	戊申	戊寅	丁未	丙子	丙午	乙亥	乙巳	甲戌	乙巳	甲戌	5
庚戌	庚辰	己酉	己卯	戊申	丁丑	丁未	丙子	丙午	乙亥	丙午	乙亥	6
辛亥	辛巳	庚戌	庚辰	己酉	戊寅	戊申	丁丑	丁未	丙子	丁未	丙子	7
壬子	壬午	辛亥	辛巳	庚戌	己卯	己酉	戊寅	戊申	丁丑	戊申	丁丑	8
癸丑	癸未	壬子	壬午	辛亥	庚辰	庚戌	己卯	己酉	戊寅	己酉	戊寅	9
甲寅	甲申	癸丑	癸未	壬子	辛巳	辛亥	庚辰	庚戌	己卯	庚戌	己卯	10
乙卯	乙酉	甲寅	甲申	癸丑	壬午	壬子	辛巳	辛亥	庚辰	辛亥	庚辰	11
丙辰	丙戌	乙卯	乙酉	甲寅	癸未	癸丑	壬午	壬子	辛巳	壬子	辛巳	12
丁巳	丁亥	丙辰	丙戌	乙卯	甲申	甲寅	癸未	癸丑	壬午	癸丑	壬午	13
戊午	戊子	丁巳	丁亥	丙辰	乙酉	乙卯	甲申	甲寅	癸未	甲寅	癸未	14
己未	己丑	戊午	戊子	丁巳	丙戌	丙辰	乙酉	乙卯	甲申	乙卯	甲申	15
庚申	庚寅	己未	己丑	戊午	丁亥	丁巳	丙戌	丙辰	乙酉	丙辰	乙酉	16
辛酉	辛卯	庚申	庚寅	己未	戊子	戊午	丁亥	丁巳	丙戌	丁巳	丙戌	17
壬戌	壬辰	辛酉	辛卯	庚申	己丑	己未	戊子	戊午	丁亥	戊午	丁亥	18
癸亥	癸巳	壬戌	壬辰	辛酉	庚寅	庚申	己丑	己未	戊子	己未	戊子	19
十一月 甲子	十月 甲午	癸亥	癸巳	壬戌	辛卯	辛酉	庚寅	庚申	己丑	庚申	己丑	20
乙丑	乙未	甲子	甲午	癸亥	壬辰	壬戌	辛卯	辛酉	庚寅	辛酉	庚寅	21
丙寅	丙申	九月 乙丑	八月 乙未	甲子	癸巳	癸亥	壬辰	壬戌	辛卯	壬戌	辛卯	22
丁卯	丁酉	丙寅	丙申	乙丑	甲午	甲子	癸巳	癸亥	壬辰	癸亥	壬辰	23
戊辰	戊戌	丁卯	丁酉	閏七月 丙寅	乙未	乙丑	甲午	甲子	癸巳	甲子	癸巳	24
己巳	己亥	戊辰	戊戌	丁卯	七月 丙申	丙寅	乙未	乙丑	甲午	乙丑	甲午	25
庚午	庚子	己巳	己亥	戊辰	丁酉	六月 丁卯	丙申	丙寅	乙未	丙寅	乙未	26
辛未	辛丑	庚午	庚子	己巳	戊戌	戊辰	五月 丁酉	四月 丁卯	丙申	丁卯	丙申	27
壬申	壬寅	辛未	辛丑	庚午	己亥	己巳	戊戌	戊辰	丁酉	二月 戊辰	丁酉	28
癸酉	癸卯	壬申	壬寅	辛未	庚子	庚午	己亥	己巳	三月 戊戌	己巳	戊戌	29
甲戌	甲辰	癸酉	癸卯	壬申	辛丑	辛未	庚子	庚午	己亥		正月 己亥	30
乙亥		甲戌		癸酉	壬寅		辛丑		庚子		庚子	31

農曆初一　農曆十五

西曆一九六九年

12月	11月	10月	9月	8月	7月	6月	5月	4月	3月	2月	1月	月/日
庚戌	庚辰	己酉	己卯	戊申	丁丑	丁未	丙子	丙午	乙亥	丁未	丙子	1
辛亥	辛巳	庚戌	庚辰	己酉	戊寅	戊申	丁丑	丁未	丙子	戊申	丁丑	2
壬子	壬午	辛亥	辛巳	庚戌	己卯	己酉	戊寅	戊申	丁丑	己酉	戊寅	3
癸丑	癸未	壬子	壬午	辛亥	庚辰	庚戌	己卯	己酉	戊寅	庚戌	己卯	4
甲寅	甲申	癸丑	癸未	壬子	辛巳	辛亥	庚辰	庚戌	己卯	辛亥	庚辰	5
乙卯	乙酉	甲寅	甲申	癸丑	壬午	壬子	辛巳	辛亥	庚辰	壬子	辛巳	6
丙辰	丙戌	乙卯	乙酉	甲寅	癸未	癸丑	壬午	壬子	辛巳	癸丑	壬午	7
丁巳	丁亥	丙辰	丙戌	乙卯	甲申	甲寅	癸未	癸丑	壬午	甲寅	癸未	8
十一月 戊午	戊子	丁巳	丁亥	丙辰	乙酉	乙卯	甲申	甲寅	癸未	乙卯	甲申	9
己未	十月 己丑	戊午	戊子	丁巳	丙戌	丙辰	乙酉	乙卯	甲申	丙辰	乙酉	10
庚申	庚寅	九月 己未	己丑	戊午	丁亥	丁巳	丙戌	丙辰	乙酉	丁巳	丙戌	11
辛酉	辛卯	庚申	八月 庚寅	己未	戊子	戊午	丁亥	丁巳	丙戌	戊午	丁亥	12
壬戌	壬辰	辛酉	辛卯	七月 庚申	己丑	己未	戊子	戊午	丁亥	己未	戊子	13
癸亥	癸巳	壬戌	壬辰	辛酉	六月 庚寅	庚申	己丑	己未	戊子	庚申	己丑	14
甲子	甲午	癸亥	癸巳	壬戌	辛卯	五月 辛酉	庚寅	庚申	己丑	辛酉	庚寅	15
乙丑	乙未	甲子	甲午	癸亥	壬辰	壬戌	四月 辛卯	辛酉	庚寅	壬戌	辛卯	16
丙寅	丙申	乙丑	乙未	甲子	癸巳	癸亥	壬辰	三月 壬戌	辛卯	正月 癸亥	壬辰	17
丁卯	丁酉	丙寅	丙申	乙丑	甲午	甲子	癸巳	癸亥	二月 壬辰	甲子	十二月 癸巳	18
戊辰	戊戌	丁卯	丁酉	丙寅	乙未	乙丑	甲午	甲子	癸巳	乙丑	甲午	19
己巳	己亥	戊辰	戊戌	丁卯	丙申	丙寅	乙未	乙丑	甲午	丙寅	乙未	20
庚午	庚子	己巳	己亥	戊辰	丁酉	丁卯	丙申	丙寅	乙未	丁卯	丙申	21
辛未	辛丑	庚午	庚子	己巳	戊戌	戊辰	丁酉	丁卯	丙申	戊辰	丁酉	22
壬申	壬寅	辛未	辛丑	庚午	己亥	己巳	戊戌	戊辰	丁酉	己巳	戊戌	23
癸酉	癸卯	壬申	壬寅	辛未	庚子	庚午	己亥	己巳	戊戌	庚午	己亥	24
甲戌	甲辰	癸酉	癸卯	壬申	辛丑	辛未	庚子	庚午	己亥	辛未	庚子	25
乙亥	乙巳	甲戌	甲辰	癸酉	壬寅	壬申	辛丑	辛未	庚子	壬申	辛丑	26
丙子	丙午	乙亥	乙巳	甲戌	癸卯	癸酉	壬寅	壬申	辛丑	癸酉	壬寅	27
丁丑	丁未	丙子	丙午	乙亥	甲辰	甲戌	癸卯	癸酉	壬寅	甲戌	癸卯	28
戊寅	戊申	丁丑	丁未	丙子	乙巳	乙亥	甲辰	甲戌	癸卯		甲辰	29
己卯	己酉	戊寅	戊申	丁丑	丙午	丙子	乙巳	乙亥	甲辰		乙巳	30
庚辰		己卯		戊寅	丁未		丙午		乙巳		丙午	31

農曆初一　農曆十五

西曆一九七〇年

12月	11月	10月	9月	8月	7月	6月	5月	4月	3月	2月	1月	月/日
乙卯	乙酉	甲寅	八月 甲申	癸丑	壬午	壬子	辛巳	辛亥	庚辰	壬子	辛巳	1
丙辰	丙戌	乙卯	乙酉	七月 甲寅	癸未	癸丑	壬午	壬子	辛巳	癸丑	壬午	2
丁巳	丁亥	丙辰	丙戌	乙卯	六月 甲申	甲寅	癸未	癸丑	壬午	甲寅	癸未	3
戊午	戊子	丁巳	丁亥	丙辰	乙酉	五月 乙卯	甲申	甲寅	癸未	乙卯	甲申	4
己未	己丑	戊午	戊子	丁巳	丙戌	丙辰	四月 乙酉	乙卯	甲申	丙辰	乙酉	5
庚申	庚寅	己未	己丑	戊午	丁亥	丁巳	丙戌	三月 丙辰	乙酉	正月 丁巳	丙戌	6
辛酉	辛卯	庚申	庚寅	己未	戊子	戊午	丁亥	丁巳	丙戌	戊午	丁亥	7
壬戌	壬辰	辛酉	辛卯	庚申	己丑	己未	戊子	戊午	二月 丁亥	己未	十二月 戊子	8
癸亥	癸巳	壬戌	壬辰	辛酉	庚寅	庚申	己丑	己未	戊子	庚申	己丑	9
甲子	甲午	癸亥	癸巳	壬戌	辛卯	辛酉	庚寅	庚申	己丑	辛酉	庚寅	10
乙丑	乙未	甲子	甲午	癸亥	壬辰	壬戌	辛卯	辛酉	庚寅	壬戌	辛卯	11
丙寅	丙申	乙丑	乙未	甲子	癸巳	癸亥	壬辰	壬戌	辛卯	癸亥	壬辰	12
丁卯	丁酉	丙寅	丙申	乙丑	甲午	甲子	癸巳	癸亥	壬辰	甲子	癸巳	13
戊辰	戊戌	丁卯	丁酉	丙寅	乙未	乙丑	甲午	甲子	癸巳	乙丑	甲午	14
己巳	己亥	戊辰	戊戌	丁卯	丙申	丙寅	乙未	乙丑	甲午	丙寅	乙未	15
庚午	庚子	己巳	己亥	戊辰	丁酉	丁卯	丙申	丙寅	乙未	丁卯	丙申	16
辛未	辛丑	庚午	庚子	己巳	戊戌	戊辰	丁酉	丁卯	丙申	戊辰	丁酉	17
壬申	壬寅	辛未	辛丑	庚午	己亥	己巳	戊戌	戊辰	丁酉	己巳	戊戌	18
癸酉	癸卯	壬申	壬寅	辛未	庚子	庚午	己亥	己巳	戊戌	庚午	己亥	19
甲戌	甲辰	癸酉	癸卯	壬申	辛丑	辛未	庚子	庚午	己亥	辛未	庚子	20
乙亥	乙巳	甲戌	甲辰	癸酉	壬寅	壬申	辛丑	辛未	庚子	壬申	辛丑	21
丙子	丙午	乙亥	乙巳	甲戌	癸卯	癸酉	壬寅	壬申	辛丑	癸酉	壬寅	22
丁丑	丁未	丙子	丙午	乙亥	甲辰	甲戌	癸卯	癸酉	壬寅	甲戌	癸卯	23
戊寅	戊申	丁丑	丁未	丙子	乙巳	乙亥	甲辰	甲戌	癸卯	乙亥	甲辰	24
己卯	己酉	戊寅	戊申	丁丑	丙午	丙子	乙巳	乙亥	甲辰	丙子	乙巳	25
庚辰	庚戌	己卯	己酉	戊寅	丁未	丁丑	丙午	丙子	乙巳	丁丑	丙午	26
辛巳	辛亥	庚辰	庚戌	己卯	戊申	戊寅	丁未	丁丑	丙午	戊寅	丁未	27
十二月 壬午	壬子	辛巳	辛亥	庚辰	己酉	己卯	戊申	戊寅	丁未	己卯	戊申	28
癸未	十一月 癸丑	壬午	壬子	辛巳	庚戌	庚辰	己酉	己卯	戊申		己酉	29
甲申	甲寅	十月 癸未	九月 癸丑	壬午	辛亥	辛巳	庚戌	庚辰	己酉		庚戌	30
乙酉		甲申		癸未	壬子		辛亥		庚戌		辛亥	31

農曆初一　農曆十五

西曆一九七一年

12月	11月	10月	9月	8月	7月	6月	5月	4月	3月	2月	1月	月/日
庚申	庚寅	己未	己丑	戊午	丁亥	丁巳	丙戌	丙辰	乙酉	丁巳	丙戌	1
辛酉	辛卯	庚申	庚寅	己未	戊子	戊午	丁亥	丁巳	丙戌	戊午	丁亥	2
壬戌	壬辰	辛酉	辛卯	庚申	己丑	己未	戊子	戊午	丁亥	己未	戊子	3
癸亥	癸巳	壬戌	壬辰	辛酉	庚寅	庚申	己丑	己未	戊子	庚申	己丑	4
甲子	甲午	癸亥	癸巳	壬戌	辛卯	辛酉	庚寅	庚申	己丑	辛酉	庚寅	5
乙丑	乙未	甲子	甲午	癸亥	壬辰	壬戌	辛卯	辛酉	庚寅	壬戌	辛卯	6
丙寅	丙申	乙丑	乙未	甲子	癸巳	癸亥	壬辰	壬戌	辛卯	癸亥	壬辰	7
丁卯	丁酉	丙寅	丙申	乙丑	甲午	甲子	癸巳	癸亥	壬辰	甲子	癸巳	8
戊辰	戊戌	丁卯	丁酉	丙寅	乙未	乙丑	甲午	甲子	癸巳	乙丑	甲午	9
己巳	己亥	戊辰	戊戌	丁卯	丙申	丙寅	乙未	乙丑	甲午	丙寅	乙未	10
庚午	庚子	己巳	己亥	戊辰	丁酉	丁卯	丙申	丙寅	乙未	丁卯	丙申	11
辛未	辛丑	庚午	庚子	己巳	戊戌	戊辰	丁酉	丁卯	丙申	戊辰	丁酉	12
壬申	壬寅	辛未	辛丑	庚午	己亥	己巳	戊戌	戊辰	丁酉	己巳	戊戌	13
癸酉	癸卯	壬申	壬寅	辛未	庚子	庚午	己亥	己巳	戊戌	庚午	己亥	14
甲戌	甲辰	癸酉	癸卯	壬申	辛丑	辛未	庚子	庚午	己亥	辛未	庚子	15
乙亥	乙巳	甲戌	甲辰	癸酉	壬寅	壬申	辛丑	辛未	庚子	壬申	辛丑	16
丙子	丙午	乙亥	乙巳	甲戌	癸卯	癸酉	壬寅	壬申	辛丑	癸酉	壬寅	17
十一月 丁丑	十月 丁未	丙子	丙午	乙亥	甲辰	甲戌	癸卯	癸酉	壬寅	甲戌	癸卯	18
戊寅	戊申	九月 丁丑	八月 丁未	丙子	乙巳	乙亥	甲辰	甲戌	癸卯	乙亥	甲辰	19
己卯	己酉	戊寅	戊申	丁丑	丙午	丙子	乙巳	乙亥	甲辰	丙子	乙巳	20
庚辰	庚戌	己卯	己酉	七月 戊寅	丁未	丁丑	丙午	丙子	乙巳	丁丑	丙午	21
辛巳	辛亥	庚辰	庚戌	己卯	六月 戊申	戊寅	丁未	丁丑	丙午	戊寅	丁未	22
壬午	壬子	辛巳	辛亥	庚辰	己酉	閏五月 己卯	戊申	戊寅	丁未	己卯	戊申	23
癸未	癸丑	壬午	壬子	辛巳	庚戌	庚辰	五月 己酉	己卯	戊申	庚辰	己酉	24
甲申	甲寅	癸未	癸丑	壬午	辛亥	辛巳	庚戌	四月 庚辰	己酉	二月 辛巳	庚戌	25
乙酉	乙卯	甲申	甲寅	癸未	壬子	壬午	辛亥	辛巳	庚戌	壬午	辛亥	26
丙戌	丙辰	乙酉	乙卯	甲申	癸丑	癸未	壬子	壬午	三月 辛亥	癸未	正月 壬子	27
丁亥	丁巳	丙戌	丙辰	乙酉	甲寅	甲申	癸丑	癸未	壬子	甲申	癸丑	28
戊子	戊午	丁亥	丁巳	丙戌	乙卯	乙酉	甲寅	甲申	癸丑		甲寅	29
己丑	己未	戊子	戊午	丁亥	丙辰	丙戌	乙卯	乙酉	甲寅		乙卯	30
庚寅		己丑		戊子	丁巳		丙辰		乙卯		丙辰	31

農曆初一　農曆十五

西曆一九七二年

12月	11月	10月	9月	8月	7月	6月	5月	4月	3月	2月	1月	月/日
丙寅	丙申	乙丑	乙未	甲子	癸巳	癸亥	壬辰	壬戌	辛卯	壬戌	辛卯	1
丁卯	丁酉	丙寅	丙申	乙丑	甲午	甲子	癸巳	癸亥	壬辰	癸亥	壬辰	2
戊辰	戊戌	丁卯	丁酉	丙寅	乙未	乙丑	甲午	甲子	癸巳	甲子	癸巳	3
己巳	己亥	戊辰	戊戌	丁卯	丙申	丙寅	乙未	乙丑	甲午	乙丑	甲午	4
庚午	庚子	己巳	己亥	戊辰	丁酉	丁卯	丙申	丙寅	乙未	丙寅	乙未	5
十一月 辛未	十月 辛丑	庚午	庚子	己巳	戊戌	戊辰	丁酉	丁卯	丙申	丁卯	丙申	6
壬申	壬寅	九月 辛未	辛丑	庚午	己亥	己巳	戊戌	戊辰	丁酉	戊辰	丁酉	7
癸酉	癸卯	壬申	八月 壬寅	辛未	庚子	庚午	己亥	己巳	戊戌	己巳	戊戌	8
甲戌	甲辰	癸酉	癸卯	七月 壬申	辛丑	辛未	庚子	庚午	己亥	庚午	己亥	9
乙亥	乙巳	甲戌	甲辰	癸酉	壬寅	壬申	辛丑	辛未	庚子	辛未	庚子	10
丙子	丙午	乙亥	乙巳	甲戌	六月 癸卯	五月 癸酉	壬寅	壬申	辛丑	壬申	辛丑	11
丁丑	丁未	丙子	丙午	乙亥	甲辰	甲戌	癸卯	癸酉	壬寅	癸酉	壬寅	12
戊寅	戊申	丁丑	丁未	丙子	乙巳	乙亥	四月 甲辰	甲戌	癸卯	甲戌	癸卯	13
己卯	己酉	戊寅	戊申	丁丑	丙午	丙子	乙巳	三月 乙亥	甲辰	乙亥	甲辰	14
庚辰	庚戌	己卯	己酉	戊寅	丁未	丁丑	丙午	丙子	二月 乙巳	正月 丙子	乙巳	15
辛巳	辛亥	庚辰	庚戌	己卯	戊申	戊寅	丁未	丁丑	丙午	丁丑	十二月 丙午	16
壬午	壬子	辛巳	辛亥	庚辰	己酉	己卯	戊申	戊寅	丁未	戊寅	丁未	17
癸未	癸丑	壬午	壬子	辛巳	庚戌	庚辰	己酉	己卯	戊申	己卯	戊申	18
甲申	甲寅	癸未	癸丑	壬午	辛亥	辛巳	庚戌	庚辰	己酉	庚辰	己酉	19
乙酉	乙卯	甲申	甲寅	癸未	壬子	壬午	辛亥	辛巳	庚戌	辛巳	庚戌	20
丙戌	丙辰	乙酉	乙卯	甲申	癸丑	癸未	壬子	壬午	辛亥	壬午	辛亥	21
丁亥	丁巳	丙戌	丙辰	乙酉	甲寅	甲申	癸丑	癸未	壬子	癸未	壬子	22
戊子	戊午	丁亥	丁巳	丙戌	乙卯	乙酉	甲寅	甲申	癸丑	甲申	癸丑	23
己丑	己未	戊子	戊午	丁亥	丙辰	丙戌	乙卯	乙酉	甲寅	乙酉	甲寅	24
庚寅	庚申	己丑	己未	戊子	丁巳	丁亥	丙辰	丙戌	乙卯	丙戌	乙卯	25
辛卯	辛酉	庚寅	庚申	己丑	戊午	戊子	丁巳	丁亥	丙辰	丁亥	丙辰	26
壬辰	壬戌	辛卯	辛酉	庚寅	己未	己丑	戊午	戊子	丁巳	戊子	丁巳	27
癸巳	癸亥	壬辰	壬戌	辛卯	庚申	庚寅	己未	己丑	戊午	己丑	戊午	28
甲午	甲子	癸巳	癸亥	壬辰	辛酉	辛卯	庚申	庚寅	己未	庚寅	己未	29
乙未	乙丑	甲午	甲子	癸巳	壬戌	壬辰	辛酉	辛卯	庚申		庚申	30
丙申		乙未		甲午	癸亥		壬戌		辛酉		辛酉	31

農曆初一　農曆十五

西曆一九七三年

12月	11月	10月	9月	8月	7月	6月	5月	4月	3月	2月	1月	月/日
辛未	辛丑	庚午	庚子	己巳	戊戌	五月 戊辰	丁酉	丁卯	丙申	戊辰	丁酉	1
壬申	壬寅	辛未	辛丑	庚午	己亥	己巳	戊戌	戊辰	丁酉	己巳	戊戌	2
癸酉	癸卯	壬申	壬寅	辛未	庚子	庚午	四月 己亥	三月 己巳	戊戌	正月 庚午	己亥	3
甲戌	甲辰	癸酉	癸卯	壬申	辛丑	辛未	庚子	庚午	己亥	辛未	十二月 庚子	4
乙亥	乙巳	甲戌	甲辰	癸酉	壬寅	壬申	辛丑	辛未	二月 庚子	壬申	辛丑	5
丙子	丙午	乙亥	乙巳	甲戌	癸卯	癸酉	壬寅	壬申	辛丑	癸酉	壬寅	6
丁丑	丁未	丙子	丙午	乙亥	甲辰	甲戌	癸卯	癸酉	壬寅	甲戌	癸卯	7
戊寅	戊申	丁丑	丁未	丙子	乙巳	乙亥	甲辰	甲戌	癸卯	乙亥	甲辰	8
己卯	己酉	戊寅	戊申	丁丑	丙午	丙子	乙巳	乙亥	甲辰	丙子	乙巳	9
庚辰	庚戌	己卯	己酉	戊寅	丁未	丁丑	丙午	丙子	乙巳	丁丑	丙午	10
辛巳	辛亥	庚辰	庚戌	己卯	戊申	戊寅	丁未	丁丑	丙午	戊寅	丁未	11
壬午	壬子	辛巳	辛亥	庚辰	己酉	己卯	戊申	戊寅	丁未	己卯	戊申	12
癸未	癸丑	壬午	壬子	辛巳	庚戌	庚辰	己酉	己卯	戊申	庚辰	己酉	13
甲申	甲寅	癸未	癸丑	壬午	辛亥	辛巳	庚戌	庚辰	己酉	辛巳	庚戌	14
乙酉	乙卯	甲申	甲寅	癸未	壬子	壬午	辛亥	辛巳	庚戌	壬午	辛亥	15
丙戌	丙辰	乙酉	乙卯	甲申	癸丑	癸未	壬子	壬午	辛亥	癸未	壬子	16
丁亥	丁巳	丙戌	丙辰	乙酉	甲寅	甲申	癸丑	癸未	壬子	甲申	癸丑	17
戊子	戊午	丁亥	丁巳	丙戌	乙卯	乙酉	甲寅	甲申	癸丑	乙酉	甲寅	18
己丑	己未	戊子	戊午	丁亥	丙辰	丙戌	乙卯	乙酉	甲寅	丙戌	乙卯	19
庚寅	庚申	己丑	己未	戊子	丁巳	丁亥	丙辰	丙戌	乙卯	丁亥	丙辰	20
辛卯	辛酉	庚寅	庚申	己丑	戊午	戊子	丁巳	丁亥	丙辰	戊子	丁巳	21
壬辰	壬戌	辛卯	辛酉	庚寅	己未	己丑	戊午	戊子	丁巳	己丑	戊午	22
癸巳	癸亥	壬辰	壬戌	辛卯	庚申	庚寅	己未	己丑	戊午	庚寅	己未	23
十二月 甲午	甲子	癸巳	癸亥	壬辰	辛酉	辛卯	庚申	庚寅	己未	辛卯	庚申	24
乙未	十一月 乙丑	甲午	甲子	癸巳	壬戌	壬辰	辛酉	辛卯	庚申	壬辰	辛酉	25
丙申	丙寅	十月 乙未	九月 乙丑	甲午	癸亥	癸巳	壬戌	壬辰	辛酉	癸巳	壬戌	26
丁酉	丁卯	丙申	丙寅	乙未	甲子	甲午	癸亥	癸巳	壬戌	甲午	癸亥	27
戊戌	戊辰	丁酉	丁卯	八月 丙申	乙丑	乙未	甲子	甲午	癸亥	乙未	甲子	28
己亥	己巳	戊戌	戊辰	丁酉	丙寅	丙申	乙丑	乙未	甲子		乙丑	29
庚子	庚午	己亥	己巳	戊戌	七月 丁卯	六月 丁酉	丙寅	丙申	乙丑		丙寅	30
辛丑		庚子		己亥	戊辰		丁卯		丙寅		丁卯	31

農曆初一　農曆十五

西曆一九七四年

12月	11月	10月	9月	8月	7月	6月	5月	4月	3月	2月	1月	月/日
丙子	丙午	乙亥	乙巳	甲戌	癸卯	癸酉	壬寅	壬申	辛丑	癸酉	壬寅	1
丁丑	丁未	丙子	丙午	乙亥	甲辰	甲戌	癸卯	癸酉	壬寅	甲戌	癸卯	2
戊寅	戊申	丁丑	丁未	丙子	乙巳	乙亥	甲辰	甲戌	癸卯	乙亥	甲辰	3
己卯	己酉	戊寅	戊申	丁丑	丙午	丙子	乙巳	乙亥	甲辰	丙子	乙巳	4
庚辰	庚戌	己卯	己酉	戊寅	丁未	丁丑	丙午	丙子	乙巳	丁丑	丙午	5
辛巳	辛亥	庚辰	庚戌	己卯	戊申	戊寅	丁未	丁丑	丙午	戊寅	丁未	6
壬午	壬子	辛巳	辛亥	庚辰	己酉	己卯	戊申	戊寅	丁未	己卯	戊申	7
癸未	癸丑	壬午	壬子	辛巳	庚戌	庚辰	己酉	己卯	戊申	庚辰	己酉	8
甲申	甲寅	癸未	癸丑	壬午	辛亥	辛巳	庚戌	庚辰	己酉	辛巳	庚戌	9
乙酉	乙卯	甲申	甲寅	癸未	壬子	壬午	辛亥	辛巳	庚戌	壬午	辛亥	10
丙戌	丙辰	乙酉	乙卯	甲申	癸丑	癸未	壬子	壬午	辛亥	癸未	壬子	11
丁亥	丁巳	丙戌	丙辰	乙酉	甲寅	甲申	癸丑	癸未	壬子	甲申	癸丑	12
戊子	戊午	丁亥	丁巳	丙戌	乙卯	乙酉	甲寅	甲申	癸丑	乙酉	甲寅	13
十一月 己丑	十月 己未	戊子	戊午	丁亥	丙辰	丙戌	乙卯	乙酉	甲寅	丙戌	乙卯	14
庚寅	庚申	九月 己丑	己未	戊子	丁巳	丁亥	丙辰	丙戌	乙卯	丁亥	丙辰	15
辛卯	辛酉	庚寅	八月 庚申	己丑	戊午	戊子	丁巳	丁亥	丙辰	戊子	丁巳	16
壬辰	壬戌	辛卯	辛酉	庚寅	己未	己丑	戊午	戊子	丁巳	己丑	戊午	17
癸巳	癸亥	壬辰	壬戌	七月 辛卯	庚申	庚寅	己未	己丑	戊午	庚寅	己未	18
甲午	甲子	癸巳	癸亥	壬辰	六月 辛酉	辛卯	庚申	庚寅	己未	辛卯	庚申	19
乙未	乙丑	甲午	甲子	癸巳	壬戌	五月 壬辰	辛酉	辛卯	庚申	壬辰	辛酉	20
丙申	丙寅	乙未	乙丑	甲午	癸亥	癸巳	壬戌	壬辰	辛酉	癸巳	壬戌	21
丁酉	丁卯	丙申	丙寅	乙未	甲子	甲午	閏四月 癸亥	四月 癸巳	壬戌	二月 甲午	癸亥	22
戊戌	戊辰	丁酉	丁卯	丙申	乙丑	乙未	甲子	甲午	癸亥	乙未	正月 甲子	23
己亥	己巳	戊戌	戊辰	丁酉	丙寅	丙申	乙丑	乙未	三月 甲子	丙申	乙丑	24
庚子	庚午	己亥	己巳	戊戌	丁卯	丁酉	丙寅	丙申	乙丑	丁酉	丙寅	25
辛丑	辛未	庚子	庚午	己亥	戊辰	戊戌	丁卯	丁酉	丙寅	戊戌	丁卯	26
壬寅	壬申	辛丑	辛未	庚子	己巳	己亥	戊辰	戊戌	丁卯	己亥	戊辰	27
癸卯	癸酉	壬寅	壬申	辛丑	庚午	庚子	己巳	己亥	戊辰	庚子	己巳	28
甲辰	甲戌	癸卯	癸酉	壬寅	辛未	辛丑	庚午	庚子	己巳		庚午	29
乙巳	乙亥	甲辰	甲戌	癸卯	壬申	壬寅	辛未	辛丑	庚午		辛未	30
丙午		乙巳		甲辰	癸酉		壬申		辛未		壬申	31

農曆初一　農曆十五

西曆一九七五年

12月	11月	10月	9月	8月	7月	6月	5月	4月	3月	2月	1月	月/日
辛巳	辛亥	庚辰	庚戌	己卯	戊申	戊寅	丁未	丁丑	丙午	戊寅	丁未	1
壬午	壬子	辛巳	辛亥	庚辰	己酉	己卯	戊申	戊寅	丁未	己卯	戊申	2
十一月 癸未	十月 癸丑	壬午	壬子	辛巳	庚戌	庚辰	己酉	己卯	戊申	庚辰	己酉	3
甲申	甲寅	癸未	癸丑	壬午	辛亥	辛巳	庚戌	庚辰	己酉	辛巳	庚戌	4
乙酉	乙卯	九月 甲申	甲寅	癸未	壬子	壬午	辛亥	辛巳	庚戌	壬午	辛亥	5
丙戌	丙辰	乙酉	八月 乙卯	甲申	癸丑	癸未	壬子	壬午	辛亥	癸未	壬子	6
丁亥	丁巳	丙戌	丙辰	七月 乙酉	甲寅	甲申	癸丑	癸未	壬子	甲申	癸丑	7
戊子	戊午	丁亥	丁巳	丙戌	乙卯	乙酉	甲寅	甲申	癸丑	乙酉	甲寅	8
己丑	己未	戊子	戊午	丁亥	六月 丙辰	丙戌	乙卯	乙酉	甲寅	丙戌	乙卯	9
庚寅	庚申	己丑	己未	戊子	丁巳	五月 丁亥	丙辰	丙戌	乙卯	丁亥	丙辰	10
辛卯	辛酉	庚寅	庚申	己丑	戊午	戊子	四月 丁巳	丁亥	丙辰	正月 戊子	丁巳	11
壬辰	壬戌	辛卯	辛酉	庚寅	己未	己丑	戊午	三月 戊子	丁巳	己丑	十二月 戊午	12
癸巳	癸亥	壬辰	壬戌	辛卯	庚申	庚寅	己未	己丑	二月 戊午	庚寅	己未	13
甲午	甲子	癸巳	癸亥	壬辰	辛酉	辛卯	庚申	庚寅	己未	辛卯	庚申	14
乙未	乙丑	甲午	甲子	癸巳	壬戌	壬辰	辛酉	辛卯	庚申	壬辰	辛酉	15
丙申	丙寅	乙未	乙丑	甲午	癸亥	癸巳	壬戌	壬辰	辛酉	癸巳	壬戌	16
丁酉	丁卯	丙申	丙寅	乙未	甲子	甲午	癸亥	癸巳	壬戌	甲午	癸亥	17
戊戌	戊辰	丁酉	丁卯	丙申	乙丑	乙未	甲子	甲午	癸亥	乙未	甲子	18
己亥	己巳	戊戌	戊辰	丁酉	丙寅	丙申	乙丑	乙未	甲子	丙申	乙丑	19
庚子	庚午	己亥	己巳	戊戌	丁卯	丁酉	丙寅	丙申	乙丑	丁酉	丙寅	20
辛丑	辛未	庚子	庚午	己亥	戊辰	戊戌	丁卯	丁酉	丙寅	戊戌	丁卯	21
壬寅	壬申	辛丑	辛未	庚子	己巳	己亥	戊辰	戊戌	丁卯	己亥	戊辰	22
癸卯	癸酉	壬寅	壬申	辛丑	庚午	庚子	己巳	己亥	戊辰	庚子	己巳	23
甲辰	甲戌	癸卯	癸酉	壬寅	辛未	辛丑	庚午	庚子	己巳	辛丑	庚午	24
乙巳	乙亥	甲辰	甲戌	癸卯	壬申	壬寅	辛未	辛丑	庚午	壬寅	辛未	25
丙午	丙子	乙巳	乙亥	甲辰	癸酉	癸卯	壬申	壬寅	辛未	癸卯	壬申	26
丁未	丁丑	丙午	丙子	乙巳	甲戌	甲辰	癸酉	癸卯	壬申	甲辰	癸酉	27
戊申	戊寅	丁未	丁丑	丙午	乙亥	乙巳	甲戌	甲辰	癸酉	乙巳	甲戌	28
己酉	己卯	戊申	戊寅	丁未	丙子	丙午	乙亥	乙巳	甲戌		乙亥	29
庚戌	庚辰	己酉	己卯	戊申	丁丑	丁未	丙子	丙午	乙亥		丙子	30
辛亥		庚戌		己酉	戊寅		丁丑		丙子		丁丑	31

農曆初一　農曆十五

西曆一九七六年

月/日	1月	2月	3月	4月	5月	6月	7月	8月	9月	10月	11月	12月
1	(十二月) 壬子	癸未	(二月) 壬子	癸未	癸丑	甲申	甲寅	乙酉	丙辰	丙戌	丁巳	丁亥
2	癸丑	甲申	癸丑	甲申	甲寅	乙酉	乙卯	丙戌	丁巳	丁亥	戊午	戊子
3	甲寅	乙酉	甲寅	乙酉	乙卯	丙戌	丙辰	丁亥	戊午	戊子	己未	己丑
4	乙卯	丙戌	乙卯	丙戌	丙辰	丁亥	丁巳	戊子	己未	己丑	庚申	庚寅
5	丙辰	丁亥	丙辰	丁亥	丁巳	戊子	戊午	己丑	庚申	庚寅	辛酉	辛卯
6	丁巳	戊子	丁巳	戊子	戊午	己丑	己未	庚寅	辛酉	辛卯	壬戌	壬辰
7	戊午	己丑	戊午	己丑	己未	庚寅	庚申	辛卯	壬戌	壬辰	癸亥	癸巳
8	己未	庚寅	己未	庚寅	庚申	辛卯	辛酉	壬辰	癸亥	癸巳	甲子	甲午
9	庚申	辛卯	庚申	辛卯	辛酉	壬辰	壬戌	癸巳	甲子	甲午	乙丑	乙未
10	辛酉	壬辰	辛酉	壬辰	壬戌	癸巳	癸亥	甲午	乙丑	乙未	丙寅	丙申
11	壬戌	癸巳	壬戌	癸巳	癸亥	甲午	甲子	乙未	丙寅	丙申	丁卯	丁酉
12	癸亥	甲午	癸亥	甲午	甲子	乙未	乙丑	丙申	丁卯	丁酉	戊辰	戊戌
13	甲子	乙未	甲子	乙未	乙丑	丙申	丙寅	丁酉	戊辰	戊戌	己巳	己亥
14	乙丑	丙申	乙丑	丙申	丙寅	丁酉	丁卯	戊戌	己巳	己亥	庚午	庚子
15	丙寅	丁酉	丙寅	丁酉	丁卯	戊戌	戊辰	己亥	庚午	庚子	辛未	辛丑
16	丁卯	戊戌	丁卯	戊戌	戊辰	己亥	己巳	庚子	辛未	辛丑	壬申	壬寅
17	戊辰	己亥	戊辰	己亥	己巳	庚子	庚午	辛丑	壬申	壬寅	癸酉	癸卯
18	己巳	庚子	己巳	庚子	庚午	辛丑	辛未	壬寅	癸酉	癸卯	甲戌	甲辰
19	庚午	辛丑	庚午	辛丑	辛未	壬寅	壬申	癸卯	甲戌	甲辰	乙亥	乙巳
20	辛未	壬寅	辛未	壬寅	壬申	癸卯	癸酉	甲辰	乙亥	乙巳	丙子	丙午
21	壬申	癸卯	壬申	癸卯	癸酉	甲辰	甲戌	乙巳	丙子	丙午	(十月) 丁丑	(十一月) 丁未
22	癸酉	甲辰	癸酉	甲辰	甲戌	乙巳	乙亥	丙午	丁丑	丁未	戊寅	戊申
23	甲戌	乙巳	甲戌	乙巳	乙亥	丙午	丙子	丁未	戊寅	(九月) 戊申	己卯	己酉
24	乙亥	丙午	乙亥	丙午	丙子	丁未	丁丑	戊申	(閏八月) 己卯	己酉	庚辰	庚戌
25	丙子	丁未	丙子	丁未	丁丑	戊申	戊寅	(八月) 己酉	庚辰	庚戌	辛巳	辛亥
26	丁丑	戊申	丁丑	戊申	戊寅	己酉	己卯	庚戌	辛巳	辛亥	壬午	壬子
27	戊寅	己酉	戊寅	己酉	己卯	(六月) 庚戌	(七月) 庚辰	辛亥	壬午	壬子	癸未	癸丑
28	己卯	庚戌	己卯	庚戌	庚辰	辛亥	辛巳	壬子	癸未	癸丑	甲申	甲寅
29	庚辰	辛亥	庚辰	(四月) 辛亥	(五月) 辛巳	壬子	壬午	癸丑	甲申	甲寅	乙酉	乙卯
30	辛巳		辛巳	壬子	壬午	癸丑	癸未	甲寅	乙酉	乙卯	丙戌	丙辰
31	(正月) 壬午		(三月) 壬午		癸未		甲申	乙卯		丙辰		丁巳

農曆初一　農曆十五

西曆一九七七年

12月	11月	10月	9月	8月	7月	6月	5月	4月	3月	2月	1月	月/日
壬辰	壬戌	辛卯	辛酉	庚寅	己未	己丑	戊午	戊子	丁巳	己丑	戊午	1
癸巳	癸亥	壬辰	壬戌	辛卯	庚申	庚寅	己未	己丑	戊午	庚寅	己未	2
甲午	甲子	癸巳	癸亥	壬辰	辛酉	辛卯	庚申	庚寅	己未	辛卯	庚申	3
乙未	乙丑	甲午	甲子	癸巳	壬戌	壬辰	辛酉	辛卯	庚申	壬辰	辛酉	4
丙申	丙寅	乙未	乙丑	甲午	癸亥	癸巳	壬戌	壬辰	辛酉	癸巳	壬戌	5
丁酉	丁卯	丙申	丙寅	乙未	甲子	甲午	癸亥	癸巳	壬戌	甲午	癸亥	6
戊戌	戊辰	丁酉	丁卯	丙申	乙丑	乙未	甲子	甲午	癸亥	乙未	甲子	7
己亥	己巳	戊戌	戊辰	丁酉	丙寅	丙申	乙丑	乙未	甲子	丙申	乙丑	8
庚子	庚午	己亥	己巳	戊戌	丁卯	丁酉	丙寅	丙申	乙丑	丁酉	丙寅	9
辛丑	辛未	庚子	庚午	己亥	戊辰	戊戌	丁卯	丁酉	丙寅	戊戌	丁卯	10
十一月 壬寅	十月 壬申	辛丑	辛未	庚子	己巳	己亥	戊辰	戊戌	丁卯	己亥	戊辰	11
癸卯	癸酉	壬寅	壬申	辛丑	庚午	庚子	己巳	己亥	戊辰	庚子	己巳	12
甲辰	甲戌	九月 癸卯	八月 癸酉	壬寅	辛未	辛丑	庚午	庚子	己巳	辛丑	庚午	13
乙巳	乙亥	甲辰	甲戌	癸卯	壬申	壬寅	辛未	辛丑	庚午	壬寅	辛未	14
丙午	丙子	乙巳	乙亥	七月 甲辰	癸酉	癸卯	壬申	壬寅	辛未	癸卯	壬申	15
丁未	丁丑	丙午	丙子	乙巳	六月 甲戌	甲辰	癸酉	癸卯	壬申	甲辰	癸酉	16
戊申	戊寅	丁未	丁丑	丙午	乙亥	五月 乙巳	甲戌	甲辰	癸酉	乙巳	甲戌	17
己酉	己卯	戊申	戊寅	丁未	丙子	丙午	四月 乙亥	三月 乙巳	甲戌	正月 丙午	乙亥	18
庚戌	庚辰	己酉	己卯	戊申	丁丑	丁未	丙子	丙午	乙亥	丁未	十二月 丙子	19
辛亥	辛巳	庚戌	庚辰	己酉	戊寅	戊申	丁丑	丁未	二月 丙子	戊申	丁丑	20
壬子	壬午	辛亥	辛巳	庚戌	己卯	己酉	戊寅	戊申	丁丑	己酉	戊寅	21
癸丑	癸未	壬子	壬午	辛亥	庚辰	庚戌	己卯	己酉	戊寅	庚戌	己卯	22
甲寅	甲申	癸丑	癸未	壬子	辛巳	辛亥	庚辰	庚戌	己卯	辛亥	庚辰	23
乙卯	乙酉	甲寅	甲申	癸丑	壬午	壬子	辛巳	辛亥	庚辰	壬子	辛巳	24
丙辰	丙戌	乙卯	乙酉	甲寅	癸未	癸丑	壬午	壬子	辛巳	癸丑	壬午	25
丁巳	丁亥	丙辰	丙戌	乙卯	甲申	甲寅	癸未	癸丑	壬午	甲寅	癸未	26
戊午	戊子	丁巳	丁亥	丙辰	乙酉	乙卯	甲申	甲寅	癸未	乙卯	甲申	27
己未	己丑	戊午	戊子	丁巳	丙戌	丙辰	乙酉	乙卯	甲申	丙辰	乙酉	28
庚申	庚寅	己未	己丑	戊午	丁亥	丁巳	丙戌	丙辰	乙酉		丙戌	29
辛酉	辛卯	庚申	庚寅	己未	戊子	戊午	丁亥	丁巳	丙戌		丁亥	30
壬戌		辛酉		庚申	己丑		戊子		丁亥		戊子	31

農曆初一　農曆十五

西曆一九七八年

12月	11月	10月	9月	8月	7月	6月	5月	4月	3月	2月	1月	月/日
丁酉	十月 丁卯	丙申	丙寅	乙未	甲子	甲午	癸亥	癸巳	壬戌	甲午	癸亥	1
戊戌	戊辰	九月 丁酉	丁卯	丙申	乙丑	乙未	甲子	甲午	癸亥	乙未	甲子	2
己亥	己巳	戊戌	八月 戊辰	丁酉	丙寅	丙申	乙丑	乙未	甲子	丙申	乙丑	3
庚子	庚午	己亥	己巳	七月 戊戌	丁卯	丁酉	丙寅	丙申	乙丑	丁酉	丙寅	4
辛丑	辛未	庚子	庚午	己亥	六月 戊辰	戊戌	丁卯	丁酉	丙寅	戊戌	丁卯	5
壬寅	壬申	辛丑	辛未	庚子	己巳	五月 己亥	戊辰	戊戌	丁卯	己亥	戊辰	6
癸卯	癸酉	壬寅	壬申	辛丑	庚午	庚子	四月 己巳	三月 己亥	戊辰	正月 庚子	己巳	7
甲辰	甲戌	癸卯	癸酉	壬寅	辛未	辛丑	庚午	庚子	己巳	辛丑	庚午	8
乙巳	乙亥	甲辰	甲戌	癸卯	壬申	壬寅	辛未	辛丑	二月 庚午	壬寅	十二月 辛未	9
丙午	丙子	乙巳	乙亥	甲辰	癸酉	癸卯	壬申	壬寅	辛未	癸卯	壬申	10
丁未	丁丑	丙午	丙子	乙巳	甲戌	甲辰	癸酉	癸卯	壬申	甲辰	癸酉	11
戊申	戊寅	丁未	丁丑	丙午	乙亥	乙巳	甲戌	甲辰	癸酉	乙巳	甲戌	12
己酉	己卯	戊申	戊寅	丁未	丙子	丙午	乙亥	乙巳	甲戌	丙午	乙亥	13
庚戌	庚辰	己酉	己卯	戊申	丁丑	丁未	丙子	丙午	乙亥	丁未	丙子	14
辛亥	辛巳	庚戌	庚辰	己酉	戊寅	戊申	丁丑	丁未	丙子	戊申	丁丑	15
壬子	壬午	辛亥	辛巳	庚戌	己卯	己酉	戊寅	戊申	丁丑	己酉	戊寅	16
癸丑	癸未	壬子	壬午	辛亥	庚辰	庚戌	己卯	己酉	戊寅	庚戌	己卯	17
甲寅	甲申	癸丑	癸未	壬子	辛巳	辛亥	庚辰	庚戌	己卯	辛亥	庚辰	18
乙卯	乙酉	甲寅	甲申	癸丑	壬午	壬子	辛巳	辛亥	庚辰	壬子	辛巳	19
丙辰	丙戌	乙卯	乙酉	甲寅	癸未	癸丑	壬午	壬子	辛巳	癸丑	壬午	20
丁巳	丁亥	丙辰	丙戌	乙卯	甲申	甲寅	癸未	癸丑	壬午	甲寅	癸未	21
戊午	戊子	丁巳	丁亥	丙辰	乙酉	乙卯	甲申	甲寅	癸未	乙卯	甲申	22
己未	己丑	戊午	戊子	丁巳	丙戌	丙辰	乙酉	乙卯	甲申	丙辰	乙酉	23
庚申	庚寅	己未	己丑	戊午	丁亥	丁巳	丙戌	丙辰	乙酉	丁巳	丙戌	24
辛酉	辛卯	庚申	庚寅	己未	戊子	戊午	丁亥	丁巳	丙戌	戊午	丁亥	25
壬戌	壬辰	辛酉	辛卯	庚申	己丑	己未	戊子	戊午	丁亥	己未	戊子	26
癸亥	癸巳	壬戌	壬辰	辛酉	庚寅	庚申	己丑	己未	戊子	庚申	己丑	27
甲子	甲午	癸亥	癸巳	壬戌	辛卯	辛酉	庚寅	庚申	己丑	辛酉	庚寅	28
乙丑	乙未	甲子	甲午	癸亥	壬辰	壬戌	辛卯	辛酉	庚寅		辛卯	29
十二月 丙寅	十一月 丙申	乙丑	乙未	甲子	癸巳	癸亥	壬辰	壬戌	辛卯		壬辰	30
丁卯		丙寅		乙丑	甲午		癸巳		壬辰		癸巳	31

農曆初一　農曆十五

西曆一九七九年

12月	11月	10月	9月	8月	7月	6月	5月	4月	3月	2月	1月	月/日
壬寅	壬申	辛丑	辛未	庚子	己巳	己亥	戊辰	戊戌	丁卯	己亥	戊辰	1
癸卯	癸酉	壬寅	壬申	辛丑	庚午	庚子	己巳	己亥	戊辰	庚子	己巳	2
甲辰	甲戌	癸卯	癸酉	壬寅	辛未	辛丑	庚午	庚子	己巳	辛丑	庚午	3
乙巳	乙亥	甲辰	甲戌	癸卯	壬申	壬寅	辛未	辛丑	庚午	壬寅	辛未	4
丙午	丙子	乙巳	乙亥	甲辰	癸酉	癸卯	壬申	壬寅	辛未	癸卯	壬申	5
丁未	丁丑	丙午	丙子	乙巳	甲戌	甲辰	癸酉	癸卯	壬申	甲辰	癸酉	6
戊申	戊寅	丁未	丁丑	丙午	乙亥	乙巳	甲戌	甲辰	癸酉	乙巳	甲戌	7
己酉	己卯	戊申	戊寅	丁未	丙子	丙午	乙亥	乙巳	甲戌	丙午	乙亥	8
庚戌	庚辰	己酉	己卯	戊申	丁丑	丁未	丙子	丙午	乙亥	丁未	丙子	9
辛亥	辛巳	庚戌	庚辰	己酉	戊寅	戊申	丁丑	丁未	丙子	戊申	丁丑	10
壬子	壬午	辛亥	辛巳	庚戌	己卯	己酉	戊寅	戊申	丁丑	己酉	戊寅	11
癸丑	癸未	壬子	壬午	辛亥	庚辰	庚戌	己卯	己酉	戊寅	庚戌	己卯	12
甲寅	甲申	癸丑	癸未	壬子	辛巳	辛亥	庚辰	庚戌	己卯	辛亥	庚辰	13
乙卯	乙酉	甲寅	甲申	癸丑	壬午	壬子	辛巳	辛亥	庚辰	壬子	辛巳	14
丙辰	丙戌	乙卯	乙酉	甲寅	癸未	癸丑	壬午	壬子	辛巳	癸丑	壬午	15
丁巳	丁亥	丙辰	丙戌	乙卯	甲申	甲寅	癸未	癸丑	壬午	甲寅	癸未	16
戊午	戊子	丁巳	丁亥	丙辰	乙酉	乙卯	甲申	甲寅	癸未	乙卯	甲申	17
己未	己丑	戊午	戊子	丁巳	丙戌	丙辰	乙酉	乙卯	甲申	丙辰	乙酉	18
十一月 庚申	庚寅	己未	己丑	戊午	丁亥	丁巳	丙戌	丙辰	乙酉	丁巳	丙戌	19
辛酉	十月 辛卯	庚申	庚寅	己未	戊子	戊午	丁亥	丁巳	丙戌	戊午	丁亥	20
壬戌	壬辰	九月 辛酉	八月 辛卯	庚申	己丑	己未	戊子	戊午	丁亥	己未	戊子	21
癸亥	癸巳	壬戌	壬辰	辛酉	庚寅	庚申	己丑	己未	戊子	庚申	己丑	22
甲子	甲午	癸亥	癸巳	七月 壬戌	辛卯	辛酉	庚寅	庚申	己丑	辛酉	庚寅	23
乙丑	乙未	甲子	甲午	癸亥	閏六月 壬辰	六月 壬戌	辛卯	辛酉	庚寅	壬戌	辛卯	24
丙寅	丙申	乙丑	乙未	甲子	癸巳	癸亥	壬辰	壬戌	辛卯	癸亥	壬辰	25
丁卯	丁酉	丙寅	丙申	乙丑	甲午	甲子	五月 癸巳	四月 癸亥	壬辰	甲子	癸巳	26
戊辰	戊戌	丁卯	丁酉	丙寅	乙未	乙丑	甲午	甲子	癸巳	二月 乙丑	甲午	27
己巳	己亥	戊辰	戊戌	丁卯	丙申	丙寅	乙未	乙丑	三月 甲午	丙寅	正月 乙未	28
庚午	庚子	己巳	己亥	戊辰	丁酉	丁卯	丙申	丙寅	乙未		丙申	29
辛未	辛丑	庚午	庚子	己巳	戊戌	戊辰	丁酉	丁卯	丙申		丁酉	30
壬申		辛未		庚午	己亥		戊戌		丁酉		戊戌	31

農曆初一　農曆十五

西曆一九八〇年

12月	11月	10月	9月	8月	7月	6月	5月	4月	3月	2月	1月	月/日
戊申	戊寅	丁未	丁丑	丙午	乙亥	乙巳	甲戌	甲辰	癸酉	甲辰	癸酉	1
己酉	己卯	戊申	戊寅	丁未	丙子	丙午	乙亥	乙巳	甲戌	乙巳	甲戌	2
庚戌	庚辰	己酉	己卯	戊申	丁丑	丁未	丙子	丙午	乙亥	丙午	乙亥	3
辛亥	辛巳	庚戌	庚辰	己酉	戊寅	戊申	丁丑	丁未	丙子	丁未	丙子	4
壬子	壬午	辛亥	辛巳	庚戌	己卯	己酉	戊寅	戊申	丁丑	戊申	丁丑	5
癸丑	癸未	壬子	壬午	辛亥	庚辰	庚戌	己卯	己酉	戊寅	己酉	戊寅	6
十一月 甲寅	甲申	癸丑	癸未	壬子	辛巳	辛亥	庚辰	庚戌	己卯	庚戌	己卯	7
乙卯	十月 乙酉	甲寅	甲申	癸丑	壬午	壬子	辛巳	辛亥	庚辰	辛亥	庚辰	8
丙辰	丙戌	九月 乙卯	八月 乙酉	甲寅	癸未	癸丑	壬午	壬子	辛巳	壬子	辛巳	9
丁巳	丁亥	丙辰	丙戌	乙卯	甲申	甲寅	癸未	癸丑	壬午	癸丑	壬午	10
戊午	戊子	丁巳	丁亥	七月 丙辰	乙酉	乙卯	甲申	甲寅	癸未	甲寅	癸未	11
己未	己丑	戊午	戊子	丁巳	六月 丙戌	丙辰	乙酉	乙卯	甲申	乙卯	甲申	12
庚申	庚寅	己未	己丑	戊午	丁亥	五月 丁巳	丙戌	丙辰	乙酉	丙辰	乙酉	13
辛酉	辛卯	庚申	庚寅	己未	戊子	戊午	四月 丁亥	丁巳	丙戌	丁巳	丙戌	14
壬戌	壬辰	辛酉	辛卯	庚申	己丑	己未	戊子	三月 戊午	丁亥	戊午	丁亥	15
癸亥	癸巳	壬戌	壬辰	辛酉	庚寅	庚申	己丑	己未	戊子	正月 己未	戊子	16
甲子	甲午	癸亥	癸巳	壬戌	辛卯	辛酉	庚寅	庚申	二月 己丑	庚申	己丑	17
乙丑	乙未	甲子	甲午	癸亥	壬辰	壬戌	辛卯	辛酉	庚寅	辛酉	十二月 庚寅	18
丙寅	丙申	乙丑	乙未	甲子	癸巳	癸亥	壬辰	壬戌	辛卯	壬戌	辛卯	19
丁卯	丁酉	丙寅	丙申	乙丑	甲午	甲子	癸巳	癸亥	壬辰	癸亥	壬辰	20
戊辰	戊戌	丁卯	丁酉	丙寅	乙未	乙丑	甲午	甲子	癸巳	甲子	癸巳	21
己巳	己亥	戊辰	戊戌	丁卯	丙申	丙寅	乙未	乙丑	甲午	乙丑	甲午	22
庚午	庚子	己巳	己亥	戊辰	丁酉	丁卯	丙申	丙寅	乙未	丙寅	乙未	23
辛未	辛丑	庚午	庚子	己巳	戊戌	戊辰	丁酉	丁卯	丙申	丁卯	丙申	24
壬申	壬寅	辛未	辛丑	庚午	己亥	己巳	戊戌	戊辰	丁酉	戊辰	丁酉	25
癸酉	癸卯	壬申	壬寅	辛未	庚子	庚午	己亥	己巳	戊戌	己巳	戊戌	26
甲戌	甲辰	癸酉	癸卯	壬申	辛丑	辛未	庚子	庚午	己亥	庚午	己亥	27
乙亥	乙巳	甲戌	甲辰	癸酉	壬寅	壬申	辛丑	辛未	庚子	辛未	庚子	28
丙子	丙午	乙亥	乙巳	甲戌	癸卯	癸酉	壬寅	壬申	辛丑	壬申	辛丑	29
丁丑	丁未	丙子	丙午	乙亥	甲辰	甲戌	癸卯	癸酉	壬寅		壬寅	30
戊寅		丁丑		丙子	乙巳		甲辰		癸卯		癸卯	31

農曆初一　農曆十五

西曆一九八一年

12月	11月	10月	9月	8月	7月	6月	5月	4月	3月	2月	1月	月/日
癸丑	癸未	壬子	壬午	辛亥	庚辰	庚戌	己卯	己酉	戊寅	庚戌	己卯	1
甲寅	甲申	癸丑	癸未	壬子	六月 辛巳	五月 辛亥	庚辰	庚戌	己卯	辛亥	庚辰	2
乙卯	乙酉	甲寅	甲申	癸丑	壬午	壬子	辛巳	辛亥	庚辰	壬子	辛巳	3
丙辰	丙戌	乙卯	乙酉	甲寅	癸未	癸丑	四月 壬午	壬子	辛巳	癸丑	壬午	4
丁巳	丁亥	丙辰	丙戌	乙卯	甲申	甲寅	癸未	三月 癸丑	壬午	正月 甲寅	癸未	5
戊午	戊子	丁巳	丁亥	丙辰	乙酉	乙卯	甲申	甲寅	二月 癸未	乙卯	十二月 甲申	6
己未	己丑	戊午	戊子	丁巳	丙戌	丙辰	乙酉	乙卯	甲申	丙辰	乙酉	7
庚申	庚寅	己未	己丑	戊午	丁亥	丁巳	丙戌	丙辰	乙酉	丁巳	丙戌	8
辛酉	辛卯	庚申	庚寅	己未	戊子	戊午	丁亥	丁巳	丙戌	戊午	丁亥	9
壬戌	壬辰	辛酉	辛卯	庚申	己丑	己未	戊子	戊午	丁亥	己未	戊子	10
癸亥	癸巳	壬戌	壬辰	辛酉	庚寅	庚申	己丑	己未	戊子	庚申	己丑	11
甲子	甲午	癸亥	癸巳	壬戌	辛卯	辛酉	庚寅	庚申	己丑	辛酉	庚寅	12
乙丑	乙未	甲子	甲午	癸亥	壬辰	壬戌	辛卯	辛酉	庚寅	壬戌	辛卯	13
丙寅	丙申	乙丑	乙未	甲子	癸巳	癸亥	壬辰	壬戌	辛卯	癸亥	壬辰	14
丁卯	丁酉	丙寅	丙申	乙丑	甲午	甲子	癸巳	癸亥	壬辰	甲子	癸巳	15
戊辰	戊戌	丁卯	丁酉	丙寅	乙未	乙丑	甲午	甲子	癸巳	乙丑	甲午	16
己巳	己亥	戊辰	戊戌	丁卯	丙申	丙寅	乙未	乙丑	甲午	丙寅	乙未	17
庚午	庚子	己巳	己亥	戊辰	丁酉	丁卯	丙申	丙寅	乙未	丁卯	丙申	18
辛未	辛丑	庚午	庚子	己巳	戊戌	戊辰	丁酉	丁卯	丙申	戊辰	丁酉	19
壬申	壬寅	辛未	辛丑	庚午	己亥	己巳	戊戌	戊辰	丁酉	己巳	戊戌	20
癸酉	癸卯	壬申	壬寅	辛未	庚子	庚午	己亥	己巳	戊戌	庚午	己亥	21
甲戌	甲辰	癸酉	癸卯	壬申	辛丑	辛未	庚子	庚午	己亥	辛未	庚子	22
乙亥	乙巳	甲戌	甲辰	癸酉	壬寅	壬申	辛丑	辛未	庚子	壬申	辛丑	23
丙子	丙午	乙亥	乙巳	甲戌	癸卯	癸酉	壬寅	壬申	辛丑	癸酉	壬寅	24
丁丑	丁未	丙子	丙午	乙亥	甲辰	甲戌	癸卯	癸酉	壬寅	甲戌	癸卯	25
十二月 戊寅	十一月 戊申	丁丑	丁未	丙子	乙巳	乙亥	甲辰	甲戌	癸卯	乙亥	甲辰	26
己卯	己酉	戊寅	戊申	丁丑	丙午	丙子	乙巳	乙亥	甲辰	丙子	乙巳	27
庚辰	庚戌	十月 己卯	九月 己酉	戊寅	丁未	丁丑	丙午	丙子	乙巳	丁丑	丙午	28
辛巳	辛亥	庚辰	庚戌	八月 己卯	戊申	戊寅	丁未	丁丑	丙午		丁未	29
壬午	壬子	辛巳	辛亥	庚辰	己酉	己卯	戊申	戊寅	丁未		戊申	30
癸未		壬午		辛巳	七月 庚戌		己酉		戊申		己酉	31

農曆初一　農曆十五

西曆一九八二年

12月	11月	10月	9月	8月	7月	6月	5月	4月	3月	2月	1月	月/日
戊午	戊子	丁巳	丁亥	丙辰	乙酉	乙卯	甲申	甲寅	癸未	乙卯	甲申	1
己未	己丑	戊午	戊子	丁巳	丙戌	丙辰	乙酉	乙卯	甲申	丙辰	乙酉	2
庚申	庚寅	己未	己丑	戊午	丁亥	丁巳	丙戌	丙辰	乙酉	丁巳	丙戌	3
辛酉	辛卯	庚申	庚寅	己未	戊子	戊午	丁亥	丁巳	丙戌	戊午	丁亥	4
壬戌	壬辰	辛酉	辛卯	庚申	己丑	己未	戊子	戊午	丁亥	己未	戊子	5
癸亥	癸巳	壬戌	壬辰	辛酉	庚寅	庚申	己丑	己未	戊子	庚申	己丑	6
甲子	甲午	癸亥	癸巳	壬戌	辛卯	辛酉	庚寅	庚申	己丑	辛酉	庚寅	7
乙丑	乙未	甲子	甲午	癸亥	壬辰	壬戌	辛卯	辛酉	庚寅	壬戌	辛卯	8
丙寅	丙申	乙丑	乙未	甲子	癸巳	癸亥	壬辰	壬戌	辛卯	癸亥	壬辰	9
丁卯	丁酉	丙寅	丙申	乙丑	甲午	甲子	癸巳	癸亥	壬辰	甲子	癸巳	10
戊辰	戊戌	丁卯	丁酉	丙寅	乙未	乙丑	甲午	甲子	癸巳	乙丑	甲午	11
己巳	己亥	戊辰	戊戌	丁卯	丙申	丙寅	乙未	乙丑	甲午	丙寅	乙未	12
庚午	庚子	己巳	己亥	戊辰	丁酉	丁卯	丙申	丙寅	乙未	丁卯	丙申	13
辛未	辛丑	庚午	庚子	己巳	戊戌	戊辰	丁酉	丁卯	丙申	戊辰	丁酉	14
十一月 壬申	十月 壬寅	辛未	辛丑	庚午	己亥	己巳	戊戌	戊辰	丁酉	己巳	戊戌	15
癸酉	癸卯	壬申	壬寅	辛未	庚子	庚午	己亥	己巳	戊戌	庚午	己亥	16
甲戌	甲辰	九月 癸酉	八月 癸卯	壬申	辛丑	辛未	庚子	庚午	己亥	辛未	庚子	17
乙亥	乙巳	甲戌	甲辰	癸酉	壬寅	壬申	辛丑	辛未	庚子	壬申	辛丑	18
丙子	丙午	乙亥	乙巳	七月 甲戌	癸卯	癸酉	壬寅	壬申	辛丑	癸酉	壬寅	19
丁丑	丁未	丙子	丙午	乙亥	甲辰	甲戌	癸卯	癸酉	壬寅	甲戌	癸卯	20
戊寅	戊申	丁丑	丁未	丙子	六月 乙巳	五月 乙亥	甲辰	甲戌	癸卯	乙亥	甲辰	21
己卯	己酉	戊寅	戊申	丁丑	丙午	丙子	乙巳	乙亥	甲辰	丙子	乙巳	22
庚辰	庚戌	己卯	己酉	戊寅	丁未	丁丑	閏四月 丙午	丙子	乙巳	丁丑	丙午	23
辛巳	辛亥	庚辰	庚戌	己卯	戊申	戊寅	丁未	四月 丁丑	丙午	二月 戊寅	丁未	24
壬午	壬子	辛巳	辛亥	庚辰	己酉	己卯	戊申	戊寅	三月 丁未	己卯	正月 戊申	25
癸未	癸丑	壬午	壬子	辛巳	庚戌	庚辰	己酉	己卯	戊申	庚辰	己酉	26
甲申	甲寅	癸未	癸丑	壬午	辛亥	辛巳	庚戌	庚辰	己酉	辛巳	庚戌	27
乙酉	乙卯	甲申	甲寅	癸未	壬子	壬午	辛亥	辛巳	庚戌	壬午	辛亥	28
丙戌	丙辰	乙酉	乙卯	甲申	癸丑	癸未	壬子	壬午	辛亥		壬子	29
丁亥	丁巳	丙戌	丙辰	乙酉	甲寅	甲申	癸丑	癸未	壬子		癸丑	30
戊子		丁亥		丙戌	乙卯		甲寅		癸丑		甲寅	31

農曆初一　農曆十五

西曆一九八三年

12月	11月	10月	9月	8月	7月	6月	5月	4月	3月	2月	1月	月/日
癸亥	癸巳	壬戌	壬辰	辛酉	庚寅	庚申	己丑	己未	戊子	庚申	己丑	1
甲子	甲午	癸亥	癸巳	壬戌	辛卯	辛酉	庚寅	庚申	己丑	辛酉	庚寅	2
乙丑	乙未	甲子	甲午	癸亥	壬辰	壬戌	辛卯	辛酉	庚寅	壬戌	辛卯	3
十一月 丙寅	丙申	乙丑	乙未	甲子	癸巳	癸亥	壬辰	壬戌	辛卯	癸亥	壬辰	4
丁卯	十月 丁酉	丙寅	丙申	乙丑	甲午	甲子	癸巳	癸亥	壬辰	甲子	癸巳	5
戊辰	戊戌	九月 丁卯	丁酉	丙寅	乙未	乙丑	甲午	甲子	癸巳	乙丑	甲午	6
己巳	己亥	戊辰	八月 戊戌	丁卯	丙申	丙寅	乙未	乙丑	甲午	丙寅	乙未	7
庚午	庚子	己巳	己亥	戊辰	丁酉	丁卯	丙申	丙寅	乙未	丁卯	丙申	8
辛未	辛丑	庚午	庚子	七月 己巳	戊戌	戊辰	丁酉	丁卯	丙申	戊辰	丁酉	9
壬申	壬寅	辛未	辛丑	庚午	六月 己亥	己巳	戊戌	戊辰	丁酉	己巳	戊戌	10
癸酉	癸卯	壬申	壬寅	辛未	庚子	五月 庚午	己亥	己巳	戊戌	庚午	己亥	11
甲戌	甲辰	癸酉	癸卯	壬申	辛丑	辛未	庚子	庚午	己亥	辛未	庚子	12
乙亥	乙巳	甲戌	甲辰	癸酉	壬寅	壬申	四月 辛丑	三月 辛未	庚子	正月 壬申	辛丑	13
丙子	丙午	乙亥	乙巳	甲戌	癸卯	癸酉	壬寅	壬申	辛丑	癸酉	十二月 壬寅	14
丁丑	丁未	丙子	丙午	乙亥	甲辰	甲戌	癸卯	癸酉	二月 壬寅	甲戌	癸卯	15
戊寅	戊申	丁丑	丁未	丙子	乙巳	乙亥	甲辰	甲戌	癸卯	乙亥	甲辰	16
己卯	己酉	戊寅	戊申	丁丑	丙午	丙子	乙巳	乙亥	甲辰	丙子	乙巳	17
庚辰	庚戌	己卯	己酉	戊寅	丁未	丁丑	丙午	丙子	乙巳	丁丑	丙午	18
辛巳	辛亥	庚辰	庚戌	己卯	戊申	戊寅	丁未	丁丑	丙午	戊寅	丁未	19
壬午	壬子	辛巳	辛亥	庚辰	己酉	己卯	戊申	戊寅	丁未	己卯	戊申	20
癸未	癸丑	壬午	壬子	辛巳	庚戌	庚辰	己酉	己卯	戊申	庚辰	己酉	21
甲申	甲寅	癸未	癸丑	壬午	辛亥	辛巳	庚戌	庚辰	己酉	辛巳	庚戌	22
乙酉	乙卯	甲申	甲寅	癸未	壬子	壬午	辛亥	辛巳	庚戌	壬午	辛亥	23
丙戌	丙辰	乙酉	乙卯	甲申	癸丑	癸未	壬子	壬午	辛亥	癸未	壬子	24
丁亥	丁巳	丙戌	丙辰	乙酉	甲寅	甲申	癸丑	癸未	壬子	甲申	癸丑	25
戊子	戊午	丁亥	丁巳	丙戌	乙卯	乙酉	甲寅	甲申	癸丑	乙酉	甲寅	26
己丑	己未	戊子	戊午	丁亥	丙辰	丙戌	乙卯	乙酉	甲寅	丙戌	乙卯	27
庚寅	庚申	己丑	己未	戊子	丁巳	丁亥	丙辰	丙戌	乙卯	丁亥	丙辰	28
辛卯	辛酉	庚寅	庚申	己丑	戊午	戊子	丁巳	丁亥	丙辰		丁巳	29
壬辰	壬戌	辛卯	辛酉	庚寅	己未	己丑	戊午	戊子	丁巳		戊午	30
癸巳		壬辰		辛卯	庚申		己未		戊午		己未	31

農曆初一　農曆十五

西曆一九八四年

12月	11月	10月	9月	8月	7月	6月	5月	4月	3月	2月	1月	月/日
己巳	己亥	戊辰	戊戌	丁卯	丙申	丙寅	四月 乙未	三月 乙丑	甲午	乙丑	甲午	1
庚午	庚子	己巳	己亥	戊辰	丁酉	丁卯	丙申	丙寅	乙未	正月 丙寅	乙未	2
辛未	辛丑	庚午	庚子	己巳	戊戌	戊辰	丁酉	丁卯	二月 丙申	丁卯	十二月 丙申	3
壬申	壬寅	辛未	辛丑	庚午	己亥	己巳	戊戌	戊辰	丁酉	戊辰	丁酉	4
癸酉	癸卯	壬申	壬寅	辛未	庚子	庚午	己亥	己巳	戊戌	己巳	戊戌	5
甲戌	甲辰	癸酉	癸卯	壬申	辛丑	辛未	庚子	庚午	己亥	庚午	己亥	6
乙亥	乙巳	甲戌	甲辰	癸酉	壬寅	壬申	辛丑	辛未	庚子	辛未	庚子	7
丙子	丙午	乙亥	乙巳	甲戌	癸卯	癸酉	壬寅	壬申	辛丑	壬申	辛丑	8
丁丑	丁未	丙子	丙午	乙亥	甲辰	甲戌	癸卯	癸酉	壬寅	癸酉	壬寅	9
戊寅	戊申	丁丑	丁未	丙子	乙巳	乙亥	甲辰	甲戌	癸卯	甲戌	癸卯	10
己卯	己酉	戊寅	戊申	丁丑	丙午	丙子	乙巳	乙亥	甲辰	乙亥	甲辰	11
庚辰	庚戌	己卯	己酉	戊寅	丁未	丁丑	丙午	丙子	乙巳	丙子	乙巳	12
辛巳	辛亥	庚辰	庚戌	己卯	戊申	戊寅	丁未	丁丑	丙午	丁丑	丙午	13
壬午	壬子	辛巳	辛亥	庚辰	己酉	己卯	戊申	戊寅	丁未	戊寅	丁未	14
癸未	癸丑	壬午	壬子	辛巳	庚戌	庚辰	己酉	己卯	戊申	己卯	戊申	15
甲申	甲寅	癸未	癸丑	壬午	辛亥	辛巳	庚戌	庚辰	己酉	庚辰	己酉	16
乙酉	乙卯	甲申	甲寅	癸未	壬子	壬午	辛亥	辛巳	庚戌	辛巳	庚戌	17
丙戌	丙辰	乙酉	乙卯	甲申	癸丑	癸未	壬子	壬午	辛亥	壬午	辛亥	18
丁亥	丁巳	丙戌	丙辰	乙酉	甲寅	甲申	癸丑	癸未	壬子	癸未	壬子	19
戊子	戊午	丁亥	丁巳	丙戌	乙卯	乙酉	甲寅	甲申	癸丑	甲申	癸丑	20
己丑	己未	戊子	戊午	丁亥	丙辰	丙戌	乙卯	乙酉	甲寅	乙酉	甲寅	21
十一月 庚寅	庚申	己丑	己未	戊子	丁巳	丁亥	丙辰	丙戌	乙卯	丙戌	乙卯	22
辛卯	閏十月 辛酉	庚寅	庚申	己丑	戊午	戊子	丁巳	丁亥	丙辰	丁亥	丙辰	23
壬辰	壬戌	十月 辛卯	辛酉	庚寅	己未	己丑	戊午	戊子	丁巳	戊子	丁巳	24
癸巳	癸亥	壬辰	九月 壬戌	辛卯	庚申	庚寅	己未	己丑	戊午	己丑	戊午	25
甲午	甲子	癸巳	癸亥	壬辰	辛酉	辛卯	庚申	庚寅	己未	庚寅	己未	26
乙未	乙丑	甲午	甲子	八月 癸巳	壬戌	壬辰	辛酉	辛卯	庚申	辛卯	庚申	27
丙申	丙寅	乙未	乙丑	甲午	七月 癸亥	癸巳	壬戌	壬辰	辛酉	壬辰	辛酉	28
丁酉	丁卯	丙申	丙寅	乙未	甲子	六月 甲午	癸亥	癸巳	壬戌	癸巳	壬戌	29
戊戌	戊辰	丁酉	丁卯	丙申	乙丑	乙未	甲子	甲午	癸亥		癸亥	30
己亥		戊戌		丁酉	丙寅		五月 乙丑		甲子		甲子	31

農曆初一　農曆十五

西曆一九八五年

12月	11月	10月	9月	8月	7月	6月	5月	4月	3月	2月	1月	月/日
甲戌	甲辰	癸酉	癸卯	壬申	辛丑	辛未	庚子	庚午	己亥	辛未	庚子	1
乙亥	乙巳	甲戌	甲辰	癸酉	壬寅	壬申	辛丑	辛未	庚子	壬申	辛丑	2
丙子	丙午	乙亥	乙巳	甲戌	癸卯	癸酉	壬寅	壬申	辛丑	癸酉	壬寅	3
丁丑	丁未	丙子	丙午	乙亥	甲辰	甲戌	癸卯	癸酉	壬寅	甲戌	癸卯	4
戊寅	戊申	丁丑	丁未	丙子	乙巳	乙亥	甲辰	甲戌	癸卯	乙亥	甲辰	5
己卯	己酉	戊寅	戊申	丁丑	丙午	丙子	乙巳	乙亥	甲辰	丙子	乙巳	6
庚辰	庚戌	己卯	己酉	戊寅	丁未	丁丑	丙午	丙子	乙巳	丁丑	丙午	7
辛巳	辛亥	庚辰	庚戌	己卯	戊申	戊寅	丁未	丁丑	丙午	戊寅	丁未	8
壬午	壬子	辛巳	辛亥	庚辰	己酉	己卯	戊申	戊寅	丁未	己卯	戊申	9
癸未	癸丑	壬午	壬子	辛巳	庚戌	庚辰	己酉	己卯	戊申	庚辰	己酉	10
甲申	甲寅	癸未	癸丑	壬午	辛亥	辛巳	庚戌	庚辰	己酉	辛巳	庚戌	11
十一月 乙酉	十月 乙卯	甲申	甲寅	癸未	壬子	壬午	辛亥	辛巳	庚戌	壬午	辛亥	12
丙戌	丙辰	乙酉	乙卯	甲申	癸丑	癸未	壬子	壬午	辛亥	癸未	壬子	13
丁亥	丁巳	九月 丙戌	丙辰	乙酉	甲寅	甲申	癸丑	癸未	壬子	甲申	癸丑	14
戊子	戊午	丁亥	八月 丁巳	丙戌	乙卯	乙酉	甲寅	甲申	癸丑	乙酉	甲寅	15
己丑	己未	戊子	戊午	七月 丁亥	丙辰	丙戌	乙卯	乙酉	甲寅	丙戌	乙卯	16
庚寅	庚申	己丑	己未	戊子	丁巳	丁亥	丙辰	丙戌	乙卯	丁亥	丙辰	17
辛卯	辛酉	庚寅	庚申	己丑	六月 戊午	五月 戊子	丁巳	丁亥	丙辰	戊子	丁巳	18
壬辰	壬戌	辛卯	辛酉	庚寅	己未	己丑	戊午	戊子	丁巳	己丑	戊午	19
癸巳	癸亥	壬辰	壬戌	辛卯	庚申	庚寅	四月 己未	三月 己丑	戊午	正月 庚寅	己未	20
甲午	甲子	癸巳	癸亥	壬辰	辛酉	辛卯	庚申	庚寅	二月 己未	辛卯	十二月 庚申	21
乙未	乙丑	甲午	甲子	癸巳	壬戌	壬辰	辛酉	辛卯	庚申	壬辰	辛酉	22
丙申	丙寅	乙未	乙丑	甲午	癸亥	癸巳	壬戌	壬辰	辛酉	癸巳	壬戌	23
丁酉	丁卯	丙申	丙寅	乙未	甲子	甲午	癸亥	癸巳	壬戌	甲午	癸亥	24
戊戌	戊辰	丁酉	丁卯	丙申	乙丑	乙未	甲子	甲午	癸亥	乙未	甲子	25
己亥	己巳	戊戌	戊辰	丁酉	丙寅	丙申	乙丑	乙未	甲子	丙申	乙丑	26
庚子	庚午	己亥	己巳	戊戌	丁卯	丁酉	丙寅	丙申	乙丑	丁酉	丙寅	27
辛丑	辛未	庚子	庚午	己亥	戊辰	戊戌	丁卯	丁酉	丙寅	戊戌	丁卯	28
壬寅	壬申	辛丑	辛未	庚子	己巳	己亥	戊辰	戊戌	丁卯		戊辰	29
癸卯	癸酉	壬寅	壬申	辛丑	庚午	庚子	己巳	己亥	戊辰		己巳	30
甲辰		癸卯		壬寅	辛未		庚午		己巳		庚午	31

農曆初一　農曆十五

西曆一九八六年

12月	11月	10月	9月	8月	7月	6月	5月	4月	3月	2月	1月	月/日
己卯	己酉	戊寅	戊申	丁丑	丙午	丙子	乙巳	乙亥	甲辰	丙子	乙巳	1
十一月 庚辰	十月 庚戌	己卯	己酉	戊寅	丁未	丁丑	丙午	丙子	乙巳	丁丑	丙午	2
辛巳	辛亥	庚辰	庚戌	己卯	戊申	戊寅	丁未	丁丑	丙午	戊寅	丁未	3
壬午	壬子	九月 辛巳	八月 辛亥	庚辰	己酉	己卯	戊申	戊寅	丁未	己卯	戊申	4
癸未	癸丑	壬午	壬子	辛巳	庚戌	庚辰	己酉	己卯	戊申	庚辰	己酉	5
甲申	甲寅	癸未	癸丑	七月 壬午	辛亥	辛巳	庚戌	庚辰	己酉	辛巳	庚戌	6
乙酉	乙卯	甲申	甲寅	癸未	六月 壬子	五月 壬午	辛亥	辛巳	庚戌	壬午	辛亥	7
丙戌	丙辰	乙酉	乙卯	甲申	癸丑	癸未	壬子	壬午	辛亥	癸未	壬子	8
丁亥	丁巳	丙戌	丙辰	乙酉	甲寅	甲申	四月 癸丑	三月 癸未	壬子	正月 甲申	癸丑	9
戊子	戊午	丁亥	丁巳	丙戌	乙卯	乙酉	甲寅	甲申	二月 癸丑	乙酉	十二月 甲寅	10
己丑	己未	戊子	戊午	丁亥	丙辰	丙戌	乙卯	乙酉	甲寅	丙戌	乙卯	11
庚寅	庚申	己丑	己未	戊子	丁巳	丁亥	丙辰	丙戌	乙卯	丁亥	丙辰	12
辛卯	辛酉	庚寅	庚申	己丑	戊午	戊子	丁巳	丁亥	丙辰	戊子	丁巳	13
壬辰	壬戌	辛卯	辛酉	庚寅	己未	己丑	戊午	戊子	丁巳	己丑	戊午	14
癸巳	癸亥	壬辰	壬戌	辛卯	庚申	庚寅	己未	己丑	戊午	庚寅	己未	15
甲午	甲子	癸巳	癸亥	壬辰	辛酉	辛卯	庚申	庚寅	己未	辛卯	庚申	16
乙未	乙丑	甲午	甲子	癸巳	壬戌	壬辰	辛酉	辛卯	庚申	壬辰	辛酉	17
丙申	丙寅	乙未	乙丑	甲午	癸亥	癸巳	壬戌	壬辰	辛酉	癸巳	壬戌	18
丁酉	丁卯	丙申	丙寅	乙未	甲子	甲午	癸亥	癸巳	壬戌	甲午	癸亥	19
戊戌	戊辰	丁酉	丁卯	丙申	乙丑	乙未	甲子	甲午	癸亥	乙未	甲子	20
己亥	己巳	戊戌	戊辰	丁酉	丙寅	丙申	乙丑	乙未	甲子	丙申	乙丑	21
庚子	庚午	己亥	己巳	戊戌	丁卯	丁酉	丙寅	丙申	乙丑	丁酉	丙寅	22
辛丑	辛未	庚子	庚午	己亥	戊辰	戊戌	丁卯	丁酉	丙寅	戊戌	丁卯	23
壬寅	壬申	辛丑	辛未	庚子	己巳	己亥	戊辰	戊戌	丁卯	己亥	戊辰	24
癸卯	癸酉	壬寅	壬申	辛丑	庚午	庚子	己巳	己亥	戊辰	庚子	己巳	25
甲辰	甲戌	癸卯	癸酉	壬寅	辛未	辛丑	庚午	庚子	己巳	辛丑	庚午	26
乙巳	乙亥	甲辰	甲戌	癸卯	壬申	壬寅	辛未	辛丑	庚午	壬寅	辛未	27
丙午	丙子	乙巳	乙亥	甲辰	癸酉	癸卯	壬申	壬寅	辛未	癸卯	壬申	28
丁未	丁丑	丙午	丙子	乙巳	甲戌	甲辰	癸酉	癸卯	壬申		癸酉	29
戊申	戊寅	丁未	丁丑	丙午	乙亥	乙巳	甲戌	甲辰	癸酉		甲戌	30
十二月 己酉		戊申		丁未	丙子		乙亥		甲戌		乙亥	31

農曆初一　農曆十五

西曆一九八七年

12月	11月	10月	9月	8月	7月	6月	5月	4月	3月	2月	1月	月/日
甲申	甲寅	癸未	癸丑	壬午	辛亥	辛巳	庚戌	庚辰	己酉	辛巳	庚戌	1
乙酉	乙卯	甲申	甲寅	癸未	壬子	壬午	辛亥	辛巳	庚戌	壬午	辛亥	2
丙戌	丙辰	乙酉	乙卯	甲申	癸丑	癸未	壬子	壬午	辛亥	癸未	壬子	3
丁亥	丁巳	丙戌	丙辰	乙酉	甲寅	甲申	癸丑	癸未	壬子	甲申	癸丑	4
戊子	戊午	丁亥	丁巳	丙戌	乙卯	乙酉	甲寅	甲申	癸丑	乙酉	甲寅	5
己丑	己未	戊子	戊午	丁亥	丙辰	丙戌	乙卯	乙酉	甲寅	丙戌	乙卯	6
庚寅	庚申	己丑	己未	戊子	丁巳	丁亥	丙辰	丙戌	乙卯	丁亥	丙辰	7
辛卯	辛酉	庚寅	庚申	己丑	戊午	戊子	丁巳	丁亥	丙辰	戊子	丁巳	8
壬辰	壬戌	辛卯	辛酉	庚寅	己未	己丑	戊午	戊子	丁巳	己丑	戊午	9
癸巳	癸亥	壬辰	壬戌	辛卯	庚申	庚寅	己未	己丑	戊午	庚寅	己未	10
甲午	甲子	癸巳	癸亥	壬辰	辛酉	辛卯	庚申	庚寅	己未	辛卯	庚申	11
乙未	乙丑	甲午	甲子	癸巳	壬戌	壬辰	辛酉	辛卯	庚申	壬辰	辛酉	12
丙申	丙寅	乙未	乙丑	甲午	癸亥	癸巳	壬戌	壬辰	辛酉	癸巳	壬戌	13
丁酉	丁卯	丙申	丙寅	乙未	甲子	甲午	癸亥	癸巳	壬戌	甲午	癸亥	14
戊戌	戊辰	丁酉	丁卯	丙申	乙丑	乙未	甲子	甲午	癸亥	乙未	甲子	15
己亥	己巳	戊戌	戊辰	丁酉	丙寅	丙申	乙丑	乙未	甲子	丙申	乙丑	16
庚子	庚午	己亥	己巳	戊戌	丁卯	丁酉	丙寅	丙申	乙丑	丁酉	丙寅	17
辛丑	辛未	庚子	庚午	己亥	戊辰	戊戌	丁卯	丁酉	丙寅	戊戌	丁卯	18
壬寅	壬申	辛丑	辛未	庚子	己巳	己亥	戊辰	戊戌	丁卯	己亥	戊辰	19
癸卯	癸酉	壬寅	壬申	辛丑	庚午	庚子	己巳	己亥	戊辰	庚子	己巳	20
十一月 甲辰	十月 甲戌	癸卯	癸酉	壬寅	辛未	辛丑	庚午	庚子	己巳	辛丑	庚午	21
乙巳	乙亥	甲辰	甲戌	癸卯	壬申	壬寅	辛未	辛丑	庚午	壬寅	辛未	22
丙午	丙子	九月 乙巳	八月 乙亥	甲辰	癸酉	癸卯	壬申	壬寅	辛未	癸卯	壬申	23
丁未	丁丑	丙午	丙子	七月 乙巳	甲戌	甲辰	癸酉	癸卯	壬申	甲辰	癸酉	24
戊申	戊寅	丁未	丁丑	丙午	乙亥	乙巳	甲戌	甲辰	癸酉	乙巳	甲戌	25
己酉	己卯	戊申	戊寅	丁未	閏六月 丙子	六月 丙午	乙亥	乙巳	甲戌	丙午	乙亥	26
庚戌	庚辰	己酉	己卯	戊申	丁丑	丁未	五月 丙子	丙午	乙亥	丁未	丙子	27
辛亥	辛巳	庚戌	庚辰	己酉	戊寅	戊申	丁丑	四月 丁未	丙子	二月 戊申	丁丑	28
壬子	壬午	辛亥	辛巳	庚戌	己卯	己酉	戊寅	戊申	三月 丁丑		正月 戊寅	29
癸丑	癸未	壬子	壬午	辛亥	庚辰	庚戌	己卯	己酉	戊寅		己卯	30
甲寅		癸丑		壬子	辛巳		庚辰		己卯		庚辰	31

農曆初一　農曆十五

西曆一九八八年

12月	11月	10月	9月	8月	7月	6月	5月	4月	3月	2月	1月	月/日
庚寅	庚申	己丑	己未	戊子	丁巳	丁亥	丙辰	丙戌	乙卯	丙戌	乙卯	1
辛卯	辛酉	庚寅	庚申	己丑	戊午	戊子	丁巳	丁亥	丙辰	丁亥	丙辰	2
壬辰	壬戌	辛卯	辛酉	庚寅	己未	己丑	戊午	戊子	丁巳	戊子	丁巳	3
癸巳	癸亥	壬辰	壬戌	辛卯	庚申	庚寅	己未	己丑	戊午	己丑	戊午	4
甲午	甲子	癸巳	癸亥	壬辰	辛酉	辛卯	庚申	庚寅	己未	庚寅	己未	5
乙未	乙丑	甲午	甲子	癸巳	壬戌	壬辰	辛酉	辛卯	庚申	辛卯	庚申	6
丙申	丙寅	乙未	乙丑	甲午	癸亥	癸巳	壬戌	壬辰	辛酉	壬辰	辛酉	7
丁酉	丁卯	丙申	丙寅	乙未	甲子	甲午	癸亥	癸巳	壬戌	癸巳	壬戌	8
十一月戊戌	十月戊辰	丁酉	丁卯	丙申	乙丑	乙未	甲子	甲午	癸亥	甲午	癸亥	9
己亥	己巳	戊戌	戊辰	丁酉	丙寅	丙申	乙丑	乙未	甲子	乙未	甲子	10
庚子	庚午	九月己亥	八月己巳	戊戌	丁卯	丁酉	丙寅	丙申	乙丑	丙申	乙丑	11
辛丑	辛未	庚子	庚午	七月己亥	戊辰	戊戌	丁卯	丁酉	丙寅	丁酉	丙寅	12
壬寅	壬申	辛丑	辛未	庚子	己巳	己亥	戊辰	戊戌	丁卯	戊戌	丁卯	13
癸卯	癸酉	壬寅	壬申	辛丑	六月庚午	五月庚子	己巳	己亥	戊辰	己亥	戊辰	14
甲辰	甲戌	癸卯	癸酉	壬寅	辛未	辛丑	庚午	庚子	己巳	庚子	己巳	15
乙巳	乙亥	甲辰	甲戌	癸卯	壬申	壬寅	四月辛未	三月辛丑	庚午	辛丑	庚午	16
丙午	丙子	乙巳	乙亥	甲辰	癸酉	癸卯	壬申	壬寅	辛未	正月壬寅	辛未	17
丁未	丁丑	丙午	丙子	乙巳	甲戌	甲辰	癸酉	癸卯	二月壬申	癸卯	壬申	18
戊申	戊寅	丁未	丁丑	丙午	乙亥	乙巳	甲戌	甲辰	癸酉	甲辰	十二月癸酉	19
己酉	己卯	戊申	戊寅	丁未	丙子	丙午	乙亥	乙巳	甲戌	乙巳	甲戌	20
庚戌	庚辰	己酉	己卯	戊申	丁丑	丁未	丙子	丙午	乙亥	丙午	乙亥	21
辛亥	辛巳	庚戌	庚辰	己酉	戊寅	戊申	丁丑	丁未	丙子	丁未	丙子	22
壬子	壬午	辛亥	辛巳	庚戌	己卯	己酉	戊寅	戊申	丁丑	戊申	丁丑	23
癸丑	癸未	壬子	壬午	辛亥	庚辰	庚戌	己卯	己酉	戊寅	己酉	戊寅	24
甲寅	甲申	癸丑	癸未	壬子	辛巳	辛亥	庚辰	庚戌	己卯	庚戌	己卯	25
乙卯	乙酉	甲寅	甲申	癸丑	壬午	壬子	辛巳	辛亥	庚辰	辛亥	庚辰	26
丙辰	丙戌	乙卯	乙酉	甲寅	癸未	癸丑	壬午	壬子	辛巳	壬子	辛巳	27
丁巳	丁亥	丙辰	丙戌	乙卯	甲申	甲寅	癸未	癸丑	壬午	癸丑	壬午	28
戊午	戊子	丁巳	丁亥	丙辰	乙酉	乙卯	甲申	甲寅	癸未	甲寅	癸未	29
己未	己丑	戊午	戊子	丁巳	丙戌	丙辰	乙酉	乙卯	甲申		甲申	30
庚申		己未		戊午	丁亥		丙戌		乙酉		乙酉	31

農曆初一　農曆十五

西曆一九八九年

12月	11月	10月	9月	8月	7月	6月	5月	4月	3月	2月	1月	月/日
乙未	乙丑	甲午	甲子	七月 癸巳	壬戌	壬辰	辛酉	辛卯	庚申	壬辰	辛酉	1
丙申	丙寅	乙未	乙丑	甲午	癸亥	癸巳	壬戌	壬辰	辛酉	癸巳	壬戌	2
丁酉	丁卯	丙申	丙寅	乙未	六月 甲子	甲午	癸亥	癸巳	壬戌	甲午	癸亥	3
戊戌	戊辰	丁酉	丁卯	丙申	乙丑	五月 乙未	甲子	甲午	癸亥	乙未	甲子	4
己亥	己巳	戊戌	戊辰	丁酉	丙寅	丙申	四月 乙丑	乙未	甲子	丙申	乙丑	5
庚子	庚午	己亥	己巳	戊戌	丁卯	丁酉	丙寅	三月 丙申	乙丑	正月 丁酉	丙寅	6
辛丑	辛未	庚子	庚午	己亥	戊辰	戊戌	丁卯	丁酉	丙寅	戊戌	丁卯	7
壬寅	壬申	辛丑	辛未	庚子	己巳	己亥	戊辰	戊戌	二月 丁卯	己亥	十二月 戊辰	8
癸卯	癸酉	壬寅	壬申	辛丑	庚午	庚子	己巳	己亥	戊辰	庚子	己巳	9
甲辰	甲戌	癸卯	癸酉	壬寅	辛未	辛丑	庚午	庚子	己巳	辛丑	庚午	10
乙巳	乙亥	甲辰	甲戌	癸卯	壬申	壬寅	辛未	辛丑	庚午	壬寅	辛未	11
丙午	丙子	乙巳	乙亥	甲辰	癸酉	癸卯	壬申	壬寅	辛未	癸卯	壬申	12
丁未	丁丑	丙午	丙子	乙巳	甲戌	甲辰	癸酉	癸卯	壬申	甲辰	癸酉	13
戊申	戊寅	丁未	丁丑	丙午	乙亥	乙巳	甲戌	甲辰	癸酉	乙巳	甲戌	14
己酉	己卯	戊申	戊寅	丁未	丙子	丙午	乙亥	乙巳	甲戌	丙午	乙亥	15
庚戌	庚辰	己酉	己卯	戊申	丁丑	丁未	丙子	丙午	乙亥	丁未	丙子	16
辛亥	辛巳	庚戌	庚辰	己酉	戊寅	戊申	丁丑	丁未	丙子	戊申	丁丑	17
壬子	壬午	辛亥	辛巳	庚戌	己卯	己酉	戊寅	戊申	丁丑	己酉	戊寅	18
癸丑	癸未	壬子	壬午	辛亥	庚辰	庚戌	己卯	己酉	戊寅	庚戌	己卯	19
甲寅	甲申	癸丑	癸未	壬子	辛巳	辛亥	庚辰	庚戌	己卯	辛亥	庚辰	20
乙卯	乙酉	甲寅	甲申	癸丑	壬午	壬子	辛巳	辛亥	庚辰	壬子	辛巳	21
丙辰	丙戌	乙卯	乙酉	甲寅	癸未	癸丑	壬午	壬子	辛巳	癸丑	壬午	22
丁巳	丁亥	丙辰	丙戌	乙卯	甲申	甲寅	癸未	癸丑	壬午	甲寅	癸未	23
戊午	戊子	丁巳	丁亥	丙辰	乙酉	乙卯	甲申	甲寅	癸未	乙卯	甲申	24
己未	己丑	戊午	戊子	丁巳	丙戌	丙辰	乙酉	乙卯	甲申	丙辰	乙酉	25
庚申	庚寅	己未	己丑	戊午	丁亥	丁巳	丙戌	丙辰	乙酉	丁巳	丙戌	26
辛酉	辛卯	庚申	庚寅	己未	戊子	戊午	丁亥	丁巳	丙戌	戊午	丁亥	27
十二月 壬戌	十一月 壬辰	辛酉	辛卯	庚申	己丑	己未	戊子	戊午	丁亥	己未	戊子	28
癸亥	癸巳	十月 壬戌	壬辰	辛酉	庚寅	庚申	己丑	己未	戊子		己丑	29
甲子	甲午	癸亥	九月 癸巳	壬戌	辛卯	辛酉	庚寅	庚申	己丑		庚寅	30
乙丑		甲子		八月 癸亥	壬辰		辛卯		庚寅		辛卯	31

農曆初一　農曆十五

西曆一九九〇年

12月	11月	10月	9月	8月	7月	6月	5月	4月	3月	2月	1月	月/日
庚子	庚午	己亥	己巳	戊戌	丁卯	丁酉	丙寅	丙申	乙丑	丁酉	丙寅	1
辛丑	辛未	庚子	庚午	己亥	戊辰	戊戌	丁卯	丁酉	丙寅	戊戌	丁卯	2
壬寅	壬申	辛丑	辛未	庚子	己巳	己亥	戊辰	戊戌	丁卯	己亥	戊辰	3
癸卯	癸酉	壬寅	壬申	辛丑	庚午	庚子	己巳	己亥	戊辰	庚子	己巳	4
甲辰	甲戌	癸卯	癸酉	壬寅	辛未	辛丑	庚午	庚子	己巳	辛丑	庚午	5
乙巳	乙亥	甲辰	甲戌	癸卯	壬申	壬寅	辛未	辛丑	庚午	壬寅	辛未	6
丙午	丙子	乙巳	乙亥	甲辰	癸酉	癸卯	壬申	壬寅	辛未	癸卯	壬申	7
丁未	丁丑	丙午	丙子	乙巳	甲戌	甲辰	癸酉	癸卯	壬申	甲辰	癸酉	8
戊申	戊寅	丁未	丁丑	丙午	乙亥	乙巳	甲戌	甲辰	癸酉	乙巳	甲戌	9
己酉	己卯	戊申	戊寅	丁未	丙子	丙午	乙亥	乙巳	甲戌	丙午	乙亥	10
庚戌	庚辰	己酉	己卯	戊申	丁丑	丁未	丙子	丙午	乙亥	丁未	丙子	11
辛亥	辛巳	庚戌	庚辰	己酉	戊寅	戊申	丁丑	丁未	丙子	戊申	丁丑	12
壬子	壬午	辛亥	辛巳	庚戌	己卯	己酉	戊寅	戊申	丁丑	己酉	戊寅	13
癸丑	癸未	壬子	壬午	辛亥	庚辰	庚戌	己卯	己酉	戊寅	庚戌	己卯	14
甲寅	甲申	癸丑	癸未	壬子	辛巳	辛亥	庚辰	庚戌	己卯	辛亥	庚辰	15
乙卯	乙酉	甲寅	甲申	癸丑	壬午	壬子	辛巳	辛亥	庚辰	壬子	辛巳	16
十一月 丙辰	十月 丙戌	乙卯	乙酉	甲寅	癸未	癸丑	壬午	壬子	辛巳	癸丑	壬午	17
丁巳	丁亥	九月 丙辰	丙戌	乙卯	甲申	甲寅	癸未	癸丑	壬午	甲寅	癸未	18
戊午	戊子	丁巳	八月 丁亥	丙辰	乙酉	乙卯	甲申	甲寅	癸未	乙卯	甲申	19
己未	己丑	戊午	戊子	七月 丁巳	丙戌	丙辰	乙酉	乙卯	甲申	丙辰	乙酉	20
庚申	庚寅	己未	己丑	戊午	丁亥	丁巳	丙戌	丙辰	乙酉	丁巳	丙戌	21
辛酉	辛卯	庚申	庚寅	己未	六月 戊子	戊午	丁亥	丁巳	丙戌	戊午	丁亥	22
壬戌	壬辰	辛酉	辛卯	庚申	己丑	閏五月 己未	戊子	戊午	丁亥	己未	戊子	23
癸亥	癸巳	壬戌	壬辰	辛酉	庚寅	庚申	五月 己丑	己未	戊子	庚申	己丑	24
甲子	甲午	癸亥	癸巳	壬戌	辛卯	辛酉	庚寅	四月 庚申	己丑	二月 辛酉	庚寅	25
乙丑	乙未	甲子	甲午	癸亥	壬辰	壬戌	辛卯	辛酉	庚寅	壬戌	辛卯	26
丙寅	丙申	乙丑	乙未	甲子	癸巳	癸亥	壬辰	壬戌	三月 辛卯	癸亥	正月 壬辰	27
丁卯	丁酉	丙寅	丙申	乙丑	甲午	甲子	癸巳	癸亥	壬辰	甲子	癸巳	28
戊辰	戊戌	丁卯	丁酉	丙寅	乙未	乙丑	甲午	甲子	癸巳		甲午	29
己巳	己亥	戊辰	戊戌	丁卯	丙申	丙寅	乙未	乙丑	甲午		乙未	30
庚午		己巳		戊辰	丁酉		丙申		乙未		丙申	31

農曆初一　農曆十五

西曆一九九一年

12月	11月	10月	9月	8月	7月	6月	5月	4月	3月	2月	1月	月/日
乙巳	乙亥	甲辰	甲戌	癸卯	壬申	壬寅	辛未	辛丑	庚午	壬寅	辛未	1
丙午	丙子	乙巳	乙亥	甲辰	癸酉	癸卯	壬申	壬寅	辛未	癸卯	壬申	2
丁未	丁丑	丙午	丙子	乙巳	甲戌	甲辰	癸酉	癸卯	壬申	甲辰	癸酉	3
戊申	戊寅	丁未	丁丑	丙午	乙亥	乙巳	甲戌	甲辰	癸酉	乙巳	甲戌	4
己酉	己卯	戊申	戊寅	丁未	丙子	丙午	乙亥	乙巳	甲戌	丙午	乙亥	5
(十一月)庚戌	(十月)庚辰	己酉	己卯	戊申	丁丑	丁未	丙子	丙午	乙亥	丁未	丙子	6
辛亥	辛巳	庚戌	庚辰	己酉	戊寅	戊申	丁丑	丁未	丙子	戊申	丁丑	7
壬子	壬午	(九月)辛亥	(八月)辛巳	庚戌	己卯	己酉	戊寅	戊申	丁丑	己酉	戊寅	8
癸丑	癸未	壬子	壬午	辛亥	庚辰	庚戌	己卯	己酉	戊寅	庚戌	己卯	9
甲寅	甲申	癸丑	癸未	(七月)壬子	辛巳	辛亥	庚辰	庚戌	己卯	辛亥	庚辰	10
乙卯	乙酉	甲寅	甲申	癸丑	壬午	壬子	辛巳	辛亥	庚辰	壬子	辛巳	11
丙辰	丙戌	乙卯	乙酉	甲寅	(六月)癸未	(五月)癸丑	壬午	壬子	辛巳	癸丑	壬午	12
丁巳	丁亥	丙辰	丙戌	乙卯	甲申	甲寅	癸未	癸丑	壬午	甲寅	癸未	13
戊午	戊子	丁巳	丁亥	丙辰	乙酉	乙卯	(四月)甲申	甲寅	癸未	乙卯	甲申	14
己未	己丑	戊午	戊子	丁巳	丙戌	丙辰	乙酉	(三月)乙卯	甲申	(正月)丙辰	乙酉	15
庚申	庚寅	己未	己丑	戊午	丁亥	丁巳	丙戌	丙辰	(二月)乙酉	丁巳	(十二月)丙戌	16
辛酉	辛卯	庚申	庚寅	己未	戊子	戊午	丁亥	丁巳	丙戌	戊午	丁亥	17
壬戌	壬辰	辛酉	辛卯	庚申	己丑	己未	戊子	戊午	丁亥	己未	戊子	18
癸亥	癸巳	壬戌	壬辰	辛酉	庚寅	庚申	己丑	己未	戊子	庚申	己丑	19
甲子	甲午	癸亥	癸巳	壬戌	辛卯	辛酉	庚寅	庚申	己丑	辛酉	庚寅	20
乙丑	乙未	甲子	甲午	癸亥	壬辰	壬戌	辛卯	辛酉	庚寅	壬戌	辛卯	21
丙寅	丙申	乙丑	乙未	甲子	癸巳	癸亥	壬辰	壬戌	辛卯	癸亥	壬辰	22
丁卯	丁酉	丙寅	丙申	乙丑	甲午	甲子	癸巳	癸亥	壬辰	甲子	癸巳	23
戊辰	戊戌	丁卯	丁酉	丙寅	乙未	乙丑	甲午	甲子	癸巳	乙丑	甲午	24
己巳	己亥	戊辰	戊戌	丁卯	丙申	丙寅	乙未	乙丑	甲午	丙寅	乙未	25
庚午	庚子	己巳	己亥	戊辰	丁酉	丁卯	丙申	丙寅	乙未	丁卯	丙申	26
辛未	辛丑	庚午	庚子	己巳	戊戌	戊辰	丁酉	丁卯	丙申	戊辰	丁酉	27
壬申	壬寅	辛未	辛丑	庚午	己亥	己巳	戊戌	戊辰	丁酉	己巳	戊戌	28
癸酉	癸卯	壬申	壬寅	辛未	庚子	庚午	己亥	己巳	戊戌		己亥	29
甲戌	甲辰	癸酉	癸卯	壬申	辛丑	辛未	庚子	庚午	己亥		庚子	30
乙亥		甲戌		癸酉	壬寅		辛丑		庚子		辛丑	31

農曆初一　農曆十五

西曆一九九二年

12月	11月	10月	9月	8月	7月	6月	5月	4月	3月	2月	1月	月/日
辛亥	辛巳	庚戌	庚辰	己酉	戊寅	五月 戊申	丁丑	丁未	丙子	丁未	丙子	1
壬子	壬午	辛亥	辛巳	庚戌	己卯	己酉	戊寅	戊申	丁丑	戊申	丁丑	2
癸丑	癸未	壬子	壬午	辛亥	庚辰	庚戌	四月 己卯	三月 己酉	戊寅	己酉	戊寅	3
甲寅	甲申	癸丑	癸未	壬子	辛巳	辛亥	庚辰	庚戌	二月 己卯	正月 庚戌	己卯	4
乙卯	乙酉	甲寅	甲申	癸丑	壬午	壬子	辛巳	辛亥	庚辰	辛亥	十二月 庚辰	5
丙辰	丙戌	乙卯	乙酉	甲寅	癸未	癸丑	壬午	壬子	辛巳	壬子	辛巳	6
丁巳	丁亥	丙辰	丙戌	乙卯	甲申	甲寅	癸未	癸丑	壬午	癸丑	壬午	7
戊午	戊子	丁巳	丁亥	丙辰	乙酉	乙卯	甲申	甲寅	癸未	甲寅	癸未	8
己未	己丑	戊午	戊子	丁巳	丙戌	丙辰	乙酉	乙卯	甲申	乙卯	甲申	9
庚申	庚寅	己未	己丑	戊午	丁亥	丁巳	丙戌	丙辰	乙酉	丙辰	乙酉	10
辛酉	辛卯	庚申	庚寅	己未	戊子	戊午	丁亥	丁巳	丙戌	丁巳	丙戌	11
壬戌	壬辰	辛酉	辛卯	庚申	己丑	己未	戊子	戊午	丁亥	戊午	丁亥	12
癸亥	癸巳	壬戌	壬辰	辛酉	庚寅	庚申	己丑	己未	戊子	己未	戊子	13
甲子	甲午	癸亥	癸巳	壬戌	辛卯	辛酉	庚寅	庚申	己丑	庚申	己丑	14
乙丑	乙未	甲子	甲午	癸亥	壬辰	壬戌	辛卯	辛酉	庚寅	辛酉	庚寅	15
丙寅	丙申	乙丑	乙未	甲子	癸巳	癸亥	壬辰	壬戌	辛卯	壬戌	辛卯	16
丁卯	丁酉	丙寅	丙申	乙丑	甲午	甲子	癸巳	癸亥	壬辰	癸亥	壬辰	17
戊辰	戊戌	丁卯	丁酉	丙寅	乙未	乙丑	甲午	甲子	癸巳	甲子	癸巳	18
己巳	己亥	戊辰	戊戌	丁卯	丙申	丙寅	乙未	乙丑	甲午	乙丑	甲午	19
庚午	庚子	己巳	己亥	戊辰	丁酉	丁卯	丙申	丙寅	乙未	丙寅	乙未	20
辛未	辛丑	庚午	庚子	己巳	戊戌	戊辰	丁酉	丁卯	丙申	丁卯	丙申	21
壬申	壬寅	辛未	辛丑	庚午	己亥	己巳	戊戌	戊辰	丁酉	戊辰	丁酉	22
癸酉	癸卯	壬申	壬寅	辛未	庚子	庚午	己亥	己巳	戊戌	己巳	戊戌	23
十二月 甲戌	十一月 甲辰	癸酉	癸卯	壬申	辛丑	辛未	庚子	庚午	己亥	庚午	己亥	24
乙亥	乙巳	甲戌	甲辰	癸酉	壬寅	壬申	辛丑	辛未	庚子	辛未	庚子	25
丙子	丙午	十月 乙亥	九月 乙巳	甲戌	癸卯	癸酉	壬寅	壬申	辛丑	壬申	辛丑	26
丁丑	丁未	丙子	丙午	乙亥	甲辰	甲戌	癸卯	癸酉	壬寅	癸酉	壬寅	27
戊寅	戊申	丁丑	丁未	八月 丙子	乙巳	乙亥	甲辰	甲戌	癸卯	甲戌	癸卯	28
己卯	己酉	戊寅	戊申	丁丑	丙午	丙子	乙巳	乙亥	甲辰	乙亥	甲辰	29
庚辰	庚戌	己卯	己酉	戊寅	七月 丁未	六月 丁丑	丙午	丙子	乙巳		乙巳	30
辛巳		庚辰		己卯	戊申		丁未		丙午		丙午	31

農曆初一　農曆十五

西曆一九九三年

12月	11月	10月	9月	8月	7月	6月	5月	4月	3月	2月	1月	月/日
丙辰	丙戌	乙卯	乙酉	甲寅	癸未	癸丑	壬午	壬子	辛巳	癸丑	壬午	1
丁巳	丁亥	丙辰	丙戌	乙卯	甲申	甲寅	癸未	癸丑	壬午	甲寅	癸未	2
戊午	戊子	丁巳	丁亥	丙辰	乙酉	乙卯	甲申	甲寅	癸未	乙卯	甲申	3
己未	己丑	戊午	戊子	丁巳	丙戌	丙辰	乙酉	乙卯	甲申	丙辰	乙酉	4
庚申	庚寅	己未	己丑	戊午	丁亥	丁巳	丙戌	丙辰	乙酉	丁巳	丙戌	5
辛酉	辛卯	庚申	庚寅	己未	戊子	戊午	丁亥	丁巳	丙戌	戊午	丁亥	6
壬戌	壬辰	辛酉	辛卯	庚申	己丑	己未	戊子	戊午	丁亥	己未	戊子	7
癸亥	癸巳	壬戌	壬辰	辛酉	庚寅	庚申	己丑	己未	戊子	庚申	己丑	8
甲子	甲午	癸亥	癸巳	壬戌	辛卯	辛酉	庚寅	庚申	己丑	辛酉	庚寅	9
乙丑	乙未	甲子	甲午	癸亥	壬辰	壬戌	辛卯	辛酉	庚寅	壬戌	辛卯	10
丙寅	丙申	乙丑	乙未	甲子	癸巳	癸亥	壬辰	壬戌	辛卯	癸亥	壬辰	11
丁卯	丁酉	丙寅	丙申	乙丑	甲午	甲子	癸巳	癸亥	壬辰	甲子	癸巳	12
十一月 戊辰	戊戌	丁卯	丁酉	丙寅	乙未	乙丑	甲午	甲子	癸巳	乙丑	甲午	13
己巳	十月 己亥	戊辰	戊戌	丁卯	丙申	丙寅	乙未	乙丑	甲午	丙寅	乙未	14
庚午	庚子	九月 己巳	己亥	戊辰	丁酉	丁卯	丙申	丙寅	乙未	丁卯	丙申	15
辛未	辛丑	庚午	八月 庚子	己巳	戊戌	戊辰	丁酉	丁卯	丙申	戊辰	丁酉	16
壬申	壬寅	辛未	辛丑	庚午	己亥	己巳	戊戌	戊辰	丁酉	己巳	戊戌	17
癸酉	癸卯	壬申	壬寅	七月 辛未	庚子	庚午	己亥	己巳	戊戌	庚午	己亥	18
甲戌	甲辰	癸酉	癸卯	壬申	六月 辛丑	辛未	庚子	庚午	己亥	辛未	庚子	19
乙亥	乙巳	甲戌	甲辰	癸酉	壬寅	五月 壬申	辛丑	辛未	庚子	壬申	辛丑	20
丙子	丙午	乙亥	乙巳	甲戌	癸卯	癸酉	四月 壬寅	壬申	辛丑	二月 癸酉	壬寅	21
丁丑	丁未	丙子	丙午	乙亥	甲辰	甲戌	癸卯	閏三月 癸酉	壬寅	甲戌	癸卯	22
戊寅	戊申	丁丑	丁未	丙子	乙巳	乙亥	甲辰	甲戌	三月 癸卯	乙亥	正月 甲辰	23
己卯	己酉	戊寅	戊申	丁丑	丙午	丙子	乙巳	乙亥	甲辰	丙子	乙巳	24
庚辰	庚戌	己卯	己酉	戊寅	丁未	丁丑	丙午	丙子	乙巳	丁丑	丙午	25
辛巳	辛亥	庚辰	庚戌	己卯	戊申	戊寅	丁未	丁丑	丙午	戊寅	丁未	26
壬午	壬子	辛巳	辛亥	庚辰	己酉	己卯	戊申	戊寅	丁未	己卯	戊申	27
癸未	癸丑	壬午	壬子	辛巳	庚戌	庚辰	己酉	己卯	戊申	庚辰	己酉	28
甲申	甲寅	癸未	癸丑	壬午	辛亥	辛巳	庚戌	庚辰	己酉		庚戌	29
乙酉	乙卯	甲申	甲寅	癸未	壬子	壬午	辛亥	辛巳	庚戌		辛亥	30
丙戌		乙酉		甲申	癸丑		壬子		辛亥		壬子	31

農曆初一　農曆十五

西曆一九九四年

12月	11月	10月	9月	8月	7月	6月	5月	4月	3月	2月	1月	月/日
辛酉	辛卯	庚申	庚寅	己未	戊子	戊午	丁亥	丁巳	丙戌	戊午	丁亥	1
壬戌	壬辰	辛酉	辛卯	庚申	己丑	己未	戊子	戊午	丁亥	己未	戊子	2
十一月 癸亥	十月 癸巳	壬戌	壬辰	辛酉	庚寅	庚申	己丑	己未	戊子	庚申	己丑	3
甲子	甲午	癸亥	癸巳	壬戌	辛卯	辛酉	庚寅	庚申	己丑	辛酉	庚寅	4
乙丑	乙未	九月 甲子	甲午	癸亥	壬辰	壬戌	辛卯	辛酉	庚寅	壬戌	辛卯	5
丙寅	丙申	乙丑	八月 乙未	甲子	癸巳	癸亥	壬辰	壬戌	辛卯	癸亥	壬辰	6
丁卯	丁酉	丙寅	丙申	七月 乙丑	甲午	甲子	癸巳	癸亥	壬辰	甲子	癸巳	7
戊辰	戊戌	丁卯	丁酉	丙寅	乙未	乙丑	甲午	甲子	癸巳	乙丑	甲午	8
己巳	己亥	戊辰	戊戌	丁卯	六月 丙申	五月 丙寅	乙未	乙丑	甲午	丙寅	乙未	9
庚午	庚子	己巳	己亥	戊辰	丁酉	丁卯	丙申	丙寅	乙未	正月 丁卯	丙申	10
辛未	辛丑	庚午	庚子	己巳	戊戌	戊辰	四月 丁酉	三月 丁卯	丙申	戊辰	丁酉	11
壬申	壬寅	辛未	辛丑	庚午	己亥	己巳	戊戌	戊辰	二月 丁酉	己巳	十二月 戊戌	12
癸酉	癸卯	壬申	壬寅	辛未	庚子	庚午	己亥	己巳	戊戌	庚午	己亥	13
甲戌	甲辰	癸酉	癸卯	壬申	辛丑	辛未	庚子	庚午	己亥	辛未	庚子	14
乙亥	乙巳	甲戌	甲辰	癸酉	壬寅	壬申	辛丑	辛未	庚子	壬申	辛丑	15
丙子	丙午	乙亥	乙巳	甲戌	癸卯	癸酉	壬寅	壬申	辛丑	癸酉	壬寅	16
丁丑	丁未	丙子	丙午	乙亥	甲辰	甲戌	癸卯	癸酉	壬寅	甲戌	癸卯	17
戊寅	戊申	丁丑	丁未	丙子	乙巳	乙亥	甲辰	甲戌	癸卯	乙亥	甲辰	18
己卯	己酉	戊寅	戊申	丁丑	丙午	丙子	乙巳	乙亥	甲辰	丙子	乙巳	19
庚辰	庚戌	己卯	己酉	戊寅	丁未	丁丑	丙午	丙子	乙巳	丁丑	丙午	20
辛巳	辛亥	庚辰	庚戌	己卯	戊申	戊寅	丁未	丁丑	丙午	戊寅	丁未	21
壬午	壬子	辛巳	辛亥	庚辰	己酉	己卯	戊申	戊寅	丁未	己卯	戊申	22
癸未	癸丑	壬午	壬子	辛巳	庚戌	庚辰	己酉	己卯	戊申	庚辰	己酉	23
甲申	甲寅	癸未	癸丑	壬午	辛亥	辛巳	庚戌	庚辰	己酉	辛巳	庚戌	24
乙酉	乙卯	甲申	甲寅	癸未	壬子	壬午	辛亥	辛巳	庚戌	壬午	辛亥	25
丙戌	丙辰	乙酉	乙卯	甲申	癸丑	癸未	壬子	壬午	辛亥	癸未	壬子	26
丁亥	丁巳	丙戌	丙辰	乙酉	甲寅	甲申	癸丑	癸未	壬子	甲申	癸丑	27
戊子	戊午	丁亥	丁巳	丙戌	乙卯	乙酉	甲寅	甲申	癸丑	乙酉	甲寅	28
己丑	己未	戊子	戊午	丁亥	丙辰	丙戌	乙卯	乙酉	甲寅		乙卯	29
庚寅	庚申	己丑	己未	戊子	丁巳	丁亥	丙辰	丙戌	乙卯		丙辰	30
辛卯		庚寅		己丑	戊午		丁巳		丙辰		丁巳	31

農曆初一　農曆十五

西曆一九九五年

12月	11月	10月	9月	8月	7月	6月	5月	4月	3月	2月	1月	月/日
丙寅	丙申	乙丑	乙未	甲子	癸巳	癸亥	壬辰	壬戌	二月 辛卯	癸亥	十二月 壬辰	1
丁卯	丁酉	丙寅	丙申	乙丑	甲午	甲子	癸巳	癸亥	壬辰	甲子	癸巳	2
戊辰	戊戌	丁卯	丁酉	丙寅	乙未	乙丑	甲午	甲子	癸巳	乙丑	甲午	3
己巳	己亥	戊辰	戊戌	丁卯	丙申	丙寅	乙未	乙丑	甲午	丙寅	乙未	4
庚午	庚子	己巳	己亥	戊辰	丁酉	丁卯	丙申	丙寅	乙未	丁卯	丙申	5
辛未	辛丑	庚午	庚子	己巳	戊戌	戊辰	丁酉	丁卯	丙申	戊辰	丁酉	6
壬申	壬寅	辛未	辛丑	庚午	己亥	己巳	戊戌	戊辰	丁酉	己巳	戊戌	7
癸酉	癸卯	壬申	壬寅	辛未	庚子	庚午	己亥	己巳	戊戌	庚午	己亥	8
甲戌	甲辰	癸酉	癸卯	壬申	辛丑	辛未	庚子	庚午	己亥	辛未	庚子	9
乙亥	乙巳	甲戌	甲辰	癸酉	壬寅	壬申	辛丑	辛未	庚子	壬申	辛丑	10
丙子	丙午	乙亥	乙巳	甲戌	癸卯	癸酉	壬寅	壬申	辛丑	癸酉	壬寅	11
丁丑	丁未	丙子	丙午	乙亥	甲辰	甲戌	癸卯	癸酉	壬寅	甲戌	癸卯	12
戊寅	戊申	丁丑	丁未	丙子	乙巳	乙亥	甲辰	甲戌	癸卯	乙亥	甲辰	13
己卯	己酉	戊寅	戊申	丁丑	丙午	丙子	乙巳	乙亥	甲辰	丙子	乙巳	14
庚辰	庚戌	己卯	己酉	戊寅	丁未	丁丑	丙午	丙子	乙巳	丁丑	丙午	15
辛巳	辛亥	庚辰	庚戌	己卯	戊申	戊寅	丁未	丁丑	丙午	戊寅	丁未	16
壬午	壬子	辛巳	辛亥	庚辰	己酉	己卯	戊申	戊寅	丁未	己卯	戊申	17
癸未	癸丑	壬午	壬子	辛巳	庚戌	庚辰	己酉	己卯	戊申	庚辰	己酉	18
甲申	甲寅	癸未	癸丑	壬午	辛亥	辛巳	庚戌	庚辰	己酉	辛巳	庚戌	19
乙酉	乙卯	甲申	甲寅	癸未	壬子	壬午	辛亥	辛巳	庚戌	壬午	辛亥	20
丙戌	丙辰	乙酉	乙卯	甲申	癸丑	癸未	壬子	壬午	辛亥	癸未	壬子	21
十一月 丁亥	十月 丁巳	丙戌	丙辰	乙酉	甲寅	甲申	癸丑	癸未	壬子	甲申	癸丑	22
戊子	戊午	丁亥	丁巳	丙戌	乙卯	乙酉	甲寅	甲申	癸丑	乙酉	甲寅	23
己丑	己未	九月 戊子	戊午	丁亥	丙辰	丙戌	乙卯	乙酉	甲寅	丙戌	乙卯	24
庚寅	庚申	己丑	閏八月 己未	戊子	丁巳	丁亥	丙辰	丙戌	乙卯	丁亥	丙辰	25
辛卯	辛酉	庚寅	庚申	八月 己丑	戊午	戊子	丁巳	丁亥	丙辰	戊子	丁巳	26
壬辰	壬戌	辛卯	辛酉	庚寅	七月 己未	己丑	戊午	戊子	丁巳	己丑	戊午	27
癸巳	癸亥	壬辰	壬戌	辛卯	庚申	六月 庚寅	己未	己丑	戊午	庚寅	己未	28
甲午	甲子	癸巳	癸亥	壬辰	辛酉	辛卯	五月 庚申	庚寅	己未		庚申	29
乙未	乙丑	甲午	甲子	癸巳	壬戌	壬辰	辛酉	四月 辛卯	庚申		辛酉	30
丙申		乙未		甲午	癸亥		壬戌		三月 辛酉		正月 壬戌	31

農曆初一　農曆十五

西曆一九九六年

12月	11月	10月	9月	8月	7月	6月	5月	4月	3月	2月	1月	月/日
壬申	壬寅	辛未	辛丑	庚午	己亥	己巳	戊戌	戊辰	丁酉	戊辰	丁酉	1
癸酉	癸卯	壬申	壬寅	辛未	庚子	庚午	己亥	己巳	戊戌	己巳	戊戌	2
甲戌	甲辰	癸酉	癸卯	壬申	辛丑	辛未	庚子	庚午	己亥	庚午	己亥	3
乙亥	乙巳	甲戌	甲辰	癸酉	壬寅	壬申	辛丑	辛未	庚子	辛未	庚子	4
丙子	丙午	乙亥	乙巳	甲戌	癸卯	癸酉	壬寅	壬申	辛丑	壬申	辛丑	5
丁丑	丁未	丙子	丙午	乙亥	甲辰	甲戌	癸卯	癸酉	壬寅	癸酉	壬寅	6
戊寅	戊申	丁丑	丁未	丙子	乙巳	乙亥	甲辰	甲戌	癸卯	甲戌	癸卯	7
己卯	己酉	戊寅	戊申	丁丑	丙午	丙子	乙巳	乙亥	甲辰	乙亥	甲辰	8
庚辰	庚戌	己卯	己酉	戊寅	丁未	丁丑	丙午	丙子	乙巳	丙子	乙巳	9
辛巳	辛亥	庚辰	庚戌	己卯	戊申	戊寅	丁未	丁丑	丙午	丁丑	丙午	10
十一月壬午	十月壬子	辛巳	辛亥	庚辰	己酉	己卯	戊申	戊寅	丁未	戊寅	丁未	11
癸未	癸丑	九月壬午	壬子	辛巳	庚戌	庚辰	己酉	己卯	戊申	己卯	戊申	12
甲申	甲寅	癸未	八月癸丑	壬午	辛亥	辛巳	庚戌	庚辰	己酉	庚辰	己酉	13
乙酉	乙卯	甲申	甲寅	七月癸未	壬子	壬午	辛亥	辛巳	庚戌	辛巳	庚戌	14
丙戌	丙辰	乙酉	乙卯	甲申	癸丑	癸未	壬子	壬午	辛亥	壬午	辛亥	15
丁亥	丁巳	丙戌	丙辰	乙酉	六月甲寅	五月甲申	癸丑	癸未	壬子	癸未	壬子	16
戊子	戊午	丁亥	丁巳	丙戌	乙卯	乙酉	四月甲寅	甲申	癸丑	甲申	癸丑	17
己丑	己未	戊子	戊午	丁亥	丙辰	丙戌	乙卯	三月乙酉	甲寅	乙酉	甲寅	18
庚寅	庚申	己丑	己未	戊子	丁巳	丁亥	丙辰	丙戌	二月乙卯	正月丙戌	乙卯	19
辛卯	辛酉	庚寅	庚申	己丑	戊午	戊子	丁巳	丁亥	丙辰	丁亥	十二月丙辰	20
壬辰	壬戌	辛卯	辛酉	庚寅	己未	己丑	戊午	戊子	丁巳	戊子	丁巳	21
癸巳	癸亥	壬辰	壬戌	辛卯	庚申	庚寅	己未	己丑	戊午	己丑	戊午	22
甲午	甲子	癸巳	癸亥	壬辰	辛酉	辛卯	庚申	庚寅	己未	庚寅	己未	23
乙未	乙丑	甲午	甲子	癸巳	壬戌	壬辰	辛酉	辛卯	庚申	辛卯	庚申	24
丙申	丙寅	乙未	乙丑	甲午	癸亥	癸巳	壬戌	壬辰	辛酉	壬辰	辛酉	25
丁酉	丁卯	丙申	丙寅	乙未	甲子	甲午	癸亥	癸巳	壬戌	癸巳	壬戌	26
戊戌	戊辰	丁酉	丁卯	丙申	乙丑	乙未	甲子	甲午	癸亥	甲午	癸亥	27
己亥	己巳	戊戌	戊辰	丁酉	丙寅	丙申	乙丑	乙未	甲子	乙未	甲子	28
庚子	庚午	己亥	己巳	戊戌	丁卯	丁酉	丙寅	丙申	乙丑	丙申	乙丑	29
辛丑	辛未	庚子	庚午	己亥	戊辰	戊戌	丁卯	丁酉	丙寅		丙寅	30
壬寅		辛丑		庚子	己巳		戊辰		丁卯		丁卯	31

農曆初一　農曆十五

西曆一九九七年

12月	11月	10月	9月	8月	7月	6月	5月	4月	3月	2月	1月	月/日
丁丑	丁未	丙子	丙午	乙亥	甲辰	甲戌	癸卯	癸酉	壬寅	甲戌	癸卯	1
戊寅	戊申	九月 丁丑	八月 丁未	丙子	乙巳	乙亥	甲辰	甲戌	癸卯	乙亥	甲辰	2
己卯	己酉	戊寅	戊申	七月 丁丑	丙午	丙子	乙巳	乙亥	甲辰	丙子	乙巳	3
庚辰	庚戌	己卯	己酉	戊寅	丁未	丁丑	丙午	丙子	乙巳	丁丑	丙午	4
辛巳	辛亥	庚辰	庚戌	己卯	六月 戊申	五月 戊寅	丁未	丁丑	丙午	戊寅	丁未	5
壬午	壬子	辛巳	辛亥	庚辰	己酉	己卯	戊申	戊寅	丁未	己卯	戊申	6
癸未	癸丑	壬午	壬子	辛巳	庚戌	庚辰	四月 己酉	三月 己卯	戊申	正月 庚辰	己酉	7
甲申	甲寅	癸未	癸丑	壬午	辛亥	辛巳	庚戌	庚辰	己酉	辛巳	庚戌	8
乙酉	乙卯	甲申	甲寅	癸未	壬子	壬午	辛亥	辛巳	二月 庚戌	壬午	十二月 辛亥	9
丙戌	丙辰	乙酉	乙卯	甲申	癸丑	癸未	壬子	壬午	辛亥	癸未	壬子	10
丁亥	丁巳	丙戌	丙辰	乙酉	甲寅	甲申	癸丑	癸未	壬子	甲申	癸丑	11
戊子	戊午	丁亥	丁巳	丙戌	乙卯	乙酉	甲寅	甲申	癸丑	乙酉	甲寅	12
己丑	己未	戊子	戊午	丁亥	丙辰	丙戌	乙卯	乙酉	甲寅	丙戌	乙卯	13
庚寅	庚申	己丑	己未	戊子	丁巳	丁亥	丙辰	丙戌	乙卯	丁亥	丙辰	14
辛卯	辛酉	庚寅	庚申	己丑	戊午	戊子	丁巳	丁亥	丙辰	戊子	丁巳	15
壬辰	壬戌	辛卯	辛酉	庚寅	己未	己丑	戊午	戊子	丁巳	己丑	戊午	16
癸巳	癸亥	壬辰	壬戌	辛卯	庚申	庚寅	己未	己丑	戊午	庚寅	己未	17
甲午	甲子	癸巳	癸亥	壬辰	辛酉	辛卯	庚申	庚寅	己未	辛卯	庚申	18
乙未	乙丑	甲午	甲子	癸巳	壬戌	壬辰	辛酉	辛卯	庚申	壬辰	辛酉	19
丙申	丙寅	乙未	乙丑	甲午	癸亥	癸巳	壬戌	壬辰	辛酉	癸巳	壬戌	20
丁酉	丁卯	丙申	丙寅	乙未	甲子	甲午	癸亥	癸巳	壬戌	甲午	癸亥	21
戊戌	戊辰	丁酉	丁卯	丙申	乙丑	乙未	甲子	甲午	癸亥	乙未	甲子	22
己亥	己巳	戊戌	戊辰	丁酉	丙寅	丙申	乙丑	乙未	甲子	丙申	乙丑	23
庚子	庚午	己亥	己巳	戊戌	丁卯	丁酉	丙寅	丙申	乙丑	丁酉	丙寅	24
辛丑	辛未	庚子	庚午	己亥	戊辰	戊戌	丁卯	丁酉	丙寅	戊戌	丁卯	25
壬寅	壬申	辛丑	辛未	庚子	己巳	己亥	戊辰	戊戌	丁卯	己亥	戊辰	26
癸卯	癸酉	壬寅	壬申	辛丑	庚午	庚子	己巳	己亥	戊辰	庚子	己巳	27
甲辰	甲戌	癸卯	癸酉	壬寅	辛未	辛丑	庚午	庚子	己巳	辛丑	庚午	28
乙巳	乙亥	甲辰	甲戌	癸卯	壬申	壬寅	辛未	辛丑	庚午		辛未	29
十二月 丙午	十一月 丙子	乙巳	乙亥	甲辰	癸酉	癸卯	壬申	壬寅	辛未		壬申	30
丁未		十月 丙午		乙巳	甲戌		癸酉		壬申		癸酉	31

農曆初一　農曆十五

西曆一九九八年

12月	11月	10月	9月	8月	7月	6月	5月	4月	3月	2月	1月	月/日
壬午	壬子	辛巳	辛亥	庚辰	己酉	己卯	戊申	戊寅	丁未	己卯	戊申	1
癸未	癸丑	壬午	壬子	辛巳	庚戌	庚辰	己酉	己卯	戊申	庚辰	己酉	2
甲申	甲寅	癸未	癸丑	壬午	辛亥	辛巳	庚戌	庚辰	己酉	辛巳	庚戌	3
乙酉	乙卯	甲申	甲寅	癸未	壬子	壬午	辛亥	辛巳	庚戌	壬午	辛亥	4
丙戌	丙辰	乙酉	乙卯	甲申	癸丑	癸未	壬子	壬午	辛亥	癸未	壬子	5
丁亥	丁巳	丙戌	丙辰	乙酉	甲寅	甲申	癸丑	癸未	壬子	甲申	癸丑	6
戊子	戊午	丁亥	丁巳	丙戌	乙卯	乙酉	甲寅	甲申	癸丑	乙酉	甲寅	7
己丑	己未	戊子	戊午	丁亥	丙辰	丙戌	乙卯	乙酉	甲寅	丙戌	乙卯	8
庚寅	庚申	己丑	己未	戊子	丁巳	丁亥	丙辰	丙戌	乙卯	丁亥	丙辰	9
辛卯	辛酉	庚寅	庚申	己丑	戊午	戊子	丁巳	丁亥	丙辰	戊子	丁巳	10
壬辰	壬戌	辛卯	辛酉	庚寅	己未	己丑	戊午	戊子	丁巳	己丑	戊午	11
癸巳	癸亥	壬辰	壬戌	辛卯	庚申	庚寅	己未	己丑	戊午	庚寅	己未	12
甲午	甲子	癸巳	癸亥	壬辰	辛酉	辛卯	庚申	庚寅	己未	辛卯	庚申	13
乙未	乙丑	甲午	甲子	癸巳	壬戌	壬辰	辛酉	辛卯	庚申	壬辰	辛酉	14
丙申	丙寅	乙未	乙丑	甲午	癸亥	癸巳	壬戌	壬辰	辛酉	癸巳	壬戌	15
丁酉	丁卯	丙申	丙寅	乙未	甲子	甲午	癸亥	癸巳	壬戌	甲午	癸亥	16
戊戌	戊辰	丁酉	丁卯	丙申	乙丑	乙未	甲子	甲午	癸亥	乙未	甲子	17
己亥	己巳	戊戌	戊辰	丁酉	丙寅	丙申	乙丑	乙未	甲子	丙申	乙丑	18
十一月 庚子	十月 庚午	己亥	己巳	戊戌	丁卯	丁酉	丙寅	丙申	乙丑	丁酉	丙寅	19
辛丑	辛未	九月 庚子	庚午	己亥	戊辰	戊戌	丁卯	丁酉	丙寅	戊戌	丁卯	20
壬寅	壬申	辛丑	八月 辛未	庚子	己巳	己亥	戊辰	戊戌	丁卯	己亥	戊辰	21
癸卯	癸酉	壬寅	壬申	七月 辛丑	庚午	庚子	己巳	己亥	戊辰	庚子	己巳	22
甲辰	甲戌	癸卯	癸酉	壬寅	六月 辛未	辛丑	庚午	庚子	己巳	辛丑	庚午	23
乙巳	乙亥	甲辰	甲戌	癸卯	壬申	閏五月 壬寅	辛未	辛丑	庚午	壬寅	辛未	24
丙午	丙子	乙巳	乙亥	甲辰	癸酉	癸卯	壬申	壬寅	辛未	癸卯	壬申	25
丁未	丁丑	丙午	丙子	乙巳	甲戌	甲辰	五月 癸酉	四月 癸卯	壬申	甲辰	癸酉	26
戊申	戊寅	丁未	丁丑	丙午	乙亥	乙巳	甲戌	甲辰	癸酉	二月 乙巳	甲戌	27
己酉	己卯	戊申	戊寅	丁未	丙子	丙午	乙亥	乙巳	三月 甲戌	丙午	正月 乙亥	28
庚戌	庚辰	己酉	己卯	戊申	丁丑	丁未	丙子	丙午	乙亥		丙子	29
辛亥	辛巳	庚戌	庚辰	己酉	戊寅	戊申	丁丑	丁未	丙子		丁丑	30
壬子		辛亥		庚戌	己卯		戊寅		丁丑		戊寅	31

農曆初一　農曆十五

西曆一九九九年

12月	11月	10月	9月	8月	7月	6月	5月	4月	3月	2月	1月	月/日
丁亥	丁巳	丙戌	丙辰	乙酉	甲寅	甲申	癸丑	癸未	壬子	甲申	癸丑	1
戊子	戊午	丁亥	丁巳	丙戌	乙卯	乙酉	甲寅	甲申	癸丑	乙酉	甲寅	2
己丑	己未	戊子	戊午	丁亥	丙辰	丙戌	乙卯	乙酉	甲寅	丙戌	乙卯	3
庚寅	庚申	己丑	己未	戊子	丁巳	丁亥	丙辰	丙戌	乙卯	丁亥	丙辰	4
辛卯	辛酉	庚寅	庚申	己丑	戊午	戊子	丁巳	丁亥	丙辰	戊子	丁巳	5
壬辰	壬戌	辛卯	辛酉	庚寅	己未	己丑	戊午	戊子	丁巳	己丑	戊午	6
癸巳	癸亥	壬辰	壬戌	辛卯	庚申	庚寅	己未	己丑	戊午	庚寅	己未	7
十一月 甲午	十月 甲子	癸巳	癸亥	壬辰	辛酉	辛卯	庚申	庚寅	己未	辛卯	庚申	8
乙未	乙丑	九月 甲午	甲子	癸巳	壬戌	壬辰	辛酉	辛卯	庚申	壬辰	辛酉	9
丙申	丙寅	乙未	八月 乙丑	甲午	癸亥	癸巳	壬戌	壬辰	辛酉	癸巳	壬戌	10
丁酉	丁卯	丙申	丙寅	七月 乙未	甲子	甲午	癸亥	癸巳	壬戌	甲午	癸亥	11
戊戌	戊辰	丁酉	丁卯	丙申	乙丑	乙未	甲子	甲午	癸亥	乙未	甲子	12
己亥	己巳	戊戌	戊辰	丁酉	六月 丙寅	丙申	乙丑	乙未	甲子	丙申	乙丑	13
庚子	庚午	己亥	己巳	戊戌	丁卯	五月 丁酉	丙寅	丙申	乙丑	丁酉	丙寅	14
辛丑	辛未	庚子	庚午	己亥	戊辰	戊戌	四月 丁卯	丁酉	丙寅	戊戌	丁卯	15
壬寅	壬申	辛丑	辛未	庚子	己巳	己亥	戊辰	三月 戊戌	丁卯	正月 己亥	戊辰	16
癸卯	癸酉	壬寅	壬申	辛丑	庚午	庚子	己巳	己亥	戊辰	庚子	十二月 己巳	17
甲辰	甲戌	癸卯	癸酉	壬寅	辛未	辛丑	庚午	庚子	二月 己巳	辛丑	庚午	18
乙巳	乙亥	甲辰	甲戌	癸卯	壬申	壬寅	辛未	辛丑	庚午	壬寅	辛未	19
丙午	丙子	乙巳	乙亥	甲辰	癸酉	癸卯	壬申	壬寅	辛未	癸卯	壬申	20
丁未	丁丑	丙午	丙子	乙巳	甲戌	甲辰	癸酉	癸卯	壬申	甲辰	癸酉	21
戊申	戊寅	丁未	丁丑	丙午	乙亥	乙巳	甲戌	甲辰	癸酉	乙巳	甲戌	22
己酉	己卯	戊申	戊寅	丁未	丙子	丙午	乙亥	乙巳	甲戌	丙午	乙亥	23
庚戌	庚辰	己酉	己卯	戊申	丁丑	丁未	丙子	丙午	乙亥	丁未	丙子	24
辛亥	辛巳	庚戌	庚辰	己酉	戊寅	戊申	丁丑	丁未	丙子	戊申	丁丑	25
壬子	壬午	辛亥	辛巳	庚戌	己卯	己酉	戊寅	戊申	丁丑	己酉	戊寅	26
癸丑	癸未	壬子	壬午	辛亥	庚辰	庚戌	己卯	己酉	戊寅	庚戌	己卯	27
甲寅	甲申	癸丑	癸未	壬子	辛巳	辛亥	庚辰	庚戌	己卯	辛亥	庚辰	28
乙卯	乙酉	甲寅	甲申	癸丑	壬午	壬子	辛巳	辛亥	庚辰		辛巳	29
丙辰	丙戌	乙卯	乙酉	甲寅	癸未	癸丑	壬午	壬子	辛巳		壬午	30
丁巳		丙辰		乙卯	甲申		癸未				癸未	31

農曆初一　農曆十五

西曆二〇〇〇年

12月	11月	10月	9月	8月	7月	6月	5月	4月	3月	2月	1月	月/日
癸巳	癸亥	壬辰	壬戌	辛卯	庚申	庚寅	己未	己丑	戊午	己丑	戊午	1
甲午	甲子	癸巳	癸亥	壬辰	六月 辛酉	五月 辛卯	庚申	庚寅	己未	庚寅	己未	2
乙未	乙丑	甲午	甲子	癸巳	壬戌	壬辰	辛酉	辛卯	庚申	辛卯	庚申	3
丙申	丙寅	乙未	乙丑	甲午	癸亥	癸巳	四月 壬戌	壬辰	辛酉	壬辰	辛酉	4
丁酉	丁卯	丙申	丙寅	乙未	甲子	甲午	癸亥	三月 癸巳	壬戌	正月 癸巳	壬戌	5
戊戌	戊辰	丁酉	丁卯	丙申	乙丑	乙未	甲子	甲午	二月 癸亥	甲午	癸亥	6
己亥	己巳	戊戌	戊辰	丁酉	丙寅	丙申	乙丑	乙未	甲子	乙未	十二月 甲子	7
庚子	庚午	己亥	己巳	戊戌	丁卯	丁酉	丙寅	丙申	乙丑	丙申	乙丑	8
辛丑	辛未	庚子	庚午	己亥	戊辰	戊戌	丁卯	丁酉	丙寅	丁酉	丙寅	9
壬寅	壬申	辛丑	辛未	庚子	己巳	己亥	戊辰	戊戌	丁卯	戊戌	丁卯	10
癸卯	癸酉	壬寅	壬申	辛丑	庚午	庚子	己巳	己亥	戊辰	己亥	戊辰	11
甲辰	甲戌	癸卯	癸酉	壬寅	辛未	辛丑	庚午	庚子	己巳	庚子	己巳	12
乙巳	乙亥	甲辰	甲戌	癸卯	壬申	壬寅	辛未	辛丑	庚午	辛丑	庚午	13
丙午	丙子	乙巳	乙亥	甲辰	癸酉	癸卯	壬申	壬寅	辛未	壬寅	辛未	14
丁未	丁丑	丙午	丙子	乙巳	甲戌	甲辰	癸酉	癸卯	壬申	癸卯	壬申	15
戊申	戊寅	丁未	丁丑	丙午	乙亥	乙巳	甲戌	甲辰	癸酉	甲辰	癸酉	16
己酉	己卯	戊申	戊寅	丁未	丙子	丙午	乙亥	乙巳	甲戌	乙巳	甲戌	17
庚戌	庚辰	己酉	己卯	戊申	丁丑	丁未	丙子	丙午	乙亥	丙午	乙亥	18
辛亥	辛巳	庚戌	庚辰	己酉	戊寅	戊申	丁丑	丁未	丙子	丁未	丙子	19
壬子	壬午	辛亥	辛巳	庚戌	己卯	己酉	戊寅	戊申	丁丑	戊申	丁丑	20
癸丑	癸未	壬子	壬午	辛亥	庚辰	庚戌	己卯	己酉	戊寅	己酉	戊寅	21
甲寅	甲申	癸丑	癸未	壬子	辛巳	辛亥	庚辰	庚戌	己卯	庚戌	己卯	22
乙卯	乙酉	甲寅	甲申	癸丑	壬午	壬子	辛巳	辛亥	庚辰	辛亥	庚辰	23
丙辰	丙戌	乙卯	乙酉	甲寅	癸未	癸丑	壬午	壬子	辛巳	壬子	辛巳	24
丁巳	丁亥	丙辰	丙戌	乙卯	甲申	甲寅	癸未	癸丑	壬午	癸丑	壬午	25
十二月 戊午	十一月 戊子	丁巳	丁亥	丙辰	乙酉	乙卯	甲申	甲寅	癸未	甲寅	癸未	26
己未	己丑	十月 戊午	戊子	丁巳	丙戌	丙辰	乙酉	乙卯	甲申	乙卯	甲申	27
庚申	庚寅	己未	九月 己丑	戊午	丁亥	丁巳	丙戌	丙辰	乙酉	丙辰	乙酉	28
辛酉	辛卯	庚申	庚寅	八月 己未	戊子	戊午	丁亥	丁巳	丙戌	丁巳	丙戌	29
壬戌	壬辰	辛酉	辛卯	庚申	己丑	己未	戊子	戊午	丁亥		丁亥	30
癸亥		壬戌		辛酉	七月 庚寅		己丑		戊子		戊子	31

農曆初一　農曆十五

西曆二〇〇一年

12月	11月	10月	9月	8月	7月	6月	5月	4月	3月	2月	1月	月/日
戊戌	戊辰	丁酉	丁卯	丙申	乙丑	乙未	甲子	甲午	癸亥	乙未	甲子	1
己亥	己巳	戊戌	戊辰	丁酉	丙寅	丙申	乙丑	乙未	甲子	丙申	乙丑	2
庚子	庚午	己亥	己巳	戊戌	丁卯	丁酉	丙寅	丙申	乙丑	丁酉	丙寅	3
辛丑	辛未	庚子	庚午	己亥	戊辰	戊戌	丁卯	丁酉	丙寅	戊戌	丁卯	4
壬寅	壬申	辛丑	辛未	庚子	己巳	己亥	戊辰	戊戌	丁卯	己亥	戊辰	5
癸卯	癸酉	壬寅	壬申	辛丑	庚午	庚子	己巳	己亥	戊辰	庚子	己巳	6
甲辰	甲戌	癸卯	癸酉	壬寅	辛未	辛丑	庚午	庚子	己巳	辛丑	庚午	7
乙巳	乙亥	甲辰	甲戌	癸卯	壬申	壬寅	辛未	辛丑	庚午	壬寅	辛未	8
丙午	丙子	乙巳	乙亥	甲辰	癸酉	癸卯	壬申	壬寅	辛未	癸卯	壬申	9
丁未	丁丑	丙午	丙子	乙巳	甲戌	甲辰	癸酉	癸卯	壬申	甲辰	癸酉	10
戊申	戊寅	丁未	丁丑	丙午	乙亥	乙巳	甲戌	甲辰	癸酉	乙巳	甲戌	11
己酉	己卯	戊申	戊寅	丁未	丙子	丙午	乙亥	乙巳	甲戌	丙午	乙亥	12
庚戌	庚辰	己酉	己卯	戊申	丁丑	丁未	丙子	丙午	乙亥	丁未	丙子	13
辛亥	辛巳	庚戌	庚辰	己酉	戊寅	戊申	丁丑	丁未	丙子	戊申	丁丑	14
十一月 壬子	十月 壬午	辛亥	辛巳	庚戌	己卯	己酉	戊寅	戊申	丁丑	己酉	戊寅	15
癸丑	癸未	壬子	壬午	辛亥	庚辰	庚戌	己卯	己酉	戊寅	庚戌	己卯	16
甲寅	甲申	九月 癸丑	八月 癸未	壬子	辛巳	辛亥	庚辰	庚戌	己卯	辛亥	庚辰	17
乙卯	乙酉	甲寅	甲申	癸丑	壬午	壬子	辛巳	辛亥	庚辰	壬子	辛巳	18
丙辰	丙戌	乙卯	乙酉	七月 甲寅	癸未	癸丑	壬午	壬子	辛巳	癸丑	壬午	19
丁巳	丁亥	丙辰	丙戌	乙卯	甲申	甲寅	癸未	癸丑	壬午	甲寅	癸未	20
戊午	戊子	丁巳	丁亥	丙辰	六月 乙酉	五月 乙卯	甲申	甲寅	癸未	乙卯	甲申	21
己未	己丑	戊午	戊子	丁巳	丙戌	丙辰	乙酉	乙卯	甲申	丙辰	乙酉	22
庚申	庚寅	己未	己丑	戊午	丁亥	丁巳	閏四月 丙戌	四月 丙辰	乙酉	二月 丁巳	丙戌	23
辛酉	辛卯	庚申	庚寅	己未	戊子	戊午	丁亥	丁巳	丙戌	戊午	正月 丁亥	24
壬戌	壬辰	辛酉	辛卯	庚申	己丑	己未	戊子	戊午	三月 丁亥	己未	戊子	25
癸亥	癸巳	壬戌	壬辰	辛酉	庚寅	庚申	己丑	己未	戊子	庚申	己丑	26
甲子	甲午	癸亥	癸巳	壬戌	辛卯	辛酉	庚寅	庚申	己丑	辛酉	庚寅	27
乙丑	乙未	甲子	甲午	癸亥	壬辰	壬戌	辛卯	辛酉	庚寅	壬戌	辛卯	28
丙寅	丙申	乙丑	乙未	甲子	癸巳	癸亥	壬辰	壬戌	辛卯		壬辰	29
丁卯	丁酉	丙寅	丙申	乙丑	甲午	甲子	癸巳	癸亥	壬辰		癸巳	30
戊辰		丁卯		丙寅	乙未		甲午		癸巳		甲午	31

農曆初一　農曆十五

西曆二〇〇二年

12月	11月	10月	9月	8月	7月	6月	5月	4月	3月	2月	1月	月/日
癸卯	癸酉	壬寅	壬申	辛丑	庚午	庚子	己巳	己亥	戊辰	庚子	己巳	1
甲辰	甲戌	癸卯	癸酉	壬寅	辛未	辛丑	庚午	庚子	己巳	辛丑	庚午	2
乙巳	乙亥	甲辰	甲戌	癸卯	壬申	壬寅	辛未	辛丑	庚午	壬寅	辛未	3
十一月 丙午	丙子	乙巳	乙亥	甲辰	癸酉	癸卯	壬申	壬寅	辛未	癸卯	壬申	4
丁未	十月 丁丑	丙午	丙子	乙巳	甲戌	甲辰	癸酉	癸卯	壬申	甲辰	癸酉	5
戊申	戊寅	九月 丁未	丁丑	丙午	乙亥	乙巳	甲戌	甲辰	癸酉	乙巳	甲戌	6
己酉	己卯	戊申	八月 戊寅	丁未	丙子	丙午	乙亥	乙巳	甲戌	丙午	乙亥	7
庚戌	庚辰	己酉	己卯	戊申	丁丑	丁未	丙子	丙午	乙亥	丁未	丙子	8
辛亥	辛巳	庚戌	庚辰	七月 己酉	戊寅	戊申	丁丑	丁未	丙子	戊申	丁丑	9
壬子	壬午	辛亥	辛巳	庚戌	六月 己卯	己酉	戊寅	戊申	丁丑	己酉	戊寅	10
癸丑	癸未	壬子	壬午	辛亥	庚辰	五月 庚戌	己卯	己酉	戊寅	庚戌	己卯	11
甲寅	甲申	癸丑	癸未	壬子	辛巳	辛亥	四月 庚辰	庚戌	己卯	正月 辛亥	戊辰	12
乙卯	乙酉	甲寅	甲申	癸丑	壬午	壬子	辛巳	三月 辛亥	庚辰	壬子	十二月 辛巳	13
丙辰	丙戌	乙卯	乙酉	甲寅	癸未	癸丑	壬午	壬子	二月 辛巳	癸丑	壬午	14
丁巳	丁亥	丙辰	丙戌	乙卯	甲申	甲寅	癸未	癸丑	壬午	甲寅	癸未	15
戊午	戊子	丁巳	丁亥	丙辰	乙酉	乙卯	甲申	甲寅	癸未	乙卯	甲申	16
己未	己丑	戊午	戊子	丁巳	丙戌	丙辰	乙酉	乙卯	甲申	丙辰	乙酉	17
庚申	庚寅	己未	己丑	戊午	丁亥	丁巳	丙戌	丙辰	乙酉	丁巳	丙戌	18
辛酉	辛卯	庚申	庚寅	己未	戊子	戊午	丁亥	丁巳	丙戌	戊午	丁亥	19
壬戌	壬辰	辛酉	辛卯	庚申	己丑	己未	戊子	戊午	丁亥	己未	戊子	20
癸亥	癸巳	壬戌	壬辰	辛酉	庚寅	庚申	己丑	己未	戊子	庚申	己丑	21
甲子	甲午	癸亥	癸巳	壬戌	辛卯	辛酉	庚寅	庚申	己丑	辛酉	庚寅	22
乙丑	乙未	甲子	甲午	癸亥	壬辰	壬戌	辛卯	辛酉	庚寅	壬戌	辛卯	23
丙寅	丙申	乙丑	乙未	甲子	癸巳	癸亥	壬辰	壬戌	辛卯	癸亥	壬辰	24
丁卯	丁酉	丙寅	丙申	乙丑	甲午	甲子	癸巳	癸亥	壬辰	甲子	癸巳	25
戊辰	戊戌	丁卯	丁酉	丙寅	乙未	乙丑	甲午	甲子	癸巳	乙丑	甲午	26
己巳	己亥	戊辰	戊戌	丁卯	丙申	丙寅	乙未	乙丑	甲午	丙寅	乙未	27
庚午	庚子	己巳	己亥	戊辰	丁酉	丁卯	丙申	丙寅	乙未	丁卯	丙申	28
辛未	辛丑	庚午	庚子	己巳	戊戌	戊辰	丁酉	丁卯	丙申		丁酉	29
壬申	壬寅	辛未	辛丑	庚午	己亥	己巳	戊戌	戊辰	丁酉		戊戌	30
癸酉		壬申		辛未	庚子		己亥		戊戌		己亥	31

農曆初一　農曆十五

西曆二〇〇三年

12月	11月	10月	9月	8月	7月	6月	5月	4月	3月	2月	1月	月/日
戊申	戊寅	丁未	丁丑	丙午	乙亥	乙巳	四月 甲戌	甲辰	癸酉	正月 乙巳	甲戌	1
己酉	己卯	戊申	戊寅	丁未	丙子	丙午	乙亥	三月 乙巳	甲戌	丙午	乙亥	2
庚戌	庚辰	己酉	己卯	戊申	丁丑	丁未	丙子	丙午	二月 乙亥	丁未	十二月 丙子	3
辛亥	辛巳	庚戌	庚辰	己酉	戊寅	戊申	丁丑	丁未	丙子	戊申	丁丑	4
壬子	壬午	辛亥	辛巳	庚戌	己卯	己酉	戊寅	戊申	丁丑	己酉	戊寅	5
癸丑	癸未	壬子	壬午	辛亥	庚辰	庚戌	己卯	己酉	戊寅	庚戌	己卯	6
甲寅	甲申	癸丑	癸未	壬子	辛巳	辛亥	庚辰	庚戌	己卯	辛亥	庚辰	7
乙卯	乙酉	甲寅	甲申	癸丑	壬午	壬子	辛巳	辛亥	庚辰	壬子	辛巳	8
丙辰	丙戌	乙卯	乙酉	甲寅	癸未	癸丑	壬午	壬子	辛巳	癸丑	壬午	9
丁巳	丁亥	丙辰	丙戌	乙卯	甲申	甲寅	癸未	癸丑	壬午	甲寅	癸未	10
戊午	戊子	丁巳	丁亥	丙辰	乙酉	乙卯	甲申	甲寅	癸未	乙卯	甲申	11
己未	己丑	戊午	戊子	丁巳	丙戌	丙辰	乙酉	乙卯	甲申	丙辰	乙酉	12
庚申	庚寅	己未	己丑	戊午	丁亥	丁巳	丙戌	丙辰	乙酉	丁巳	丙戌	13
辛酉	辛卯	庚申	庚寅	己未	戊子	戊午	丁亥	丁巳	丙戌	戊午	丁亥	14
壬戌	壬辰	辛酉	辛卯	庚申	己丑	己未	戊子	戊午	丁亥	己未	戊子	15
癸亥	癸巳	壬戌	壬辰	辛酉	庚寅	庚申	己丑	己未	戊子	庚申	己丑	16
甲子	甲午	癸亥	癸巳	壬戌	辛卯	辛酉	庚寅	庚申	己丑	辛酉	庚寅	17
乙丑	乙未	甲子	甲午	癸亥	壬辰	壬戌	辛卯	辛酉	庚寅	壬戌	辛卯	18
丙寅	丙申	乙丑	乙未	甲子	癸巳	癸亥	壬辰	壬戌	辛卯	癸亥	壬辰	19
丁卯	丁酉	丙寅	丙申	乙丑	甲午	甲子	癸巳	癸亥	壬辰	甲子	癸巳	20
戊辰	戊戌	丁卯	丁酉	丙寅	乙未	乙丑	甲午	甲子	癸巳	乙丑	甲午	21
己巳	己亥	戊辰	戊戌	丁卯	丙申	丙寅	乙未	乙丑	甲午	丙寅	乙未	22
十二月 庚午	庚子	己巳	己亥	戊辰	丁酉	丁卯	丙申	丙寅	乙未	丁卯	丙申	23
辛未	十一月 辛丑	庚午	庚子	己巳	戊戌	戊辰	丁酉	丁卯	丙申	戊辰	丁酉	24
壬申	壬寅	十月 辛未	辛丑	庚午	己亥	己巳	戊戌	戊辰	丁酉	己巳	戊戌	25
癸酉	癸卯	壬申	九月 壬寅	辛未	庚子	庚午	己亥	己巳	戊戌	庚午	己亥	26
甲戌	甲辰	癸酉	癸卯	壬申	辛丑	辛未	庚子	庚午	己亥	辛未	庚子	27
乙亥	乙巳	甲戌	甲辰	八月 癸酉	壬寅	壬申	辛丑	辛未	庚子	壬申	辛丑	28
丙子	丙午	乙亥	乙巳	甲戌	七月 癸卯	癸酉	壬寅	壬申	辛丑		壬寅	29
丁丑	丁未	丙子	丙午	乙亥	甲辰	六月 甲戌	癸卯	癸酉	壬寅		癸卯	30
戊寅		丁丑		丙子	乙巳		五月 甲辰		癸卯		甲辰	31

農曆初一　農曆十五

西曆二〇〇四年

12月	11月	10月	9月	8月	7月	6月	5月	4月	3月	2月	1月	月/日
甲寅	甲申	癸丑	癸未	壬子	辛巳	辛亥	庚辰	庚戌	己卯	庚戌	己卯	1
乙卯	乙酉	甲寅	甲申	癸丑	壬午	壬子	辛巳	辛亥	庚辰	辛亥	庚辰	2
丙辰	丙戌	乙卯	乙酉	甲寅	癸未	癸丑	壬午	壬子	辛巳	壬子	辛巳	3
丁巳	丁亥	丙辰	丙戌	乙卯	甲申	甲寅	癸未	癸丑	壬午	癸丑	壬午	4
戊午	戊子	丁巳	丁亥	丙辰	乙酉	乙卯	甲申	甲寅	癸未	甲寅	癸未	5
己未	己丑	戊午	戊子	丁巳	丙戌	丙辰	乙酉	乙卯	甲申	乙卯	甲申	6
庚申	庚寅	己未	己丑	戊午	丁亥	丁巳	丙戌	丙辰	乙酉	丙辰	乙酉	7
辛酉	辛卯	庚申	庚寅	己未	戊子	戊午	丁亥	丁巳	丙戌	丁巳	丙戌	8
壬戌	壬辰	辛酉	辛卯	庚申	己丑	己未	戊子	戊午	丁亥	戊午	丁亥	9
癸亥	癸巳	壬戌	壬辰	辛酉	庚寅	庚申	己丑	己未	戊子	己未	戊子	10
甲子	甲午	癸亥	癸巳	壬戌	辛卯	辛酉	庚寅	庚申	己丑	庚申	己丑	11
十一月 乙丑	十月 乙未	甲子	甲午	癸亥	壬辰	壬戌	辛卯	辛酉	庚寅	辛酉	庚寅	12
丙寅	丙申	乙丑	乙未	甲子	癸巳	癸亥	壬辰	壬戌	辛卯	壬戌	辛卯	13
丁卯	丁酉	九月 丙寅	八月 丙申	乙丑	甲午	甲子	癸巳	癸亥	壬辰	癸亥	壬辰	14
戊辰	戊戌	丁卯	丁酉	丙寅	乙未	乙丑	甲午	甲子	癸巳	甲子	癸巳	15
己巳	己亥	戊辰	戊戌	七月 丁卯	丙申	丙寅	乙未	乙丑	甲午	乙丑	甲午	16
庚午	庚子	己巳	己亥	戊辰	六月 丁酉	丁卯	丙申	丙寅	乙未	丙寅	乙未	17
辛未	辛丑	庚午	庚子	己巳	戊戌	五月 戊辰	丁酉	丁卯	丙申	丁卯	丙申	18
壬申	壬寅	辛未	辛丑	庚午	己亥	己巳	四月 戊戌	三月 戊辰	丁酉	戊辰	丁酉	19
癸酉	癸卯	壬申	壬寅	辛未	庚子	庚午	己亥	己巳	戊戌	二月 己巳	戊戌	20
甲戌	甲辰	癸酉	癸卯	壬申	辛丑	辛未	庚子	庚午	閏二月 己亥	庚午	己亥	21
乙亥	乙巳	甲戌	甲辰	癸酉	壬寅	壬申	辛丑	辛未	庚子	辛未	正月 庚子	22
丙子	丙午	乙亥	乙巳	甲戌	癸卯	癸酉	壬寅	壬申	辛丑	壬申	辛丑	23
丁丑	丁未	丙子	丙午	乙亥	甲辰	甲戌	癸卯	癸酉	壬寅	癸酉	壬寅	24
戊寅	戊申	丁丑	丁未	丙子	乙巳	乙亥	甲辰	甲戌	癸卯	甲戌	癸卯	25
己卯	己酉	戊寅	戊申	丁丑	丙午	丙子	乙巳	乙亥	甲辰	乙亥	甲辰	26
庚辰	庚戌	己卯	己酉	戊寅	丁未	丁丑	丙午	丙子	乙巳	丙子	乙巳	27
辛巳	辛亥	庚辰	庚戌	己卯	戊申	戊寅	丁未	丁丑	丙午	丁丑	丙午	28
壬午	壬子	辛巳	辛亥	庚辰	己酉	己卯	戊申	戊寅	丁未	戊寅	丁未	29
癸未	癸丑	壬午	壬子	辛巳	庚戌	庚辰	己酉	己卯	戊申		戊申	30
甲申		癸未		壬午	辛亥		庚戌		己酉		己酉	31

農曆初一　農曆十五

西曆二〇〇五年

12月	11月	10月	9月	8月	7月	6月	5月	4月	3月	2月	1月	月/日
十一月 己未	己丑	戊午	戊子	丁巳	丙戌	丙辰	乙酉	乙卯	甲申	丙辰	乙酉	1
庚申	十月 庚寅	己未	己丑	戊午	丁亥	丁巳	丙戌	丙辰	乙酉	丁巳	丙戌	2
辛酉	辛卯	九月 庚申	庚寅	己未	戊子	戊午	丁亥	丁巳	丙戌	戊午	丁亥	3
壬戌	壬辰	辛酉	八月 辛卯	庚申	己丑	己未	戊子	戊午	丁亥	己未	戊子	4
癸亥	癸巳	壬戌	壬辰	七月 辛酉	庚寅	庚申	己丑	己未	戊子	庚申	己丑	5
甲子	甲午	癸亥	癸巳	壬戌	六月 辛卯	辛酉	庚寅	庚申	己丑	辛酉	庚寅	6
乙丑	乙未	甲子	甲午	癸亥	壬辰	五月 壬戌	辛卯	辛酉	庚寅	壬戌	辛卯	7
丙寅	丙申	乙丑	乙未	甲子	癸巳	癸亥	四月 壬辰	壬戌	辛卯	癸亥	壬辰	8
丁卯	丁酉	丙寅	丙申	乙丑	甲午	甲子	癸巳	三月 癸亥	壬辰	正月 甲子	癸巳	9
戊辰	戊戌	丁卯	丁酉	丙寅	乙未	乙丑	甲午	甲子	二月 癸巳	乙丑	十二月 甲午	10
己巳	己亥	戊辰	戊戌	丁卯	丙申	丙寅	乙未	乙丑	甲午	丙寅	乙未	11
庚午	庚子	己巳	己亥	戊辰	丁酉	丁卯	丙申	丙寅	乙未	丁卯	丙申	12
辛未	辛丑	庚午	庚子	己巳	戊戌	戊辰	丁酉	丁卯	丙申	戊辰	丁酉	13
壬申	壬寅	辛未	辛丑	庚午	己亥	己巳	戊戌	戊辰	丁酉	己巳	戊戌	14
癸酉	癸卯	壬申	壬寅	辛未	庚子	庚午	己亥	己巳	戊戌	庚午	己亥	15
甲戌	甲辰	癸酉	癸卯	壬申	辛丑	辛未	庚子	庚午	己亥	辛未	庚子	16
乙亥	乙巳	甲戌	甲辰	癸酉	壬寅	壬申	辛丑	辛未	庚子	壬申	辛丑	17
丙子	丙午	乙亥	乙巳	甲戌	癸卯	癸酉	壬寅	壬申	辛丑	癸酉	壬寅	18
丁丑	丁未	丙子	丙午	乙亥	甲辰	甲戌	癸卯	癸酉	壬寅	甲戌	癸卯	19
戊寅	戊申	丁丑	丁未	丙子	乙巳	乙亥	甲辰	甲戌	癸卯	乙亥	甲辰	20
己卯	己酉	戊寅	戊申	丁丑	丙午	丙子	乙巳	乙亥	甲辰	丙子	乙巳	21
庚辰	庚戌	己卯	己酉	戊寅	丁未	丁丑	丙午	丙子	乙巳	丁丑	丙午	22
辛巳	辛亥	庚辰	庚戌	己卯	戊申	戊寅	丁未	丁丑	丙午	戊寅	丁未	23
壬午	壬子	辛巳	辛亥	庚辰	己酉	己卯	戊申	戊寅	丁未	己卯	戊申	24
癸未	癸丑	壬午	壬子	辛巳	庚戌	庚辰	己酉	己卯	戊申	庚辰	己酉	25
甲申	甲寅	癸未	癸丑	壬午	辛亥	辛巳	庚戌	庚辰	己酉	辛巳	庚戌	26
乙酉	乙卯	甲申	甲寅	癸未	壬子	壬午	辛亥	辛巳	庚戌	壬午	辛亥	27
丙戌	丙辰	乙酉	乙卯	甲申	癸丑	癸未	壬子	壬午	辛亥	癸未	壬子	28
丁亥	丁巳	丙戌	丙辰	乙酉	甲寅	甲申	癸丑	癸未	壬子		癸丑	29
戊子	戊午	丁亥	丁巳	丙戌	乙卯	乙酉	甲寅	甲申	癸丑		甲寅	30
十二月 己丑		戊子		丁亥	丙辰		乙卯		甲寅		乙卯	31

農曆初一　農曆十五

西曆二〇〇六年

12月	11月	10月	9月	8月	7月	6月	5月	4月	3月	2月	1月	月/日
甲子	甲午	癸亥	癸巳	壬戌	辛卯	辛酉	庚寅	庚申	己丑	辛酉	庚寅	1
乙丑	乙未	甲子	甲午	癸亥	壬辰	壬戌	辛卯	辛酉	庚寅	壬戌	辛卯	2
丙寅	丙申	乙丑	乙未	甲子	癸巳	癸亥	壬辰	壬戌	辛卯	癸亥	壬辰	3
丁卯	丁酉	丙寅	丙申	乙丑	甲午	甲子	癸巳	癸亥	壬辰	甲子	癸巳	4
戊辰	戊戌	丁卯	丁酉	丙寅	乙未	乙丑	甲午	甲子	癸巳	乙丑	甲午	5
己巳	己亥	戊辰	戊戌	丁卯	丙申	丙寅	乙未	乙丑	甲午	丙寅	乙未	6
庚午	庚子	己巳	己亥	戊辰	丁酉	丁卯	丙申	丙寅	乙未	丁卯	丙申	7
辛未	辛丑	庚午	庚子	己巳	戊戌	戊辰	丁酉	丁卯	丙申	戊辰	丁酉	8
壬申	壬寅	辛未	辛丑	庚午	己亥	己巳	戊戌	戊辰	丁酉	己巳	戊戌	9
癸酉	癸卯	壬申	壬寅	辛未	庚子	庚午	己亥	己巳	戊戌	庚午	己亥	10
甲戌	甲辰	癸酉	癸卯	壬申	辛丑	辛未	庚子	庚午	己亥	辛未	庚子	11
乙亥	乙巳	甲戌	甲辰	癸酉	壬寅	壬申	辛丑	辛未	庚子	壬申	辛丑	12
丙子	丙午	乙亥	乙巳	甲戌	癸卯	癸酉	壬寅	壬申	辛丑	癸酉	壬寅	13
丁丑	丁未	丙子	丙午	乙亥	甲辰	甲戌	癸卯	癸酉	壬寅	甲戌	癸卯	14
戊寅	戊申	丁丑	丁未	丙子	乙巳	乙亥	甲辰	甲戌	癸卯	乙亥	甲辰	15
己卯	己酉	戊寅	戊申	丁丑	丙午	丙子	乙巳	乙亥	甲辰	丙子	乙巳	16
庚辰	庚戌	己卯	己酉	戊寅	丁未	丁丑	丙午	丙子	乙巳	丁丑	丙午	17
辛巳	辛亥	庚辰	庚戌	己卯	戊申	戊寅	丁未	丁丑	丙午	戊寅	丁未	18
壬午	壬子	辛巳	辛亥	庚辰	己酉	己卯	戊申	戊寅	丁未	己卯	戊申	19
十一月 癸未	癸丑	壬午	壬子	辛巳	庚戌	庚辰	己酉	己卯	戊申	庚辰	己酉	20
甲申	十月 甲寅	癸未	癸丑	壬午	辛亥	辛巳	庚戌	庚辰	己酉	辛巳	庚戌	21
乙酉	乙卯	九月 甲申	八月 甲寅	癸未	壬子	壬午	辛亥	辛巳	庚戌	壬午	辛亥	22
丙戌	丙辰	乙酉	乙卯	甲申	癸丑	癸未	壬子	壬午	辛亥	癸未	壬子	23
丁亥	丁巳	丙戌	丙辰	閏七月 乙酉	甲寅	甲申	癸丑	癸未	壬子	甲申	癸丑	24
戊子	戊午	丁亥	丁巳	丙戌	七月 乙卯	乙酉	甲寅	甲申	癸丑	乙酉	甲寅	25
己丑	己未	戊子	戊午	丁亥	丙辰	六月 丙戌	乙卯	乙酉	甲寅	丙戌	乙卯	26
庚寅	庚申	己丑	己未	戊子	丁巳	丁亥	五月 丙辰	丙戌	乙卯	丁亥	丙辰	27
辛卯	辛酉	庚寅	庚申	己丑	戊午	戊子	丁巳	四月 丁亥	丙辰	二月 戊子	丁巳	28
壬辰	壬戌	辛卯	辛酉	庚寅	己未	己丑	戊午	戊子	三月 丁巳		正月 戊午	29
癸巳	癸亥	壬辰	壬戌	辛卯	庚申	庚寅	己未	己丑	戊午		己未	30
甲午		癸巳		壬辰	辛酉		庚申		己未		庚申	31

農曆初一　農曆十五

西曆二〇〇七年

12月	11月	10月	9月	8月	7月	6月	5月	4月	3月	2月	1月	月/日
己巳	己亥	戊辰	戊戌	丁卯	丙申	丙寅	乙未	乙丑	甲午	丙寅	乙未	1
庚午	庚子	己巳	己亥	戊辰	丁酉	丁卯	丙申	丙寅	乙未	丁卯	丙申	2
辛未	辛丑	庚午	庚子	己巳	戊戌	戊辰	丁酉	丁卯	丙申	戊辰	丁酉	3
壬申	壬寅	辛未	辛丑	庚午	己亥	己巳	戊戌	戊辰	丁酉	己巳	戊戌	4
癸酉	癸卯	壬申	壬寅	辛未	庚子	庚午	己亥	己巳	戊戌	庚午	己亥	5
甲戌	甲辰	癸酉	癸卯	壬申	辛丑	辛未	庚子	庚午	己亥	辛未	庚子	6
乙亥	乙巳	甲戌	甲辰	癸酉	壬寅	壬申	辛丑	辛未	庚子	壬申	辛丑	7
丙子	丙午	乙亥	乙巳	甲戌	癸卯	癸酉	壬寅	壬申	辛丑	癸酉	壬寅	8
丁丑	丁未	丙子	丙午	乙亥	甲辰	甲戌	癸卯	癸酉	壬寅	甲戌	癸卯	9
十一月 戊寅	十月 戊申	丁丑	丁未	丙子	乙巳	乙亥	甲辰	甲戌	癸卯	乙亥	甲辰	10
己卯	己酉	九月 戊寅	八月 戊申	丁丑	丙午	丙子	乙巳	乙亥	甲辰	丙子	乙巳	11
庚辰	庚戌	己卯	己酉	戊寅	丁未	丁丑	丙午	丙子	乙巳	丁丑	丙午	12
辛巳	辛亥	庚辰	庚戌	七月 己卯	戊申	戊寅	丁未	丁丑	丙午	戊寅	丁未	13
壬午	壬子	辛巳	辛亥	庚辰	六月 己酉	己卯	戊申	戊寅	丁未	己卯	戊申	14
癸未	癸丑	壬午	壬子	辛巳	庚戌	五月 庚辰	己酉	己卯	戊申	庚辰	己酉	15
甲申	甲寅	癸未	癸丑	壬午	辛亥	辛巳	庚戌	庚辰	己酉	辛巳	庚戌	16
乙酉	乙卯	甲申	甲寅	癸未	壬子	壬午	四月 辛亥	三月 辛巳	庚戌	壬午	辛亥	17
丙戌	丙辰	乙酉	乙卯	甲申	癸丑	癸未	壬子	壬午	辛亥	正月 癸未	壬子	18
丁亥	丁巳	丙戌	丙辰	乙酉	甲寅	甲申	癸丑	癸未	二月 壬子	甲申	十二月 癸丑	19
戊子	戊午	丁亥	丁巳	丙戌	乙卯	乙酉	甲寅	甲申	癸丑	乙酉	甲寅	20
己丑	己未	戊子	戊午	丁亥	丙辰	丙戌	乙卯	乙酉	甲寅	丙戌	乙卯	21
庚寅	庚申	己丑	己未	戊子	丁巳	丁亥	丙辰	丙戌	乙卯	丁亥	丙辰	22
辛卯	辛酉	庚寅	庚申	己丑	戊午	戊子	丁巳	丁亥	丙辰	戊子	丁巳	23
壬辰	壬戌	辛卯	辛酉	庚寅	己未	己丑	戊午	戊子	丁巳	己丑	戊午	24
癸巳	癸亥	壬辰	壬戌	辛卯	庚申	庚寅	己未	己丑	戊午	庚寅	己未	25
甲午	甲子	癸巳	癸亥	壬辰	辛酉	辛卯	庚申	庚寅	己未	辛卯	庚申	26
乙未	乙丑	甲午	甲子	癸巳	壬戌	壬辰	辛酉	辛卯	庚申	壬辰	辛酉	27
丙申	丙寅	乙未	乙丑	甲午	癸亥	癸巳	壬戌	壬辰	辛酉	癸巳	壬戌	28
丁酉	丁卯	丙申	丙寅	乙未	甲子	甲午	癸亥	癸巳	壬戌		癸亥	29
戊戌	戊辰	丁酉	丁卯	丙申	乙丑	乙未	甲子	甲午	癸亥		甲子	30
己亥		戊戌		丁酉	丙寅		乙丑		甲子		乙丑	31

農曆初一　農曆十五

西曆二〇〇八年

12月	11月	10月	9月	8月	7月	6月	5月	4月	3月	2月	1月	月/日
乙亥	乙巳	甲戌	甲辰	七月 癸酉	壬寅	壬申	辛丑	辛未	庚子	辛未	庚子	1
丙子	丙午	乙亥	乙巳	甲戌	癸卯	癸酉	壬寅	壬申	辛丑	壬申	辛丑	2
丁丑	丁未	丙子	丙午	乙亥	六月 甲辰	甲戌	癸卯	癸酉	壬寅	癸酉	壬寅	3
戊寅	戊申	丁丑	丁未	丙子	乙巳	五月 乙亥	甲辰	甲戌	癸卯	甲戌	癸卯	4
己卯	己酉	戊寅	戊申	丁丑	丙午	丙子	四月 乙巳	乙亥	甲辰	乙亥	甲辰	5
庚辰	庚戌	己卯	己酉	戊寅	丁未	丁丑	丙午	三月 丙子	乙巳	丙子	乙巳	6
辛巳	辛亥	庚辰	庚戌	己卯	戊申	戊寅	丁未	丁丑	丙午	正月 丁丑	丙午	7
壬午	壬子	辛巳	辛亥	庚辰	己酉	己卯	戊申	戊寅	二月 丁未	戊寅	十二月 丁未	8
癸未	癸丑	壬午	壬子	辛巳	庚戌	庚辰	己酉	己卯	戊申	己卯	戊申	9
甲申	甲寅	癸未	癸丑	壬午	辛亥	辛巳	庚戌	庚辰	己酉	庚辰	己酉	10
乙酉	乙卯	甲申	甲寅	癸未	壬子	壬午	辛亥	辛巳	庚戌	辛巳	庚戌	11
丙戌	丙辰	乙酉	乙卯	甲申	癸丑	癸未	壬子	壬午	辛亥	壬午	辛亥	12
丁亥	丁巳	丙戌	丙辰	乙酉	甲寅	甲申	癸丑	癸未	壬子	癸未	壬子	13
戊子	戊午	丁亥	丁巳	丙戌	乙卯	乙酉	甲寅	甲申	癸丑	甲申	癸丑	14
己丑	己未	戊子	戊午	丁亥	丙辰	丙戌	乙卯	乙酉	甲寅	乙酉	甲寅	15
庚寅	庚申	己丑	己未	戊子	丁巳	丁亥	丙辰	丙戌	乙卯	丙戌	乙卯	16
辛卯	辛酉	庚寅	庚申	己丑	戊午	戊子	丁巳	丁亥	丙辰	丁亥	丙辰	17
壬辰	壬戌	辛卯	辛酉	庚寅	己未	己丑	戊午	戊子	丁巳	戊子	丁巳	18
癸巳	癸亥	壬辰	壬戌	辛卯	庚申	庚寅	己未	己丑	戊午	己丑	戊午	19
甲午	甲子	癸巳	癸亥	壬辰	辛酉	辛卯	庚申	庚寅	己未	庚寅	己未	20
乙未	乙丑	甲午	甲子	癸巳	壬戌	壬辰	辛酉	辛卯	庚申	辛卯	庚申	21
丙申	丙寅	乙未	乙丑	甲午	癸亥	癸巳	壬戌	壬辰	辛酉	壬辰	辛酉	22
丁酉	丁卯	丙申	丙寅	乙未	甲子	甲午	癸亥	癸巳	壬戌	癸巳	壬戌	23
戊戌	戊辰	丁酉	丁卯	丙申	乙丑	乙未	甲子	甲午	癸亥	甲午	癸亥	24
己亥	己巳	戊戌	戊辰	丁酉	丙寅	丙申	乙丑	乙未	甲子	乙未	甲子	25
庚子	庚午	己亥	己巳	戊戌	丁卯	丁酉	丙寅	丙申	乙丑	丙申	乙丑	26
十二月 辛丑	辛未	庚子	庚午	己亥	戊辰	戊戌	丁卯	丁酉	丙寅	丁酉	丙寅	27
壬寅	十一月 壬申	辛丑	辛未	庚子	己巳	己亥	戊辰	戊戌	丁卯	戊戌	丁卯	28
癸卯	癸酉	十月 壬寅	九月 壬申	辛丑	庚午	庚子	己巳	己亥	戊辰	己亥	戊辰	29
甲辰	甲戌	癸卯	癸酉	壬寅	辛未	辛丑	庚午	庚子	己巳		己巳	30
乙巳		甲辰		八月 癸卯	壬申		辛未		庚午		庚午	31

農曆初一　農曆十五

西曆二〇〇九年

12月	11月	10月	9月	8月	7月	6月	5月	4月	3月	2月	1月	月/日
庚辰	庚戌	己卯	己酉	戊寅	丁未	丁丑	丙午	丙子	乙巳	丁丑	丙午	1
辛巳	辛亥	庚辰	庚戌	己卯	戊申	戊寅	丁未	丁丑	丙午	戊寅	丁未	2
壬午	壬子	辛巳	辛亥	庚辰	己酉	己卯	戊申	戊寅	丁未	己卯	戊申	3
癸未	癸丑	壬午	壬子	辛巳	庚戌	庚辰	己酉	己卯	戊申	庚辰	己酉	4
甲申	甲寅	癸未	癸丑	壬午	辛亥	辛巳	庚戌	庚辰	己酉	辛巳	庚戌	5
乙酉	乙卯	甲申	甲寅	癸未	壬子	壬午	辛亥	辛巳	庚戌	壬午	辛亥	6
丙戌	丙辰	乙酉	乙卯	甲申	癸丑	癸未	壬子	壬午	辛亥	癸未	壬子	7
丁亥	丁巳	丙戌	丙辰	乙酉	甲寅	甲申	癸丑	癸未	壬子	甲申	癸丑	8
戊子	戊午	丁亥	丁巳	丙戌	乙卯	乙酉	甲寅	甲申	癸丑	乙酉	甲寅	9
己丑	己未	戊子	戊午	丁亥	丙辰	丙戌	乙卯	乙酉	甲寅	丙戌	乙卯	10
庚寅	庚申	己丑	己未	戊子	丁巳	丁亥	丙辰	丙戌	乙卯	丁亥	丙辰	11
辛卯	辛酉	庚寅	庚申	己丑	戊午	戊子	丁巳	丁亥	丙辰	戊子	丁巳	12
壬辰	壬戌	辛卯	辛酉	庚寅	己未	己丑	戊午	戊子	丁巳	己丑	戊午	13
癸巳	癸亥	壬辰	壬戌	辛卯	庚申	庚寅	己未	己丑	戊午	庚寅	己未	14
甲午	甲子	癸巳	癸亥	壬辰	辛酉	辛卯	庚申	庚寅	己未	辛卯	庚申	15
(十一月) 乙未	乙丑	甲午	甲子	癸巳	壬戌	壬辰	辛酉	辛卯	庚申	壬辰	辛酉	16
丙申	(十月) 丙寅	乙未	乙丑	甲午	癸亥	癸巳	壬戌	壬辰	辛酉	癸巳	壬戌	17
丁酉	丁卯	(九月) 丙申	丙寅	乙未	甲子	甲午	癸亥	癸巳	壬戌	甲午	癸亥	18
戊戌	戊辰	丁酉	(八月) 丁卯	丙申	乙丑	乙未	甲子	甲午	癸亥	乙未	甲子	19
己亥	己巳	戊戌	戊辰	(七月) 丁酉	丙寅	丙申	乙丑	乙未	甲子	丙申	乙丑	20
庚子	庚午	己亥	己巳	戊戌	丁卯	丁酉	丙寅	丙申	乙丑	丁酉	丙寅	21
辛丑	辛未	庚子	庚午	己亥	(六月) 戊辰	戊戌	丁卯	丁酉	丙寅	戊戌	丁卯	22
壬寅	壬申	辛丑	辛未	庚子	己巳	(閏五月) 己亥	戊辰	戊戌	丁卯	己亥	戊辰	23
癸卯	癸酉	壬寅	壬申	辛丑	庚午	庚子	(五月) 己巳	己亥	戊辰	庚子	己巳	24
甲辰	甲戌	癸卯	癸酉	壬寅	辛未	辛丑	庚午	(四月) 庚子	己巳	(二月) 辛丑	庚午	25
乙巳	乙亥	甲辰	甲戌	癸卯	壬申	壬寅	辛未	辛丑	庚午	壬寅	(正月) 辛未	26
丙午	丙子	乙巳	乙亥	甲辰	癸酉	癸卯	壬申	壬寅	(三月) 辛未	癸卯	壬申	27
丁未	丁丑	丙午	丙子	乙巳	甲戌	甲辰	癸酉	癸卯	壬申	甲辰	癸酉	28
戊申	戊寅	丁未	丁丑	丙午	乙亥	乙巳	甲戌	甲辰	癸酉		甲戌	29
己酉	己卯	戊申	戊寅	丁未	丙子	丙午	乙亥	乙巳	甲戌		乙亥	30
庚戌		己酉		戊申	丁丑		丙子		乙亥		丙子	31

農曆初一　農曆十五

西曆二〇二〇年

12月	11月	10月	9月	8月	7月	6月	5月	4月	3月	2月	1月	月/日
乙酉	乙卯	甲申	甲寅	癸未	壬子	壬午	辛亥	辛巳	庚戌	壬午	辛亥	1
丙戌	丙辰	乙酉	乙卯	甲申	癸丑	癸未	壬子	壬午	辛亥	癸未	壬子	2
丁亥	丁巳	丙戌	丙辰	乙酉	甲寅	甲申	癸丑	癸未	壬子	甲申	癸丑	3
戊子	戊午	丁亥	丁巳	丙戌	乙卯	乙酉	甲寅	甲申	癸丑	乙酉	甲寅	4
己丑	己未	戊子	戊午	丁亥	丙辰	丙戌	乙卯	乙酉	甲寅	丙戌	乙卯	5
十一月 庚寅	十月 庚申	己丑	己未	戊子	丁巳	丁亥	丙辰	丙戌	乙卯	丁亥	丙辰	6
辛卯	辛酉	庚寅	庚申	己丑	戊午	戊子	丁巳	丁亥	丙辰	戊子	丁巳	7
壬辰	壬戌	九月 辛卯	八月 辛酉	庚寅	己未	己丑	戊午	戊子	丁巳	己丑	戊午	8
癸巳	癸亥	壬辰	壬戌	辛卯	庚申	庚寅	己未	己丑	戊午	庚寅	己未	9
甲午	甲子	癸巳	癸亥	七月 壬辰	辛酉	辛卯	庚申	庚寅	己未	辛卯	庚申	10
乙未	乙丑	甲午	甲子	癸巳	壬戌	壬辰	辛酉	辛卯	庚申	壬辰	辛酉	11
丙申	丙寅	乙未	乙丑	甲午	六月 癸亥	五月 癸巳	壬戌	壬辰	辛酉	癸巳	壬戌	12
丁酉	丁卯	丙申	丙寅	乙未	甲子	甲午	癸亥	癸巳	壬戌	甲午	癸亥	13
戊戌	戊辰	丁酉	丁卯	丙申	乙丑	乙未	四月 甲子	三月 甲午	癸亥	正月 乙未	甲子	14
己亥	己巳	戊戌	戊辰	丁酉	丙寅	丙申	乙丑	乙未	甲子	丙申	十二月 乙丑	15
庚子	庚午	己亥	己巳	戊戌	丁卯	丁酉	丙寅	丙申	二月 乙丑	丁酉	丙寅	16
辛丑	辛未	庚子	庚午	己亥	戊辰	戊戌	丁卯	丁酉	丙寅	戊戌	丁卯	17
壬寅	壬申	辛丑	辛未	庚子	己巳	己亥	戊辰	戊戌	丁卯	己亥	戊辰	18
癸卯	癸酉	壬寅	壬申	辛丑	庚午	庚子	己巳	己亥	戊辰	庚子	己巳	19
甲辰	甲戌	癸卯	癸酉	壬寅	辛未	辛丑	庚午	庚子	己巳	辛丑	庚午	20
乙巳	乙亥	甲辰	甲戌	癸卯	壬申	壬寅	辛未	辛丑	庚午	壬寅	辛未	21
丙午	丙子	乙巳	乙亥	甲辰	癸酉	癸卯	壬申	壬寅	辛未	癸卯	壬申	22
丁未	丁丑	丙午	丙子	乙巳	甲戌	甲辰	癸酉	癸卯	壬申	甲辰	癸酉	23
戊申	戊寅	丁未	丁丑	丙午	乙亥	乙巳	甲戌	甲辰	癸酉	乙巳	甲戌	24
己酉	己卯	戊申	戊寅	丁未	丙子	丙午	乙亥	乙巳	甲戌	丙午	乙亥	25
庚戌	庚辰	己酉	己卯	戊申	丁丑	丁未	丙子	丙午	乙亥	丁未	丙子	26
辛亥	辛巳	庚戌	庚辰	己酉	戊寅	戊申	丁丑	丁未	丙子	戊申	丁丑	27
壬子	壬午	辛亥	辛巳	庚戌	己卯	己酉	戊寅	戊申	丁丑	己酉	戊寅	28
癸丑	癸未	壬子	壬午	辛亥	庚辰	庚戌	己卯	己酉	戊寅		己卯	29
甲寅	甲申	癸丑	癸未	壬子	辛巳	辛亥	庚辰	庚戌	己卯		庚辰	30
乙卯		甲寅		癸丑	壬午		辛巳		庚辰		辛巳	31

農曆初一　農曆十五

西曆二〇一一年

12月	11月	10月	9月	8月	7月	6月	5月	4月	3月	2月	1月	月/日
庚寅	庚申	己丑	己未	戊子	(六月) 丁巳	丁亥	丙辰	丙戌	乙卯	丁亥	丙辰	1
辛卯	辛酉	庚寅	庚申	己丑	戊午	(五月) 戊子	丁巳	丁亥	丙辰	戊子	丁巳	2
壬辰	壬戌	辛卯	辛酉	庚寅	己未	己丑	(四月) 戊午	(三月) 戊子	丁巳	(正月) 己丑	戊午	3
癸巳	癸亥	壬辰	壬戌	辛卯	庚申	庚寅	己未	己丑	戊午	庚寅	(十二月) 己未	4
甲午	甲子	癸巳	癸亥	壬辰	辛酉	辛卯	庚申	庚寅	(二月) 己未	辛卯	庚申	5
乙未	乙丑	甲午	甲子	癸巳	壬戌	壬辰	辛酉	辛卯	庚申	壬辰	辛酉	6
丙申	丙寅	乙未	乙丑	甲午	癸亥	癸巳	壬戌	壬辰	辛酉	癸巳	壬戌	7
丁酉	丁卯	丙申	丙寅	乙未	甲子	甲午	癸亥	癸巳	壬戌	甲午	癸亥	8
戊戌	戊辰	丁酉	丁卯	丙申	乙丑	乙未	甲子	甲午	癸亥	乙未	甲子	9
己亥	己巳	戊戌	戊辰	丁酉	丙寅	丙申	乙丑	乙未	甲子	丙申	乙丑	10
庚子	庚午	己亥	己巳	戊戌	丁卯	丁酉	丙寅	丙申	乙丑	丁酉	丙寅	11
辛丑	辛未	庚子	庚午	己亥	戊辰	戊戌	丁卯	丁酉	丙寅	戊戌	丁卯	12
壬寅	壬申	辛丑	辛未	庚子	己巳	己亥	戊辰	戊戌	丁卯	己亥	戊辰	13
癸卯	癸酉	壬寅	壬申	辛丑	庚午	庚子	己巳	己亥	戊辰	庚子	己巳	14
甲辰	甲戌	癸卯	癸酉	壬寅	辛未	辛丑	庚午	庚子	己巳	辛丑	庚午	15
乙巳	乙亥	甲辰	甲戌	癸卯	壬申	壬寅	辛未	辛丑	庚午	壬寅	辛未	16
丙午	丙子	乙巳	乙亥	甲辰	癸酉	癸卯	壬申	壬寅	辛未	癸卯	壬申	17
丁未	丁丑	丙午	丙子	乙巳	甲戌	甲辰	癸酉	癸卯	壬申	甲辰	癸酉	18
戊申	戊寅	丁未	丁丑	丙午	乙亥	乙巳	甲戌	甲辰	癸酉	乙巳	甲戌	19
己酉	己卯	戊申	戊寅	丁未	丙子	丙午	乙亥	乙巳	甲戌	丙午	乙亥	20
庚戌	庚辰	己酉	己卯	戊申	丁丑	丁未	丙子	丙午	乙亥	丁未	丙子	21
辛亥	辛巳	庚戌	庚辰	己酉	戊寅	戊申	丁丑	丁未	丙子	戊申	丁丑	22
壬子	壬午	辛亥	辛巳	庚戌	己卯	己酉	戊寅	戊申	丁丑	己酉	戊寅	23
癸丑	癸未	壬子	壬午	辛亥	庚辰	庚戌	己卯	己酉	戊寅	庚戌	己卯	24
(十二月) 甲寅	(十一月) 甲申	癸丑	癸未	壬子	辛巳	辛亥	庚辰	庚戌	己卯	辛亥	庚辰	25
乙卯	乙酉	甲寅	甲申	癸丑	壬午	壬子	辛巳	辛亥	庚辰	壬子	辛巳	26
丙辰	丙戌	(十月) 乙卯	(九月) 乙酉	甲寅	癸未	癸丑	壬午	壬子	辛巳	癸丑	壬午	27
丁巳	丁亥	丙辰	丙戌	乙卯	甲申	甲寅	癸未	癸丑	壬午	甲寅	癸未	28
戊午	戊子	丁巳	丁亥	(八月) 丙辰	乙酉	乙卯	甲申	甲寅	癸未		甲申	29
己未	己丑	戊午	戊子	丁巳	丙戌	丙辰	乙酉	乙卯	甲申		乙酉	30
庚申		己未		戊午	(七月) 丁亥		丙戌		乙酉		丙戌	31

農曆初一　農曆十五

西曆二〇二二年

12月	11月	10月	9月	8月	7月	6月	5月	4月	3月	2月	1月	月/日
丙申	丙寅	乙未	乙丑	甲午	癸亥	癸巳	壬戌	壬辰	辛酉	壬辰	辛酉	1
丁酉	丁卯	丙申	丙寅	乙未	甲子	甲午	癸亥	癸巳	壬戌	癸巳	壬戌	2
戊戌	戊辰	丁酉	丁卯	丙申	乙丑	乙未	甲子	甲午	癸亥	甲午	癸亥	3
己亥	己巳	戊戌	戊辰	丁酉	丙寅	丙申	乙丑	乙未	甲子	乙未	甲子	4
庚子	庚午	己亥	己巳	戊戌	丁卯	丁酉	丙寅	丙申	乙丑	丙申	乙丑	5
辛丑	辛未	庚子	庚午	己亥	戊辰	戊戌	丁卯	丁酉	丙寅	丁酉	丙寅	6
壬寅	壬申	辛丑	辛未	庚子	己巳	己亥	戊辰	戊戌	丁卯	戊戌	丁卯	7
癸卯	癸酉	壬寅	壬申	辛丑	庚午	庚子	己巳	己亥	戊辰	己亥	戊辰	8
甲辰	甲戌	癸卯	癸酉	壬寅	辛未	辛丑	庚午	庚子	己巳	庚子	己巳	9
乙巳	乙亥	甲辰	甲戌	癸卯	壬申	壬寅	辛未	辛丑	庚午	辛丑	庚午	10
丙午	丙子	乙巳	乙亥	甲辰	癸酉	癸卯	壬申	壬寅	辛未	壬寅	辛未	11
丁未	丁丑	丙午	丙子	乙巳	甲戌	甲辰	癸酉	癸卯	壬申	癸卯	壬申	12
十一月 戊申	戊寅	丁未	丁丑	丙午	乙亥	乙巳	甲戌	甲辰	癸酉	甲辰	癸酉	13
己酉	十月 己卯	戊申	戊寅	丁未	丙子	丙午	乙亥	乙巳	甲戌	乙巳	甲戌	14
庚戌	庚辰	九月 己酉	己卯	戊申	丁丑	丁未	丙子	丙午	乙亥	丙午	乙亥	15
辛亥	辛巳	庚戌	八月 庚辰	己酉	戊寅	戊申	丁丑	丁未	丙子	丁未	丙子	16
壬子	壬午	辛亥	辛巳	七月 庚戌	己卯	己酉	戊寅	戊申	丁丑	戊申	丁丑	17
癸丑	癸未	壬子	壬午	辛亥	庚辰	庚戌	己卯	己酉	戊寅	己酉	戊寅	18
甲寅	甲申	癸丑	癸未	壬子	六月 辛巳	五月 辛亥	庚辰	庚戌	己卯	庚戌	己卯	19
乙卯	乙酉	甲寅	甲申	癸丑	壬午	壬子	辛巳	辛亥	庚辰	辛亥	庚辰	20
丙辰	丙戌	乙卯	乙酉	甲寅	癸未	癸丑	閏四月 壬午	四月 壬子	辛巳	壬子	辛巳	21
丁巳	丁亥	丙辰	丙戌	乙卯	甲申	甲寅	癸未	癸丑	三月 壬午	二月 癸丑	壬午	22
戊午	戊子	丁巳	丁亥	丙辰	乙酉	乙卯	甲申	甲寅	癸未	甲寅	正月 癸未	23
己未	己丑	戊午	戊子	丁巳	丙戌	丙辰	乙酉	乙卯	甲申	乙卯	甲申	24
庚申	庚寅	己未	己丑	戊午	丁亥	丁巳	丙戌	丙辰	乙酉	丙辰	乙酉	25
辛酉	辛卯	庚申	庚寅	己未	戊子	戊午	丁亥	丁巳	丙戌	丁巳	丙戌	26
壬戌	壬辰	辛酉	辛卯	庚申	己丑	己未	戊子	戊午	丁亥	戊午	丁亥	27
癸亥	癸巳	壬戌	壬辰	辛酉	庚寅	庚申	己丑	己未	戊子	己未	戊子	28
甲子	甲午	癸亥	癸巳	壬戌	辛卯	辛酉	庚寅	庚申	己丑	庚申	己丑	29
乙丑	乙未	甲子	甲午	癸亥	壬辰	壬戌	辛卯	辛酉	庚寅		庚寅	30
丙寅		乙丑		甲子	癸巳		壬辰		辛卯		辛卯	31

農曆初一　農曆十五

西曆二〇一三年

12月	11月	10月	9月	8月	7月	6月	5月	4月	3月	2月	1月	月/日
辛丑	辛未	庚子	庚午	己亥	戊辰	戊戌	丁卯	丁酉	丙寅	戊戌	丁卯	1
壬寅	壬申	辛丑	辛未	庚子	己巳	己亥	戊辰	戊戌	丁卯	己亥	戊辰	2
十一月 癸卯	十月 癸酉	壬寅	壬申	辛丑	庚午	庚子	己巳	己亥	戊辰	庚子	己巳	3
甲辰	甲戌	癸卯	癸酉	壬寅	辛未	辛丑	庚午	庚子	己巳	辛丑	庚午	4
乙巳	乙亥	九月 甲辰	八月 甲戌	癸卯	壬申	壬寅	辛未	辛丑	庚午	壬寅	辛未	5
丙午	丙子	乙巳	乙亥	甲辰	癸酉	癸卯	壬申	壬寅	辛未	癸卯	壬申	6
丁未	丁丑	丙午	丙子	七月 乙巳	甲戌	甲辰	癸酉	癸卯	壬申	甲辰	癸酉	7
戊申	戊寅	丁未	丁丑	丙午	六月 乙亥	五月 乙巳	甲戌	甲辰	癸酉	乙巳	甲戌	8
己酉	己卯	戊申	戊寅	丁未	丙子	丙午	乙亥	乙巳	甲戌	丙午	乙亥	9
庚戌	庚辰	己酉	己卯	戊申	丁丑	丁未	四月 丙子	三月 丙午	乙亥	正月 丁未	丙子	10
辛亥	辛巳	庚戌	庚辰	己酉	戊寅	戊申	丁丑	丁未	丙子	戊申	丁丑	11
壬子	壬午	辛亥	辛巳	庚戌	己卯	己酉	戊寅	戊申	二月 丁丑	己酉	十二月 戊寅	12
癸丑	癸未	壬子	壬午	辛亥	庚辰	庚戌	己卯	己酉	戊寅	庚戌	己卯	13
甲寅	甲申	癸丑	癸未	壬子	辛巳	辛亥	庚辰	庚戌	己卯	辛亥	庚辰	14
乙卯	乙酉	甲寅	甲申	癸丑	壬午	壬子	辛巳	辛亥	庚辰	壬子	辛巳	15
丙辰	丙戌	乙卯	乙酉	甲寅	癸未	癸丑	壬午	壬子	辛巳	癸丑	壬午	16
丁巳	丁亥	丙辰	丙戌	乙卯	甲申	甲寅	癸未	癸丑	壬午	甲寅	癸未	17
戊午	戊子	丁巳	丁亥	丙辰	乙酉	乙卯	甲申	甲寅	癸未	乙卯	甲申	18
己未	己丑	戊午	戊子	丁巳	丙戌	丙辰	乙酉	乙卯	甲申	丙辰	乙酉	19
庚申	庚寅	己未	己丑	戊午	丁亥	丁巳	丙戌	丙辰	乙酉	丁巳	丙戌	20
辛酉	辛卯	庚申	庚寅	己未	戊子	戊午	丁亥	丁巳	丙戌	戊午	丁亥	21
壬戌	壬辰	辛酉	辛卯	庚申	己丑	己未	戊子	戊午	丁亥	己未	戊子	22
癸亥	癸巳	壬戌	壬辰	辛酉	庚寅	庚申	己丑	己未	戊子	庚申	己丑	23
甲子	甲午	癸亥	癸巳	壬戌	辛卯	辛酉	庚寅	庚申	己丑	辛酉	庚寅	24
乙丑	乙未	甲子	甲午	癸亥	壬辰	壬戌	辛卯	辛酉	庚寅	壬戌	辛卯	25
丙寅	丙申	乙丑	乙未	甲子	癸巳	癸亥	壬辰	壬戌	辛卯	癸亥	壬辰	26
丁卯	丁酉	丙寅	丙申	乙丑	甲午	甲子	癸巳	癸亥	壬辰	甲子	癸巳	27
戊辰	戊戌	丁卯	丁酉	丙寅	乙未	乙丑	甲午	甲子	癸巳	乙丑	甲午	28
己巳	己亥	戊辰	戊戌	丁卯	丙申	丙寅	乙未	乙丑	甲午		乙未	29
庚午	庚子	己巳	己亥	戊辰	丁酉	丁卯	丙申	丙寅	乙未		丙申	30
辛未		庚午		己巳	戊戌		丁酉		丙申		丁酉	31

農曆初一　農曆十五

西曆二〇一四年

12月	11月	10月	9月	8月	7月	6月	5月	4月	3月	2月	1月	月/日
丙午	丙子	乙巳	乙亥	甲辰	癸酉	癸卯	壬申	壬寅	二月 辛未	癸卯	十二月 壬申	1
丁未	丁丑	丙午	丙子	乙巳	甲戌	甲辰	癸酉	癸卯	壬申	甲辰	癸酉	2
戊申	戊寅	丁未	丁丑	丙午	乙亥	乙巳	甲戌	甲辰	癸酉	乙巳	甲戌	3
己酉	己卯	戊申	戊寅	丁未	丙子	丙午	乙亥	乙巳	甲戌	丙午	乙亥	4
庚戌	庚辰	己酉	己卯	戊申	丁丑	丁未	丙子	丙午	乙亥	丁未	丙子	5
辛亥	辛巳	庚戌	庚辰	己酉	戊寅	戊申	丁丑	丁未	丙子	戊申	丁丑	6
壬子	壬午	辛亥	辛巳	庚戌	己卯	己酉	戊寅	戊申	丁丑	己酉	戊寅	7
癸丑	癸未	壬子	壬午	辛亥	庚辰	庚戌	己卯	己酉	戊寅	庚戌	己卯	8
甲寅	甲申	癸丑	癸未	壬子	辛巳	辛亥	庚辰	庚戌	己卯	辛亥	庚辰	9
乙卯	乙酉	甲寅	甲申	癸丑	壬午	壬子	辛巳	辛亥	庚辰	壬子	辛巳	10
丙辰	丙戌	乙卯	乙酉	甲寅	癸未	癸丑	壬午	壬子	辛巳	癸丑	壬午	11
丁巳	丁亥	丙辰	丙戌	乙卯	甲申	甲寅	癸未	癸丑	壬午	甲寅	癸未	12
戊午	戊子	丁巳	丁亥	丙辰	乙酉	乙卯	甲申	甲寅	癸未	乙卯	甲申	13
己未	己丑	戊午	戊子	丁巳	丙戌	丙辰	乙酉	乙卯	甲申	丙辰	乙酉	14
庚申	庚寅	己未	己丑	戊午	丁亥	丁巳	丙戌	丙辰	乙酉	丁巳	丙戌	15
辛酉	辛卯	庚申	庚寅	己未	戊子	戊午	丁亥	丁巳	丙戌	戊午	丁亥	16
壬戌	壬辰	辛酉	辛卯	庚申	己丑	己未	戊子	戊午	丁亥	己未	戊子	17
癸亥	癸巳	壬戌	壬辰	辛酉	庚寅	庚申	己丑	己未	戊子	庚申	己丑	18
甲子	甲午	癸亥	癸巳	壬戌	辛卯	辛酉	庚寅	庚申	己丑	辛酉	庚寅	19
乙丑	乙未	甲子	甲午	癸亥	壬辰	壬戌	辛卯	辛酉	庚寅	壬戌	辛卯	20
丙寅	丙申	乙丑	乙未	甲子	癸巳	癸亥	壬辰	壬戌	辛卯	癸亥	壬辰	21
十一月 丁卯	十月 丁酉	丙寅	丙申	乙丑	甲午	甲子	癸巳	癸亥	壬辰	甲子	癸巳	22
戊辰	戊戌	丁卯	丁酉	丙寅	乙未	乙丑	甲午	甲子	癸巳	乙丑	甲午	23
己巳	己亥	閏九月 戊辰	九月 戊戌	丁卯	丙申	丙寅	乙未	乙丑	甲午	丙寅	乙未	24
庚午	庚子	己巳	己亥	八月 戊辰	丁酉	丁卯	丙申	丙寅	乙未	丁卯	丙申	25
辛未	辛丑	庚午	庚子	己巳	戊戌	戊辰	丁酉	丁卯	丙申	戊辰	丁酉	26
壬申	壬寅	辛未	辛丑	庚午	七月 己亥	六月 己巳	戊戌	戊辰	丁酉	己巳	戊戌	27
癸酉	癸卯	壬申	壬寅	辛未	庚子	庚午	己亥	己巳	戊戌	庚午	己亥	28
甲戌	甲辰	癸酉	癸卯	壬申	辛丑	辛未	五月 庚子	四月 庚午	己亥		庚子	29
乙亥	乙巳	甲戌	甲辰	癸酉	壬寅	壬申	辛丑	辛未	庚子		辛丑	30
丙子		乙亥		甲戌	癸卯		壬寅		三月 辛丑		正月 壬寅	31

農曆初一　農曆十五

西曆二〇一五年

12月	11月	10月	9月	8月	7月	6月	5月	4月	3月	2月	1月	月/日
辛亥	辛巳	庚戌	庚辰	己酉	戊寅	戊申	丁丑	丁未	丙子	戊申	丁丑	1
壬子	壬午	辛亥	辛巳	庚戌	己卯	己酉	戊寅	戊申	丁丑	己酉	戊寅	2
癸丑	癸未	壬子	壬午	辛亥	庚辰	庚戌	己卯	己酉	戊寅	庚戌	己卯	3
甲寅	甲申	癸丑	癸未	壬子	辛巳	辛亥	庚辰	庚戌	己卯	辛亥	庚辰	4
乙卯	乙酉	甲寅	甲申	癸丑	壬午	壬子	辛巳	辛亥	庚辰	壬子	辛巳	5
丙辰	丙戌	乙卯	乙酉	甲寅	癸未	癸丑	壬午	壬子	辛巳	癸丑	壬午	6
丁巳	丁亥	丙辰	丙戌	乙卯	甲申	甲寅	癸未	癸丑	壬午	甲寅	癸未	7
戊午	戊子	丁巳	丁亥	丙辰	乙酉	乙卯	甲申	甲寅	癸未	乙卯	甲申	8
己未	己丑	戊午	戊子	丁巳	丙戌	丙辰	乙酉	乙卯	甲申	丙辰	乙酉	9
庚申	庚寅	己未	己丑	戊午	丁亥	丁巳	丙戌	丙辰	乙酉	丁巳	丙戌	10
十一月 辛酉	辛卯	庚申	庚寅	己未	戊子	戊午	丁亥	丁巳	丙戌	戊午	丁亥	11
壬戌	十月 壬辰	辛酉	辛卯	庚申	己丑	己未	戊子	戊午	丁亥	己未	戊子	12
癸亥	癸巳	九月 壬戌	八月 壬辰	辛酉	庚寅	庚申	己丑	己未	戊子	庚申	己丑	13
甲子	甲午	癸亥	癸巳	七月 壬戌	辛卯	辛酉	庚寅	庚申	己丑	辛酉	庚寅	14
乙丑	乙未	甲子	甲午	癸亥	壬辰	壬戌	辛卯	辛酉	庚寅	壬戌	辛卯	15
丙寅	丙申	乙丑	乙未	甲子	六月 癸巳	五月 癸亥	壬辰	壬戌	辛卯	癸亥	壬辰	16
丁卯	丁酉	丙寅	丙申	乙丑	甲午	甲子	癸巳	癸亥	壬辰	甲子	癸巳	17
戊辰	戊戌	丁卯	丁酉	丙寅	乙未	乙丑	四月 甲午	甲子	癸巳	乙丑	甲午	18
己巳	己亥	戊辰	戊戌	丁卯	丙申	丙寅	乙未	三月 乙丑	甲午	正月 丙寅	乙未	19
庚午	庚子	己巳	己亥	戊辰	丁酉	丁卯	丙申	丙寅	二月 乙未	丁卯	十二月 丙申	20
辛未	辛丑	庚午	庚子	己巳	戊戌	戊辰	丁酉	丁卯	丙申	戊辰	丁酉	21
壬申	壬寅	辛未	辛丑	庚午	己亥	己巳	戊戌	戊辰	丁酉	己巳	戊戌	22
癸酉	癸卯	壬申	壬寅	辛未	庚子	庚午	己亥	己巳	戊戌	庚午	己亥	23
甲戌	甲辰	癸酉	癸卯	壬申	辛丑	辛未	庚子	庚午	己亥	辛未	庚子	24
乙亥	乙巳	甲戌	甲辰	癸酉	壬寅	壬申	辛丑	辛未	庚子	壬申	辛丑	25
丙子	丙午	乙亥	乙巳	甲戌	癸卯	癸酉	壬寅	壬申	辛丑	癸酉	壬寅	26
丁丑	丁未	丙子	丙午	乙亥	甲辰	甲戌	癸卯	癸酉	壬寅	甲戌	癸卯	27
戊寅	戊申	丁丑	丁未	丙子	乙巳	乙亥	甲辰	甲戌	癸卯	乙亥	甲辰	28
己卯	己酉	戊寅	戊申	丁丑	丙午	丙子	乙巳	乙亥	甲辰		乙巳	29
庚辰	庚戌	己卯	己酉	戊寅	丁未	丁丑	丙午	丙子	乙巳		丙午	30
辛巳		庚辰		己卯	戊申		丁未		丙午		丁未	31

農曆初一　農曆十五

西曆二〇一六年

12月	11月	10月	9月	8月	7月	6月	5月	4月	3月	2月	1月	月/日
丁巳	丁亥	[九月]丙辰	[八月]丙戌	乙卯	甲申	甲寅	癸未	癸丑	壬午	癸丑	壬午	1
戊午	戊子	丁巳	丁亥	丙辰	乙酉	乙卯	甲申	甲寅	癸未	甲寅	癸未	2
己未	己丑	戊午	戊子	[七月]丁巳	丙戌	丙辰	乙酉	乙卯	甲申	乙卯	甲申	3
庚申	庚寅	己未	己丑	戊午	[六月]丁亥	丁巳	丙戌	丙辰	乙酉	丙辰	乙酉	4
辛酉	辛卯	庚申	庚寅	己未	戊子	[五月]戊午	丁亥	丁巳	丙戌	丁巳	丙戌	5
壬戌	壬辰	辛酉	辛卯	庚申	己丑	己未	戊子	戊午	丁亥	戊午	丁亥	6
癸亥	癸巳	壬戌	壬辰	辛酉	庚寅	庚申	[四月]己丑	[三月]己未	戊子	己未	戊子	7
甲子	甲午	癸亥	癸巳	壬戌	辛卯	辛酉	庚寅	庚申	己丑	[一月]庚申	己丑	8
乙丑	乙未	甲子	甲午	癸亥	壬辰	壬戌	辛卯	辛酉	[二月]庚寅	辛酉	庚寅	9
丙寅	丙申	乙丑	乙未	甲子	癸巳	癸亥	壬辰	壬戌	辛卯	壬戌	[十二月]辛卯	10
丁卯	丁酉	丙寅	丙申	乙丑	甲午	甲子	癸巳	癸亥	壬辰	癸亥	壬辰	11
戊辰	戊戌	丁卯	丁酉	丙寅	乙未	乙丑	甲午	甲子	癸巳	甲子	癸巳	12
己巳	己亥	戊辰	戊戌	丁卯	丙申	丙寅	乙未	乙丑	甲午	乙丑	甲午	13
庚午	庚子	己巳	己亥	戊辰	丁酉	丁卯	丙申	丙寅	乙未	丙寅	乙未	14
辛未	辛丑	庚午	庚子	己巳	戊戌	戊辰	丁酉	丁卯	丙申	丁卯	丙申	15
壬申	壬寅	辛未	辛丑	庚午	己亥	己巳	戊戌	戊辰	丁酉	戊辰	丁酉	16
癸酉	癸卯	壬申	壬寅	辛未	庚子	庚午	己亥	己巳	戊戌	己巳	戊戌	17
甲戌	甲辰	癸酉	癸卯	壬申	辛丑	辛未	庚子	庚午	己亥	庚午	己亥	18
乙亥	乙巳	甲戌	甲辰	癸酉	壬寅	壬申	辛丑	辛未	庚子	辛未	庚子	19
丙子	丙午	乙亥	乙巳	甲戌	癸卯	癸酉	壬寅	壬申	辛丑	壬申	辛丑	20
丁丑	丁未	丙子	丙午	乙亥	甲辰	甲戌	癸卯	癸酉	壬寅	癸酉	壬寅	21
戊寅	戊申	丁丑	丁未	丙子	乙巳	乙亥	甲辰	甲戌	癸卯	甲戌	癸卯	22
己卯	己酉	戊寅	戊申	丁丑	丙午	丙子	乙巳	乙亥	甲辰	乙亥	甲辰	23
庚辰	庚戌	已卯	己酉	戊寅	丁未	丁丑	丙午	丙子	乙巳	丙子	乙巳	24
辛巳	辛亥	庚辰	庚戌	己卯	戊申	戊寅	丁未	丁丑	丙午	丁丑	丙午	25
壬午	壬子	辛巳	辛亥	庚辰	己酉	已卯	戊申	戊寅	丁未	戊寅	丁未	26
癸未	癸丑	壬午	壬子	辛巳	庚戌	庚辰	己酉	己卯	戊申	己卯	戊申	27
甲申	甲寅	癸未	癸丑	壬午	辛亥	辛巳	庚戌	庚辰	己酉	庚辰	己酉	28
[十二月]乙酉	[十一月]乙卯	甲申	甲寅	癸未	壬子	壬午	辛亥	辛巳	庚戌	辛巳	庚戌	29
丙戌	丙辰	乙酉	乙卯	甲申	癸丑	癸未	壬子	壬午	辛亥		辛亥	30
丁亥		[十月]丙戌		乙酉	甲寅		癸丑		壬子		壬子	31

農曆初一　農曆十五

西曆二〇一七年

12月	11月	10月	9月	8月	7月	6月	5月	4月	3月	2月	1月	月/日
壬戌	壬辰	辛酉	辛卯	庚申	己丑	己未	戊子	戊午	丁亥	己未	戊子	1
癸亥	癸巳	壬戌	壬辰	辛酉	庚寅	庚申	己丑	己未	戊子	庚申	己丑	2
甲子	甲午	癸亥	癸巳	壬戌	辛卯	辛酉	庚寅	庚申	己丑	辛酉	庚寅	3
乙丑	乙未	甲子	甲午	癸亥	壬辰	壬戌	辛卯	辛酉	庚寅	壬戌	辛卯	4
丙寅	丙申	乙丑	乙未	甲子	癸巳	癸亥	壬辰	壬戌	辛卯	癸亥	壬辰	5
丁卯	丁酉	丙寅	丙申	乙丑	甲午	甲子	癸巳	癸亥	壬辰	甲子	癸巳	6
戊辰	戊戌	丁卯	丁酉	丙寅	乙未	乙丑	甲午	甲子	癸巳	乙丑	甲午	7
己巳	己亥	戊辰	戊戌	丁卯	丙申	丙寅	乙未	乙丑	甲午	丙寅	乙未	8
庚午	庚子	己巳	己亥	戊辰	丁酉	丁卯	丙申	丙寅	乙未	丁卯	丙申	9
辛未	辛丑	庚午	庚子	己巳	戊戌	戊辰	丁酉	丁卯	丙申	戊辰	丁酉	10
壬申	壬寅	辛未	辛丑	庚午	己亥	己巳	戊戌	戊辰	丁酉	己巳	戊戌	11
癸酉	癸卯	壬申	壬寅	辛未	庚子	庚午	己亥	己巳	戊戌	庚午	己亥	12
甲戌	甲辰	癸酉	癸卯	壬申	辛丑	辛未	庚子	庚午	己亥	辛未	庚子	13
乙亥	乙巳	甲戌	甲辰	癸酉	壬寅	壬申	辛丑	辛未	庚子	壬申	辛丑	14
丙子	丙午	乙亥	乙巳	甲戌	癸卯	癸酉	壬寅	壬申	辛丑	癸酉	壬寅	15
丁丑	丁未	丙子	丙午	乙亥	甲辰	甲戌	癸卯	癸酉	壬寅	甲戌	癸卯	16
戊寅	戊申	丁丑	丁未	丙子	乙巳	乙亥	甲辰	甲戌	癸卯	乙亥	甲辰	17
十一月 己卯	十月 己酉	戊寅	戊申	丁丑	丙午	丙子	乙巳	乙亥	甲辰	丙子	乙巳	18
庚辰	庚戌	己卯	己酉	戊寅	丁未	丁丑	丙午	丙子	乙巳	丁丑	丙午	19
辛巳	辛亥	九月 庚辰	八月 庚戌	己卯	戊申	戊寅	丁未	丁丑	丙午	戊寅	丁未	20
壬午	壬子	辛巳	辛亥	庚辰	己酉	己卯	戊申	戊寅	丁未	己卯	戊申	21
癸未	癸丑	壬午	壬子	七月 辛巳	庚戌	庚辰	己酉	己卯	戊申	庚辰	己酉	22
甲申	甲寅	癸未	癸丑	壬午	閏六月 辛亥	辛巳	庚戌	庚辰	己酉	辛巳	庚戌	23
乙酉	乙卯	甲申	甲寅	癸未	壬子	六月 壬午	辛亥	辛巳	庚戌	壬午	辛亥	24
丙戌	丙辰	乙酉	乙卯	甲申	癸丑	癸未	壬子	壬午	辛亥	癸未	壬子	25
丁亥	丁巳	丙戌	丙辰	乙酉	甲寅	甲申	五月 癸丑	四月 癸未	壬子	二月 甲申	癸丑	26
戊子	戊午	丁亥	丁巳	丙戌	乙卯	乙酉	甲寅	甲申	癸丑	乙酉	甲寅	27
己丑	己未	戊子	戊午	丁亥	丙辰	丙戌	乙卯	乙酉	三月 甲寅	丙戌	正月 乙卯	28
庚寅	庚申	己丑	己未	戊子	丁巳	丁亥	丙辰	丙戌	乙卯		丙辰	29
辛卯	辛酉	庚寅	庚申	己丑	戊午	戊子	丁巳	丁亥	丙辰		丁巳	30
壬辰		辛卯		庚寅	己未		戊午		丁巳		戊午	31

農曆初一　農曆十五

西曆二〇一八年

12月	11月	10月	9月	8月	7月	6月	5月	4月	3月	2月	1月	月/日
丁卯	丁酉	丙寅	丙申	乙丑	甲午	甲子	癸巳	癸亥	壬辰	甲子	癸巳	1
戊辰	戊戌	丁卯	丁酉	丙寅	乙未	乙丑	甲午	甲子	癸巳	乙丑	甲午	2
己巳	己亥	戊辰	戊戌	丁卯	丙申	丙寅	乙未	乙丑	甲午	丙寅	乙未	3
庚午	庚子	己巳	己亥	戊辰	丁酉	丁卯	丙申	丙寅	乙未	丁卯	丙申	4
辛未	辛丑	庚午	庚子	己巳	戊戌	戊辰	丁酉	丁卯	丙申	戊辰	丁酉	5
壬申	壬寅	辛未	辛丑	庚午	己亥	己巳	戊戌	戊辰	丁酉	己巳	戊戌	6
十一月 癸酉	癸卯	壬申	壬寅	辛未	庚子	庚午	己亥	己巳	戊戌	庚午	己亥	7
甲戌	十月 甲辰	癸酉	癸卯	壬申	辛丑	辛未	庚子	庚午	己亥	辛未	庚子	8
乙亥	乙巳	九月 甲戌	甲辰	癸酉	壬寅	壬申	辛丑	辛未	庚子	壬申	辛丑	9
丙子	丙午	乙亥	八月 乙巳	甲戌	癸卯	癸酉	壬寅	壬申	辛丑	癸酉	壬寅	10
丁丑	丁未	丙子	丙午	七月 乙亥	甲辰	甲戌	癸卯	癸酉	壬寅	甲戌	癸卯	11
戊寅	戊申	丁丑	丁未	丙子	乙巳	乙亥	甲辰	甲戌	癸卯	乙亥	甲辰	12
己卯	己酉	戊寅	戊申	丁丑	六月 丙午	丙子	乙巳	乙亥	甲辰	丙子	乙巳	13
庚辰	庚戌	己卯	己酉	戊寅	丁未	五月 丁丑	丙午	丙子	乙巳	丁丑	丙午	14
辛巳	辛亥	庚辰	庚戌	己卯	戊申	戊寅	四月 丁未	丁丑	丙午	戊寅	丁未	15
壬午	壬子	辛巳	辛亥	庚辰	己酉	己卯	戊申	三月 戊寅	丁未	正月 己卯	戊申	16
癸未	癸丑	壬午	壬子	辛巳	庚戌	庚辰	己酉	己卯	二月 戊申	庚辰	十二月 己酉	17
甲申	甲寅	癸未	癸丑	壬午	辛亥	辛巳	庚戌	庚辰	己酉	辛巳	庚戌	18
乙酉	乙卯	甲申	甲寅	癸未	壬子	壬午	辛亥	辛巳	庚戌	壬午	辛亥	19
丙戌	丙辰	乙酉	乙卯	甲申	癸丑	癸未	壬子	壬午	辛亥	癸未	壬子	20
丁亥	丁巳	丙戌	丙辰	乙酉	甲寅	甲申	癸丑	癸未	壬子	甲申	癸丑	21
戊子	戊午	丁亥	丁巳	丙戌	乙卯	乙酉	甲寅	甲申	癸丑	乙酉	甲寅	22
己丑	己未	戊子	戊午	丁亥	丙辰	丙戌	乙卯	乙酉	甲寅	丙戌	乙卯	23
庚寅	庚申	己丑	己未	戊子	丁巳	丁亥	丙辰	丙戌	乙卯	丁亥	丙辰	24
辛卯	辛酉	庚寅	庚申	己丑	戊午	戊子	丁巳	丁亥	丙辰	戊子	丁巳	25
壬辰	壬戌	辛卯	辛酉	庚寅	己未	己丑	戊午	戊子	丁巳	己丑	戊午	26
癸巳	癸亥	壬辰	壬戌	辛卯	庚申	庚寅	己未	己丑	戊午	庚寅	己未	27
甲午	甲子	癸巳	癸亥	壬辰	辛酉	辛卯	庚申	庚寅	己未	辛卯	庚申	28
乙未	乙丑	甲午	甲子	癸巳	壬戌	壬辰	辛酉	辛卯	庚申		辛酉	29
丙申	丙寅	乙未	乙丑	甲午	癸亥	癸巳	壬戌	壬辰	辛酉		壬戌	30
丁酉		丙申		乙未	甲子		癸亥		壬戌		癸亥	31

農曆初一　農曆十五

西曆二〇一九年

12月	11月	10月	9月	8月	7月	6月	5月	4月	3月	2月	1月	月/日
壬申	壬寅	辛未	辛丑	七月 庚午	己亥	己巳	戊戌	戊辰	丁酉	己巳	戊戌	1
癸酉	癸卯	壬申	壬寅	辛未	庚子	庚午	己亥	己巳	戊戌	庚午	己亥	2
甲戌	甲辰	癸酉	癸卯	壬申	六月 辛丑	五月 辛未	庚子	庚午	己亥	辛未	庚子	3
乙亥	乙巳	甲戌	甲辰	癸酉	壬寅	壬申	辛丑	辛未	庚子	壬申	辛丑	4
丙子	丙午	乙亥	乙巳	甲戌	癸卯	癸酉	四月 壬寅	三月 壬申	辛丑	正月 癸酉	壬寅	5
丁丑	丁未	丙子	丙午	乙亥	甲辰	甲戌	癸卯	癸酉	壬寅	甲戌	十二月 癸卯	6
戊寅	戊申	丁丑	丁未	丙子	乙巳	乙亥	甲辰	甲戌	二月 癸卯	乙亥	甲辰	7
己卯	己酉	戊寅	戊申	丁丑	丙午	丙子	乙巳	乙亥	甲辰	丙子	乙巳	8
庚辰	庚戌	己卯	己酉	戊寅	丁未	丁丑	丙午	丙子	乙巳	丁丑	丙午	9
辛巳	辛亥	庚辰	庚戌	己卯	戊申	戊寅	丁未	丁丑	丙午	戊寅	丁未	10
壬午	壬子	辛巳	辛亥	庚辰	己酉	己卯	戊申	戊寅	丁未	己卯	戊申	11
癸未	癸丑	壬午	壬子	辛巳	庚戌	庚辰	己酉	己卯	戊申	庚辰	己酉	12
甲申	甲寅	癸未	癸丑	壬午	辛亥	辛巳	庚戌	庚辰	己酉	辛巳	庚戌	13
乙酉	乙卯	甲申	甲寅	癸未	壬子	壬午	辛亥	辛巳	庚戌	壬午	辛亥	14
丙戌	丙辰	乙酉	乙卯	甲申	癸丑	癸未	壬子	壬午	辛亥	癸未	壬子	15
丁亥	丁巳	丙戌	丙辰	乙酉	甲寅	甲申	癸丑	癸未	壬子	甲申	癸丑	16
戊子	戊午	丁亥	丁巳	丙戌	乙卯	乙酉	甲寅	甲申	癸丑	乙酉	甲寅	17
己丑	己未	戊子	戊午	丁亥	丙辰	丙戌	乙卯	乙酉	甲寅	丙戌	乙卯	18
庚寅	庚申	己丑	己未	戊子	丁巳	丁亥	丙辰	丙戌	乙卯	丁亥	丙辰	19
辛卯	辛酉	庚寅	庚申	己丑	戊午	戊子	丁巳	丁亥	丙辰	戊子	丁巳	20
壬辰	壬戌	辛卯	辛酉	庚寅	己未	己丑	戊午	戊子	丁巳	己丑	戊午	21
癸巳	癸亥	壬辰	壬戌	辛卯	庚申	庚寅	己未	己丑	戊午	庚寅	己未	22
甲午	甲子	癸巳	癸亥	壬辰	辛酉	辛卯	庚申	庚寅	己未	辛卯	庚申	23
乙未	乙丑	甲午	甲子	癸巳	壬戌	壬辰	辛酉	辛卯	庚申	壬辰	辛酉	24
丙申	丙寅	乙未	乙丑	甲午	癸亥	癸巳	壬戌	壬辰	辛酉	癸巳	壬戌	25
十二月 丁酉	十一月 丁卯	丙申	丙寅	乙未	甲子	甲午	癸亥	癸巳	壬戌	甲午	癸亥	26
戊戌	戊辰	丁酉	丁卯	丙申	乙丑	乙未	甲子	甲午	癸亥	乙未	甲子	27
己亥	己巳	十月 戊戌	戊辰	丁酉	丙寅	丙申	乙丑	乙未	甲子	丙申	乙丑	28
庚子	庚午	己亥	九月 己巳	戊戌	丁卯	丁酉	丙寅	丙申	乙丑		丙寅	29
辛丑	辛未	庚子	庚午	八月 己亥	戊辰	戊戌	丁卯	丁酉	丙寅		丁卯	30
壬寅		辛丑		庚子	己巳		戊辰		丁卯		戊辰	31

農曆初一　農曆十五

1 甲子日◆水泛木漂 夏秋出生運勢佔優

【財運方面】

甲子日出生者由於己亥年的天干「己土」是個人的財星，所以整體財運不俗，營商者會出現不少新的合作機會，令業績上升。由於甲子日本身屬「水泛木漂」，所以對一些走動多的行業有利，如能拓展海外市場、賺外地錢更佳；加上出生日地支「子水」遇上流年地支「亥水」，更適合動中生財，如可以離鄉別井工作更有優勢。

當中以在夏天（農曆四月至六月）出生者財運最強，既能賺錢亦容易有盈餘；秋天（農曆七月至九月）多屬弱命，水重的流年有助生旺財運。春天（農曆正月至三月）出生者運勢只屬不過不失，雖有不俗進賬，但較難剩錢；生於冬天（農曆十月至十二月）者命格「水」旺，再遇「大水」年份，運勢更加動盪，財運只是過眼雲煙。水旺的年份，亦代表行思想運，營商者在豬年會有更多新構思，有利拓展業務。由於「己土」以正財為主，偏財只是不過不失，投機不能過分進取貪心，否則會見財化水。「甲己合」年份，手腳亦容易受損，駕駛者更須提防車輛碰撞而要破財維修，建議預先購買保險以策萬全，以免因一時意外而損失不菲。

【事業方面】

雖然己亥年並非行太大的升遷運，但由於流年「財星合入」，所以個人的賺錢能力較以往為佳，尤其對從事以銷售見客為主的行業更為有利。而且有代表思想的「印星」坐鎮，亦有利需要創作及寫作的行業，因想像力源源不絕而大獲讚賞。「印星」亦是一顆貴人星，尤以女性上司給予的助力更大，令工作運更順暢。如任行政工作者，雖然未有太大升遷運，但薪酬會有可觀的升幅。

豬年宜動不宜靜，多出門或主動出差會對運勢更有利；如有意轉工的人士，亦會遇上不少條件優厚的邀約，如想接受新挑戰不妨一試。

【感情方面】

己亥年男士桃花運暢旺，感情可謂多姿多采，容易遇上較自己細一至五年的對象，有機會發展長遠感情。至於單身女士桃花只屬一般，可

每月運勢西曆日子請參閱頁372上的對照表　♥吉　♡中吉　♡平　♥凶

♡	農曆正月	破財的月份，工作上出現少許是非口舌，幸好學習運不俗。
♥	農曆二月	桃花運不俗，單身人士會出現不少合適對象，但留心桃花破財。
♡	農曆三月	財運不俗，但對開支一定要好好規劃，亦要處理好人際關係。
♥	農曆四月	容易受傷的月份，運動時須加倍小心，以免跌倒扭傷。
♡	農曆五月	天沖地沖的月份，留心人際關係的倒退，與人相處時多點包容可減少爭執。
♥	農曆六月	財運穩步上揚，但出現輕微打針食藥運，注意身體健康。
♡	農曆七月	工作壓力變大，幸好貴人運不俗，事業順暢。
♡	農曆八月	桃花運旺盛，容易結識心儀對象，已婚者要慎防三角關係。
♡	農曆九月	財運雖然不俗，但提防財來財去，要小心收支平衡。
♥	農曆十月	貴人運順暢，帶動事業運亦持續向上。
♥	農曆十一月	適合出外的月份，多出外走動會提升財運，應「動中生財」。
♥	農曆十二月	財運順遂，但人際關係變差，少說話多做事免惹來是非口舌。

能要經過女性長輩的介紹，才可以結識心儀的男士。由於豬年頗多出外旅遊機會，所以無論男女，都容易在外地結識到合眼緣的異性，發展異地情緣。

已婚人士如計劃添丁，豬年是一個不錯的年份，但男士容易會遇上爛桃花，面對第三者時不宜過分熱情，要好好克制，否則一旦陷入三角關係時，可能因難以自拔而令婚姻觸礁。

【健康方面】

甲子日出生者健康運尚算平穩，但由於天干「甲己合」，代表手部容易受傷；喜歡做運動的人要特別留心手腳扭傷。另外，亦容易受關節毛病如五十肩、網球肘等困擾。豬年容易有因壓力引致的輕微失眠，神經衰弱等問題，尤其是冬天出生的人，更容易胡思亂想引來焦慮，多做紓緩運動減壓，如緩步跑，太極等，及多接觸大自然，有助放鬆心情。

家宅中要多關心男性長輩的健康，抽時間聆聽對方的心事，可以盡早了解他們的需求，避免小病悶成大病。

2 乙丑日◆財運暢旺 慎防收入起伏不定

【財運方面】

乙丑日出生者在戊戌狗年因「日犯太歲」，運勢較差，幸好來到己亥豬年運勢會較之前順暢，因流年天干「己土」通根至自己日腳「丑土」，令財運更強大，但能否守財便要視乎出生的月份了。

若屬農曆正月、二月、四月及五月的出生者，財運最佳，既能賺錢亦能守財；生於農曆三月、六月、九月及十二月的人，命格「土」過多，反而容易財來財去。農曆十月、十一月出生者本身「水」旺，財運不俗，但須提防思緒混亂而下錯決定；至於農曆七月及八月出生的人則屬不過不失。

雖然豬年財運暢順，但也容易出現「三更窮、五更富」的情況，宜盡量積穀防饑，彌補某些月份不足的營業額。豬年亦盡量不要留太多現金在手，建議購買實物如黃金或置業等，都有利聚財。由於地支「子丑相合」，營商者不妨找屬鼠的朋友合作，成功機會頗大。

因乙丑日出生者在庚子鼠年（二〇二〇年）會出現「天合地合」，屆時運勢會出現大逆轉；豬年宜先作好部署，若有大額投資要加倍小心，以免下錯決定，後果在鼠年才顯露出來。

【事業方面】

貴人運強勁，流年的「水」生旺了「印星」，職場上女性長輩或女上司對自己照顧有加，工作時可謂得心應手；如從事銷售或與女性有關如化妝品、服裝、護膚纖體等行業，大有可為。

豬年的思想運不俗，對進行廣告創作或寫作等的人亦有利，由於靈感源源不絕，可謂發展理想。

計劃轉工的人士不宜作出變動，留守原有崗位更佳，雖然未見有太大的升遷運，但由於人事關係較狗年進步，少了是非口舌；與同事的合作性亦較以往為佳，壓力減輕了不小，只要放鬆情緒，工作上的問題可迎刃而解。

【感情方面】

單身男士容易遇上一見傾心，但年紀比自己大一點或年輕很多的女士，如果不介意年齡差距的話，不妨嘗試發展。單身女士的桃花較男士遜色許多，感情運可謂原地踏步，要多靠女性長輩

每月運勢西曆日子請參閱頁372上的對照表　　♥吉　♡中吉　♡平　♥凶

♡	**農曆正月**	**容易破財的月份，要留心用錢方向，以免令自己入不敷支。**
♡	農曆二月	學習運順暢，不妨選讀一些有興趣的課程，自我增值。
♥	農曆三月	此月工作雖然特別辛勞，幸好財運向好，正財偏財都有不俗進賬。
♡	**農曆四月**	**出現不少新的合作機會，但不宜過分大手投資，以免貪字變貧。**
♡	農曆五月	精神容易緊張的月份，出現輕微失眠，不妨出外旅遊散心。
♥	**農曆六月**	**受天干相沖、地支相沖影響，是波折重重的月份，凡事要加倍耐性處理。**
♡	**農曆七月**	**事業運顯著向上，但留意工作壓力變大，要學懂放鬆心情。**
♥	農曆八月	桃花運暢旺，無論男女都有機會結識到心儀異性，發展感情。
♥	**農曆九月**	**人際關係倒退，是非口舌增多，平時少說話、多做事，避免無謂爭執。**
♥	農曆十月	財運雖然順暢，但恐防一得一失，要做好收支平衡。
♡	農曆十一月	先難後易的月份，遇上難題可向身邊長輩及朋友求助。
♡	**農曆十二月**	**家中出現噪音、漏水等情況，有機會要進行少量裝修工程。**

介紹下才有機會結識到心儀異性，但亦要多付出耐性才能開展感情。

已有伴侶的男女容易出現第三者，面對誘惑時要好好克制，否則容易陷入三角關係。已婚者感情尚算平穩，已有伴侶或夫婦，由於二〇二〇庚子年是一個重大的關口年份，不妨在豬年先計劃結婚或添丁，在鼠年落實執行，都有助化解「天合地合」的大變化。

【健康方面】

己亥年屬「財旺身弱」的年份，容易受瑣碎的小毛病困擾。流年「木」不足，所以要留心關節、手腳的毛病，要避免進行攀山、爬石及滑雪等高危運動。「土」重亦代表腸胃較疲弱，生冷食物如沙律、魚生等少吃為妙。平時不妨多用藍色、綠色及間條花紋的物品，可以提升健康運。

由於二〇二〇鼠年是「天合地合」的年份，影響有好有壞，要預早作好準備，例如在豬年年底先作身體檢查，或購買醫療保險以備不時之需。

家宅方面，多關心男性長輩的健康，要加強家居安全意識，以免一時不慎而受傷。

3 丙寅日◆吉中藏凶 沉着應戰加強人緣

【財運方面】

踏入己亥年出現「寅亥合」，這種「合日腳」的年份會令工作與財運易生變數，屬「吉中藏凶」。豬年雖然有不少新的合作機會，但只是表面風光，中間頗多波折，必須做好心理準備，以平常心面對變化。

營商者在豬年洽談生意過程中可謂一波三折，最初滿以為有機會成功，但中途卻又節外生枝；到最後感到可能會失敗時，卻又突然水到渠成。由於起伏太大，難免消耗精力、影響情緒。其實只要沉着應戰，不要將目標定得太高，自然可平安過渡；豬年亦不宜作高風險的投機活動，否則破財機會很大。人際關係也有暗湧，宜低調慎言，否則容易被人在背後説三道四，謹記圓融的人際關係有助運勢向上。

此外，豬年也容易遇上官非訴訟，文件合約須加倍小心處理，亦要提防被客戶賴賬。幸好貴人運不俗，如能主動聯絡舊客戶，亦有不俗的回報。當中，以夏天（農曆四月至六月）的出生者較為有利，財運會較順遂；如在冬天（農曆十月至十二月）或深宵時段出生的人，由於地支的「丙火」不夠旺，豬年不妨多到炎熱的地方旅行，都有利改善財運。

【事業方面】

因為流年地支「亥水」是個人的事業星，任職管理階層者事業明顯進步；如從事武職如警察、海關及消防等，由於幹勁十足，亦可以在職場上大展拳腳。但由於運勢屬「吉凶參半」，打工一族必須留心人際關係的變數，因為己亥年雖然有不俗的貴人運，可以獲得上司或老闆的青睞照顧；但同時又容易惹來是非口舌，與同事爭執不斷，豬年處事不宜過分高調，否則招來小人暗箭，令工作舉步維艱。

計劃轉工的人，由於沒有明顯的跳槽機會，不如留守舊公司打好基礎，用心經營及擴充人脈關係，對未來更有好處。

【感情方面】

單身女士的桃花運較男士稍強，豬年會遇上合眼緣的異性，但要循序漸進，勿過分心急，以免嚇怕對方。男士的桃花只屬一般，由於過分

每月運勢西曆日子請參閱頁372上的對照表　♥吉　♡中吉　♡平　♥凶

♥	農曆正月	相沖的月份，要小心喉嚨氣管毛病，做事亦要多用心，否則易因出錯而惹來麻煩。
♡	農曆二月	留心人際關係的倒退，與同事相處時低調一點減少麻煩；幸好貴人運不俗。
♡	農曆三月	此月易惹來是非口舌，盡量少說話、多做事，免招人話柄。
♥	農曆四月	學習運強勁，不妨報讀與工作有關的課程，為未來鋪路。
♡	農曆五月	財運順暢，但是一個容易受傷的月份，駕車者要打醒十二分精神。
♡	農曆六月	喉嚨氣管容易敏感，注意家居的空氣質素，幸好財運開始好轉。
♥	農曆七月	天沖地沖的月份，做事一波三折，宜做好兩手準備，更要加倍耐性應付難題。
♥	農曆八月	運勢持續向上，此月無論財運與事業都順暢。
♡	農曆九月	精神緊張，情緒低落的月份，如果遇上疑難，不妨向前輩請教。
♡	農曆十月	手腳、膝頭容易受傷的月份，做運動時需要加倍小心。
♥	農曆十一月	此月運勢順暢，事業上可以把握機會大展拳腳。
♡	農曆十二月	有破財迹象，投資方面要以保守為大前提，千萬不要過分冒進。

專注工作，享受獨身的樂趣，沒有太大的拍拖意欲，更無心開始一段新感情。豬年是一個吃喝玩樂、應酬頻繁的年份，所以無論男女都容易擴闊個人的社交圈子，認識更多新朋友。

「合日腳」的年份，已有伴侶的人士容易與另一半爭執或意見分歧；已婚男女會為家中瑣碎事情而發生口角，只要互相忍讓，減少無謂爭拗便無太大問題，豬年亦是適合計劃添丁的年份。

【健康方面】

整體健康運雖然不俗，但不同季節出生者始終有分別，如在炎夏出生的人，流年「水」旺，可以調節運勢，健康運最為平穩；但假如在冬天或深宵出生的人，由於出生日的「丙火」太弱，難免會出現精神緊張、焦慮煩躁等問題，不妨多出門旅行散心，除了可以紓緩壓力外，亦可以借地運改善健康運。

然而受「合日腳」影響，大部分人都需要留心有關膝頭、關節等舊患毛病，喜歡運動的人要打醒十二分精神；駕車人士亦要小心道路安全，否則容易因車輛碰撞而受傷。

4 丁卯日◆事業順暢 營銷運佳審慎理財

【財運方面】

丁卯日出生者在己亥年的財運不過不失，但工作運則不俗。因為丁卯日天干屬「火」，地支屬「木」，於己亥年行「水」運的年份，事業運比起財運會更佔優。尤其天干行「傷官」，對一些從事以口得財或銷售見客等行業最有利。

營商者做生意時不宜過分因循守舊，必須以奇招謀求突破，亦要親力親為，主動聯絡客戶推銷新意念才有機會突圍而出。由於地支「亥卯未」能會合成局，所以屬羊者在豬年是你的貴人，如有屬羊的朋友力邀合作不妨考慮，成功機會頗大。

雖然豬年未見有劫財之象，但營商者仍要控制成本。家宅方面，豬年容易因家人問題而增加開支，例如醫療或家居要維修等，所以宜預留現金儲備，以應付突如其來的開支。

由於欠缺明顯的偏財運，凡是短炒投機可免則免。己亥年「水」重，如出生在農曆四月及五月的人，本屬「火」旺，再行「水」運，財運較順暢；反而在農曆十月及十一月出生者，因命格「水」已重，豬年勢必較辛勞奔波。至於出生於農曆三月、六月、九月及十二月的人，謹記少説話、多做事，做事低調一點，以免招人攻擊。

【事業方面】

由於流年地支「亥水」是自己的事業星，所以打工一族事業明顯向好，對從事銷售、見客等以口得財行業更有利，且有不俗的升遷運。豬年有機會接觸新的工作範疇，間中會感到辛苦吃力，但亦能應付自如。有意轉工的人，由於個人自信心足夠，所以能主動接受新挑戰，留意六月後出現的機會，可以一試。

己亥年的人際關係容易出現兩種截然不同情況，一方面與同事的是非口舌增多，另一方面與上司及長輩則相處融洽，而且頗受眷顧。因此與同輩相處時切忌鋒芒太露，沉默是金，少惹麻煩才會令事業順暢。

【感情方面】

己亥年感情運並無太大突破，單身女士桃花較男士為佳，有機會在朋友圈子中物色到投緣的異性，由朋友發展成為戀人，而對象會是一些性

每月運勢西曆日子請參閱頁372上的對照表　　♥吉　♡中吉　♡平　♥凶

月份	運勢
♥〔吉〕農曆正月	暗地破財的月份，雖然出現新的合作計劃，投資要小心謹慎。
♡〔平〕農曆二月	天干地支完全相同的月份，屬先難後易，凡事多加倍耐性，不能操之過急。
♥〔凶〕農曆三月	人際關係出現變化，某些人及事會令自己十分勞氣；幸好學習運不俗。
♡〔中吉〕農曆四月	工作上出現新發展，貴人的助力令事業更順暢，不過仍然要留心是非口舌。
♥〔吉〕農曆五月	財運明顯上升，而且出現新機遇，不妨把握一下。
♡〔中吉〕農曆六月	此月有不少新的合作機會，如果並非太大投資額，不妨一試。
♡〔平〕農曆七月	精神緊張、情緒低落的月份，失眠情況亦變差，要多做減壓的運動。
♥〔凶〕農曆八月	天沖地沖的月份，做事一波三折，謹記凡事做好兩手準備。
♡〔平〕農曆九月	雖然事業運回穩，但容易破財，家宅出現令自己頗為煩惱問題，宜放鬆心情面對。
♥〔吉〕農曆十月	事業運順暢，此月有不俗的升遷運，可以把握機會表現自己。
♡〔中吉〕農曆十一月	此月有桃花破財之象，要多留心開支，勿過度揮霍。
♡〔平〕農曆十二月	財運欠佳，勿作短炒投機活動，幸好事業感情平穩向好。

格較強勢的男士，因此不妨多留心身邊的人，看是否有可進一步發展的異性。單身男士的桃花可謂寥寥可數，而且進展緩慢，就算遇上合眼緣異性，也會反覆思考是否合適而難以再進一步。

情侶或夫婦會為小事爭執，尤其在對方的家事上容易發生衝突，盡量少介入伴侶的家事外，亦要互相忍讓。另外，夫婦亦會為管教小朋友問題而產生分歧，多溝通可避免雙方鑽入牛角尖。

【健康方面】

丁卯日出生者的健康運整體來說不算太差，但農曆正月及二月出生者本身「木」旺，已屬多思多慮的人，加上流年「水生木」，更容易胡思亂想，令情緒低落；同樣農曆十月及十一月出生的人亦因為「水」過旺而壓力太大，引致焦慮及失眠。除了注意作息定時外，建議多作戶外活動，或進行瑜伽、太極及冥想等紓壓運動。

另外「亥卯未」三合成木局，也要留心皮膚問題，慎防皮膚敏感或濕疹復發外；亦要小心手腳關節等毛病。家宅方面需多關注女性長輩的健康，不能掉以輕心。

5 戊辰日 ◆ 財運不俗 女士感情易有變化

【財運方面】

戊辰日出生者於己亥年的整體財運不俗，但同時又出現劫財星。如果在農曆三月、六月、九月及十二月「土」重的月份出生者，遇上天干再行「土」，可謂劫財重重，除了要留心收支平衡外，手握太多現金更有機會因突發問題而花掉；倒不如將現金轉作實物投資，例如買物業或黃金更能保值。

至於在「水」旺的農曆十月及十一月出生者，狗年因為「沖日腳」而較奔波勞累，但豬年的運勢則轉趨平穩，是最舒服稱心的一群。而出生於農曆四月及五月「火」重的人，亦較易守着財富；農曆正月及二月的出生者，整體財運則屬不過不失。

無論哪一個月份出生，由於豬年財運起伏較大，儘管有可觀的收入，但總是財來財去，高風險投資可免則免，短炒更萬萬不宜。營商者可能在某些月份獲利豐厚，但轉眼又會花掉，所以要「好天收埋落雨柴」。做生意的人要留心成本控制之外，更不能過分大興土木拓展新的項目，謹記不熟不做。豬年不宜作任何借貸擔保行為，容易被人「一借無回頭」；假如有兄弟姊妹或親戚朋友向你要求金錢幫忙，亦謹記量力而為。

【事業方面】

事業運只屬中規中矩，豬年對升職勿抱太大期望，反而因為財運不俗，所以打工一族加薪幅度還算理想。由於人際關係出現暗湧，尤其與同事太多明爭暗鬥，所以變相令是非口舌增多，在辦公室內盡量少説話、多做事。幸好豬年頗受上司及長輩眷顧，而且下屬的助力亦足夠，所以如任職管理層，工作可謂如魚得水；但假如從事銷售、見客行業則較以往辛苦，屬多勞多得年份。

有意轉工者，豬年並非一個合適的年份，宜留守原有公司，只要處理好與同輩間的分歧，便無太大難題。

【感情方面】

女士在己亥年的感情運容易出現變動，提防與伴侶因有第三者介入而出現情變分手，假如感情仍未完全穩定時，勿過分高調公開，否則易惹來別人有機可乘。至於單身男士感情運不俗，豬

每月運勢西曆日子請參閱頁372上的對照表　♥吉　♡中吉　♡平　♥凶

月份	運勢	內容
農曆正月	♡（中吉）	事業運順遂，由於工作有好表現，獲得上司及老闆讚譽有加。
農曆二月	♥（凶）	人際關係出現小問題，而且健康亦響起警號，多休息以免積勞成疾。
農曆三月	♡（平）	天干地支一樣，容易破財的月份，進行投資投機時要小心謹慎。
農曆四月	♡（中吉）	財運不穩，小心朋友及親人提出借貸要求，凡事量力而為。
農曆五月	♥（吉）	貴人運順暢，有人提出新的合作機會，如了解風險後不妨一試。
農曆六月	♡（平）	此月學習運強勁，而且身邊人的助力足夠，但留心有暗地破財之象。
農曆七月	♥（吉）	財運順暢，可作小額投資，只要不太貪心會有收穫。
農曆八月	♥（凶）	天合地合的月份，做事波折重重，凡事要加倍耐性處理。
農曆九月	♡（平）	此月適合往外地公幹或旅行，應動中生財。
農曆十月	♥（吉）	財運依然不俗，而且整體運勢向上，可以把握機會，積極表現自己。
農曆十一月	♡（中吉）	繼續有新的合作機會，而且有貴人幫忙，適量投資可以一試，但不能太貪心，以免倒贏為輸。
農曆十二月	♡（平）	腸胃容易出現問題，作息要定時外，飲食亦要清淡為主。

年容易有「遠地桃花」，即可在異地公幹或旅行時結識到心儀異性，另外身邊亦會出現一些由外地回流的女士，都有機會發展戀情，不妨多留心身邊的人。

已婚男女穩定性較高，但要留心為家中的錢銀開支而產生爭執，尤其是兄弟姊妹或家人需要幫忙而陷入金錢轇轕，凡事量力而為，避免為金錢而日夜吵鬧。

【健康方面】

戊辰日天干地支全屬「土」，腸胃或多或少出現敏感及毛病，提防消化不良、腸胃炎等問題，生冷食物少吃為妙；另外，作息要定時，亦要提防體重暴升。

其實豬年的健康運的確較狗年進步了不少，但如在農曆十月及十一月出生者，要注意情緒問題，豬年很多時會有悶悶不樂、鬱鬱寡歡之感，多約會朋友傾談，抽時間做運動接觸陽光、大自然，可以避免情緒受困擾。至於農曆三月、六月、九月及十二月出生的朋友不妨多用藍色及綠色的物品，有效疏導命格中的重「土」。

6 己巳日 ◆ 驛馬相沖 向外發展運勢更強

【財運方面】

己巳日出生者踏入己亥年有「日犯太歲」之象，更出現驛馬相沖，等同沖自己的財星，代表整年的運勢都反覆不定，尤其是財運更會大上大落。營商者要面對很多不穩定因素，所以豬年宜動不宜靜，多出門才會對運勢有利，同時亦適合拓展海外市場，積極往外地尋找商機才有突圍機會。

流年地支「亥水」雖是財星，但天干「己土」代表容易破財，豬年不宜作大手投資，要以保守為大前提。如在強「土」的農曆三月、六月、九月及十二月出生的人，財運會更動盪，除了盡量少留現金在身邊外，不妨多用藍色或綠色的物品，疏通命格中過多的「土」。至於農曆四月及五月出生者，因為「火」過旺，亦難有餘錢儲蓄，平時要積穀防饑，避免出現財政困難；出生於「水」旺的農曆十月及十一月的朋友，財運則最為順暢。

由於驛馬相沖，出差或往外地旅遊，必須多留心安全問題，豬年出遊會有不少破財機會，例如遺失物件甚或因車輛碰撞而受驚嚇，所以出發前一定要購買旅遊保險；過年後亦最好花一點錢做善事，如贈醫施藥等，有助提升個人的健康運。

【事業方面】

為應驗「動中生財」之象，己巳日出生者不宜死守在原有地方，要主動出擊，向公司爭取多到外地出差，甚至駐守分公司，如能到不同地方體驗新商機，會更有利事業發展。打工一族雖有輕微升遷機會，但人工未必加得理想。

「沖日腳」年份，容易有靜極思動的心態，有意轉工的人可以留意農曆四月及十月的邀約，或有成功機會；但謹記可能轉公司後未必如之前所預期，工作或會更辛苦。不如視豬年為播種期，先從中學習，打好基礎。幸好貴人運不俗，所以任職管理階層者會有較大發揮機會。

【感情方面】

「沖日腳」等同沖夫妻宮，無論情侶或夫婦在己亥年若經常日夕相對，在大小事情上都容易各持己見，發生衝突，甚至鬧到有分開危機。

每月運勢西曆日子請參閱頁372上的對照表　　♥吉　♡中吉　♡平　♥凶

♡農曆正月	人際關係開始倒退，提防是非口舌，與自己無關的事勿多言。
♡農曆二月	事業運順暢，但提防工作壓力增加，令自己情緒變差。
♥農曆三月	破財的月份，此月不宜作任何投資投機活動。
♡農曆四月	壓力變大容易失眠，上半年出生的人適宜到寒冷地方、下半年出生者最好到炎熱地方旅行，改善運勢。
♥農曆五月	貴人運不俗，但財運卻有倒退迹象。
♡農曆六月	此月有不俗發揮機會，不妨把握機會自我表現，有望事業更上一層樓。
♥農曆七月	財運與事業運都有向上趨勢，是運勢順遂的月份。
♥農曆八月	出現新的合作機會，但當中存在變數；幸好財運不俗。
♡農曆九月	事業順暢，但慎防工作壓力將自己壓垮，作息要定時，留心身體健康。
♡農曆十月	動盪的月份，多出外走動有利運勢。
♥農曆十一月	財運持續向好，有貴人扶助，可以藉機突出自己，爭取表現。
♥農曆十二月	此月容易惹上是非口舌，少理人間事可免受人攻擊。

因此豬年最適合聚少離多，各有各忙的生活，彼此如能培養各自的興趣，多留空間給對方對感情反而有利。

單身男女有異地桃花運，由於有不少出差或旅遊機會，所以容易在外地結識到心儀異性，更有進一步發展的可能，但慎防只屬短暫情緣，不宜過早投入，不妨先作觀察，了解自己能否接受長距離戀情才開始，勿過分衝動的開展感情。

【健康方面】

豬年的健康運受「沖日腳」影響，需多留心道路安全的問題，尤其駕車者更要打醒十二分精神，避免因車輛碰撞而受傷。其實己巳日出生者本身已受「曲腳煞」影響，手腳容易受傷，加上「巳亥沖」，喜歡做運動的人要加倍小心關節問題，高危運動如爬山、攀石及滑雪等可免則免。

如農曆三月、六月、九月及十二月等出生的人，出門旅行時更需留心腸胃等毛病，除了容易水土不服外，生冷食物如沙律、魚生等還是少吃為妙，以免出現屙嘔情況；另外，亦要多留心身邊伴侶的健康狀況。

7 庚午日◆貴人運佳 有利從事女性行業

【財運方面】

庚午日出生者天干屬「金」，地支屬「火」，於己亥年行「水」運，亦有「土」助旺運勢，尤其對在「木」強的農曆正月及二月出生者有利，財運最為暢順。而農曆四月及五月出生的人，本身命格「火」旺，流年「亥水」能平衡命格中的五行，所以亦屬財星高照的一群。

反之農曆七月及八月出生的人，由於命格「金」過強，財運便略為遜色。而出生於農曆十月及十一月的人，亦因為「水」過重，除了有財來財去之象外，人際關係亦會出現暗湧，容易惹來是非口舌。因此在下半年出生者在豬年不宜留過多現金在身邊，有餘錢便購買實物如黃金等較能保值。

因整體財運不俗，營商者只要親力親為，亦能得到舊客戶支持。而且不論哪一月份出生，己亥年的貴人運較往年為佳，尤其是女性長輩更對自己照顧有加，假如生意涉及女性範疇，例如美容、化妝及時裝等；或以靈感創作為主的行業，如寫作及廣告等，發揮更理想。再者，因「印星」高照，可以從長輩收到有利的投資消息，但始終並非行太大財運的年份，注意不能太貪心，略有所得便要離場。

【事業方面】

打工一族與上司及下屬相處融洽，亦得到不少貴人賞識，尤其是女性長輩對你特別照顧，如上司或老闆是女性的話，大有機會獲提拔而更上一層樓。反而與同輩的關係，因為競爭大而變得緊張，豬年有「厚土埋金」之象，一定要主動把握機會，爭取表現，事業才能有進一步發展。由於有「印星」相助，對從事創作、思考行業的人較有利，靈感可謂源源不絕。

計劃轉工的人，由於己亥年並非適合作重大決定之年，雖然有人邀約跳槽，但千萬不要操之過急；建議留守舊公司，報讀與工作有關課程，靜待時機。

【感情方面】

單身男女在己亥年並非行太大的桃花運，所以未必能認識到可發展的異性。尤其是女士，就算遇上了合眼緣的男士，但對方可能已有一段穩

每月運勢西曆日子請參閱頁372上的對照表　♥吉　♡中吉　♡平　♥凶

月份	運勢
♡ 農曆正月	財運順暢，如進行投資投機活動，只要不太貪心，便會有收穫。
♡ 農曆二月	**事業出現新進展，但壓力容易變大，要學懂放鬆才能有好表現。**
♡ 農曆三月	貴人運不俗，面對同輩間的競爭，必須爭取機會表現，才能突出自己。
♥ 農曆四月	事業運平穩向上，且有不俗的升遷機會。
♥ 農曆五月	**變化與波折重重的月份，凡事要做好兩手準備，不妨出外旅遊應動中生財。**
♡ 農曆六月	有貴人相助，事業運轉強，工作上不妨進取一點，自有不俗回報。
♥ 農曆七月	之前的困難有解決迹象，心情亦有豁然開朗之感。
♡ 農曆八月	**此月要小心是非口舌，平時要慎言；雖出現輕微桃花，但只屬短暫桃花。**
♥ 農曆九月	**與人爭拗增多，做事亦較多小波折，處事要加倍耐性。**
♡ 農曆十月	容易失眠的月份，幸好財運順暢。
♡ 農曆十一月	**此月容易受傷，駕車者要打醒十二分精神，勿因一時不慎而發生意外。**
♡ 農曆十二月	與人交往時，切忌口不擇言，謹記少説話、多做事。

定的感情，所以未必可以介入對方的關係。至於男士可能會遇到剛萌芽的感情，但慎防只是水月鏡花，不宜過早投入，先觀察了解後才開展感情也不遲。

拍拖中及已婚男女，感情雖然穩定，但間中亦會為家中小事而發生爭執，而且亦會因過分專注在工作上，有時會不自覺冷落伴侶，不妨安排舊地重遊，可以重拾戀愛感覺。

【健康方面】

庚午日出生者在戊戌年由於「合日腳」，所以喉嚨氣管會經常出現毛病；踏入己亥年，整體健康運尚算平穩，沒有太多病痛。但由於出生日地支屬「火」，天干屬「土」，變相強化了命格中的「土」，豬年需慎防腸胃敏感，另外亦要留意心臟、血壓等毛病。

如在農曆正月、二月、四月及五月出生的朋友，由於工作壓力大，除了多抽時間接觸大自然外，平時不妨多用白色、金色的物品，佩戴一點金器或白及金色飾物，都可以助旺健康運。家宅方面，多關心女性長輩的健康，不能掉以輕心。

8 辛未日 ◆ 貴人提攜 肖兔朋友合作有利

【財運方面】

因為流年日腳「亥」與出生日腳「未」會合成「木」，變成自己的財星，所以辛未日出生者的財運尚算理想。加上「亥卯未」有會合之象，如能找到地支為「卯」的肖兔朋友幫忙或合作，亦有不俗的回報。

如在農曆三月、六月、九月及十二月出生的人，因流年的天干「己土」通根至出生日的「未土」，「土」過多令情緒容易受困，常有鬱鬱不得志的感覺；此四個月出生的人忌用啡色、黃色物品及玉器，多用米色、白色或佩戴金飾會有利改善運勢。

農曆正月及二月出生的人，雖然賺錢的能力強，但提防會財來財去，難有盈餘；農曆四月及五月出生者因流年有「水」調節，運勢屬平穩向上。至於農曆十月及十一月出生的人，必須要親力親為，辛苦經營才有理想回報；而在「金」重的月份，即農曆七月及八月出生者的財運最為順暢。

營商者整體運勢不俗，亦不乏長輩貴人幫助支持，但必須要多花心思才能突圍而出，過分因循守舊難以獲得客戶信心。投資方面也容易有貴人指點迷津，但謹記豬年不宜過分大興土木，必須謹守開支，以小本經營較易聚財。

【事業方面】

打工一族的事業運只屬不過不失，但已較狗年「日犯太歲」為佳，起碼人際關係改善了不少，而且貴人及長輩的助力亦足夠。但由於流年的「土」重，所以經常會胡思亂想，總覺得在職場上競爭太大，難以在同事間突出自己，又自覺工作表現似未符合上司要求，難免悶悶不樂。己亥年未見有太大的升遷運，人工亦只有象徵性的加幅，不宜抱過大期望。

有意轉工人士，豬年是一個穩定性較高的年份，加上自己求變的動力不足夠，所以機會不算太多。流年有不俗的學習進修運，不如收拾心情，報讀與工作有關的課程，為未來打好基礎。

【感情方面】

單身男女的桃花只屬一般，男士可以透過朋友介紹而結識到合眼緣的異性，如想發展一段新戀情，不妨一試。單身女士在欠缺積極性下，

每月運勢西曆日子請參閱頁372上的對照表　　♥吉　♡中吉　♡平　♥凶

♡	農曆正月	喉嚨氣管及呼吸系統容易出現毛病，要留意家中的致敏源。
♥	農曆二月	此月人際關係不俗，可以借機擴展人脈關係，多構思新噱頭有助日後發展。
♥	農曆三月	焦慮多多的月份，抽時間出外旅遊，有助放鬆心情。
♡	農曆四月	事業仍然有進步空間，但工作壓力變大，此月注意人際關係的變化。
♡	農曆五月	破財的月份，投資投機要打醒十二分精神，不能過分冒進。
♥	農曆六月	天干地支完全一樣，要有心理準備做事一波三折，凡事多加耐性處理。
♡	農曆七月	運勢開始步入順暢，之前的困難有解決迹象，心情亦輕鬆了不少。
♥	農曆八月	與人相處時少了很多紛爭，如果有新創意，不妨付諸行動。
♡	農曆九月	個人情緒低落，而且較多焦慮，宜出外旅遊借地運提升運勢。
♥	農曆十月	運勢開始順暢，無論財運及事業運都漸入佳境，可以進取一點表現自己。
♡	農曆十一月	健康運倒退，留意喉嚨氣管的小毛病；此月要提防受身邊的小人暗算。
♡	農曆十二月	出現少許相沖，做運動時要小心，幸好事業及財運順遂。

感情可能處於原地踏步階段。雖然並非行太大的桃花運，但己亥年會有頗多應酬聚會場合，可以認識不少新朋友，單身男女可藉此機會擴闊社交圈子，從中物色理想對象。

拍拖中及已婚男女在狗年會為很多瑣碎小事而爭吵不休，踏入豬年與另一半感情穩定，並無太大衝擊，算是甜蜜的一年；已婚者如有意添丁，可把握機會計劃一下。

【健康方面】

己亥年的健康運算是平穩向上，並無太大問題，但提防情緒低落及焦慮不安，為免因精神緊張而令失眠惡化，多約會朋友行山，接觸大自然；抽時間做紓壓運動都有助紓緩壓力。

如在農曆四月及五月出生者，由於命格缺「金」，須留心喉嚨氣管、呼吸系統等毛病，要避免到空氣混濁的地方。至於農曆正月及二月出生的人要留心關節毛病；農曆十月及十一月則要多注意膀胱腎臟等問題。家宅方面，需要多關心女性長輩的身心狀況，盡量抽時間陪她們聊天解悶。

9 壬申日 ◆ 升遷運佳　財運不穩切忌冒險

【財運方面】

壬申日天干屬「水」，遇上己亥年地支又屬「水」，兩水相遇變得更強大，令壬申日出生者的財運處於不穩定的狀態，更有暗地破財之象。當中尤以在「水」重的農曆十月及十一月的出生者財運最為起伏不定，容易財來財去；營商者謹記減少無謂開支，否則難有餘錢剩下。而農曆四月及五月出生的人，本身已屬「財旺身弱」，流年有「水」助旺運勢，財運較為樂觀，既能賺錢又可以有盈餘儲蓄，算是較有優勢的一群。至於出生於農曆正月及二月的人，本身「木」旺，有「水」調節，心情較以往更輕鬆愉快；而農曆七月及八月的出生者則屬不過不失。

其實無論哪一個月份出生，豬年的所有投資項目皆要加倍謹慎，投資要以穩健的中長線為主，否則破財機會很大。做生意的人對客戶不能掉以輕心，亦不要作任何借貸擔保。豬年亦有輕微官非運，所有合約文件要小心核對清楚，必要時請教專業人士。己亥年謹記「宜動不宜靜」，無論工作與財運都屬愈動愈起勁之年；不妨主動求變，部署到不同地方工作或旅遊，雖然比較奔波勞累，但會帶來更佳的運勢。

【事業方面】

由於天干「己土」是官星，亦是一顆事業星，豬年整體事業運尚算不俗，而天干「己土」通根至個人出生月份，尤其對農曆三月、六月、九月及十二月出生的人最有利，事業有持續向上之勢，且有不俗的升遷運。而其他月份出生者雖有輕微升職運，令職位權責提升不少，惟加薪幅度未必有理想回報。

壬申日出生的人本身性格已較急躁，豬年更要好好控制情緒，與人相處時多加耐性，謹記言者無心，聽者有意，說話過分率直會容易得罪人。計劃轉工的人，豬年是一個適合變化的年份，留意農曆五月及六月的機會，不妨一試。

【感情方面】

單身女士比男士的桃花來得暢旺，豬年會遇到背景、樣貌及學識都令自己滿意的異性，但不宜過分急進，不妨先放時間慢慢觀察，確定彼此

每月運勢西曆日子請參閱頁372上的對照表

♥吉 ♡中吉 ♡平 ♥凶

月份	運勢
♥ **農曆正月**	**天沖地沖的月份，留心人際關係變化，同時要小心道路安全，駕車者不能掉以輕心。**
♡ **農曆二月**	**精神緊張，情緒低落的月份，失眠情況似有惡化迹象。**
♡ 農曆三月	事業運順暢，雖有升職機會，但做事較之前壓力大。
♡ **農曆四月**	**此月波折重重，尤其文件合約要小心覆核清楚，以免惹上官非訴訟。**
♡ 農曆五月	財運不俗，無論正財與偏財都會有收穫，但謹記不能貪心。
♥ 農曆六月	貴人運順暢，努力一點工作表現自己，會獲得升遷機會。
♥ **農曆七月**	**天干地支完全一樣，做事一波三折，宜做好兩手準備，更要加倍耐性應付難題。**
♡ **農曆八月**	**出現少許劫財，投機炒賣絕對不宜，此月只宜守不宜攻。**
♡ 農曆九月	事業雖然順暢，但人際關係倒退，慎言可免是非口舌增多。
♥ 農曆十月	此月有暗地破財之象，不宜作大手投資及投機活動。
♡ **農曆十一月**	**手腳容易受傷的月份，做運動時需要加倍小心。**
♡ 農曆十二月	財運不俗，但情緒低落，不妨找朋友傾訴或放假出外散心，紓緩壓力。

的心意，然後才發展也未遲。男士感情運一般，由於過分專注事業，對拍拖興趣不大，加上工作忙碌，更難有心情物色對象，開展新感情。

拍拖中及已婚男女的感情穩定，雖然沒有太多爭執，但慎防工作太忙而冷落了另一半，令對方不滿而口出怨言；建議多培養共同興趣或抽時間結伴旅遊散心，都會令感情升溫。另外，宜將作息時間好好分配，讓工作與家庭取得平衡。

【健康方面】

整體而言，豬年的健康運尚算不俗，尤以體力及鬥志都較以往強，所以少了很多惱人的小病小痛。農曆三月、六月、九月及十二月出生的人事業運強勁，但由於命格出現「土困水」，因此無可避免工作壓力增加，會出現輕微的失眠情況。

至於其他月份出生者，亦要留心一些皮膚敏感或濕疹復發。豬年有不少出門旅遊機會，在外地要小心水土不服的問題，飲食盡量清淡健康一點，避免體重暴升或膽固醇過高等都市病。平時作息要定時，抽時間做運動，都有助身心平衡。

10 癸酉日◆辛苦得財 財來財去慎防損傷

【財運方面】

癸酉日出生者在豬年因出現「癸水見亥」，全年財運都傾向動盪不穩，是辛苦得財年份，短炒投機更絕對不宜。尤其是在強「水」月份出生的人，如農曆十月及十一月，財運更容易大上大落，而且多勞少得；建議這些月份出生者平日多用紅色等鮮顏色的物品，有助增強財運。

如在農曆四月及五月出生者，屬「財旺身弱」，流年有「水」調節命格，賺錢能力加強之餘，亦可把錢財留住。至於農曆七月及八月出生者的財運一般，亦有財來財去之象。農曆正月及二月出生者，則要留心人際關係，慎防因失言而惹來是非口舌。

其實「水」旺的年份適合多往外走動，不妨多出差及拓展海外市場。若為營商者，豬年容易暗地破財，宜及早訂定開支計劃，亦不能作借貸擔保，以防「一借無回頭」。因豬年偏財運甚弱，即使要作投資也要選擇中長線的產品，而且因較難聚財，不宜將過多的現金留在身邊，不妨轉作實物投資，例如買物業或黃金更能保值。己亥年也容易惹上官非，但凡合約文件需小心處理，如遇疑難一定要向專業人士請教，否則可能因官非而破財。

【事業方面】

癸酉日出生者在戊戌年經歷了「天合地合」的變動，如換了新工作，來到己亥年事業可謂逐漸穩定下來，找到新方向之餘，亦開始融入新的工作環境。尤以農曆三月、六月、九月及十二月出生者，發揮機會更大，有明顯的升遷運。

豬年個人的領導力、鬥心及毅力都較以往為佳，對工作上的難題可以應付自如；由於考試運順遂，不妨主動報考升職試，有機會令自己更上一層樓，但並非行大財運，所以要有心理準備人工並沒有太大的加幅。豬年「宜動不宜靜」，但只限於在原有公司主動要求出差或轉部門，不宜轉到新的工作環境，以免令自己壓力過大。

【感情方面】

踏入己亥年，單身女士的桃花較男士為佳，尤其是在農曆三月、六月、九月及十二月出生的女孩子，會有不少機會結識到合眼緣的異

每月運勢西曆日子請參閱頁372上的對照表　　♥吉　♡中吉　♡平　♥凶

♥農曆正月	財運順暢，如果不太貪心，少量投資會有不俗回報。
♥農曆二月	天沖地沖的月份，麻煩事接踵而至，必定要加倍耐性應對。
♡農曆三月	天合地合的月份，做事容易出現困局，尤其注意身體健康，不妨出門借地運。
♥農曆四月	做事順暢，工作平穩向上；有貴人相助，心情亦可放鬆一點。
♡農曆五月	財運與事業都不俗，但工作壓力變大，需留心失眠狀況加劇。
♥農曆六月	貴人運強勁，可以藉此將人脈圈子擴展，出現新的合作機會，不妨一試。
♡農曆七月	劫財的月份，尤其是偏財方面頗多阻滯，短炒投機絕對不宜。
♡農曆八月	天干地支完全一樣，此月容易受傷，做運動及駕車都要打醒十二分精神。
♥農曆九月	是非口舌多多的月份，小心人際關係變差，謹記少說話、多做事。
♡農曆十月	喜歡戶外活動的朋友要小心手腳受傷，運動前一定要做足熱身，亦要加倍小心。
♥農曆十一月	此月桃花暢旺，多留意身邊是否有合適的異性，或可發展一段感情。
♡農曆十二月	眼睛出現小毛病，家宅有需要維修的地方，可能要花費一筆錢。

性，而且有不俗的發展機會。如在農曆十月及十一月出生的女士，遇上的多是短暫桃花，穩定性較低。至於男士就算結識到女友，但慎防過分專注事業，令伴侶感到受冷落而難以忍受。

已婚及拍拖中的男女，由於豬年心情容易急躁，與另一半經常出現意見不合，除了互諒互讓外，不妨花點心思經營彼此關係，培養共同興趣、安排舊地重遊，都有助重拾過往的甜蜜。

【健康方面】

日腳出現「癸水見亥」，即受「羊刃星」影響，己亥年有破相開刀或受傷之虞。喜歡做運動的人，要打醒十二分精神，盡量避免進行一些高危運動，如攀山、爬石、潛水、滑雪及跳傘等，否則容易受傷。

建議於狗年年尾預先作身體檢查，踏入豬年後可往洗牙或捐血，化解血光之災。如在狗年「天合地合」之年懷孕，在豬年分娩時亦很大機會要開刀剖腹。亦可選擇向一些慈善團體贈醫施藥提升健康運，留心勿亂動家中的病位如五黃或二黑位，要將帶煞氣的物品移走。

11 甲戌日 ◆ 進步之年 吉中藏凶善用人脈

【財運方面】

己亥年出現「財來合我」，整體財運不俗，營商者會出現不少新的合作機會。但由於日腳「甲己合」，因此財運有「吉中藏凶」之勢，不宜大興土木擴展生意。幸好貴人運順暢，能得舊有客戶及長輩支持，不妨在此年份為未來打好基礎。

流年地支「亥水」是一個頗為強大的力量，如在農曆十月及十一月出生的人，本身「水」重再遇上大水，所以財運較為不利，有點反覆不定。反而在農曆七月及八月「火」旺的出生者，有「水」平衡，便有助旺運勢之利。至於出生於農曆正月及二月的人，是既能賺到又有盈餘的一群；農曆三月、六月、九月、及十二月出生的人本身「土」重，遇上流年天干的「土」便形成「財旺身弱」，容易財來財去，必須做好個人的開支規劃，以免入不敷支。

合日腳的年份宜動不宜靜，不妨主動尋求變化以提升運勢，例如到外地出差或拓展海外市場均為合適。由於偏財運普通，投資投機皆要小心，一切以保守為大前提。「甲己合」之年健康運亦易生變數，不妨先為自己購買醫療保險或多做贈醫施藥，應驗健康破財之象。

【事業方面】

貴人運強勁，尤其是女性長輩或上司對自己提攜照顧，工作時可謂得心應手；而在女性長輩的助力下有不俗的升職運，而加薪幅度亦令自己滿意。如工種與女性有關的行業如化妝品、服裝及護膚纖體等更大有可為。豬年思想運不俗，有利從事廣告創作或編劇，另外，如任職銷售等前線見客工作，發展亦算理想。至於擔任行政或管理階層則只屬不過不失而已。

有意轉工的人，豬年並非大變動之年，所以跳槽機會不多，如真希望轉換環境，可能需要靠長輩或舊同事居中引薦，而在農曆三月、七月、八月及九月的成功機會較大。

【感情方面】

男士的桃花較女士暢旺，無論是否已有另一半，豬年都會遇上一些條件不俗而且積極主動的異性，單身男士如不介意新對象較為強勢及有

每月運勢西曆日子請參閱頁372上的對照表　♥吉　♡中吉　♡平　♥凶

月份	運勢
♡ 農曆正月	此月有暗地破財之象，凡投機投資活動不宜過分冒險急進，以免財運有損。
♡ 農曆二月	做事出現輕微阻滯，幸好有貴人幫忙，屬先難後易的月份。
♡ 農曆三月	財運明顯上升，但工作壓力開始變大，多做減壓運動。
♡ 農曆四月	容易受傷的月份，尤其手部容易扭傷，做運動時要加倍小心。
♥ 農曆五月	是非口舌不絕，做事宜低調一點，幸事業運顯著上升。
♡ 農曆六月	事業與財運不俗，但情緒容易低落，不如計劃出門，更有機會遇上貴人。
♥ 農曆七月	事業運暢旺，工作順利，但留心有打針食藥之象。
♡ 農曆八月	出現新的合作機會，但不要輕舉妄動，先了解詳情再決定。
♥ 農曆九月	天干地支完全相同，事業與家宅都出現問題，不妨出門旅遊借地運提升運勢。
♥ 農曆十月	運勢開始逐步向上，之前的困難有解決迹象。
♥ 農曆十一月	此月適宜出外旅遊，應動中生財，但出門前謹記購買旅遊保險。
♡ 農曆十二月	學習運強，不妨報讀自己有興趣或對事業有幫助的課程，為未來打好基礎。

性格，不妨考慮開展新感情。但如果已有伴侶或已婚者，外在誘惑增加，如欠缺定力，便容易墮入三角關係，處理感情要決斷一點，切勿拖泥帶水。

單身女士難物色到合適對象，要靠長輩介紹才能有合眼緣的異性出現，由於有輕微異地桃花，出外旅行時，可以多點留意是否有可發展的對象。已婚男女則感情穩定，豬年是適合有喜的年份，不妨落實添丁大計，讓家宅提升喜慶運。

【健康方面】

「甲己合」的年份要留心腰骨、關節等的問題，如經常對電腦工作或喜歡打波人士，留意手腕不適或扭傷，要避免進行攀山、爬石及滑水等高危運動。如本身有關節舊患、五十肩或偏頭痛者，豬年很大機會舊病復發，需多加留心。

另外，亦要提防因壓力而出現失眠焦慮等徵狀，多到郊外接觸大自然，放鬆心情。流年「土」重，往外地旅遊時，慎防水土不服引起的腸胃不適，出門前謹記購買旅遊保險，花一點錢購買保健食品都有助提升健康運。

12 乙亥日 ◆ 日腳刑剋 注意健康保持低調

【財運方面】

乙亥日出生者在豬年遇上日腳刑剋，屬於「日犯太歲」的一種，首當其衝是令健康運倒退，較多瑣碎小毛病，亦容易胡思亂想。若再看出生月份，如出生於農曆十月及十一月「水」旺的月份，流年更有「水泛木漂」之象，財運只屬表面風光；雖然會有不俗的賺錢能力，但恐防一得一失。在「木」旺的農曆正月及二月出生者的財運亦未算樂觀，反之於農曆七月及八月的出生者，財運算是最順暢的一群。而農曆四月及五月出生者，有「水」平衡命格，加上流年天干「己土」是自己的財星，所以財運亦不遜色。至於在農曆三月、六月、九月及十二月「土」重月份出生者，由於天干「己土」通根至個人出生月份，所以影響了財運的穩定性，雖有不俗進賬，但開支亦必須謹慎。

營商者整體運勢不俗，尤其貴人運更強勁，不乏長輩貴人幫助，但同行競爭加劇，難以不勞而獲。再者，因豬年偏財運一般，亦不宜寄望有意外之財，短炒投機更可免則免。其實豬年的正財運屬平穩向上，只要與人相處時態度圓融一點，避免「好心做壞事」，運勢自會較如意。

【事業方面】

貴人運暢旺，在長輩及上司的照料下，工作上遇有難題亦可迎刃而解。但始終有「日腳刑剋」，代表工作競爭大，偶一不慎更會遭人說三道四，因此豬年做事宜少說話、多做事，保持低調；總之日常與自己無關的事不宜強出頭。

因己亥年「水」過旺，所以有利往外走動，打工一族不妨多主動向公司要求出差或調職，有利動中生財。豬年沒有明顯的轉職機會，就算有機會轉工，亦要慎防對新環境不適應而衍生焦慮不安，不如留守舊公司，打好基礎；尤其從事寫作、廣告或編劇等以創作為主的工作，由於靈感源源不絕，亦是一個發揮不俗的年份。

【感情方面】

單身男女在己亥年會有不俗的異地桃花，由於經常到外地公幹或旅遊，在旅途上會出現不少合眼緣的對象，如接受到遠距離戀愛，不妨一

每月運勢西曆日子請參閱頁372上的對照表　　♥吉　♡中吉　♡平　♥凶

月份	運勢
♡ **農曆正月**	**合日腳的月份，令健康運不穩，亦要提防招惹口舌是非。**
♡ 農曆二月	貴人運順暢，做事處於進步的月份。
♥ 農曆三月	財運向好，正偏財都不俗，但謹記勿作太冒險的投資。
♡ 農曆四月	此月適宜出門公幹或旅行，但最好先購買保險，以策萬全。
♥ **農曆五月**	**精神緊張、神經衰弱的月份，要學習放鬆，否則失眠會惡化。**
♡ **農曆六月**	**人際關係倒退，慎防是非口舌，多做事少說話；另外要留心手受傷。**
♥ 農曆七月	事業運順暢，適宜往外地走動，應動中生財。
♡ 農曆八月	貴人運強勁，但慎防工作壓力太大，多到戶外散步曬太陽，有助提升健康運。
♡ **農曆九月**	**劫財的月份，盡量少作投資，否則錢財易一得一失。**
♥ **農曆十月**	**天干地支完全一樣，事業與人際關係易生阻滯，宜做好兩手準備應變。**
♥ 農曆十一月	事業運回穩，工作運亦不俗，而且有出現新方向，令自己有豁然開朗之感。
♡ 農曆十二月	財運繼續順暢，投資方面如不太貪心會有得着。

試。另外，不妨多留意一些在外地出生回流的異性，亦會有不俗的發展機會。由於個人主動性不高，豬年不妨多拜託長輩介紹，才能遇到合適的拍拖對象。

已有伴侶的男女，容易出現小誤會，宜坦誠相處，勿將不滿放在心中而令關係變得疏離。已婚男女，豬年是一個適合懷孕的年份，但謹記要過了三個月，待穩定後才公布也未遲。

【健康方面】

雖然豬年的健康運頗受困擾，但大致多為瑣碎的小毛病，並沒有太大問題，但女性要特別提防婦科病；懷有身孕的女士們，必須跟足傳統，在懷孕三個月後才可向外公布。

流年「水生木」，個人情緒容易焦慮不安，經常有負面想法，建議好好安排作息時間，不妨抽時間作短線旅行，多接觸大自然也能提升正能量。如出生於寒冷月份，建議多到炎熱的地方旅遊、或多用暖色調的物品，都有助改善健康運。「乙木」遇上「己土」亦代表手腳容易扭傷，少做高危運動，可減少受傷機會。

13 丙子日 ◆ 事業順暢 親力親為注意情緒

【財運方面】

丙子日大部分的出生者於己亥豬年都屬於辛苦得財，常常感到壓力沉重，尤其是出生於農曆十月及十一月的人，因本身「水」旺，流年再行「水」運，過多的水便會將命格中的「丙火」撲熄，除了做事障礙重重，亦要提防惹上官非訴訟，處理合約、文件等要更加謹慎。農曆七月及八月的出生者同樣深受壓力困擾；農曆正月、二月、四月及五月等出生者卻較順暢，無論財運及事業都處於平穩向上。至於在「土」重的農曆三月、六月、九月及十二月出生的人，由於有「剋洩交加」之象，亦會有兩面受敵之感，格外辛苦。

豬年要以務實方法賺錢，不能有僥倖之心；若為營商者，如能親力親為與客戶洽談業務，成功機會則大大增加。但由於下屬運欠佳，不適宜過分擴充新業務，更要慎防出現「惡奴欺主」或員工不斷流失，管理階層必須減少依賴別人。己亥年亦容易惹上官非訴訟，所有與稅局、海關等監管機構的往來文件要小心核對清楚，以免因一時大意而破財。短炒投機亦可免則免，若要投資也不能單靠別人提供消息，必須要透過個人分析研究，才能有獲利機會。

【事業方面】

由於己亥年的「亥」是個人的事業星，打工一族事業運明顯進步，如從事紀律部隊如警察、海關及消防等，由於幹勁十足，可以在職場上大展拳腳，而且有不俗的升職機會。即使是擔任文職或管理層等，豬年的工作亦屬穩步上揚，領導能力發揮得淋漓盡致。

不過秋、冬兩季出生的人，慎防工作壓力太大而出現的失眠焦慮等徵狀，如遇上工作難題，不妨虛心向前輩請教，才能令工作效率提升。若在豬年多找屬牛的朋友一起工作，更可以收事半功倍之效。有意轉工者，下半年較易出現機會，且條件不俗，不妨考慮轉換工作環境。

【感情方面】

單身女士豬年桃花運暢旺，感情運多姿多采，會遇到年紀比自己細一點的異性，如不介意姊弟戀，不妨一試。但對待這段感情不宜過分急

每月運勢西曆日子請參閱頁372上的對照表

♥吉　♡中吉　♡平　♥凶

月份	運勢
♥農曆正月	破財的月份，盡量不要作投資投機活動。
♡農曆二月	此月有一點桃花破財之象，少與拍檔及異性有錢銀轇轕。
♥農曆三月	學習運強勁，但容易惹來口舌是非，與自己無關的事，勿多言。
♡農曆四月	人際關係不穩，幸好事業運順遂，工作上有機會發揮所長。
♡農曆五月	財運順暢，但要留心健康出現小毛病，尤其手腳容易受傷。
♡農曆六月	喉嚨氣管、呼吸系統容易出現問題，少出入人煙稠密的地方。
♥農曆七月	此月事業運較之前順暢，財運亦不俗，但提防工作壓力太大。
♥農曆八月	財運與事業運亦有上升趨勢，與伴侶會因小事而爭吵不休，宜互諒互讓。
♡農曆九月	貴人運強勁，可以多利用人脈擴充商機。
♡農曆十月	事業運不俗，但要留意往來文件合約，以免陷入官非訴訟。
♥農曆十一月	天干地支完全一樣，是困難重重的月份，做事容易一波三折，宜做好兩手準備。
♡農曆十二月	家宅運出現小麻煩，可能有噪音或漏水情況，令自己壓力增加。

進，上半年的進展較緩慢，要踏入下半年才能有穩定發展。至於男士會因心存猶豫，不知對方是否適合自己而未能確定心意，加上較專注在工作上，所以感情沒有太大突破。

已婚及拍拖人士忙於工作，與另一半感情進入倦怠期，不妨多抽時間出外旅行或培養共同興趣，重拾甜蜜。另外，家宅中要多關心孩子的情緒，如遇上問題要盡早解決。

【健康方面】

丙子日出生者的健康運整體來說不算太差，至少沒有嚴重病痛，但在秋、冬出生的人，由於「水」過旺，所以個人情緒容易受困擾，引致焦慮抑鬱，令失眠情況惡化。日常多用暖色系如紅色、橙色的物品，在生日月份可到炎熱的地方旅行，都有助改善健康運。

至於農曆三月、六月、九月及十二月出生者，由於受「剋洩交加」影響，平日多用綠色或直條的物品，都有助疏導命格中的重「土」。為免被工作壓力拖垮，除注意作息定時，多作戶外活動外，進行瑜伽及冥想等都有助紓緩壓力。

14 丁丑日◆事業向上 下屬運弱提防官非

【財運方面】

丁丑日天干屬「火」、地支屬「土」，而「丑土」是較為濕冷的土；若為農曆十月及十一月「水」旺，或三月、六月、九月及十二月「土」重日子出生的人，遇上己亥年又凍又濕的土，財運更容易陷入困局，必須做好心理準備豬年是一個多勞少得、辛苦得財之年。至於在農曆四月及五月「火」重日子出生者，由於有「水」平衡了命格，所以財運處於進步的趨勢；出生於農曆正月、二月、七月及八月的人則只屬平穩，財運不過不失。

流年受「食神」星影響，加上人緣運與親和力提升，營商者如能親自出馬與客戶洽談業務，成功機會亦大大增加。不過由於下屬運欠佳，凡事要親力親為，對員工不能過分依賴，因為對方可能會做出監守自盜的行為，令自己有所損失。

因流年偏財運不強，日常須減少無謂開支，否則更容易入不敷支；豬年亦不要寄望可以在短炒投機上獲利，必須靠自己實幹才能有機會賺錢。加上流年有輕微官非運，所有與稅局、海關等監管機構的往來文件要小心核對，必要時請教專業人士，以免一時大意惹上官非訴訟而破財。

【事業方面】

打工一族整體事業運順暢，由於流年「亥水」是自己的事業星，尤其在農曆四月及五月出生的人，更有不俗的升遷運。反之在冬天出生的人，由於「水」過旺，所以工作壓力較大，而且雖有輕微升職機會，但多數只是虛銜，權責增加了，但薪酬未見有明顯的升幅，難免感到氣餒沮喪。

如身為管理層，要提防下屬運不穩，除了因為對方脾氣執拗，不肯服從命令外，更會出現一些偷雞摸狗的事而令自己惹上麻煩。有意轉工的人機會不多，可能要靜心等待到農曆七月及八月才有機會，對方提出的條件不俗，可以考慮。

【感情方面】

單身女士在己亥年的桃花不俗，可以遇上心儀的對象，但由於上半年的穩定性較低，如要真的發展感情，可能要踏入下半年才能再進一步。

每月運勢西曆日子請參閱頁372上的對照表

♥吉 ♡中吉 ♡平 ♥凶

月份	運勢	內容
農曆正月	♡	財運不佳，盡量不要進行投機炒賣活動，否則容易破財。
農曆二月	♡	有暗地破財之象，雖然有貴人幫助，但所有投資項目一定要保守。
農曆三月	♥	學習運向好，不妨把握機會進修，有利日後發展。
農曆四月	♥	要提防辦公室的是非口舌，勿強出頭做中間人。
農曆五月	♥	此月財運順暢，有貴人出現，可以把握機會，事業亦有向上趨勢。
農曆六月	♡	阻滯多多的月份，遇上困難必須以雙倍耐性應對。
農曆七月	♡	工作壓力變得很大，令精神緊張、神經衰弱，失眠情況持續惡化。
農曆八月	♡	眼睛出現小毛病，視力亦有退化迹象，幸好貴人運不俗。
農曆九月	♡	人事上出現不少麻煩事，容易與身邊的人發生誤會，宜坦誠相對。
農曆十月	♥	事業運與貴人運都順暢，做事得心應手，不妨把握一下，令自己再進一步。
農曆十一月	♥	變化多多的月份，屬先難後易，宜做好兩手準備應對難題。
農曆十二月	♡	天干地支完全一樣，情緒變得低落，此月適宜往外走動，不妨出門旅遊借地運。

男士感情運普通，雖然會在不同的場合遇上有好感的異性，但由於工作壓力太大，對拍拖一事心存猶豫，未能決定是否適合開展一段新戀情，所以感情處於原地踏步狀況。

已婚男女會為家中的子女或一些繁瑣小事上出現爭執，謹記在無傷大雅的問題上稍作讓步，以免影響感情。另外，亦要避免過分專注事業冷落伴侶，不妨多安排家庭旅行，增進感情。

【健康方面】

己亥年的天干「己土」通根至出生日的「丑土」，是一顆「食神」星，豬年應酬特別多，所以難免會大吃大喝，除了要小心體重暴升外，亦要留意心臟、血壓及膽固醇等都市疾病，在飲食方面要節制一點，提防病從口入。由於工作壓力大，容易受身邊的閒言閒語影響情緒，除了學習放鬆心情外，亦要多抽時間做一些紓壓運動如瑜伽、太極或冥想等。

家宅方面要留心子女的情緒問題，豬年小朋友變得反叛，健康運亦轉弱，除了多關心他們的情緒，亦要留心家居陷阱，以免不慎受傷。

15 戊寅日◆表面風光 審慎處事避免破財

【財運方面】

踏入己亥年，因流年的「己土」變成自己的劫財星，因此財運容易一得一失。而且日腳「寅亥相合」，部分人運勢尚算順暢，但部分人做事變化較多，原本簡單的事也會變得異常複雜，運勢可謂吉中藏凶。尤其營瞞商者在洽談生意過程中容易一波三折，最初可能十分順利，但到後來發展會出現重重阻礙，千萬不要被表面風光瞞騙。其實豬年頗多新的合作計劃，但切忌野心太大，只能在不犯本的情況下作少量投資。

如在農曆正月及二月出生的人，本身「木」強，遇上流年「水生木」，令工作壓力很大，而且容易惹上官非訴訟或瑣碎的麻煩事，必須做好心理準備。出生於農曆四月及五月「火」重的人，財運最為起伏不定，容易財來財去；農曆七月及八月出生者則屬中規中矩。至於在「水」旺的農曆十月及十一月出生者財運較為樂觀，但也要提防情緒容易低落。

豬年由於以正財為主，偏財較疲弱，所有投資項目須加倍謹慎，切忌冒險急進，否則破財機會很大。其實「日犯太歲」的年份，只要沉着應戰，自己調節好心態，不要將目標訂得太高，自然可平安過渡。

【事業方面】

地支「寅木」是事業星，但受到合日腳影響，代表工作環境會出現較大的變化，有心理準備會因公司架構重組或上司變動而令自己受到牽連，有機會調職到新的工作崗位。豬年本來工作壓力已經很大，再加上需要時間適應新的團隊，更令自己有力不從心，難以發揮的感覺。

打工一族心思思想跳槽，但運勢動盪之年，建議不可輕舉妄動，假如真的要跳槽，亦要先與新公司簽訂合約後才辭職，否則可能出現變數，令自己「兩頭不到岸」。其實己亥年貴人運不俗，就算留守舊公司，雖然工作過程較辛苦，但仍有輕微升遷運，不妨放鬆心情面對新挑戰。

【感情方面】

已拍拖的女士與另一半關係易生變數，更有機會因第三者介入而遭人「撬牆腳」，謹記盡量多抽時間與伴侶相處，免被人有機可乘。單身

每月運勢西曆日子請參閱頁372上的對照表　♥吉　♡中吉　♡平　♥凶

♡農曆正月	事業運不俗，但壓力變大，由於工作辛苦，多做紓緩壓力的運動。
♡農曆二月	要小心審視文件合約的細節，否則容易惹上官司訴訟破財。
♥農曆三月	容易破財的月份，進行投資投機時要小心謹慎。
♡農曆四月	相剋的月份，做運動時須十分小心，否則容易受傷。
♡農曆五月	由於貴人運順暢，遇上疑難，不妨向身邊朋友請教。
♡農曆六月	財運繼續疲弱，要留意用錢方向，須謹慎理財。
♡農曆七月	此月適宜往外走動，應動中生財。
♥農曆八月	情緒容易低落，幸好事業與財運開始順暢。
♥農曆九月	事業運穩步向上，有輕微升遷運，不妨把握機會，盡量突出自己，讓上司留下印象。
♥農曆十月	事業運依然不俗，做運動時要加倍小心，事前的熱身一定要做好，以免受傷。
♡農曆十一月	財運與貴人運暢旺，心情亦較之前輕鬆不少。
♡農曆十二月	有暗地漏財之象，減少無謂開支；長輩運不俗，可以藉此擴充人脈關係。

女士雖會遇上合適對象，但開展感情前先仔細觀察，在未穩定前不宜太高調，否則易生變數。單身男士遇到的桃花未算實在，很多時是「襄王有夢、神女無心」，在一廂情願下未必可以順利開展感情，可能要靠朋友從旁推波助瀾才能再進一步。

情侶或夫婦若經常日夕相對，容易發生衝突，豬年適合聚少離多相處模式，多出門公幹或各自培養不同的興趣，反而對感情更有利。

【健康方面】

健康運受「寅亥合」影響，需要留心有關手腳、腰骨及關節等毛病，喜歡運動的人士要打醒十二分精神，除了要避免進行攀岩、爬山及跳傘等高危活動外；就算跑步、打波，偶一不慎都會扭傷腰部、膝頭及手腳，必須小心。維修家居如換窗簾、燈泡時，亦要提防跌倒受傷。

在農曆三月、六月、九月及十二月出生者，亦要留意腸胃的毛病，出外旅遊時小心水土不服，生冷刺激食物少吃為妙。家宅方面，要多關心伴侶的健康，勿掉以輕心。

16 己卯日 ◆ 桃花暢旺 財運不穩一得一失

【財運方面】

己卯日出生者在己亥年的賺錢能力算是不俗，但財運也有一得一失之象，例如家中或公司突然需要裝修、朋友要求借貸幫忙等，都會令自己莫名其妙花掉一大筆金錢。

雖然營商者獲得舊有客戶支持，但因難以儲蓄守財，所以必須做好成本管理及避免替別人借貸或擔保，方有盈餘機會。另外，業務上也要多構思新的噱頭，才能令營業額有所突破。流年「亥卯未」會合成木，如能找到屬羊的朋友合作，事業亦容易再進一步；投資則以中長線為佳，購買實物如黃金或置業，亦有利聚財。

其中，農曆正月及二月出生的人易受官非訴訟纏擾，處理文件合約要慎防亂中出錯，蒙受損失。農曆四月、五月、十月及十一月出生者破財機會特別高，投機炒賣活動可免則免；農曆七月及八月出生的人則要注意身體健康。至於在農曆三月、六月、九月及十二月出生的人，由於「土」過重，會特別多無謂及意料之外的支出。由於豬年財運不穩，太多現金在手反而會無緣無故破財；建議不妨主動破歡喜財，例如購買一些心頭好、醫療保險或保健食物，多做贈醫施藥之舉，都有助改善運勢。

【事業方面】

打工一族事業運不俗，流年地支的「水」生旺「木」，強化了事業星，加上貴人運強勁，除了有不俗的升遷運外，薪酬亦有可觀的升幅。

但己亥年須留心與同事關係，因工作上的競爭太大，偶一不慎更會遭人在背後説三道四，豬年做事應低調寬容，不能過分高調，以免樹敵太多；與自己無關的事不可強出頭，避免惹禍上身，謹記圓融的人際關係有助事業發展。

有意轉工的人，不宜輕舉妄動，因為過程會出現一波三折，不如留守原有公司，加上學習運與考試運不俗，不妨主動報考升職試，或報讀與工作有關的課程，為未來打好基礎。

【感情方面】

單身女士感情運可謂多姿多采，更容易在外地結識到合眼緣的異性，發展異地姻緣，但由於豬年感情易陷入三角關係，更有被橫刀奪愛之

每月運勢西曆日子請參閱頁372上的對照表　♥吉　♡中吉　♡平　♥凶

♡農曆正月	此月出現不少新合作機會，但謹記小心錢銀交易問題，要避免大手投資。
♥農曆二月	事業運暢順，貴人運亦可以，宜把握機會自我表現。
♥農曆三月	此月容易破財，萬萬不宜作投機炒賣活動，以防財來財去。
♡農曆四月	財運依然不穩，朋友要求幫忙，謹記量力而為；幸好事業運不俗。
♡農曆五月	是非口舌多多的月份，要提防與人發生爭執口角，屬先難後易。
♡農曆六月	此月容易為家中小朋友的問題傷腦筋，人際關係亦有倒退迹象。
♥農曆七月	事業運與財運暢順，工作壓力變大，要學懂放鬆心情。
♡農曆八月	相沖的月份，受「金木相剋」影響，容易受傷，駕車者要打醒十二分精神。
♥農曆九月	天合地合的月份，凡事做好兩手準備；多出外走動會提升財運。
♡農曆十月	此月貴人運好轉，財運不俗，工作更得心應手，但提防壓力變大。
♥農曆十一月	桃花暢旺，無論出席甚麼場合都十分受歡迎，留心身邊出現可以發展的異性。
♥農曆十二月	做事順暢，事業更出現新方向，可以部署新發展。

慮，建議未穩定前不宜過分高調，亦不要急於讓對方融入自己的社交圈子，待雙方感情穩定後才公開也未遲。單身男士的感情運亦不俗，可以在朋友介紹下認識到條件不俗的女性，有機會進一步發展。

已有伴侶的男女由於易受誘惑，容易陷入三角關係，謹記對異性不要過分熱情；處理感情時決斷一點，以免陷入糾纏不清的關係。

【健康方面】

己卯日出生者整體的健康運尚算平穩，不過由於出生日及流年天干同屬「己土」，要留心腳部容易扭傷，駕駛者要注意道路安全，以免因大意發生碰撞而受傷。另外，也要慎防皮膚敏感或濕疹復發；日常用品如床單、被鋪、護膚用品皆要加倍注意衛生，轉換新產品前亦要預先測試。

豬年應酬多，難免會大吃大喝，如果能在飲食方面節制一點，便能有效控制體重。當中以在農曆正月及二月出生的人，更要提防工作壓力太大，容易有失眠及頭痛等小毛病，不妨多抽時間做一些減壓運動。

17 庚辰日 ◆ 厚土埋金 調節心態爭取表現

【財運方面】

庚辰日出生者在豬年有「厚土埋金」之象，尤其是出生於農曆正月、二月「金」弱的人，或於三月、六月、九月及十二月「土」重月份的出生者，在己亥年整體運勢都屬平淡如水，財運亦難有突破；而且「土」重的年份，工作特別感到辛苦吃力，常有悶悶不樂甚或鬱鬱不得志之感。至於農曆四月及五月出生者，財運已算較佳；農曆十月及十一月出生的人，則情緒容易低落。運勢最有利的是在農曆七月及八月出生的人，由於本身「金」重，流年土生金，平衡了命格反而有利。

無論哪一個月份出生的人，均建議多用金色、白色物品，或佩戴金器來強化運勢。再者，己亥年貴人運不俗，「印星」高照下，可以從長輩收到有利的投資消息，但仍然不宜過分冒進及貪心，略有收穫便要離場。豬年女性長輩對自己尤其照顧有加，假如生意涉及女性範疇，例如美容、化妝及時裝等，或以靈感創作為主的行業，如寫作及廣告等，發揮更理想。

己亥年必須好好調節心態，不要將目標訂得太高；與其辛苦勞累，到頭還是一場空，不如放開懷抱，自會過得較輕鬆自在。

【事業方面】

打工一族與上司及下屬相處融洽，亦得到不少貴人賞識，尤其是女性長輩對你特別照顧，如上司或老闆是女性的話，大有機會獲提拔而更上一層樓。反而與同輩的關係，因為競爭大而變得緊張，豬年有「厚土埋金」之象，一定要主動把握機會，爭取表現，事業才能有進一步發展。由於有「印星」相助，對從事創作、思考行業的人較有利，靈感可謂源源不絕。

計劃轉工的人，由於己亥年並非適合作重大決定之年，雖然有人邀約跳槽，但千萬不要操之過急；建議留守舊公司，並可報讀與工作有關課程，提升實力、靜待時機。

【感情方面】

單身男女在己亥年並沒有很強的桃花運，男士雖然遇上了合眼緣的女士，但由於雙方處於曖昧不清的狀態，慎防只是水月鏡花，不宜過早投

每月運勢西曆日子請參閱頁372上的對照表　♥吉　♡中吉　♡平　♥凶

月份	運勢	內容
農曆正月	♡	此月出現劫財之象，所有投資投機活動都要小心謹慎。
農曆二月	♡	身體出現小毛病，會受皮膚敏感、牙痛等問題困擾。
農曆三月	♥	人際關係倒退的月份，與自己無關的事勿多言，以免惹上是非口舌。
農曆四月	♡	容易破財的月份，幸好事業運順暢，謹記投機炒賣絕對不宜。
農曆五月	♥	此月容易財來財去，事業運處於進步階段，可以作出新嘗試。
農曆六月	♡	麻煩事多多，宜作好兩手準備，以免遇事時手足無措，屬先難後易月份。
農曆七月	♥	整體順暢，財運與貴人運均不俗，不妨進修與工作有關的課程。
農曆八月	♡	留心身體健康，尤其是腸胃容易出現問題，飲食必須注意衛生。
農曆九月	♥	相沖的月份，不妨出外旅行散心，借地運改善運勢。
農曆十月	♡	精神緊張、情緒低落的月份，留心失眠情況惡化，多做戶外活動有助紓壓。
農曆十一月	♡	事業運順遂，但要注意人際關係出現變化，做事低調一點免招人妒忌。
農曆十二月	♥	運勢屬平穩向上，無論事業及財運都較之前進步，心情亦有豁然開朗之感。

入，加深了解後才開展感情也不遲。至於單身女士更難結識到異性，只能靠女性長輩做紅娘，才可以遇到心儀的男士，但亦可能因對方態度未明，所以發展會較緩慢。

而初拍拖的男女感情未穩時易受別人影響，所以不宜過早見雙方家長，待關係穩固後再見面也不遲。已婚男女感情雖然穩定，但提防因過分專注在工作上，被伴侶埋怨，不妨多安排時間出外旅遊，可以重拾戀愛感覺。

【健康方面】

由於受「印星」影響，豬年的健康問題多與精神及情緒有關，容易疑神疑鬼，只要出現一點問題，便會終日憂心忡忡，但其實整體健康問題不大。由於流年「土」重，腸胃較疲弱，容易消化不良，生冷食物如沙律、刺身少吃為妙。另外「金」弱，亦要留意喉嚨氣管、呼吸系統出現的小毛病，建議少用啡色的物品，多用金色、白色及佩戴白金或金飾，有助調節命格中的五行。

家宅方面，要多留心女性長輩的健康狀況；尤其要注意家居安全，以免長者不慎受傷跌倒。

18 辛巳日 ◆ 動中生財 有利拓展海外市場

【財運方面】

因為流年出現「巳亥沖」，這種「沖日腳」會令財運起伏不定。豬年謹記「宜動不宜靜」，無論工作與財運都屬愈動愈起勁；為順應運勢，不妨主動求變，到不同地方工作或旅遊，營商者更可考慮開拓海外市場，雖然比較奔波勞累，但會帶來更佳的運勢。其實豬年的心情會較以往為佳，但始終出現「沖日腳」，金錢運相對不穩，營商者的業績時好時壞，落差頗大，所以必須留心成本控制。

尤其農曆正月及二月的出生者，流年行「水」運，財運算是不俗，但容易財來財去，難以有盈餘。農曆四月及五月出生者的財運則較為順暢穩定；出生於「金」強的農曆七月及八月的人，事業運最有利，尤其從事「以口得財」的行業更有不俗的發揮。農曆十月及十一月出生的人由於「水」過旺，不妨多用一些暖色系如紅色、橙色等物品；若在農曆三月、六月、九月及十二月出生者有「厚土埋金」之象，建議多用米色、白色等物品助旺個人運勢。「沖日腳」亦代表手腳容易受傷，豬年不妨多做贈醫施藥、購買保健食品，或出門時謹記買旅遊保險，都有助改善運勢。

【事業方面】

己亥年「沖日腳」，亦是驛馬相沖的年份，打工一族難免會奔波勞累，除了有不少到外地出差的機會外，在公司內部亦會有調職或轉部門的可能性；由於面對新的工作範疇，難免會有煩躁及焦慮感覺，必須調節好心態迎接新挑戰。有意轉工的人，由於貴人運順暢，可以獲得他們居中引薦介紹新工作，不妨留意年中出現的機會，條件較優，可以考慮。

地支相沖之年，亦要留心與同事間的關係，雖然工作運處於平穩向上的趨勢，但由於與同輩的競爭頗大，建議做事低調一點，以免成為針對目標。

【感情方面】

「沖日腳」等同沖「夫妻宮」，豬年無論情侶或夫婦若經常日夕相對，在大小事情上都容易發生衝突，甚至有分開危機。為免關係變差，

每月運勢西曆日子請參閱頁372上的對照表　♥吉　♡中吉　♡平　♥凶

♡	農曆正月	喉嚨氣管、呼吸系統容易敏感，同時亦要留心手腳關節受傷。
♥	農曆二月	事業運順暢，財運亦不俗，可以把握機會自我表現。
♡	農曆三月	焦慮多多的月份，除了學習放鬆心情外，亦可以多找朋友傾談解開心結。
♥	農曆四月	提防手腳受傷，做運動前必須做足熱身，高危活動可免則免。
♡	農曆五月	小心合約文件出錯而惹上官非，幸好事業運不俗，而且有貴人出現，成功機會變高。
♡	農曆六月	出現輕微打針食藥運，要留意身體健康，如發現有小毛病不能掉以輕心，以免延誤變成大病。
♡	農曆七月	吉中藏凶的月份，雖然出現新的合作機會，但要清楚風險才可決定是否進行。
♥	農曆八月	桃花運強勁，不妨多留意身邊的異性，可能有機會開展一段感情。
♡	農曆九月	財運上升，貴人運亦不俗，此月不宜做中間人。
♥	農曆十月	天沖地沖的月份，提防做事一波三折，凡事做好兩手準備。
♡	農曆十一月	喉嚨氣管、呼吸系統再次出現小毛病，幸好事業運順暢。
♡	農曆十二月	此月出現不少新的合作機遇，如想迎接新挑戰，不妨一試。

除了互相忍讓，多作溝通外；亦適合以聚少離多方式相處，多出門公幹或二人各自培養不同的興趣，減少見面反對感情有利。

單身男女遇上的桃花多屬短暫桃花，豬年不妨借助女性長輩的介紹，出外公幹或旅行時多留意身邊異性，或一些由外地回流的男女，有很大機會開展一段異地情緣，但由於仍處於剛萌芽階段，不妨多觀察一段時間才開始也未遲。

【健康方面】

受相沖影響，手腳、關節亦容易受傷，喜歡踢波、跑步的人，運動前一定要做好熱身，以免跌倒扭傷。家居方面亦要提防一些小陷阱，浴室要保持乾爽，以免一不留神滑倒受傷。農曆三月、六月、九月及十二月出生的人，更要注意情緒問題，豬年特別容易焦慮，不妨多接觸大自然，簡單如曬曬太陽亦有助放鬆心情。

「巳亥沖」亦代表道路安全的問題，駕駛者必須打醒十二分精神，以免因大意發生碰撞而受傷。豬年多出國機會，出發前必須購買旅遊保險，以免旅途中因遺失行李或行程延誤而損失金錢。

19 壬午日 ◆ 工作運佳 積極進取事半功倍

【財運方面】

壬午日出生者踏進豬年，約有七成人的運勢較狗年為佳，但仍要視乎不同月份出生而各有優劣。如在農曆正月及二月出生，財運最為順暢；若在「火」重的農曆四月及五月，或「金」旺的七月及八月出生，財運亦不俗，屬平穩向上。至於出生於農曆十月及十一月的人，因有劫財之象，必須要做好成本監控，否則容易一得一失。而農曆三月、六月、九月及十二月出生的人，命格的「土」過重，提防工作壓力變大，令自己吃力辛勞。

其實做生意者鬥志頗佳，比往年更積極進取，加上貴人運不俗，只要親力親為便能令營業額有所突破。但由於沒有太強的財運，穩守着原有的生意反而更有利，高風險的投機炒賣亦要避免。另外因下屬運不佳，營商者需留心因員工流失太快，或因態度散漫而令工作出錯，甚至承擔金錢損失。豬年亦有輕微官非運，所有與稅局、海關等監管機構的往來文件要小心核對清楚，以免因一時大意惹上官非訴訟。謹記冬天出生的人，投資策略要以保守為原則；至於夏天出生者不妨進取一點，但亦不能過分貪心，以免轉盈為虧。

【事業方面】

打工一族事業運明顯進步，天干的「己土」是個人事業星，如從事紀律部隊如警察、海關及消防等，由於幹勁十足，可以在職場上大展拳腳；即使是任職大企業的管理層，領導能力亦可以發揮得淋漓盡致，獲得不俗的升職機會。

農曆三月、六月、九月及十二月出生的人，面對升職後的權責加重，工作壓力難免較其他月份出生者大，要學習如何減輕壓力，才能令工作效率提升。至於心思思轉工的朋友，豬年並非一個適宜轉變的年份，倒不如留守在原有公司發展更佳。加上學習運強勁，建議選擇對事業有幫助的課程進修，為未來鋪路。

【感情方面】

單身女士桃花運不俗，會遇到年紀比自己細一點或年長很多的異性，如不介意姊弟戀，或年齡差距，不妨一試。至於男士因過分專注在事業

每月運勢西曆日子請參閱頁372上的對照表

♥吉 ♡中吉 ♡平 ♥凶

♡	農曆正月	相沖的月份，留心健康小毛病，容易有頭痛或不慎撞傷頭的問題困擾。
♥	農曆二月	此月精神緊張、情緒焦慮，失眠情況變差，多接觸大自然放鬆心情。
♥	農曆三月	事業運不俗，但容易惹來口舌是非，與自己無關的事，勿多言。
♡	農曆四月	困難重重的月份，做事容易一波三折，幸好財運順暢。
♡	農曆五月	此月有受傷的危機，做劇烈運動時要加倍小心，工作運順利。
♥	農曆六月	貴人運暢旺，雖然出現新的合作機會，但不宜作過分大手投資。
♡	農曆七月	運勢開始平穩向上，之前的難題有解決迹象。
♥	農曆八月	劫財的月份，小心投機投資，否則有破財危機。
♥	農曆九月	此月容易惹來是非口舌，少說話、多做事，以免令人際關係受損。
♥	農曆十月	做事得心應手，正偏財亦不俗，可以作少量投資。
♡	農曆十一月	天沖地沖月份，凡事做好兩手準備，家宅出現小問題，不妨作小型裝修改善家宅運。
♡	農曆十二月	精神壓力變大，為免失眠情況變差，多約會朋友傾訴心事，有助打開心結。

上，就算遇上心儀對象，但亦會因拍拖意欲不大，所以感情處於原地踏步階段。單身男女豬年容易在職場上遇到合適的對象，但由於並非行大桃花之年，所以不宜過分急進，不妨先觀察，待彼此確定心意後才作進一步發展也不遲。

已婚或拍拖中的男女感情運雖然穩定，但由於過分專注事業，容易冷落身邊伴侶，不妨花點心思經營彼此關係，在工作與家庭上取得平衡。

【健康方面】

豬年的健康運肯定較以往為佳，戊戌年因有「土困水」之象，會受很多瑣碎的毛病困擾。己亥年因有「水」輔助命格，思想較正面積極，健康的問題亦減少。但由於農曆三月、六月、九月及十二月出生的人壓力始終較大，不妨多出外接觸大自然或多做減壓運動，有助放鬆心情。

豬年有輕微受傷之象，駕車者要注意道路安全，如從事經常接觸金屬利器或機械操作者，必須格外留神。家宅方面，多留心兄弟姊妹的健康，不妨主動為家中進行小型裝修，都有助提升家宅運。

20 癸未日 ◆ 幹勁十足 財運順暢多勞多得

【財運方面】

過去一年因流年受困，往往感到壓力很大。踏入己亥豬年，流年地支有「水」通根至日腳，除了心情較狗年輕鬆舒服外，財運亦比往年順暢。尤其農曆四月及五月的出生者，賺錢能力出眾之餘，亦有機會保持盈餘，而農曆正月及二月出生者財運亦有輕微進步之象。至於出生於農曆七月及八月的人，貴人運暢旺，可獲得不少助力；農曆十月及十一月出生者財運雖較以往順暢，但亦較容易破財，一定要好好規劃支出。而在「土」重的農曆三月、六月、九月及十二月出生的人，雖然整體運勢尚算順暢，但仍需提防工作壓力及情緒問題，不妨多用米色、白色等物品，有利助旺運勢。

營商者生意屬穩步向上，由於個人的工作能力及鬥心較以往提高不少，所以如能親自出馬與客戶洽談業務，成功機會亦大大增加。然而豬年也略有官非運，文件合約必須反覆審核，不能心存僥倖。另外，對客戶亦不能過度借貸，避免遭人賴賬。投資方面，雖然會有貴人指點迷津，但仍要經過自己分析和研究，方有獲利機會；而且豬年只宜進行小本投資，大前提要以務實方法賺錢，自然多勞多得。

【事業方面】

己亥年的事業運明顯屬穩步上升，如從事紀律部隊如警察、海關及消防等，由於幹勁十足，可在職場上大展拳腳；領導能力亦大受讚賞，而且更有不俗的升職機會。但職位提升之餘，需留心職場上的人際關係，豬年與上司、下屬及同事的關係容易因自己過分進取而受到針對，謹記少説話、多做事，做事低調一點，以免招人妒忌。

有意轉工的人士，必須先了解新工作範疇才決定去留，假如過分急於求變，可能會對新工作期望太大，最終出現落差而影響心情，建議在下半年作出變動較佳。流年有不錯的考試運，報讀對自己有幫助的課程，可為未來鋪路。

【感情方面】

單身女士的桃花運不俗，可以遇到不少合適的對象，惟大部分的男士脾氣較為倔強主觀，建議開展感情前先花多點時間觀察了解。單身男士

每月運勢西曆日子請參閱頁372上的對照表　♥吉　♡中吉　♡平　♥凶

月份	運勢	內容
農曆正月	♥	財運順暢，如果不太貪心，少量投資會有不俗回報，但留意情緒容易低落。
農曆二月	♡	眼睛出現小毛病，更要提防身邊的是非口舌變多，做事宜低調一點。
農曆三月	♥	做事容易出現困局，面對困難阻滯時，宜加倍耐性。
農曆四月	♥	財運順暢，工作平穩向上；但提防壓力變大，要放鬆心情。
農曆五月	♡	此月出現不少新的合作機會，但不宜作過分大手投資。
農曆六月	♥	情緒有點起伏不定，注意身體健康，不妨出門旅行借地運。
農曆七月	♥	財運順遂，貴人運亦強勁，可以藉此將人脈圈子擴展。
農曆八月	♡	出現劫財迹象，尤其是偏財方面頗多阻滯，是先難後易的月份。
農曆九月	♥	是非口舌多多的月份，小心人際關係變差，謹記少說話、多做事。
農曆十月	♡	喜歡戶外活動的朋友要小心手腳受傷，運動前一定要做足熱身。
農曆十一月	♡	此月財運不俗，但留心人事關係出現糾紛，影響情緒。
農曆十二月	♡	天沖地沖的月份，麻煩事接踵而至，必定要加倍耐性應對。

雖遇上合眼緣令自己心生愛慕的異性，但大多只是「襄王有夢、神女無心」，如想開始感情，可能需要朋友多安排聚會推波助瀾了。

無論情侶或夫婦在己亥年若日夕相對，在大小事情上都容易各持己見，輕則不停冷戰，重則日夜爭吵。因此適合聚少離多，彼此培養各自的興趣，多留空間給自己對感情反而有利。

【健康方面】

其實己亥年整體的情緒都較戊戌年輕鬆，但日腳出現「癸水見亥」，代表有破相開刀或受傷之虞；建議於狗年年尾預先作身體檢查，踏入豬年後可往洗牙或捐血，以應驗輕微的血光之災。亦可選擇一些慈善團體贈醫施藥或購買一些保健產品，都有助提升健康運。如出生於農曆三月、六月、九月及十二月「土」重日子的人，如本身腸胃較弱者，更易有肚屙及肚痛等小毛病，生冷食物如沙律、刺身等還是少吃為妙。

另外，家宅方面要多留心男性長輩的健康，不妨主動為老人家作出小型裝修或更換床褥，都有助改善家宅運。

21 甲申日◆營商佔優 人緣較弱慎防暗箭

甲申日出生者在己亥年有輕微的「日犯太歲」，意味人際關係充滿暗湧，尤其小心在辦公室的流言蜚語，盡量少說話、多做事。

【財運方面】

雖然人際關係未如理想，但幸好財運順暢，有「財來合我」之象。營商者會有很多新的合作機會，但也要慎防過程一波三折，部分出生月份更有「吉中藏凶」之勢。農曆三月、六月、九月及十二月出生者，本身「土」已旺，再加上天干的「土」通根至自己出生的月份，更容易財來財去。農曆正月及二月出生的人，財運亦較起伏不定，凡事宜謀定後動，不要太急於與陌生人合作做生意而招致損失。至於農曆四月、五月、七月及八月的出生者，財運屬平穩向上；生於農曆十月及十一月的人宜多往外走動，便能應驗動中生財。

營商者的貴人運不俗，可以獲得不少舊有客戶的支援及幫助，令事業營運順暢。至於投資方面，高風險的炒賣可免則免，宜選擇一些穩健的中長線投資，只要不過分貪心會有不俗的進賬。豬年也要提防身體出現瑣碎小毛病，建議多花錢在保健方面，例如購買保險或保健食品等，應驗健康破財之象。

【事業方面】

事業運只能以不過不失來形容，薪酬加幅雖然不俗，但卻沒有明顯的升遷運。「害太歲」之年更要提防遭人暗箭所傷。己亥年有不少貴人相助，尤其女性上司長輩對你特別照顧，如從事與女性有關的行業如美容、時裝及纖體等，更大有可為。但提防職場上與同事間的競爭會更白熱化，平時工作不宜有太多意見，以免因講錯話而受針對，影響人際關係。

有意轉工的朋友，由於並非一個適宜轉變的年份，留守原有公司的發展更佳。由於學習運強勁，建議選擇對事業有幫助的課程進修，視豬年為播種期，可為未來鋪路。

【感情方面】

單身男士比女士的桃花來得暢旺，未拍拖的男士會認識到背景或樣貌都令自己心儀的異性，有機會發展一段穩定的感情。單身女士要透過女

每月運勢西曆日子請參閱頁372上的對照表　♥吉　♡中吉　♡平　♥凶

月份	運勢	內容
農曆正月	♥	相沖的月份，做運動時需加倍小心，尤其注意容易扭傷關節。
農曆二月	♡	此月財運順暢，可把握機會進行少量投資，如不太貪心會有得着。
農曆三月	♡	出現新的合作機會，在未清楚風險前，不能倉卒作出決定。
農曆四月	♥	天合地合的月份，做事易一波三折，凡事要做好兩手準備，以策萬全。
農曆五月	♡	此月要小心是非口舌，謹記少說話、多做事，否則容易成眾矢之的。
農曆六月	♡	身體出現小毛病，可能要打針食藥，幸好財運順暢。
農曆七月	♥	對往來的合約文件要再三覆核，以免一時大意惹上官非訴訟。
農曆八月	♥	事業與貴人運都不俗，不妨把握機會積極表現，有輕微的升職機會。
農曆九月	♡	財來財去的月份，留心用錢的方向，否則會有入不敷支的可能。
農曆十月	♡	如有兄弟姊妹及親友要求借貸，一定要量力而為，不能強出頭。
農曆十一月	♡	此月適宜出門旅行，散心之餘亦可借地運強化運勢。
農曆十二月	♡	財運平穩向上，可以作出少量的投資，但不能過分冒進，以免倒贏為輸。

性長輩介紹下才有機會遇上合眼緣的男士，惟雙方均處於互相觀察階段，為免拍拖初期受身邊人影響，不宜過早融入對方的圈子，不妨待感情穩固後才安排與親友見面也不遲。農曆十月及十一月出生者，經常有出國機會，不妨多留意在外地認識的異性，有機會發展一段異地情緣。

已婚男女會為家中繁瑣小事爭執，謹記在無傷大雅的問題上稍作讓步，以免影響雙方感情。

【健康方面】

健康運受「甲己合」影響，要留心手腳、頭部及關節等舊患容易復發，如有五十肩、網球肘，或經常對電腦工作和喜歡打波人士，要留意手腕不適或扭傷，建議多做不傷關節的伸展動作。喜歡運動的人士要打醒十二分精神，提防跌倒受傷，要避免進行攀岩、滑雪等高危活動。

另外，如在農曆十月及十一月出生者，由於有不少出國機會，謹記出門前購買旅遊保險，飲食時亦要提防水土不服。總括而言，因流年有「水」生旺個人命格，所以凡事均能逢凶化吉，沒有大問題。

22 乙酉日 ◆ 外遊運佳 動中生財事業更旺

【財運方面】

乙酉日出生者遇上己亥年的地支「水」旺，代表豬年的流動性十分高，無論工作與財運都屬愈動愈起勁。為順應運勢，營商者不妨主動求變，更可積極考慮開拓海外市場，雖然比較奔波勞累，但會帶來更佳的運勢。

豬年財運起伏頗大，容易「三更窮、五更富」，所以更要積穀防饑，彌補某些月份不足的營業額。水旺的年份亦代表行思想運，營商者會有更多新構思，如能把握機會作出部署，都有利拓展業務，不過需要留心成本控制，別因有利可圖而急於大事擴展生意。

當中以農曆四月、五月、七月及八月的出生者財運較優，因流年強化個人的命格，所以既能賺錢亦容易有盈餘。農曆正月及二月出生的人，雖有不俗進賬，但較難剩錢。至於出生在農曆十月及十一月的人，由於「水」過旺，容易胡思亂想，鑽入牛角尖。而農曆三月、六月、九月及十二月出生者，由於特別多瑣碎無謂的開支，例如公司或家宅突然需要維修或搬遷而要花費不菲，不妨預留一筆現金儲備。但凡財運大上大落之年，對朋友的借貸擔保必須量力而為，否則容易被賴賬而有所損失。

【事業方面】

己亥年的貴人運強勁，尤其是女性長輩或女上司對自己照顧有加，如任職企業行政等工作，可謂得心應手，而且加薪幅度亦會令自己滿意。不過如從事銷售或經紀等行業，由於業績上落頗大，要留心個別月份的佣金收入會較差，需做好財政預算。

打工一族不妨多主動要求出差，或駐守海外分公司，都有利事業發展。計劃轉工的人士不宜作出太大變動，豬年留守原有崗位更佳，由於與同事的合作性較以往佳，無論上司及下屬的助力足夠，壓力亦減輕了，只要放鬆情緒，工作上的問題可迎刃而解。

【感情方面】

單身男士容易遇上一見傾心，但年紀比自己大或年輕很多的異性，如果不介意年齡差距的話，不妨嘗試發展。單身女士的桃花較男士遜

每月運勢西曆日子請參閱頁372上的對照表　♥吉　♡中吉　♡平　♥凶

月份	運勢
♡農曆正月	事業運順暢，工作上出現少許是非口舌，幸好學習運不俗。
♥農曆二月	有少許相沖的月份，不妨出外走動，應動中生財。
♡農曆三月	財運不俗，但對開支一定要好好規劃，人際關係出現暗湧，處事圓融一點可減少糾紛。
♥農曆四月	容易受傷的月份，運動時需加倍小心，幸好財運順遂。
♡農曆五月	精神緊張、神經衰弱的月份，壓力太大時不妨找朋友聊天，可以解開心結。
♥農曆六月	相沖的月份，工作上容易出現爭拗糾紛，而財運屬穩步上揚。
♥農曆七月	工作壓力變大，做事一波三折，凡事做好兩手準備，多付出耐性才能解決難題。
♡農曆八月	健康出現小毛病，除了腸胃容易敏感外，亦要提防金屬受傷，幸好貴人運順暢。
♡農曆九月	劫財的月份，提防財來財去，要小心收支平衡。
♥農曆十月	貴人運順暢，帶動事業運亦持續向上，但留心財運呈一得一失之象。
♡農曆十一月	此月要留心桃花破財，盡量避免與異性有任何錢銀轇轕。
♡農曆十二月	財運順遂，家宅方面要留心長輩的健康，不妨作輕微的裝修或換傢俬，提升家宅運。

色，可能要靠朋友舉行聚會撮合，不過即使結識到心儀異性，但慎防只是短暫情緣，建議先觀察一段時間再開展感情也未遲。無論男女，豬年頗多出外旅遊機會，容易在外地結識到合眼緣的異性，發展異地情緣。

已婚夫婦或拍拖中男女，狗年由於「合日腳」所以會經常爭吵不休，豬年感情開始步入平穩融洽，少了爭執口角，不妨多抽時間到外地旅行散心，令相處更甜蜜溫馨。

【健康方面】

乙酉日出生者健康運尚算平穩順暢，流年有「水」助旺運勢，但如在「水」旺的農曆十月及十一月出生的人，便變成「水」過強，容易胡思亂想，不妨多接觸大自然，有助放鬆心情。至於農曆三月、六月、九月及十二月出生的人，由於頗多出國機會，小心出外飲食引致的水土不服，或受時差影響失眠。

家宅方面，需要多關心男性長輩的身心狀況，不妨在年初主動為家中進行小型裝修，例如換傢俬或牀褥等，都有助提升家宅運。

23 丙戌日 ◆ 下屬運弱 主動洽商有助業績

【財運方面】

丙戌日出生者本身屬「火土」重，遇上己亥年「水」重的年份，事業運較戊戌年為佳，財運亦穩步向上。如在農曆正月、二月、四月及五月的出生者，流年的「亥水」可以調節命格，除了貴人運順暢外，財運亦不俗。至於農曆七月、八月、十月及十一月出生的人，工作壓力大，是辛苦得財之年。若生於「土」重的農曆三月、六月、九月及十二月者，則要提防是非口舌增多，做事變得寸步難行。但不論哪一月份出生，豬年做事也最好保持低調，以免受人攻擊。

如從事銷售、公關或其他「以口得財」的工作，若主動與客戶接觸，豬年會有不錯的發揮，有助提升財運；營商者也要親力親為與客戶洽談業務，才會更容易成功。由於下屬運欠佳，甚至有「惡奴欺主」之象，慎防因員工流失或態度散漫而令工作出錯，最終要自己承擔金錢上損失。

另外，豬年也要提防受同業惡意中傷，做事宜圓融一點，多主動接觸舊有客戶增強溝通，才能令營業額有所提升。再者因偏財運不佳，投資決策上不能依靠小道消息，亦不宜短炒買賣，選擇中長線的投資較易獲利。

【事業方面】

丙戌日出生者的事業運有輕微的進步，尤以農曆正月、二月、四月及五月的出生者更有升遷機會，但薪酬未必有滿意的加幅。其餘月份出生者事業未見有太大突破機會，但假如從事推銷見客等「以口得財」的行業，都有不俗發揮。

由於行「傷官」運，令人際關係充滿暗湧，豬年宜低調寬容，不可強出頭為別人排難解紛，以免惹禍上身。如從事行政工作者，更要留心下屬運不佳，除了員工流失得太快外，有部分能力不錯的下屬更會恃寵生嬌，甚至出現惡奴欺主情況，平時多與下屬溝通，可令工作氣氛更和諧。

【感情方面】

單身女士的桃花運較男士稍強，豬年會遇上合眼緣，但年紀較自己小一點的異性，如不介意姊弟戀，不妨慢慢培養感情。單身男士的桃花只屬一般，由於個人拍拖意欲不大，難以開展新感

每月運勢西曆日子請參閱頁372上的對照表　♥吉　♡中吉　♡平　♥凶

月份	運勢
♡農曆正月	容易破財的月份，進行投資投機時要小心謹慎，亦不宜作出任何借貸擔保。
♥農曆二月	心情低落兼容易煩躁，多做紓緩壓力的運動外，多接觸大自然亦可減壓。
♡農曆三月	相沖的月份，不妨安排出門旅行，應動中生財；同時要提防人際關係變差。
♥農曆四月	此月是非口舌增多，平時少說話、多做事，避免無謂爭執。
♡農曆五月	破財的月份，勿胡亂揮霍，駕車者亦要留心道路安全，否則容易受傷。
♡農曆六月	喉嚨氣管出現毛病，做事較多阻滯，建議到寒冷的地方旅遊，提升運勢。
♥農曆七月	財運與事業運向上，可以把握機會，令工作更進一步。
♡農曆八月	出現新的合作機會，但事前先了解清楚風險，亦不宜作過分大手投資。
♥農曆九月	焦慮變多，由於貴人運順暢，遇上疑難，不妨向身邊朋友請教。
♥農曆十月	事業運依然不俗，而且身邊頗多貴人支援，令心情變得開朗。
♡農曆十一月	財運雖然順暢，但恐防一得一失，如有親友要求借貸擔保，謹記量力而為。
♡農曆十二月	家中出現噪音、漏水等情況，有機會要進行裝修工程。

情。無論男女都可借應酬聚會認識到不少朋友，但要發展成情侶便要循序漸進，勿操之過急。

已拍拖的男女，相處時容易為小事爭執不斷，己亥年適合聚少離多的相處模式，多出門公幹或各自與朋友約會，減少見面對感情反而有利。已婚男女會為家中的小朋友管教問題不斷爭執，其實當兩人各持己見時不妨易地而處，便容易互相理解包容。

【健康方面】

整體來說健康運算是不過不失，不會出現大毛病，不過如在農曆十月及十一月出生的人，由於「水」過旺，精神壓力較大，容易失眠焦慮，多接觸大自然有助紓緩壓力。至於農曆三月、六月、九月及十二月的出生者，注意因應酬過多而令體重暴升，如能在飲食方面節制一點，便能減少心臟病及高血壓等都市疾病。流年有少許「水火」相沖，皮膚容易出現敏感或濕疹問題，留心家中的致敏源，減低受感染的機會。

家宅方面多留心子女的情緒及健康問題，作出適當輔導，以免小病變成大問題。

24 丁亥日◆升遷運佳 謹慎理財見好即收

【財運方面】

在豬年的事業運較財運順暢，打工一族的財運也較營商者為佳，至少加薪幅度令人滿意。因半數以上的丁亥日出生者財運平平，加上營商者的壓力特別大，豬年是辛苦得財之格局。農曆正月、二月、四月及五月的出生者，財運總算較為順暢；農曆七月、八月、十月及十一月出生的人則工作壓力過大，容易焦慮不安。生於農曆三月、六月、九月及十二月的人，因有「食神」星相助，情緒較為愉快，但仍需注意是非口舌。

做生意者要審慎理財，尤其不能作借貸擔保，以防一借無回頭。而且因有輕微官非運，所有與稅局、海關等監管機構的往來文件要小心核對清楚。另外，因日腳「亥亥刑」，代表身體健康易受小毛病困擾，豬年不妨多做贈醫施藥，或購買醫療保險及保健食品等，預早應驗健康破財之象。

投資方面，豬年並非一個大的破財年份，只要親力親為、腳踏實地做足本分便無大礙。由於偏財運疲弱，所以不宜作過分大手投資，選擇一些穩健的項目較有機會獲利，而且要懂得「見好即收」，不能過分貪心，以免見財化水。

【事業方面】

出生日的天干「丁火」在己亥年行「水」是個人的事業星，豬年有不俗的升遷機會，反而加薪幅度未必令人滿意。然而「水」旺的年份，工作壓力明顯變大，尤其農曆七月、八月、十月及十一月出生的人，要接觸新的工作範疇，情緒容易焦慮。遇上疑難，不妨向長輩及朋友請教意見，調節好個人心態，以免鑽入牛角尖。

有意轉工的人，在「日犯太歲」之年，建議不要輕舉妄動，否則容易決定錯誤，轉到新公司後，無論職位與薪酬未必較舊公司為佳。假如真的渴望轉換環境，不妨靜待到下半年或第三季才考慮也未遲。

【感情方面】

單身女士的感情運尚算平穩，雖然有機會在朋友聚會上認識到心儀的異性，但由於雙方的態度未明，要開展感情並非易事，需靠朋友在旁推

每月運勢西曆日子請參閱頁372上的對照表　♥吉　♡中吉　♡平　♥凶

月份	運勢
♥農曆正月	劫財的月份，投資要小心，以免破財；亦要注意膝頭受傷，運動時加倍注意。
♡農曆二月	此月容易財來財去，要留心用錢方向，身邊屬羊的朋友是你的貴人。
♡農曆三月	是非口舌多多的月份，謹記少說話、多做事，勿因一時失言而惹來麻煩。
♥農曆四月	學習運強勁，此月不妨往外地旅行，應動中生財，但留心有受傷的機會。
♡農曆五月	財運好轉，可作小額投資，但亦要謹慎為上。
♥農曆六月	財運順暢，但做事較多阻滯，屬先難後易的月份，多付出耐性應對。
♡農曆七月	精神緊張、神經衰弱的月份，經常受失眠困擾，多做減壓運動。
♡農曆八月	眼睛出現小毛病，要留心受感染的源頭，此月桃花運不俗，有機會遇上合眼緣的異性。
♡農曆九月	事業運漸趨穩定，有貴人幫忙，但做事宜低調一點，以免受人攻擊。
♥農曆十月	健康運變差，容易受傷的月份，情緒亦受到牽連而感到不安。
♡農曆十一月	事業運順暢，但工作壓力變大，不妨多做一些紓緩壓力的運動，如太極及瑜伽等。
♡農曆十二月	容易破財的月份，必須要審慎理財，才可以避免財來財去。

波助瀾，才有機會更進一步。單身男士由於過分專注在事業上，更難遇上意中人。

拍拖中的男女容易因小事而心生嫌隙；建議改變相處模式，例如多放時間在工作上，聚少離多更易維繫二人感情。另外，要盡量避免與對方家長及朋友見面，低調交往可以減少節外生枝的機會。已婚男女亦容易與伴侶發生爭拗，相處時多包容、溝通便無大問題。

【健康方面】

由於出生日腳與流年出現「亥亥刑」，令健康運受到衝擊，皮膚敏感、傷風咳嗽、牙痛等瑣碎小問題都會接踵而至，正所謂「醫得頭來腳抽筋」，幸好都是一些小病小痛。但始終受「日犯太歲」影響，手腳及關節容易受損扭傷，高危運動如攀山、爬石及滑水等可免即免。建議在狗年年尾預先作身體檢查，在過年後往洗牙捐血、多作贈醫施藥、購買保健食品都能助旺健康運。

家宅方面，要留心家中的病位，勿放置帶煞氣的物品；亦可以為家居作小量裝修及更換傢俬，都有利提升家宅運。

25 戊子日◆劫財運重 一得一失切忌冒險

【財運方面】

戊子日出生者來到己亥年，出生日與流年的天干同樣屬「土」、地支亦同屬「水」。這種五行同氣的現象，令豬年財運亨通，賺錢的能力直線上升，但同時也代表劫財機會大增，整體呈現一得一失之象，所以營業額有望大增，但亦容易無緣無故破財。因此更要做好成本監控，也不宜作任何借貸擔保行為，以免「一借無回頭」。

當中，尤以在農曆三月、六月、九月及十二月出生者的財運最為不穩，劫財情況最嚴重，必須做好理財規劃，否則便容易入不敷支。至於農曆四月及五月出生的人，因本身命格較強，財運會較為穩定外；其餘月份出生者只能以不過不失來形容，破財機會依然十分高。

己亥年偏財運普通，絕對不宜作冒險的短炒投機，加上財運不穩，如有少許收穫便要「見好即收」，過分貪心容易得不償失。由於較難守財，不宜將過多的現金留在身邊，不如轉作實物投資，例如買物業或黃金更能保值。由於地支「亥子丑」能會合成局，不妨留意身邊屬牛的朋友或客戶，都可以為你帶來好運，如能合作投資會有利可圖。

【事業方面】

己亥年「水」過旺，打工一族適合往外走動，多到外地工作，以應動中生財。戊子日出生者亦要面對工作環境出現較大變動，主要是管理層的調動；由於直屬上司有變，自己需要時間適應新的工作團隊。另外，與同事間的競爭亦變得很大，與人相處時要多點耐性，可減少紛爭。

豬年雖有貴人幫忙，加薪幅度尚算滿意，但升遷運未有太大突破，如任職管理層，更要提防下屬運不穩，凡事要親力親為與客戶聯絡，才能有理想回報。計劃轉工的人，未必有理想機會，只能謹守崗位，不妨報讀對事業有幫助的課程進修，為未來鋪路。

【感情方面】

戀愛中的女士，豬年與另一半關係容易變淡，令二人有厭倦感覺，多花心思與伴侶溝通，有助拉近雙方距離。由於己亥年並非行大桃

每月運勢西曆日子請參閱頁372上的對照表　♥吉　♡中吉　♡平　♥凶

♡農曆正月	貴人及事業運上升，但工作壓力變大，要學懂釋放壓力。
♡農曆二月	此月有輕微桃花運，但留心只是短暫情緣，建議觀察清楚再發展也未遲。
♥農曆三月	劫財的月份，由於頗多阻滯，在投資問題上不可輕舉妄動。
♡農曆四月	此月有破財之象，任何投資投機都要萬分謹慎；否則容易一得一失。
♡農曆五月	有時間不妨多出門，往外走動；同時要提防人際關係的糾紛，以免受暗箭所傷。
♥農曆六月	學習運暢旺，可以把握一下報讀有助工作的課程，但要提防是非口舌變多。
♡農曆七月	財運上升，雖然投資運轉好，但亦不能過分冒進。
♥農曆八月	精神緊張、神經衰弱的月份，經常受失眠困擾，多做減壓運動；此月桃花運不俗。
♡農曆九月	事業運不俗，有貴人幫忙下，出現升遷機會。
♥農曆十月	事業運繼續向好，出現新的機遇，工作上亦有新方向，不妨把握一下，自我表現。
♡農曆十一月	財運向好，有意外之財，而且貴人運不俗。
♡農曆十二月	雖然出現小麻煩，幸好之前的困難有解決迹象，屬先難後易的月份。

花年，單身男女雖然有機會在朋友聚會中認識到合眼緣的異性，但感情進展較緩慢，不妨借身邊朋友舉行聚會推動一下，令關係可以再進一步。

已婚男女在豬年的穩定性較高，但亦要提防為家中子女的問題而發生小爭執，相處時宜互相忍讓，各退一步較易解決分歧。另外，亦要避免牽涉入伴侶的家事，與自己無關的事勿多加意見，否則容易惹來是非，反而影響夫婦關係。

【健康方面】

由於流年「水」過旺，如在農曆十月及十一月出生者，心情容易忐忑不安，不妨多到炎熱的地方旅遊，可以借地運改善健康運，另外，亦要留心膀胱、脾胃及腎臟等小毛病。至於農曆正月及二月出生者，有點「剋洩交加」之象，要小心關節的勞損。其他月份出生的人，健康運尚算平穩，並無大礙。

豬年應酬頗多，需注意因大飲大食而令體重上升；亦要關注一些慢性的都市疾病如高血壓、膽固醇及脂肪肝等，建議多做運動控制體重外，亦要好好安排作息時間，病痛自然減少。

26 己丑日 ◆ 運勢回穩 注意開支慎防受傷

【財運方面】

己丑日的天干地支全屬「土」，踏入己亥豬年，有地支「亥水」調和，整體運勢都會較之前順暢，而且地支「亥子丑」能會合成局，屬鼠者是自己的貴人，如能找到屬鼠的朋友合作，成功機會大大增加。

己亥年的財運雖然較戊戌年為佳，賺錢機會大增，但由於穩定性依然不高，容易財來財去，營商者一定要做好開支規劃，儘管會出現不少新的合作大計，但不宜作大手投資。豬年不宜留太多現金在手，否則會莫名其妙地花掉，建議將現金變成實物，例如購買黃金或置業等，才能避免無端破財的風險。

農曆正月及二月出生的人，須留心因惹上官非訴訟而損失不菲；至於農曆三月、六月、九月及十二月的出生者，破財風險最高，儘管收入不俗，但無謂開支亦增加不少，所以要做好收支平衡。而農曆四月、五月、七月及八月出生者，雖然破財機會較少，但理財亦要以謹慎為主。至於農曆十月及十一月出生者財運較優，除了賺錢能力不俗外，更有盈餘儲蓄。己亥年手腳亦容易受傷，除了要購買醫療保險外，出外旅遊也謹記購買旅遊保險，以策萬全。

【事業方面】

己丑日出生者的事業運只屬不過不失，己亥年宜動不宜靜，不妨主動出擊，向公司爭取多到外地出差，甚至駐守分公司，對事業發展更有利。豬年工作壓力主要受人際關係緊張影響，由於與同事間的競爭加劇，令彼此關係處於劍拔弩張的氣氛，在辦公室處事宜低調寬容，盡量少說話、多做事。

有意轉工者，由於並非一個合適的年份，建議不可輕舉妄動，因為轉工過程會遇到較多波折，容易最後關頭才告吹，因此無謂抱太大期望；不如轉換心情，視己亥年為播種期，有時間報讀與工作有關的課程，為日後打好基礎。

【感情方面】

女士的感情運只屬一般，單身女孩子遇到的多是短暫桃花，不宜過早投入感情。已拍拖的女士，在豬年與另一半關係易生變數，更有機會因

每月運勢西曆日子請參閱頁372上的對照表　♥吉　♡中吉　♡平　♥凶

♥	農曆正月	事業運順暢，做事有進步空間，而且職位有輕微升遷趨勢。
♡	農曆二月	貴人運強勁，雖然事業運不俗，但要留意工作壓力變大，令個人心情煩躁。
♡	農曆三月	劫財的月份，投機炒賣要適可而止，不能貪心，否則容易見財化水。
♥	農曆四月	手腳容易受傷，駕車及做運動要加倍小心，亦要多注意身體出現的小毛病。
♡	農曆五月	身邊是非口舌變多，盡量少說話、多做事，亦不要做中間人，以免惹上麻煩。
♡	農曆六月	相沖的月份，要做好兩手準備應對麻煩事，幸好屬先難後易。
♡	農曆七月	財運平穩，但要小心開支，以免財來財去。
♡	農曆八月	出現新的合作機會，財運亦順暢，不妨積極一點爭取表現。
♥	農曆九月	此月做事容易節外生枝，不能作重大決定，否則容易鑄成大錯。
♥	農曆十月	財運持續向上，好好把握一下會有不俗的回報。
♡	農曆十一月	出現輕微的麻煩事，凡事宜親力親為。另外，亦要留心家中長輩的健康。
♡	農曆十二月	貴人運轉強，但心情容易煩躁，不妨抽時間多接觸大自然紓緩壓力。

第三者介入而遭人橫刀奪愛，建議感情未穩定之前，不宜過早讓對方融入自己的圈子，免被人有機可乘。單身男士會遇上不少合眼緣的異性，但要留意對方可能已是名花有主，否則一不小心便變成第三者而招來麻煩。

已婚男女容易為家中瑣事爭執不斷，其實當雙方因各持己見時，不妨易地而處，多溝通及互相包容，便可減少衝突，令家中氣氛更和諧。

【健康方面】

健康運受天干「己土」影響，尤其要留心腳部容易受傷，喜歡做運動的人士要打醒十二分精神，提防扭傷關節及手腳；除了要避免進行攀岩、爬山及滑雪等高危活動外，平時就算跑步及踢波，亦因受「曲腳煞」影響而容易扭傷。「土困水」的年份，要注意膀胱、腎臟等問題。

如在「土」重的農曆三月、六月、九月及十二月出生者，更要提防腸胃的毛病，生冷食物如沙律、刺身等還是少吃為妙，以免病從口入。在春夏兩季出生的人，不妨多用藍色及綠色的物品，都有利疏導命格中的重「土」，改善健康運。

27 庚寅日 ◆ 學習運佳 男士提防感情有變

【財運方面】

庚寅日出生者的地支與流年地支呈「寅亥合」，屬於「合日腳」；這種「日犯太歲」較年犯太歲的影響更貼身，必須做好心理準備，無論工作及財運都會一波三折，受不少瑣碎麻煩事困擾。

雖然地支「亥」是自己的財星，但由於受「合日腳」影響，財運始終欠缺穩定性，建議少留現金在身邊，如有盈餘最好轉成實物。營商者在豬年謹記「不熟不做」，否則容易出錯；投資任何項目，也切忌野心太大，對客戶亦不能掉以輕心，否則可能出現被賴賬的情形。

幸好流年天干「己土」是貴人星，加上流年有「水」調和命格，賺錢能力始終較狗年為佳，但強弱表現則要視乎出生月份。農曆正月及二月出生者本身「金」弱，財運最起伏不定，難有餘錢剩下，不妨多佩戴金器或白色、米色等物品以助旺財運。農曆四月及五月的出生者亦容易破財，需謹守開支；出生於農曆七月及八月的人，財運算是平穩向好。而農曆十月及十一月的出生者要提防是非口舌，與人相處要慎言。至於農曆三月、六月、九月及十二月出生者，由於「土」過重，做事較難突圍而出。

【事業方面】

雖然事業有女性長輩支援而得到不少助力，但「合日腳」的年份，始終較多阻滯，升遷運未見樂觀；豬年的學習運順暢，建議不妨選擇對事業有幫助的課程進修，為未來鋪路。

打工一族跳槽意欲頗高，但在運勢動盪之年，建議不可輕舉妄動。由於是變動的年份，就算留在舊公司，亦要有心理準備會因公司架構重組或上司調職而令自己有點無所適從。豬年如擔任管理階層或從事寫作、廣告或編劇等以創作為主的工作，發展十分理想；反而從事銷售見客等工作，由於與客人洽商過程中容易一波三折，常有節外生枝的情況，需付出雙倍耐性才能成功。

【感情方面】

已拍拖的男士，在豬年與另一半關係易生變數，相處時容易為小事爭執不斷，令對方有厭倦感覺，最終可能鬧至分手，相處時需互相忍讓。

每月運勢西曆日子請參閱頁372上的對照表　　♥吉　♡中吉　♡平　♥凶

♡農曆正月	財運不俗，但要提防惹上官非訴訟，合約文件要反覆核實，以免出錯。
♥農曆二月	此月特別多麻煩事，宜做好兩手準備，加倍耐性應對。
♥農曆三月	貴人運強，獲得助力不少，事業運亦處於上升階段。
♡農曆四月	心情欠佳月份，出外旅遊或公幹，要小心保管財物。
♡農曆五月	財運下滑，投資前作好風險管理，否則容易破財。
♡農曆六月	繼續是破財的月份，不宜投機炒賣，幸好事業運順暢。
♡農曆七月	相沖的月份，不妨出門旅遊，應動中生財，但要留心道路安全。
♥農曆八月	財運漸趨穩定，出現新的合作機會，不妨進取一點。
♡農曆九月	人際關係備受考驗，小心禍從口出，亂說話可能惹上麻煩。
♥農曆十月	天合地合的月份，特別多麻煩事，宜做好兩手準備。
♥農曆十一月	事業重上軌道，可以積極一點表現，工作上有不俗發揮機會。
♡農曆十二月	壓力頗大的月份，除了出門借地運外，亦可多約朋友聚會，傾訴心事。

至於單身男女感情運並無太大突破，雖有機會透過長輩介紹而結識到條件不俗的異性，但由於進展緩慢；可能要由普通朋友開始，慢慢觀察及了解後，才可以有進一步發展，宜多付出耐性。已婚男女容易為家中瑣碎事情而發生口角，幸好並無太大衝擊，豬年亦是適合計劃添丁的年份；但由於「合日腳」年份易生變化，建議要依足傳統，待懷孕三個月後才公開也未遲。

【健康方面】

己亥年的健康運較戊戌年明顯較為平穩，精神緊張、情緒低落的問題也大為減少。但「合日腳」之年，代表關節、腰骨等容易出現問題。如本身已有關節舊患，豬年不宜進行令關節勞損的劇烈運動；亦要注意家居的小陷阱，提防跌倒受傷。另外，少在家中的五黃、二黑等病位長期坐臥，以免健康受損。

整體而言健康運不會有太大問題，只需留意間中出現皮膚敏感或牙痛等小毛病，建議在過年後，作一個詳細的身體檢查；另外，多做贈醫施藥之舉，都有助改善健康運。

28 辛卯日◆貴人運強 財運事業平穩向上

【財運方面】

辛卯日出生的人在己亥年的財運整體來説是不俗，因為流年地支「亥水」是個人的財星，豬年可謂財運亨通，但也有劫財之象，最好將現金轉作實物投資，例如置業或購入黃金更能保值。

但農曆正月及二月出生者自坐財星之上，屬財旺身弱，恐怕只是表面風光，必須做好開支規劃。生於「火」旺的農曆四月及五月的人，由於有「水」調節命格，財運平穩之外，心情亦較之前開心愉快。農曆七月及八月出生的人財運最有利，既能賺錢亦能守財；農曆十月及十一月出生者需注意人緣，豬年容易惹上是非口舌。至於在「土」重的農曆三月、六月、九月及十二月出生者有「厚土埋金」之象，運勢較難突破，更常有「為他人作嫁衣裳」之感；建議用大量的米色及白色物品，平時多佩戴金器或白、金色飾物，都有利助旺運勢。

其實己亥年的貴人運不俗，當商者受到客戶及長輩的助力較以往更大。而且因地支「亥卯未」會合成局，所以肖羊者助力特別大，如有屬羊的朋友力邀合作不妨考慮。另外，豬年會出現不少新的合作機會，只要不是過分大手投資，不妨一試。

【事業方面】

貴人運強勁，尤其女性長輩或女上司對自己照顧有加，打工一族有輕微的升遷運外，加薪幅度亦令自己滿意。如從事與女性有關的行業如化妝品、服裝、護膚纖體等大有可為。

計劃轉工的人士不宜作出變動，己亥年適宜留守原有崗位，由於與上司、下屬及同事的合作性較以往佳，壓力亦減輕了，只要放鬆情緒，工作上的問題可迎刃而解。其中出生於農曆三月、六月、九月及十二月的人，由於受「厚土埋金」影響，工作上需要主動出擊，盡量爭取表現，方有突圍機會。如真的渴望跳槽，可以留意下半年出現的機會，成功機會較大。

【感情方面】

單身男士的桃花較女士為佳，有機會遇上合眼緣的異性，感情亦有進一步的發展；至於女士感情運未見有太大突破，雖然會經長輩介紹認

每月運勢西曆日子請參閱頁372上的對照表

♥吉 ♡中吉 ♡平 ♥凶

月份	運勢	內容
農曆正月	♡	天合地合的月份，做事容易一波三折，宜加倍耐性應對。
農曆二月	♥	桃花暢旺的月份，如發現身邊有合眼緣異性，不妨主動出擊。
農曆三月	♥	人際關係出現變化，某些人及事會令自己十分勞氣。
農曆四月	♡	雖然事業運回穩，但壓力變大，放鬆心情才可以令工作順暢。
農曆五月	♡	事業順遂，但出現輕微官非運，處理文件合約時要小心謹慎。
農曆六月	♡	喉嚨氣管容易出現毛病，此月有輕微打針食藥之象。
農曆七月	♥	財運明顯上升，而且工作出現新機遇，不妨把握一下，做事可謂得心應手。
農曆八月	♡	相沖的月份，可以計劃出門加強運勢，應動中生財。
農曆九月	♡	財運順暢，但做事較多波折，屬先難後易的月份。
農曆十月	♡	財運繼續向好，但小心手部容易受傷，做運動時要打醒十二分精神。
農曆十一月	♥	與伴侶關係出現變化，提防有第三者。另外，口舌是非增多，處事多點包容會減少爭拗。
農曆十二月	♥	運勢不俗，做事順暢，且有貴人出現，屬心情愉快的月份。

識到心儀男士，惟對方未有表示，出現「神女有心、襄王無夢」情況，建議多花時間慢慢培養感情。其實豬年是一個吃喝玩樂、應酬頻繁的年份，無論男女都容易擴闊個人的社交圈子，認識更多新朋友，如希望可以由朋友發展成男女關係，便要多加一把勁。

已婚男女並無太大的衝擊，相處算是平穩開心；如有意為家中添丁的夫婦，豬年亦是適合有喜的年份，不妨認真計劃一下。

【健康方面】

整體來說健康運算是較為理想，不會出現大毛病，惟當中在農曆三月、六月、九月及十二月出生的人，容易胡思亂想，情緒較易低落不安，不妨多接觸大自然有助紓緩壓力。「金水相生」的年份，女士們要多留心一些婦科的小毛病，建議預先作詳細的身體檢查，防患於未然。

另外，流年亦有少許「金木相剋」，如手腳、關節有舊患者，要提防跌倒扭傷。由於己亥年應酬特別多，除了避免大吃大喝外，平時要注意作息定時及多做運動，加強個人的抵抗力。

29 壬辰日◆暗地漏財 健康稍弱謹慎為上

【事業方面】

由於壬辰日出生者流年日腳「己土」通根至出生日的「辰土」，強化了事業運。但農曆三月、六月、九月及十二月出生者，因為「土」過重，提防工作壓力變大，令情緒大受困擾，甚至有抑鬱傾向，豬年必須學懂放鬆心情，多出門旅遊散心，都可避免自己鑽入牛角尖。

其餘月份出生者，事業運屬穩步向上，打工一族有不俗的升遷運，但薪酬加幅卻未如理想。另外，必須留心與同事的人際關係倒退，行事低調一點會令工作更順利。為應驗「動中生財」之象，不妨主動出擊，向公司爭取多到外地出差，甚至駐守分公司會有利事業發展。

【財運方面】

壬辰日出生者在豬年的整體運勢尚算平穩，事業運不俗，但財運則有暗湧。除了農曆四月及五月出生的人，財運算是順暢平穩外，其餘月份出生者皆有暗地漏財之象。

如在農曆正月、二月、七月及八月出生，己亥年的財運只算不過不失，不宜寄望可賺大錢，如能守着原有的利潤已屬不錯。農曆十月及十一月出生的人，謹記開源節流，否則容易入不敷支；農曆三月、六月、九月及十二月出生者，必須提防官非訴訟，所有與法律有關的合約文件一定要請教專業人士，以免亂中出錯，蒙受損失。

由於有劫財之象，營商者必須做足心理準備，尤其豬年的營運資金容易出現問題，一定要做好開源節流，尤其不能作借貸擔保，以防一借無回頭。另外，亦要預留一筆應急錢，以應付公司突如其來的開支。己亥年全無偏財運，短炒投機絕對不能進行，由於較難守財，不宜將現金留在身邊，轉作實物或作中長線投資，例如買物業、黃金或藍籌股票等更能保值。豬年亦有輕微受傷破相之象，建議預先購買醫療保險，或多做贈醫施藥之舉，都有助提升健康運。

【感情方面】

踏入己亥年，無論男女的桃花可謂平淡如水，感情運只能以原地踏步來形容。單身女士就算遇到合眼緣的男士，但感情進展較緩慢，總覺

每月運勢西曆日子請參閱頁372上的對照表　♥吉　♡中吉　♡平　♥凶

♡農曆正月	相沖的月份，容易有偏頭痛等毛病，做運動亦要留心手腳受傷，幸好財運不俗。
♥農曆二月	此月容易精神緊張、神經衰弱，提防失眠問題加劇，人際關係亦出現了麻煩事。
♡農曆三月	事業出現輕微升遷之象，但壓力變大，一定要學懂如何釋放壓力。
♡農曆四月	壓力依然很大，不妨安排短假期出外旅遊散心，亦可以相約朋友聚會，都有助紓緩壓力。
♥農曆五月	財運順遂，貴人運亦強勁，對方在必要時扶你一把，做事先難後易。
♡農曆六月	事業運順暢，有很大發揮機會，但要提防胡思亂想，令心情低落。
♡農曆七月	運勢穩步上揚，但財運出現暗湧，提防左手來、右手去。
♥農曆八月	做事一波三折，麻煩事接踵而至，宜加倍耐性處理。
♡農曆九月	動中生財的月份，如能出門旅遊或公幹，都有助財運向上之勢。
♡農曆十月	容易受傷的月份，做運動時要萬二分小心，財運與事業運均順暢。
♡農曆十一月	做事與財運都順暢，但身體容易受小毛病困擾，多留心健康問題，便無大礙。
♥農曆十二月	事業順遂，但要提防失眠情況變差，做事宜放鬆一點，勿將自己迫入牛角尖。

得對方與自己的價值觀和理念南轅北轍，所以態度曖昧，難以再進一步。至於男士由於過分專注事業，拍拖意欲不高，更難開展一段新的情緣。

已婚男女要多關心另一半的健康，豬年雙方容易為家中瑣事發生小爭執，加上個人情緒容易煩躁不安，所以令雙方的關係更趨緊張，謹記相處時彼此坦誠溝通，互相忍讓，各退一步較易解決紛爭。

【健康方面】

由於出生日的水通根至流年地支的水，壬辰日出生者在己亥年屬容易受傷破相的年份，要提防手腳受傷，千萬不宜進行攀山、爬石、潛水等高危活動。除了購買醫療保險外，如出外旅遊謹記要購買旅遊保險，以策萬全。經常接觸金屬機器或駕車者，凡事打醒十二分精神。過年後不妨往洗牙、捐血，預早應驗血光之災。

容易受傷的年份，留意己亥年家中的五黃(西南)、二黑(東北)病位，勿放一些帶煞的物品；如家中大門在這兩個方位，不妨放置銅片化煞，有助改善健康運。

30 癸巳日◆動中生財　有利拓展海外市場

【財運方面】

踏入豬年因有「驛馬相沖」，這種「沖日腳」影響力十分大，令財運頗為起伏不定。癸巳日出生者在己亥年宜動不宜靜，無論工作與財運都屬愈動愈起勁，假如留守原有地方，所受的衝擊更大。為順應運勢，豬年不妨主動求變，部署到不同地方工作或旅遊，營商者可以考慮開拓海外市場，雖然比較奔波勞累，但會帶來更佳的運勢。

沖日腳的年份財運相對不穩，盈利時好時壞，因此更加要積穀防饑。再者，豬年的家宅或公司都有突然出現裝修或搬遷之象，最好預留一筆現金儲備，以免財政緊絀。各出生月份中，以農曆四月及五月出生者財運較佳；農曆十月及十一月出生的人破財機會最高，必須謹守開支；農曆正月及二月出生的人，需留心口舌是非；農曆七月及八月出生者則有不俗貴人運。至於農曆三月、六月、九月及十二月出生者，豬年工作壓力大增，合約文件更要反覆審核，如遇上疑問要請教專業人士，以免一時不慎惹上官非訴訟而蒙受損失。其實在「沖日腳」之年，財運雖然不穩，但凡事只要親力親為，做好開支規劃，便能安然度過。

【事業方面】

己亥年天干屬「土」，是個人的事業星，若從事紀律部隊如警察、海關及消防等，由於幹勁十足，可以在職場上大展拳腳。如任職管理階層者，事業亦明顯進步，且有不俗的升遷運。

但始終是「沖日腳」的年份，打工一族肯定會心思思想跳槽，但在運勢動盪之年，建議不可輕舉妄動，因為轉工過程與人際關係都會遇到較多波折。假如真的轉換環境，亦可能因與自己預期出現落差而引致一轉再轉，宜先了解清楚新工作範疇再決定也未遲。其實豬年是適合變化的年份，不妨主動出差或駐守外地，反而有更好發展。

【感情方面】

「沖日腳」等同沖「夫妻宮」，無論情侶或夫婦若經常日夕相對，在大小事情上都容易發生衝突，甚至有分開危機。為免關係變差，除了

每月運勢西曆日子請參閱頁372上的對照表

♥吉　♡中吉　♡平　♥凶

月份	運勢
♡ 農曆正月	財運不俗的月份，但做事較多阻滯，同時要提防手部受傷。
♥ 農曆二月	此月鬥志高昂，獲上司大為欣賞，但人際關係倒退，提防是非口舌太多。
♥ 農曆三月	煩惱多多的月份，工作壓力大增，此月不宜作重大決定，否則會容易犯錯。
♡ 農曆四月	腳部容易受傷，平時做運動及駕車者都要打醒十二分精神。
♡ 農曆五月	財運平穩向好，貴人運亦順暢，好好把握一下可以更進一步。
♥ 農曆六月	貴人運強，事業運亦不俗，但個人情緒變得低落，容易悶悶不樂。
♡ 農曆七月	財運易一得一失，需留心無謂開支，心情亦容易忐忑不安，但運勢開始向好。
♥ 農曆八月	容易破財的月份，盡量不要作任何投機炒賣。
♡ 農曆九月	事業運轉好，但屬是非口舌多多的月份，與自己無關的事，勿強出頭。
♡ 農曆十月	此月有輕微受傷之象，做運動時要小心，勿因一時大意而受傷。
♥ 農曆十一月	財運順遂，此月既有不俗進賬，亦能守財有道。
♡ 農曆十二月	眼睛容易出現敏感或發炎毛病，亦有視力衰退問題，宜做好護理工作，此月事業順利。

彼此互相忍讓，多作溝通外；己亥年適合聚少離多，多出門公幹或二人各自培養不同的興趣，減少見面反而對感情有利。

單身男女遇上的桃花多屬短暫桃花，不要抱有太大期望；豬年不妨借助長輩介紹、出外公幹或旅行時多留意身邊異性，有很大機會發展一段異地情緣。單身女士有機會結識到年紀較自己細的男士，如不介意姊弟戀，不妨嘗試開展感情。

【健康方面】

受「巳亥沖」影響，代表腳部容易受傷，輕如踢波、跳舞及上落樓梯都容易扭傷腳踝，必須打醒十二分精神。熱愛做運動的人士，豬年盡量避免進行會令關節勞損的運動，高危活動如攀山、爬石及滑雪等可免則免。

日腳「癸水見亥水」，亦有破相開刀或受傷之虞；建議於狗年年尾預先作身體檢查，踏入豬年後可往洗牙或捐血，以應驗輕微的血光之災。亦可選擇一些慈善團體贈醫施藥或購買一些保健產品，都有助提升健康運。出門旅行亦要預先購買旅遊保險，避免受行程延誤而有所損失。

31 甲午日◆財運順遂 男士桃花旺宜把握

【財運方面】

甲午日出生者的天干與流年天干有「甲己合」之象，代表豬年容易精神緊張、情緒焦慮，做事因自我要求過高而令壓力太大。此外，因流年「財星合入」，財運尚算不俗，但當中有個別月份的人運勢仍略為遜色。

農曆正月及二月出生者，既能賺錢也可以有盈餘儲蓄；農曆七月及八月出生者，財運順遂外，貴人運亦不俗。而出生於農曆四月及五月的人，本身「火」過旺，流年遇「水」調和，心情會較之前開朗愉快。至於農曆十月及十一月的出生者，工作壓力最大，不妨多出外旅遊公幹，可以紓緩壓力。

農曆三月、六月、九月及十二月出生者，則有財旺身弱之象，雖然有可觀的收入，但總是財來財去。豬年高風險投資可免則免，由於較難守財，不如將現金轉作實物投資，例如買物業、黃金或藍籌股更能保值。

若為營商者，豬年有不少新的合作機會令業績上升，尤其對走動較多的行業有利，如能拓展海外市場、賺外地錢更佳。由於偏財運普通，己亥年絕對不宜進行短炒投機活動，所有投資必須以穩健及中長線為主，否則容易失利。

【事業方面】

事業運只屬不過不失，如擔任行政工作者對升職勿抱太大期望，反而因為財運不俗，打工一族加薪幅度還算理想。由於受「甲己合」影響，工作壓力大增，經常有吃力不討好的感覺，不妨主動要求出差，多往外地走動對運勢更有利。

其實己亥年個人的賺錢能力較以往為佳，從事「以口得財」如銷售、見客行業，獲得不少客戶支持，令營業額大幅上升。有意轉工者，豬年是吉中藏凶之年，假如過分輕率跳槽，到了新公司發覺工作環境及薪酬均不如個人預期，反而令自己情緒變差；不如留守原有公司，只要好好處理與同輩間的分歧，便無太大難題。

【感情方面】

單身男士的桃花較女士為佳，男士容易結識到合眼緣女士，雙方容易情投意合，有機會開展一段感情。女士的桃花可謂寥寥可數，有原地踏

每月運勢西曆日子請參閱頁372上的對照表

♥吉 ♡中吉 ♡平 ♥凶

月份	運勢	內容
農曆正月	平	容易招惹是非的月份，亦有暗地破財之象。
農曆二月	吉	學習運不俗，可以報讀與工作有關課程，自我增值。
農曆三月	中吉	財運順暢的月份，雖然有輕微偏財運，但謹記不要貪心，否則會見財化水。
農曆四月	凶	此月容易受傷，做運動或駕車者，都要打醒十二分精神，做事亦會一波三折。
農曆五月	平	人際關係不穩，與身邊的人容易因小事而不停爭執，謹記互相體諒。
農曆六月	吉	財運與事業運都不俗，留心身體出現小問題。
農曆七月	中吉	有小毛病需要打針食藥，但財運與事業運開始順遂。
農曆八月	吉	桃花運不俗，但提防只是短暫桃花，了解清楚前勿輕易投放感情。
農曆九月	凶	兄弟姊妹、親戚朋友如要求借貸幫忙，一定要量力而為，而且做好心理準備「一借無回頭」。
農曆十月	平	心情煩躁的月份，不妨出國旅遊，有助放鬆心情。
農曆十一月	平	波折重重的月份，面對困難需付出雙倍耐性，屬先難後易。
農曆十二月	中吉	財運不俗的月份，但會為家中小朋友問題而頭痛不已。

步之感；就算在朋友或同事間遇到合適對象，但亦有難以開展的感覺，宜耐心等候時機再進一步。

已婚男女若經常日夕相對，在大小事情上都容易發生衝突，除了互相忍讓外，豬年適合聚少離多，各自培養不同的興趣，減少見面對感情更有利。由於男士桃花運多姿多采，面對第三者時不能過分熱情，要好好克制，否則一旦陷入三角關係時，可能因難以自拔而令婚姻觸礁。

【健康方面】

甲午日出生者健康運尚算平穩，但由於天干「甲己合」，代表頭及手部會出現較多問題；除了容易撞傷頭部，亦不時受偏頭痛等問題困擾。另外，手部及關節亦容易受傷，喜歡做運動的人要特別留心；有關節舊患如五十肩、網球肘等亦容易復發，宜預先購買醫療保險以策萬全。

豬年容易因壓力引致失眠，神經衰弱等問題，多做紓緩運動及多接觸大自然，亦有助放鬆心情。「水土」重的年份，要留心因大吃大喝而令體重上升，飲食清淡一點，可減低患上高血壓及糖尿病等風險。

32 乙未日 ◆ 貴人運強 帶動財運穩步向上

【財運方面】

己亥年的整體財運不俗，受流年貴人星帶動下，賺錢能力明顯向上。但由於行偏財運，始終起落較大，豬年雖然財運亨通，至於能否將錢財儲蓄則要視乎出生的月份了。農曆正月及二月出生的人，命格「木」強，儘管行財運，但恐怕會「左手來右手去」，難以守財；農曆四月及五月「火」旺的出生者，由於有「水」調和命格，整體心情愉快輕鬆。生於農曆七月及八月的人，賺錢能力不俗，亦可守住財富。反之農曆三月、六月、九月及十二月的出生者則財來財去，容易無端破財，豬年不能留太多現金在手，不妨投資實物作長遠投資。農曆十月及十一月出生的人，命格較漂泊，賺錢過程較其他月份出生者艱辛勞累，屬多勞多得。

受地支「亥水」影響，做生意的人營商機遇好轉，更適宜往外地走動或拓展海外市場。由於貴人運佳，而地支「亥卯未」又會合成局，所以屬兔的朋友是自己的貴人，對方可以提供不少脈絡關係拓展商機；不妨好好利用這些人際關係，為未來打好基礎。但因豬年財運較反覆，投資投機不能過分貪心，宜「見好即收」，否則可能倒贏為輸。

【事業方面】

與財運相比，乙未日出生的人事業運明顯較弱，但亦屬不過不失；若從事銷售等行業，因個人賺錢能力較以往為佳，所以屬最有利的一群。另外有代表思想的「印星」坐鎮，亦有利需要創作及寫作的行業，容易因想像力源源不絕而大獲讚賞。「印星」亦是一顆貴人星，尤以女性上司給予的助力更大，令工作運更順暢。

如計劃轉工者，不妨多聯絡舊上司或舊同事，都可以獲對方居中引薦，但謹記不宜在農曆三月、六月、九月及十二月這幾個月份變遷，可以等待至秋天後才落實，到時無論跳槽機會或條件都會較優。

【感情方面】

乙未日的單身男士較女士的桃花來得暢旺，單身男士會遇到年紀大自己少許的女士，姊弟戀亦不妨一試。不過遇到的對象，大多為性格剛

每月運勢西曆日子請參閱頁372上的對照表　♥吉　♡中吉　♡平　♥凶

♡	農曆正月	財運不俗，但要提防出現輕微是非口舌，慎言以免惹上麻煩。
♥	農曆二月	出現新的合作機會，不妨把握一下，如非大手投資可以一試。
♥	農曆三月	財來財去的月份，留心用錢方向，否則容易入不敷支。
♡	農曆四月	破財的月份，投資投機要小心謹慎，如有得着要「見好即收」，以免見財化水。
♡	農曆五月	天合地合的月份，做事較多阻滯，宜往外走動，應動中生財。
♥	農曆六月	此月較多麻煩事，更要提防手腳受傷，幸好財運順暢。
♡	農曆七月	事業運不俗，而且貴人運亦上升，運勢處於進步階段。
♡	農曆八月	麻煩阻滯多多的月份，心情容易低落，不妨多約會朋友訴心事，解開心結。
♥	農曆九月	做事一波三折，屬辛苦勞累的月份，面對困難要沉着應戰。
♡	農曆十月	動中生財月份，爭取機會出外公幹或旅遊，可以改善運勢。
♥	農曆十一月	人際關係倒退，避免因背後議論他人而惹來是非口舌，與自己無關的事勿多言。
♡	農曆十二月	財運雖然順暢，但恐防一得一失，投資如不太貪心，有機會獲利。

強、主觀強勢的女士，彼此多忍讓方能開展感情。單身女士感情運普通，如希望開展新戀情，便要靠長輩介紹，才能有機會結識到理想異性。由於豬年「驛馬星動」，頗多出外旅遊機會，容易在外地結識到合眼緣的對象，發展異地情緣。

已婚男女穩定性甚高，相處較以往少爭拗，但亦要提防為家中子女的問題而令意見分歧，凡事坦誠相向，互相體諒，不失為開心愉快的年份。

【健康方面】

己亥年的健康運受「弱木」影響，要留心腰骨、手腳關節的毛病，更要提防由高處墮下受傷，喜歡運動的人要打醒十二分精神，避免進行攀山、爬石等活動，甚至行山也要小心，提防跌倒受傷。若在家居更換窗簾、燈泡等工作時，亦要格外小心，以免跌傷。

豬年整體心情較之前輕鬆愉快，少了以往胡思亂想的問題；只需留心因應酬過多而令體重上升等問題，作息定時外，飲食亦要節制一點。

家宅方面，多關心男性長輩健康，為他們裝修家居，更換傢俬等，都有助改善健康運。

33 丙申日 ◆ 事業向上 單身女士大利桃花

【財運方面】

丙申日出生者來到己亥年，整體屬辛苦得財。除非在夏天（農曆四月至六月）出生，因本身「火」旺，在「水」重之年命格反而較為平衡，運勢亦較順暢。至於其他月份，尤以下半年出生者，即農曆七月至十二月，因出生日的「丙火」已不夠強，加上流年天干「己土」、地支「亥水」，便呈「剋洩交加」之象，做事困難重重外，更有腹背受敵之感；平時宜多用暖色系物品，如紅色及橙色等都有助加強財運。

營商者力不到不為財，豬年面對同行的競爭加劇，加上營運成本大增，既要謹守開支，也要不時與客戶周旋。再者受「傷官」影響，人際關係明顯變得複雜，輕則容易招惹是非口舌，重則更可能犯上官非訴訟，對客戶的往來文件要反覆審核，以免一時不慎惹上官司而損失不菲。此外，需留心因下屬或員工的流失太快，或因態度散漫而令工作出錯，要自己承擔金錢損失，變相令生意成本上升。

由於欠缺明顯的偏財運，所以不宜寄望有意外之財，短炒投機可免即免；投資方面一定要經過自己分析才可以進行，切忌人云亦云。

【事業方面】

由於地支「亥水」是事業星，所以事業運屬穩步向上，若從事紀律部隊如警察、海關及消防等，由於幹勁十足，可以在職場上大展拳腳；就算擔任行政工作者，領導能力亦備受上司讚賞，所以有不俗的升職機會。如從事銷售見客等行業，就要有心理準備業績可能停滯不前，屬多勞少得年份。

由於天干行「傷官」，令人際關係大受影響，需提防辦公室的明爭暗鬥，處事宜低調寬容，不可強出頭，以免惹禍上身。有意轉工的人要靜待下半年才有機會，不妨留意第四季出現的邀約，無論薪酬及職位都有理想的提升。

【感情方面】

單身女士桃花運異常旺盛，感情運多姿多采，會遇到年紀比自己細一點的異性，如不介意姊弟戀，不妨一試。惟雙方均處於互相觀察階

每月運勢西曆日子請參閱頁372上的對照表　♥吉　♡中吉　♡平　♥凶

月份	運勢
♡農曆正月	劫財月份，雖然出現新的合作計劃，要小心行事，另外要留心道路安全問題。
♥農曆二月	運勢不俗，做事順暢，且有貴人出現，但留心財來財去。
♡農曆三月	人際關係出現變化，小心招惹是非口舌，謹記少說話、多做事。
♥農曆四月	運勢屬一波三折，做事多付出耐性，屬先難後易的月份。
♡農曆五月	財運明顯上升，不過要留心健康情況，提防因一時不慎而受傷。
♡農曆六月	留心喉嚨氣管、呼吸系統出現小毛病，幸好做事順暢。
♥農曆七月	相沖的月份，人際關係又再出現問題，與自己無關的事，勿強出頭。
♡農曆八月	事業運明顯上升，而且有升遷機會，但凡事要小心，此月屬吉中藏凶月份。
♥農曆九月	貴人運強，但工作壓力仍然很大，不妨多約會朋友聚會，借傾訴心事解開心結。
♡農曆十月	雖然事業運回穩，但出現輕微官非運，處理文件合約時要小心謹慎。
♡農曆十一月	財運依然疲弱，雖然會有新的合作機會，但不宜輕舉妄動，否則容易一得一失。
♡農曆十二月	雖然有貴人幫忙，但口舌是非增多，處事多點包容會減少爭拗。

段，而且要留意對方的家人是意見多多的人，為免拍拖初期受影響，不宜過早見家長，待彼此感情穩固後再會面也不遲。

至於男士感情運一般，雖然會遇上合眼緣異性，但由於自己心存猶豫，不知對方是否適合自己而未能確定心意，所以感情難以開展。

已婚及拍拖人士由於工作壓力大，容易與家人爭執，只要留心勿口出惡言，便無太大問題。

【健康方面】

整體來說健康運算是較為理想，不會出現大毛病；己亥年行水土運，如在秋冬兩季（農曆七月至十二月）出生者，由於「火」弱，需留心高血壓及心臟病等問題。另外，眼睛亦易受感染而出現敏感發炎，多注意日用品的清潔情況。

由於受工作壓力影響，豬年容易受精神緊張、神經衰弱問題困擾，令失眠情況加劇；不妨抽空做一些減壓運動，如瑜伽、太極或緩步跑等，都有助放鬆心情。家宅方面會為小朋友的問題傷腦筋，要多點關心孩子的情緒，盡早解決，以免小事變成大問題。

34 丁酉日 ◆ 應酬頻繁　下屬運弱親力親為

【財運方面】

以運勢來比較，己亥年的財運比事業運較為遜色。尤其下半年出生的人，即農曆七月至十二月出生者，豬年做事壓力特別大，容易焦慮不安。若生於上半年的農曆四月至六月，由於流年調和了命格，運勢算是最平穩。至於農曆正月及二月出生者屬「木」強，有水助旺運勢，亦算是不過不失。

己亥年雖然沒有劫財之象，但要維持原有的營業額亦要加倍努力；營商者必須親自出馬與客戶洽談，絕不能假手於人。但因下屬運出現阻滯，尤其農曆三月、六月、九月及十二月出生者，更有惡奴欺主情況；為免因員工不受控制，拖累工作進度，重大事情上要多親力親為，不要過分依賴別人。投資方面不能依靠小道消息，一定要經過自己分析才可以進行，亦以中長線的穩健投資較佳。另外，不宜涉足陌生的投資項目，謹記不熟不做。

豬年營商環境雖然未見樂觀，但如從事技術性行業，如飲食、服務及銷售等，都可以藉着名氣突圍而出，但並非行財運之年，只屬表面風光，正所謂「旺丁不旺財」，所以不宜抱太大期望，可將豬年視為播種期，穩打穩紮方能有所收成。

【事業方面】

丁酉日出生者的事業運不俗，由於地支「亥水」是事業星，打工一族大部分都有不俗的升遷運，尤以夏天出生的一群，工作表現大受好評。反而在農曆十月及十一月出生的人，工作壓力明顯最大，較為辛苦勞累。

由於財運普通，豬年只有職位及權責輕微提升，惟薪酬未必會有理想回報，由於學習進修運不俗，不妨報讀與工作有關的課程或興趣班，可以為未來工作打好基礎。計劃轉工的人，雖然有不少機會，但必須做好心理準備，轉到新的工作環境，可能未必可以即時適應而令工作壓力變大，轉工前宜了解清楚新的工作範疇才決定。

【感情方面】

單身女士在己亥年的桃花運暢旺，會遇到不少合眼緣的異性，雙方亦有意進一步發展，但要提防身邊的家人及朋友太多意見，為免拍拖初期

每月運勢西曆日子請參閱頁372上的對照表　♥吉　♡中吉　♡平　♥凶

月份	運勢	
農曆正月	♡	劫財的月份，需留心用錢方向，否則容易入不敷支。
農曆二月	♡	此月出現相沖，小心身體健康，尤其要留心關節毛病。
農曆三月	♥	辦公室出現人事爭拗，為免關係惡化，要少說話、多做事。
農曆四月	♥	學習運佳，可以報讀與工作有關或純粹個人的興趣課程。
農曆五月	♡	財運明顯上升，亦能儲蓄成財富，之前遇到的困難有解決迹象。
農曆六月	♥	財運繼續向好，而且桃花運不俗，有機會遇上心儀異性，開展感情。
農曆七月	♡	頗多阻滯的月份，精神容易緊張，不妨出門走動，借地運改善運勢。
農曆八月	♡	眼睛及腸胃容易出現毛病，要小心飲食，以免病從口入。
農曆九月	♥	做事波折重重，是先難後易的月份，宜多加耐性處理問題。
農曆十月	♥	貴人運不俗，事業運亦開始穩步上揚，不妨好好把握一下。
農曆十一月	♡	仍然有貴人的幫助，但人際關係出現倒退，壓力亦隨着增加，要學懂放鬆心情。
農曆十二月	♡	劫財的月份，家宅出現小問題令自己有點煩躁焦慮。

心情受影響，不宜過早讓對方融入自己的圈子，待彼此感情穩固後再公開也不遲。至於男士感情運一般，由於工作壓力太大，所以無心開展一段新戀情。

無論男女，豬年應酬聚會頻密，可以從中認識不少朋友，擴闊社交圈子。已婚人士關係平穩，間中會為家中小朋友的管教問題出現爭執，但只要互諒互讓，便無太大問題。

【健康方面】

由於過去的戊戌狗年健康受「合日腳」影響，所以有較多麻煩瑣碎的小毛病；踏入己亥年，健康運算是平穩順暢，不會出現大毛病。其中農曆三月、六月、九月及十二月出生者，由於應酬太多，需注意飲食習慣不佳所引起的膽固醇、高血壓等問題，謹記作息定時及避免暴飲暴食，以免腸胃不勝負荷。

地支「亥」亦代表精神緊張、神經衰弱，而且容易失眠，不妨多做減壓運動，如瑜伽、太極或緩步跑等放鬆心情。另外，為自己安排一些短線旅遊，多接觸大自然，亦有利健康運。

35 戊戌日◆財運好轉 謹慎投資有利進修

【財運方面】

戊戌日出生者在剛過去的狗年，由於出現六十年一遇的「伏吟」令財運與健康都大受衝擊。踏入豬年，運勢開始回穩順暢，財運更有向上之趨勢，尤以農曆十月及十一月出生者為佳，既能賺錢亦有盈餘，情緒亦較以往輕鬆。

如在農曆三月、六月、九月及十二月「土」重出生，雖然賺錢能力亦佳，但較難守財。農曆正月出生者受「寅亥合」影響，需留心家宅出現的問題令自己大受困擾；農曆二月出生的人，則事業較為順暢。如在「火」旺的農曆四月及五月出生，由於流年有「水」調節了命格，心情也較狗年輕鬆愉快；至於農曆七月及八月出生的人，財運則平穩向好。

做生意人士雖然有利可圖，但必須量入為出，並多主動接觸客戶才有望成功擴展業務。另外，對客戶的還款期要抓緊一點，朋友及家人若要求借貸擔保，謹記要量力而為，以免一借無回頭。雖然豬年有輕微的偏財運，但謹記不可以太貪心，宜見好即收，否則反有破財機會。另外，因尚受狗年劫財餘波影響，豬年上半年投資需保守謹慎，待下半年運勢轉佳，便可以較進取及積極。

【事業方面】

戊戌日出生者的事業運明顯比狗年順暢了不少，雖然仍未有明顯的升遷運，但薪酬的升幅尚算理想。尤其是農曆正月及二月出生的人，本身「木」旺，流年有水助旺運勢，更有利升職加薪機會。而在農曆十月及十一月出生者，如從事「以口得財」或中介人角色，例如銷售或保險行業等，運勢都會較管理層或任行政文職等順暢。

打工一族人際關係依然存在隱憂，提防與同事間的競爭會傾向白熱化，與人相處不宜有太多意見，低調一點可免受針對。豬年的進修運不俗，建議選擇對事業有幫助的課程進修，為未來鋪路。

【感情方面】

單身男士在己亥年的桃花可謂多姿多采，會遇到年紀大自己少許的異性，如果不介意與較成熟的女士交往，不妨抓緊機會發展。至於女

每月運勢西曆日子請參閱頁372上的對照表 ♥吉 ♡中吉 ♡平 ♥凶

♡農曆正月	事業運上升，但要提防小官非，看清楚合約文件的細節。
♡農曆二月	做事一波三折，屬先難後易的月份，幸事業運順暢。
♥農曆三月	此月劫財重重，盡量少進行投機活動；如有人要求借貸幫忙，要量力而為。
♡農曆四月	財運容易有損耗，投資方向要以保守為大前提，做事有不俗的助力。
♥農曆五月	貴人運開始好轉，事業運亦不俗，可把握一下作出突破。
♡農曆六月	工作上有不少發揮機會，但提防壓力變大，令情緒低落。
♥農曆七月	財運順遂，而且有貴人的助力，可以進取一點。
♥農曆八月	天合地合的月份，身邊出現不少麻煩事，凡事小心應對。
♥農曆九月	事業運上升，領導能力大受讚賞，心情亦放鬆不少。
♡農曆十月	適宜出門的月份，應動中生財，各方面均平穩向上。
♡農曆十一月	財運不俗，以往的投資開始有回報。
♡農曆十二月	家宅方面會出現變化，令自己的情緒大受影響，宜坦然面對。

士的感情運就只能以原地踏步形容，由於並非桃花年，即使遇上心儀異性，但可能只是「神女有心、襄王無夢」，難以開始感情。

如本身已有伴侶者，豬年會出現變數，容易有第三者介入，為免被橫刀奪愛，多抽時間與伴侶溝通相處，以免被人有機可乘。已婚男女經過狗年的變動，感情開始步入平穩期，爭執吵鬧較以往為少，相處更開心甜蜜。

【健康方面】

過去的狗年由於「土」過重，受腸胃疲弱、關節舊患影響，令情緒變差。踏入豬年，健康運明顯較佳；流年有「水」平衡命格，所以整體心情變得開心愉悅，睡眠質素亦較以往改善。然而農曆三月、六月、九月及十二月的出生者，本身「土」重，豬年避免因大吃大喝引致體重上升。而農曆十月及十一月出生者，「水」過重，需注意脾胃、膀胱及腎臟等小問題。

另外，亦要留心手腳關節的毛病，喜歡運動的更要打醒十二分精神，避免進行攀山、爬石等高危活動，提防跌倒受傷。

36 己亥日◆伏吟之年 反覆不穩冲喜為佳

【財運方面】

出生日的天干地支與流年完全相同，玄學稱之為「伏吟」，這種六十年才出現的狀況，令個人運勢動盪不安，無論感情、健康及財運都會出現令自己措手不及的情況；但整體好壞也要視乎是「身強」或「身弱」。

如出生於「火」重的農曆四月及五月，或「土」重的農曆三月、六月、九月及十二月等，命格皆屬「身強」，遇上同類型的年份，除了健康運不穩，心情容易忐忑不安外，財運亦易一得一失，凡事要小心謹慎。至於「身弱」者，即農曆正月、二月、七月、八月、十月及十一月的出生者，行「伏吟」之年反而助力更強，整體運勢不算太差。

營商者如過急拓展生意，容易招致損失，宜多花心思在冷門項目上，才有機會突圍而出。由於財運不穩，謹記做好開源節流計劃，更不宜為親友作借貸擔保。豬年如能進行大喜事，即結婚、添丁及置業都有助化解「伏吟」所帶來的影響。

偏財方面，短炒投機絕對不宜，由於有劫財之象，豬年不宜留太多現金在身邊，不妨把現金轉作實物投資，亦可以購買醫療保險、多往外地旅行，主動花錢應驗破「歡喜財」。

【事業方面】

打工一族的事業運明顯倒退，「伏吟」的年份會心思思想轉工，但避免期望過高，建議靜待下半年轉換環境也不遲，否則上半年跳槽後，發現新工作不如預期理想，到時便要一轉再轉。

豬年與同事的競爭加劇，容易受人暗箭所傷，當中只有在農曆正月及二月出生者事業運較佳，其餘月份出生的人，由於欠缺明顯的貴人及長輩運，所以工作上會較辛勞，因做事過程容易一波三折，常有疲於奔命感覺。其實流年有不錯的學習運，不如報讀對自己有幫助的課程，為未來鋪路。

【感情方面】

拍拖中的男女感情運出現衝擊，假如已到談婚論嫁階段，豬年乃結婚的好時機，但亦要慎防在籌備婚禮過程中，因意見分歧而鬧得不愉快。如果感情未成熟到可以「拉埋天窗」，便要有心

每月運勢西曆日子請參閱頁372上的對照表　　♥吉　♡中吉　♡平　♥凶

月份	運勢	內容
農曆正月	♥凶	波折重重的月份，小心健康出現問題，駕車及做運動都要打醒十二分精神，以免受傷。
農曆二月	♥吉	事業運不俗，但工作壓力較大，出現新的合作機會，但不要輕舉妄動。
農曆三月	♡平	破財的月份，開支加倍謹慎之餘，亦不宜作任何投資活動。
農曆四月	♡平	腳部容易受傷，謹記不要進行高危的運動。
農曆五月	♥吉	事業運上升，工作上出現貴人，運勢開始步向平穩。
農曆六月	♡中吉	財運開始好轉，可進行少量投資，且有不俗進賬。
農曆七月	♥吉	學習運強，可以把握機會報讀與工作有關的課程，打好基礎。
農曆八月	♡中吉	財運不俗，但提防是非口舌，與自己無關的事勿多言。
農曆九月	♥凶	頭及手部容易受傷，工作壓力亦頗大，可以出門旅行借地運。
農曆十月	♡平	工作壓力增大，令抵抗力變差，亦影響睡眠質素，抽時間多做紓壓的運動。
農曆十一月	♡中吉	動中生財月份，貴人運亦不俗，可以爭取機會出外公幹。
農曆十二月	♡平	兄弟姊妹或朋友提出借貸要求，謹記量力而為，否則有破財機會。

理準備在這個關口之年，因爭拗太多而陷入情變危機。建議不妨聚少離多，反而令感情更堅固。

至於已婚男女，要多留心伴侶的健康，不妨在豬年落實添丁大計，可作沖喜。單身男士容易物色到合適的對象，開展一段新感情；至於單身女士在農曆正月及二月有機會結識到心儀異性，但假如未能再進一步，往後的桃花大都是一些短暫情緣，不宜抱太大期望。

【健康方面】

己亥日出生者地支出現「亥亥刑」，代表有受傷之象，尤其腳部容易扭傷；豬年做任何運動都要異常小心，高風險如攀山、爬石、水上運動都可免則免。另外，駕車者亦要留意道路安全。

己亥年健康運宜採用預防勝治療策略，在狗年年尾預早作詳細的身體檢查，如發現有異樣可立即延醫診治，防患於未然，女士們多留意婦科小毛病。踏入豬年後往洗牙、捐血，又可以贈醫施藥助旺健康運。留意勿亂動家中的五黃（西南方）及二黑（東北方）位置。豬年有喜的女士亦要依足傳統，在懷孕三個月後才公開也未遲。

37 庚子日 ◆ 進修運佳 未雨綢繆迎接變動

【財運方面】

庚子日出生者之中，如在「火」旺的月份如農曆四月及五月的出生者最為有利，因為流年有「水」調和命格，所以無論財運與健康都處於平穩向上階段。而農曆七月及八月的出生者，本身「金」旺，流年水重可以平衡命格，亦算不過不失。至於農曆正月、二月、十月及十一月出生的人，豬年較辛苦勞累，有點吃力不討好。而在「土」重的農曆三月、六月、九月及十二月出生者，流年的「己土」通根至出生月份的「土」，便容易出現「厚土埋金」之象，雖然亦有貴人幫助，但始終有難以發揮之感，情緒亦較易低落。

可幸是營商者有不少貴人照顧，只要親自出馬與客戶商討，業績會有顯著的進步；而地支「亥子丑」出現暗合，豬年亦不妨多找屬牛的朋友合作或請教。但注意因為庚子日出生者踏進二〇二〇庚子年，屆時遇上流年天干地支完全相同之年，會有「伏吟」之象，無論家宅、事業及財運等各方面的變動特別多，部分人的變化更會在豬年下半年提早出現。所以在豬年第三季開始，理財要以保守為大前提，以免豬年做錯決定，禍延至鼠年浮現而令自己大傷腦筋。

【事業方面】

由於貴人運不俗，令事業處於進步狀況，流年天干「己土」是貴人星，尤其是女性長輩對自己照顧有加，雖然未見有太大的升遷運；由於學習運不俗，不妨安排時間報讀一些與工作有關的課程，為未來打好基礎。己亥年與同事間的是非口舌亦增多，競爭加劇令人際關係惡化；謹記處事圓潤一點，廣結人緣會令事業更順暢。

庚子日人如從事創作、度橋等行業，豬年可謂靈感源源不絕，頗受客戶及上司賞識。如從事「以口得財」的行業，例如銷售、公關等，發展亦屬理想。計劃轉工的人，豬年未是適合時機，不如靜待鼠年變動之年，到時再轉工會較佳。

【感情方面】

拍拖人士由於在二〇二〇庚子年遇上「伏吟」這個關口年，如關係已穩定，不妨籌辦喜事以作沖喜，例如計劃置業或結婚，都有利平

每月運勢西曆日子請參閱頁372上的對照表

♥吉 ♡中吉 ♡平 ♥凶

月份	運勢	內容
農曆正月	吉	財運順暢，可以把握機會作一些穩健投資，只要不太貪心會有得着。
農曆二月	中吉	容易桃花破財的月份，與異性交往時少一點錢銀轇轕。
農曆三月	平	情緒會無緣無故低落，不妨多出外走動，應動中生財。
農曆四月	中吉	貴人運開始好轉，但提防是非口舌，與自己無關的事勿多言。
農曆五月	凶	天沖地沖的月份，做事會波折重重，凡事做好兩手準備。
農曆六月	吉	財運不俗，但壓力變大，如遇上心情不安，不妨多約會朋友傾訴解悶。
農曆七月	中吉	人際關係倒退，但個人鬥心強，事業運亦順暢。
農曆八月	中吉	事業運進步，不過人際關係依然不佳，要少說話多做事。
農曆九月	平	留心手部容易受傷，如有關節舊患的亦要提防有復發機會。
農曆十月	凶	精神緊張、神經衰弱的月份，睡眠質素亦變差，學習好好放鬆心情。
農曆十一月	吉	事業順暢，處於進步的月份，如任職管理層，多留心下屬的問題。
農曆十二月	平	家宅方面要留心老人家的健康問題，此月亦要為鼠年「伏吟」之年作好準備。

穩過渡「伏吟」。無論男女桃花運有原地踏步之感，雖然豬年多應酬，會在不同的聚會中結識朋友，但未必可以成功開展感情，宜付出多點耐性，靜待真命天子出現。

已婚男女容易為工作而冷落另一半，令對方心生埋怨，建議多抽時間舊地重遊，重拾昔日甜蜜。另外，夫婦亦容易因子女的教育問題而發生爭執，宜心平氣和解決分歧。

【健康方面】

為了迎接庚子年的動盪，庚子日出生者在己亥年的年底便要開始部署，不妨早點作詳盡的身體檢查，同時亦可購買醫療保險以作不時之需。

豬年「金水相生」，在農曆十月及十一月出生者，需留心皮膚敏感、心臟血壓等毛病；農曆三月、六月、九月及十二月出生者，小心喉嚨氣管、呼吸系統等問題，而且心情困頓且容易煩躁，令睡眠質素欠佳。至於其餘月份出生者整體來說是開心愉快的年份。家宅方面，多留心家中子女的健康及情緒問題，多抽時間聆聽他們的訴求，才能維繫雙方的感情。

38 辛丑日◆長輩運佳 夏秋出生運勢理想

【事業方面】

辛丑日本身「土」重，如在農曆三月、六月、九月及十二月的出生者，流年再行「土」便形成「厚土埋金」情況，打工一族容易有懷才不遇之感，不妨主動一點表現自己，方能有突破。而農曆四月及五月出生者，事業運最為順暢；至於農曆十月及十一月出生的人是非口舌較多，要提防與同事關係惡化。「己土」是貴人星，豬年長輩緣不俗，如擔任行政工作者會有不俗發揮，雖然未必有太大的升職機會，但加薪幅度尚算理想。有意轉工的人，由於變化不大，未必有更好的邀約，其實豬年與上司下屬的關係融洽愉快，只要謹守工作崗位，便無太大問題。

【財運方面】

辛丑日出生者的天干屬「金」、地支屬「土」，這個「丑土」本身已是濕潤的土，遇上己亥年「水土」重的年份，運勢各有不同。對命格較強者，即農曆七月及八月的出生者財運最有利，亦有盈餘儲蓄；農曆四月及五月出生者本身「火」重，流年遇「水」調和命格，豬年會較稱心愉快。至於其他月份出生者，財運只是不過不失，屬辛苦得財之年；豬年如能與屬鼠的人合作，成功機會則較大。

如為營商者，生意屬穩步向上，易有舊客戶支持，親力親為容易水到渠成。要注意豬年雖有拓展機會，但並非一帆風順，因競爭力頗大，成本亦上升，宜以奇招突圍而出。此外，因「土」是長輩星，亦是代表思想的星，豬年會出現年長貴人予以提攜照顧，或對方給予消息投資，但由於偏財運不旺，投資方向一定要以保守為原則，短炒買賣不宜進行，以中長線投資為佳。謹記己亥年以正財為主，而且並非行急財的年份，所有投資回報都要慢慢積聚，不能因有利可圖而急於擴展生意，否則容易轉盈為虧，一切以持盈保泰為上，方能平安過渡豬年。

【感情方面】

單身男士在己亥年的桃花暢旺，尤其是在農曆七月及八月出生的人，會有不少機會遇到合眼緣的異性，發展一段新戀情；至於其他月份

每月運勢西曆日子請參閱頁372上的對照表

♥吉　♡中吉　♡平　♥凶

月份	運勢
♡農曆正月	喉嚨氣管、呼吸系統容易出現問題，此月特別多傷風咳嗽毛病。
♡農曆二月	財運暢旺，投資方面如非太貪心會有得着。
♡農曆三月	情緒會無緣無故低落，不妨出門旅遊，應動中生財。
♥農曆四月	事業處於上升階段，但亦出現不少阻滯，屬先難後易的月份。
♡農曆五月	健康運不佳，會受小病小痛困擾，幸好做事順遂。
♥農曆六月	出現打針吃藥運，多注意身體健康，不妨多出門走動，有利運勢。
♡農曆七月	財運與事業都暢順，可以進取一點，表現自己，而且做事出現方向。
♥農曆八月	桃花運不俗，不妨多留意身邊出現的異性，有機會作進一步發展。
♡農曆九月	財運漸趨穩定，但容易一得一失，此月留心是非口舌，少説話、多做事可免除紛爭。
♡農曆十月	此月財運順暢，要留心頭及手部容易受傷，做劇烈運動時要小心。
♥農曆十一月	天合地合的月份，麻煩事接踵而至，宜做好兩手準備。
♡農曆十二月	事業平穩向上，但心情有點低落，可以約會朋友傾訴，解開心結。

出生的男士，便要靠朋友或長輩介紹才可以結識到條件不俗的對象。至於單身女士，桃花只屬一般，豬年可在不同場合聚會中認識到很多新朋友，不妨由普通朋友開始，再經過慢慢觀察及了解後，才作進一步發展，不能過分急進。

其實無論男女，豬年的女性長輩運十分強勁，如渴望拍拖人士，不妨拜託她們牽紅線。已婚男女的感情平穩，算是開心甜蜜的年份。

【健康方面】

辛丑日出生者健康運尚算平穩，大部分人的心情都較戊戌年輕鬆愉快。但如在「水」重的農曆十月及十一月出生者，必須留意腎臟、膀胱泌尿系統等問題。至於在農曆三月、六月、九月及十二月出生的人，則要多關注喉嚨氣管、呼吸系統等毛病，豬年容易有久咳不癒的問題，除了戒喝冷飲外，如有吸煙習慣者不如趁機戒掉，保障健康。

家宅方面，要多關心家中女性長輩的健康，同時亦要留意他們的情緒問題，建議為她們裝修家居、更換家具床褥等，有助提升健康運。

39 壬寅日 ◆ 日犯太歲 財運動盪健康不穩

【財運方面】

踏入己亥年，壬寅日出生者日腳出現「寅亥合」，這種「日犯太歲」比「年犯太歲」更貼身，影響更大，當中尤以財運及健康最受衝擊。營商者會出現不少新的合作機會，但只屬表面風光，因為豬年做事容易一波三折，必須做好心理準備此乃辛苦得財之年。

因為壬寅日天干屬「水」、地支屬「木」，遇上流年「亥水」，更強化了地支的「水」，如在「土」重的農曆三月、六月、九月及十二月出生者，最為辛苦，豬年更要提防惹上官非訴訟，以免一時不慎損失不菲，更不要作任何借貸擔保。至於農曆十月及十一月出生的人，本身「水」重，流年再行「水」，更容易破財；反之農曆四月及五月出生者，由於有「水」調和命格，所以財運最為順遂。

做生意者雖然遇上新的合作計劃，但切忌野心太大，始終流年正財或偏財運都較為疲弱，投資時需要加倍謹慎，以穩健及中長線為主，不宜作高風險的短期炒賣。豬年也容易因健康而花錢，不妨預早購買保險或多作贈醫施藥之舉，以主動應驗健康破財之象。

【事業方面】

由於「己土」是個人的事業星，壬寅日出生者的事業運有輕微的進步，尤以農曆三月、六月、九月及十二月的出生者更有升遷機會，但薪酬未必有滿意的加幅，而且權責增加，亦令工作壓力大增，感覺較吃力辛勞。

「日犯太歲」的年份，人際關係充滿暗湧，豬年宜低調寬容，不可強出頭為別人排難解紛，以免惹禍上身。如任職管理階層，平時多與下屬溝通，可令工作氣氛更和諧，事業會較順暢。有意轉工的人，在「合日腳」之年，建議不可輕舉妄動，如輕率跳槽後面對新的工作範疇，可能會更難適應，不如留守原有崗位發展更佳。

【感情方面】

已拍拖的男女，在豬年與另一半關係易生變數，相處時容易為小事爭拗不斷，而且雙方都有疑似第三者出現，要多放心思經營彼此關係。

每月運勢西曆日子請參閱頁372上的對照表　　♥吉　♡中吉　♡平　♥凶

♡	農曆正月	此月出現輕微相沖，要留心頭部受傷，做運動時打醒十二分精神。
♥	農曆二月	天合地合的月份，面對波折重重，凡事要做好兩手準備。
♥	農曆三月	事業運漸趨穩定，可以把握機會主動表現，但提防壓力變大。
♡	農曆四月	容易受傷的月份，另外，亦要留意身體出現的小毛病。
♥	農曆五月	貴人運順暢，出現新的合作機會，但不宜大手投資，宜謀定而後動。
♥	農曆六月	工作壓力大，此月留心文件合約的細節，以免一不小心惹上官非。
♡	農曆七月	雖然會出現不少助力，但運勢依然動盪，不妨出門旅行，應動中生財。
♡	農曆八月	貴人運與事業運均順遂，財運亦好轉，但仍要謹慎為上。
♡	農曆九月	此月易招惹是非，與人相處要低調一點，出現輕微的升遷運，不妨好好把握。
♡	農曆十月	人際關係變得複雜，與人相處要忍讓，幸好做事順利。
♡	農曆十一月	財運不俗的月份，但亦要提防容易受傷，駕車者要留意道路安全。
♥	農曆十二月	精神緊張，容易失眠的月份，注意作息定時，盡量培養良好的生活習慣。

單身女士的桃花較男士為佳，會遇到不少合眼緣的異性，更可以發展新戀情；至於男士雖然可以在不同場合遇上理想的異性，但由於穩定性不高，只屬鏡花水月，故不宜太早投入感情。無論男女都有機會在辦公室覓得意中人，由同事發展成情侶，不妨多加留意。

已婚男女需要多關心伴侶的健康，對異性亦不可以過分熱情，否則容易惹來三角關係。

【健康方面】

健康運受「寅亥合」影響，除了有不少瑣碎的小毛病外，亦要留心有關膝頭、腰骨等的問題，如有關節舊患者，豬年亦容易有舊病復發之虞，喜歡打波人士，做運動時需打醒十二分精神。另外，與山、水有關的活動如攀山、滑水等亦要盡量避免，否則容易跌倒扭傷。駕車者亦要提防道路安全，一不留神亦會發生意外而受驚嚇受傷。農曆三月、六月、九月及十二月出生者受「土困水」影響，情緒容易焦慮，盡量抽時間做減壓運動，如氣功、太極及瑜伽等，都有助放鬆心情。

40 癸卯日 ◆ 重新起步 事業向上升職在望

【財運方面】

癸卯日出生者經歷了戊戌狗年「天合地合」的變化動盪後，踏入己亥年運勢可謂逐步回穩，如在狗年有舉辦人生喜事，如結婚、添丁或置業等，豬年便可承接餘慶。再者，流年地支「水」對自己運勢有所助旺，貴人運亦不弱，過去所遇上的棘手麻煩事亦有解決之象，一切漸露曙光。

當中以農曆四月及五月出生者的財運最佳，除了有不俗進賬外，亦可以有餘錢儲蓄；而農曆十月及十一月「水」重月份的出生者，由於「水」過旺，容易有暗地漏財的情況，必須謹守開支。至於農曆三月、六月、九月及十二月出生者，則要提防官非訴訟，以免蒙受損失。另外，出生於農曆正月及二月的人是最開心愉快；農曆七月及八月出生者，各方面都屬平穩順遂。

營商者雖然發展順利，但謹記豬年仍不是適合大展拳腳的年份，如有新的合作機遇，亦不能過分心雄擴充生意。日腳「亥卯未」出現會合，如身邊有屬羊的朋友，不妨多構思與他們合作，成功機會大大增加。由於財運仍有不穩之象，所有投資項目不能道聽塗説，必須自己細心分析研究，才能略有收穫。

【事業方面】

整體事業運算平穩向上，尤其是農曆三月、六月、九月及十二月出生的人，本身「土」重，流年有「水」扶助，而且事業星連貫到出生的月份，豬年有不俗的升遷運，若從事紀律部隊如警察、海關及消防等，可以在職場上大展拳腳。

打工一族考試運順暢，不妨主動應考內部升職試，惟並非行大財運之年，豬年加薪幅度會較個人預期差，不宜抱太大期望。計劃轉工的人，未見有太大轉變之運勢，其實留守原有公司，由於人際關係改善了不少，整體工作環境更融洽，亦有不俗的發揮。

【感情方面】

假如在狗年這個「關口年」經歷分手的男女，豬年可視為重新起步之年。單身女士可以認識到年紀較自己細，或年長很多的男士，對方無論背景及外貌都令自己滿意，如不介意年齡差

每月運勢西曆日子請參閱頁372上的對照表

♥吉　♡中吉　♡平　♥凶

月份	運勢
♡ 農曆正月	雖然財運不俗，但容易招惹是非口舌，慎言以免牽涉入無謂紛爭。
♥ 農曆二月	**眼睛容易敏感發炎，需小心日用品的清潔，此月是非口舌亦多，盡量少說話、多做事。**
♡ 農曆三月	**因為壓力太大，要學懂放鬆心情，情緒變差時，不妨相約朋友傾訴心事。**
♥ 農曆四月	財運向好，事業運亦強勁，此月有不俗的升職機會。
♡ 農曆五月	財運與貴人運都不俗，可以把握一下，自我表現。
♡ 農曆六月	**此月出現小波折，屬先難後易，宜多付出耐性解決難題。**
♥ 農曆七月	劫財的月份，財運易一得一失，幸好貴人運不俗，有不少助力。
♥ 農曆八月	**相沖的月份，人際關係倒退，與身邊人爭執變多，相處時要忍讓。**
♥ 農曆九月	感情運有新方向，身邊會出現令你一見傾心的異性，但提防只屬短暫桃花。
♡ 農曆十月	事業運漸趨穩定，但要提防受金屬所傷，駕車者小心道路安全。
♡ 農曆十一月	財運順遂，但要留心感情出現變數，提防第三者介入戀情之中。
♡ 農曆十二月	**事業運暢旺，健康會出現小毛病，尤其要小心眼睛及心臟等問題。**

距，不妨一試。男士的桃花只屬一般，最大機會在年中遇上心儀的異性，但由於對開展新戀情有心生猶疑之感，所以較難再進一步。無論男女都容易在工作場所遇到合眼緣的異性，但都屬緩慢發展的感情，勿過分急進嚇怕對方。

已婚人士在豬年是適合有喜的年份，但由於個人的脾氣較易煩躁，兩人相處時需多付出耐性，不妨相約舊地重遊，重拾拍拖的甜蜜。

【健康方面】

己亥年的健康運不算理想，日腳「癸水見亥水」，代表有輕微的血光之災，亦有破相開刀之象，建議於狗年年尾預先作身體檢查，踏入豬年後可往洗牙或捐血，以應驗輕微的血光之災。熱愛做運動的人士，盡量避免進行高危活動如攀山、滑雪等，以免發生意外而受傷。

為應驗健康破財，不妨預早購買醫療或意外保險，出門旅行亦謹記購買旅遊保險，避免受行程延誤而有所損失。另外，豬年勿亂動家中的五黃（西南方）及二黑（東北方）位，將帶有煞氣的尖刀、石頭等移走，以保平安。

41 甲辰日 ◆ 財星合入 出門有利異地情緣

【財運方面】

約有七成的甲辰日出生者在己亥年算是財星高照，因本身已自坐財星之上，遇上流年天干「己土」是個人的財星，地支「亥水」亦能助旺個人運勢，豬年的貴人運及財運會更平穩順暢。但由於「財星合入」，代表財運亦出現極端情況，約有三成人會有財來財去之象，必須提高警覺，做好理財規劃。

其中於農曆三月、六月、九月及十二月出生者，由於本身「土」過重，財運容易一得一失，雖然有不俗的收入，但無謂支出亦十分多，財運屬過眼雲煙，不能持久。至於其餘月份的出生者運勢不俗，尤其若在農曆正月及二月出生，既能賺錢亦容易有盈餘；而在「火」重的農曆四月及五月出生的人，豬年亦開心輕鬆。農曆七月及八月出生者多屬弱命，水重亦可助旺財運；農曆十月及十一月出生的人，命格較寒冷，豬年工作壓力變大，多出門反而更有利運勢。

如為營商者，流年的地支「亥水」令出生日的「甲木」有漂浮之象，所以從事走動行業更佔優，亦適宜拓展海外市場、賺外地錢。但謹記豬年以正財為主，投資方向不能過分冒進，如過分貪心會見財化水。

【事業方面】

事業運只屬不過不失，己亥年未見有太大的升遷運，但由於流年「財星合入」，所以個人的賺錢能力較以往為佳，尤其對從事以銷售見客為主的行業更為有利。流年「甲木遇亥水」，運勢屬愈動愈有利，打工一族不妨多出門，或主動出差均有助事業運上升。

由於工作壓力較以往大，與同事間的關係亦出現倒退迹象，所以常有難以突破之感，豬年需加倍耐性，不要奢求有快速回報，是先難後易的年份。豬年亦不宜隨便轉換工作，否則容易大失預算，出現「兩頭不到岸」。

【感情方面】

己亥年男士桃花運暢旺，感情可謂多姿多采，容易遇上一些異地情緣，有機會發展成長遠感情。至於單身女士桃花只屬一般，就算遇上

每月運勢西曆日子請參閱頁372上的對照表　♥吉　♡中吉　♡平　♥凶

月份	運勢
♥農曆正月	財運順暢，投資方面如不是太貪心，會有不俗進賬。
♡農曆二月	人際關係倒退，辦公室內盡量少說話、多做事。
♡農曆三月	財運不俗，但對開支一定要好好規劃，以免財來財去。
♥農曆四月	容易受傷的月份，運動時需加倍小心，以免跌倒扭傷。
♡農曆五月	留心人際關係的倒退，與人相處時多點包容可減少爭執。
♡農曆六月	財運穩步上揚，但出現輕微打針食藥運，注意身體健康。
♥農曆七月	貴人運不俗，但工作壓力變大，事業亦順暢。
♡農曆八月	身體容易出現小毛病，會經常有傷風感冒，幸好做事順遂。
♥農曆九月	相沖的月份，容易被牽涉入人事爭拗中，面對波折要加倍耐性應對。
♥農曆十月	適合出外的月份，多出外走動會提升財運，應「動中生財」。
♥農曆十一月	動盪的月份，幸好貴人運順暢，帶動事業運亦持續向上。
♡農曆十二月	財運順遂，注意人際關係變差，勿強出頭惹來是非口舌。

合眼緣的男士，但可能只是「神女有心、襄王無夢」，難以進一步發展。其實豬年頗多出外旅遊機會，所以無論男女，都容易在外地結識到合眼緣的異性，發展異地情緣。

已婚人士如計劃添丁，豬年是一個不錯的年份，但男士容易會遇上爛桃花，面對第三者時不能過分熱情，要好好克制，否則一旦陷入三角關係時，可能因難以自拔而令婚姻觸礁。

【健康方面】

甲辰日出生者健康運只屬一般，由於天干「甲己合」，代表手部、關節及肩膊容易受傷。喜歡運動的人要提防扭傷手腳。豬年亦易受關節毛病如五十肩、網球肘等困擾。當中尤以農曆七月及八月出生者本身「木」弱，再行「土」，更要留心健康上的小毛病。

己亥年容易有因壓力引致的輕微失眠，神經衰弱等問題，多做不傷關節的紓緩運動有助減壓，如緩步跑，太極等。家宅中要多關心男性長輩的健康，抽時間聆聽對方的心事，可以盡早了解他們的不安，避免小病變成大病。

42 乙巳日◆日腳相沖 運勢動盪提防受傷

【財運方面】

乙巳日出生者由於日腳「巳」與流年日腳「亥」相沖，屬「日犯太歲」一種，豬年運勢較為動盪不安，尤其是財運方面，屬於大上大落的年份。雖然流年天干「己土」是財星，賺錢能力較以往為佳，但能否有盈餘儲蓄則要視乎出生的月份。如在農曆正月及二月出生者，本身「木」強再行財運，算是不過不失，既能賺錢亦能守財。但其他月份如農曆四月、五月、七月及八月出生的人，財運容易一得一失。至於在「土」重的農曆三月、六月、九月及十二月出生者，於己亥年再行「土」，財運會更動盪，必須要謹守開支。而出生於「水」旺的農曆十月及十一月的朋友，豬年需多往外走動，方可動中生財。

己亥年宜動不宜靜，多出門或多出差才會對運勢有利，營商者亦適合拓展海外市場，才容易突圍而出。但始終相沖的年份，財運大上大落，所以必須謹慎理財，不宜過分大手投資。

由於乙巳日本身已屬容易受傷的日子，加上受「巳亥沖」影響，豬年提防腳部、關節等容易受傷，除了預先購買醫療保險外，出遊前一定要購買旅遊保險，以策萬全。

【事業方面】

由於流年沖日腳，為應驗「動中生財」之象，乙巳日出生者如能主動出擊，向公司爭取多到外地出差，甚至駐守分公司會有利事業發展。打工一族容易萌生轉工念頭，但變動前要考慮清楚，否則出錯機會高。除了農曆七月及八月出生者有較佳發展外，其餘月份出生者轉工後容易與自己預期有出入，需一轉再轉，影響工作情緒，豬年只宜在原有公司變換工作崗位或職位。

由於與同事的爭執是非相對較多，人際關係變差，與人相處時不能口沒遮攔，平時要少說話、多做事免卻紛爭。

【感情方面】

「沖日腳」等同沖「夫妻宮」，豬年無論情侶或夫婦在大小事情上都容易發生爭吵衝突，甚至有分開危機；為免因情緒不穩而令雙方的爭執變多，相處時必須互相忍讓，討論問題時亦要心

每月運勢西曆日子請參閱頁372上的對照表　　♥吉 ♡中吉 ♡平 ♥凶

♥（凶）農曆正月	容易受傷的月份，喜歡做運動的人要盡量小心，幸好財運不俗。
♡（平）農曆二月	破財的月份，此月不宜作任何投資投機活動。
♥（吉）農曆三月	財運順暢，有輕微的偏財運，投資只要不過分貪心，會有得着。
♡（中吉）農曆四月	此月又容易受傷，出門時亦要打醒十二分精神，以免破財。
♡（平）農曆五月	精神緊張、神經衰弱的月份，睡眠質素亦變差，要學懂釋放壓力。
♥（吉）農曆六月	事業運順暢，但提防人際關係變差，盡量少説話、多做事。
♡（平）農曆七月	做事波折重重，幸好有貴人幫助，屬先難後易的月份。
♥（吉）農曆八月	出現新的合作機會，但當中存在變數，不宜過分大手投資；幸好財運不俗。
♡（平）農曆九月	財運順暢，如有親友要求借貸幫忙，謹記量力而為。
♥（凶）農曆十月	相沖的月份，多出外走動有利運勢，亦要留心有破財之象。
♥（吉）農曆十一月	財運持續向好，有貴人扶助，可以藉機突出自己，爭取表現。
♡（中吉）農曆十二月	財運及事業運不俗，可把握機會令自己更上一層樓。

平氣和，勿口出惡言。

單身男女並不是行很大的桃花運，不要抱太大期望，就算結識了合眼緣的異性，亦不宜過早投入，因為此段情未必可以作長久發展，不如專注工作更實際。由於豬年頗多外遊機會，多留心身邊異性，可能會遇到理想對象發展異地情緣，但要有心理準備，維繫遠距離感情有一定難度，要先了解後才開始也未遲。

【健康方面】

豬年的健康運不算理想，「巳亥沖」代表腳部容易受傷，如本身腳部已有舊患，豬年更要提防行山或上落樓梯時觸及舊患。喜歡跑步、足球運動的人士，更要打醒十二分精神，否則一不留神便會扭傷腳踝、膝頭及腰骨。另外，「沖日腳」年份，亦需多留心安全的問題，駕車者要謹守道路規則，避免因車輛碰撞而受傷。

家宅方面，要多關心身邊伴侶的健康狀況，勿亂動家中的五黃（西南方）及二黑（東北方）位置，踏入豬年後可往洗牙、捐血，或贈醫施藥都能助旺健康運。

43 丙午日 ◆ 下屬運弱 爭取表現升職在望

【財運方面】

丙午日的天干與地支同樣屬「火」，在己亥年有地支「亥水」調和命格，大部分人的運勢都趨向正面，尤其是農曆七月及八月出生的人財運最平穩順暢，進賬不俗之餘亦有剩錢儲蓄。農曆四月及五月的出生者，豬年亦開心愉快；農曆正月及二月的人，財運則不過不失。農曆十月及十一月出生的人，豬年壓力最大，亦最容易惹上官非訴訟。而在農曆三月、六月、九月及十二月「土」重月份出生者，是非口舌頗多，營商者容易受同行攻擊，亦易被下屬拖累而有所損失。

其實無論哪一個月份出生，豬年均宜親力親為，不能假手於人，才能令舊有客戶繼續支持；由於下屬運弱，更要慎防員工流失頻繁，拖累工作進度。豬年有輕微官非運，除了不宜作借貸擔保，駕車者更要嚴守交通規例，否則容易破財；所有往來文件亦要小心核對，必要時請教專業人士，以免一時大意惹上官非訴訟而破財。豬年亦應防一借無回頭。

由於己亥年以正財為主，所有短炒投機可免即免；投資方面亦切忌人云亦云，否則容易白白破財。

【事業方面】

由於地支「亥水」調和了出生日的強「火」，令事業運處於進步階段，尤其對農曆四月及五月的出生者更有利，有明顯的升職機會，做事亦較之前順暢。而農曆三月、六月、九月及十二月出生的人，相對阻滯較多，宜多付出耐性應對。流年有不俗的考試運，不妨主動報考公司升職試，爭取表現機會。

豬年事業出現「傷官星」，令人際關係充滿暗湧，處事宜低調寬容，不可強出頭為別人排難解紛，以免惹禍上身。如任職管理層者，由於下屬運普通，所以一定要親力親為，平時多與下屬溝通，可令工作氣氛更和諧。

【感情方面】

單身女士的桃花運較男士稍強，豬年會遇上合眼緣，但年紀較自己小一點，或大很多的異性，如不介意年齡差距，不妨慢慢培養感情。

每月運勢西曆日子請參閱頁372上的對照表　♥吉　♡中吉　♡平　♥凶

月份	運勢
♥ 農曆正月	貴人運強勁，可以借助貴人力量，令事業再進一步；但此月提防受傷。
♡ 農曆二月	做事順利，但自我要求過高，變成壓力來源，勿胡思亂想。
♥ 農曆三月	財運容易一得一失，運動時要加倍注意安全，小心受傷。
♡ 農曆四月	辦公室出現人事爭拗，宜少說話，多做事，免成眾矢之的。
♥ 農曆五月	財運開始好轉，無論正財偏財都理想，但要留心身體出現的小毛病。
♥ 農曆六月	天合地合的月份，做好心理準備波折重重，凡事做好兩手準備。
♥ 農曆七月	財運與事業運均不俗，但提防工作壓力太大。
♥ 農曆八月	財運與事業運都順暢，此月桃花旺盛，容易認識到心儀異性，不妨留意身邊人。
♡ 農曆九月	吉中藏凶的月份，做事表面風光，但其實有不少波折，需小心應對。
♡ 農曆十月	事業運不俗，但要留心文件合約細節，以免惹上官非。
♡ 農曆十一月	相沖的月份，多往外走動，應動中生財，但要小心道路安全，以免受傷。
♥ 農曆十二月	如有親友提出借貸要求，宜量力而為，以免一借無回頭。

單身男士的桃花只屬一般，雖然會遇上有好感的對象，但由於穩定性低，彼此處於追追逐逐的狀態，似難以再進一步，勿抱太大期望。

已拍拖的男女，相處時容易為小事爭執，己亥年適合聚少離多的相處模式，減少見面對感情反而有利。已婚男女容易為家中的小朋友管教問題不斷爭執，不妨易地而處，便容易互相理解包容。

【健康方面】

丙午日出生者的健康運屬平穩，沒有太大問題，當中以農曆三月、六月、九月及十二月出生者，由於「土」重，「火土相生」下，需注意心臟病、高血壓及膽固醇等都市病，謹記作息定時及避免暴飲暴食。至於農曆十月及十一月出生的人，較容易精神緊張、壓力太大，令失眠情況加劇，不妨多接觸大自然，或報讀一些興趣課程如烹飪、攝影及園藝等，都有助培養個人嗜好，減輕生活壓力。其實踏入己亥年，個人鬥志及決心都較以往為佳，無論做運動及體重管理都較容易開始，亦能有恒心繼續保持，令健康運持續向上。

44 丁未日 ◆ 進步之年 肖兔貴人有助運勢

【財運方面】

丁未日出生者的豬年財運算是順遂向好，因大部分人命格「火土」重，流年有「水」平衡命格，運勢會較稱心如意。尤其是農曆正月、二月、四月及五月的出生者更加理想，做事順利，亦較以往輕鬆。農曆七月及八月出生的人，財運亦屬穩步向上；農曆十月及十一月出生者壓力比較大，工作上更要留心文件合約的細節，否則容易惹上官非訴訟。

而在「土」重的月份出生者，即農曆三月、六月、九月及十二月，由於「土」過旺，需留心身邊的是非口舌，謹記言多必失。己亥年地支出現暗合，「亥卯未」能會合成局，不妨多找屬兔的朋友合作，創造新的機遇。

做生意者在豬年對於文件合約需加倍小心處理，亦要提防被客戶賴賬，借貸擔保絕不適宜。流年「食神」重，應酬特別多，加上人緣運與親和力提升，營商者如能親自出馬與客戶洽談業務，成功機會大大增加。但因下屬運欠佳，容易有惡奴欺主情況，提防因員工不受控制而拖累業績。投資方面，豬年不能單靠消息而獲利，所有投資項目均要經過自己細心分析後，才能有回報。

【事業方面】

受惠於「食神」星，如從事銷售見客、公關或「以口得財」的工作，在豬年可謂如魚得水。而地支「亥水」是事業星，大部分人都能有不俗的升遷機會，但加薪幅度則未必如理想，雖然農曆十月及十一月的出生者工作壓力最大，但其事業運亦是最佳，有不俗的進步空間。

如身為領導層，雖然可以物色到得力助手，但慎防對方脾氣固執，不肯服從命令。計劃轉工的人機會不多，可能要靜心等待到年底才有機會跳槽，其實做生不如做熟，不宜對新機構抱有過高期望；流年有不俗的學習進修運，可選擇報讀與工作有關的課程，為自己打好基礎。

【感情方面】

單身女士的桃花運較男士稍強，尤其是農曆十月及十一月出生的女士，會在不同場合遇上合眼緣的異性，但要循序漸進，勿過分心急嚇怕對

每月運勢西曆日子請參閱頁372上的對照表　　♥吉　♡中吉　♡平　♥凶

月份	運勢	內容
農曆正月	♡中吉	有破財迹象，投資方面要以保守為大前提，千萬不要過分冒進。
農曆二月	♥吉	人際關係出現突破，貴人的助力上升，但提防做事一波三折。
農曆三月	♥凶	**此月易惹來是非口舌，盡量少說話、多做事，免招人話柄。**
農曆四月	♥吉	學習運強勁，不妨報讀與工作有關的課程，為未來鋪路，小心下屬運變差。
農曆五月	♡平	**財運順暢，但留心工作出現波折變化，是一個吉中藏凶的月份。**
農曆六月	♡中吉	雖然對工作仍然有辛苦勞累的感覺，幸好財運開始好轉。
農曆七月	♡平	**財運與事業都開始逐步回穩，但提防壓力大而令睡眠質素變差。**
農曆八月	♥吉	眼睛容易敏感發炎，亦有視力衰退問題，要注意身體出現的小毛病。
農曆九月	♡平	**情緒低落的月份，貴人運不俗，如果遇上疑難，不妨向前輩請教。**
農曆十月	♥吉	運勢持續向上，此月無論財運與事業都順暢。
農曆十一月	♥凶	**小人當道的月份，提防因口不擇言而惹來攻擊，此月亦有破財機會，要留心開支。**
農曆十二月	♡中吉	家宅出現變化，不妨為家中作少量裝修，另外，亦要避免與家人因意見分歧而爭吵不休。

方。男士的桃花暗淡，由於過分專注工作，沒有太大的拍拖意欲。

豬年是一個吃喝玩樂、應酬頻繁的年份，無論男女都容易認識更多新朋友。但要由朋友發展為情侶，可能需要身邊朋友推波助瀾一下。

已婚人士可能要為家中的小朋友傷腦筋一點，尤其是步入青春期的孩子，如覺得難以溝通，不妨借助第三者，緩和雙方氣氛。

【健康方面】

整體健康運雖然不俗，但不同季節出生者始終有分別，如農曆十月及十一月出生的人，會出現精神緊張，焦慮煩躁等問題，不妨多出門旅行，除了可以紓緩壓力外，亦可以借地運改善健康運。

豬年應酬特別多，容易大吃大喝，留心體重會暴升外，亦要提防一些都市疾病如高血壓及膽固醇等；多抽時間做運動，除了增加免疫力外，亦可借機會減磅。

留心家中子女的健康運變弱，要多關心孩子的情緒及健康問題，提供適當輔導。

45 戊申日◆不過不失 人際關係易受考驗

【財運方面】

因出生日地支與流年地支「申亥」出現「害太歲」，代表人際關係較多麻煩事，做生意者更要提防與拍檔及舊客戶鬧翻而影響業績。

在己亥行「水」運的年份，戊申日出生者賺錢能力會較以往為佳，但能否有盈餘則視乎出生月份。如在農曆四月及五月出生者，有「水」調和命格，財運最樂觀；農曆十月及十一月出生的人，支出會無緣無故變多，難以守財。至於農曆三月、六月、九月及十二月出生者，命格中的「土」過重，有財來財去之象，雖然可以賺到可觀的進賬，但亦會莫名其妙的破財。

流年天干有劫財之象，營商者如能親自洽談業務，守住原有業績並不困難，但若要開拓新的商機，必須留心人際關係的變數。「害太歲」的年份，提防與同業間的競爭加劇，偶一不慎便會遭對方暗箭所傷。另外，亦要留心與生意拍檔因經營理念不同而分道揚鑣，或是員工頻繁變動而令業務出現波折。謹記豬年的財運與人際關係息息相關，處事宜圓融低調一點，而且本年以正財為主，偏財運並不理想，所有短炒投機絕對不宜，否則亦容易破財。

【事業方面】

事業運只能以不過不失來形容，在「害太歲」的年份，人際關係會處於倒退狀況，由於工作上的競爭大，偶一不慎更會遭人暗箭所傷，令自己陷入艱難的局面。豬年做事宜低調寬容，與自己無關的事勿多言。

流年並無太大的升遷運，雖然薪酬有不俗的加幅，要做好心理準備勿強求有晉升機會。計劃轉工的人，由於己亥年適合作出變動，如能離鄉別井更有利事業運，所以假如有新公司邀約，而工作性質需要駐守外地或多出國機會的，不妨一試；就算留守原有公司亦要主動要求多往外地出差，應動中生財之象。

【感情方面】

戊申日出生的男士容易與伴侶出現問題，己亥年的感情運並不穩固，拍拖中的男士感情關係容易生變，就算再發展新戀情亦只屬短暫情緣，

每月運勢西曆日子請參閱頁372上的對照表　　♥吉　♡中吉　♡平　♥凶

♡	農曆正月	出現輕微相沖，注意人際關係變差，慎言可免受人攻擊。
♥	農曆二月	要留心合約文件的細節，以免出錯而破財，此月貴人運順暢。
♥	農曆三月	此月有破財之象，任何投資投機都要萬分謹慎。
♡	農曆四月	波折重重的月份，如遇上困難會有人幫忙，屬先難後易。
♡	農曆五月	貴人運強，雖然做事較多阻滯，幸好之前的難題有解決迹象。
♡	農曆六月	學習運暢旺，可以把握一下報讀有助工作的課程，但要提防是非口舌。
♡	農曆七月	財運不俗，但要留意身體出現不少小毛病，謹記作息定時。
♥	農曆八月	困難重重的月份，如感覺情緒焦慮，不妨出門旅行散心，將麻煩事拋諸腦後。
♡	農曆九月	領導才能發揮得淋漓盡致，事業處於進步的月份。
♥	農曆十月	財運上升，事業運亦向好，雖然投資運不俗，但亦不能過分冒進。
♡	農曆十一月	有輕微劫財之象，此月出現新合作機會，但不能輕舉妄動，以免作出錯誤決定。
♥	農曆十二月	貴人運順暢，不妨把握一下，會有不俗的發揮機會。

未必可以長久。至於單身女士的感情亦未有太大進展，雖然會遇上合眼緣的異性，但對方可能已有穩定伴侶。即使對方仍然單身，但亦要提防感情未穩之際而遭人橫刀奪愛，建議拍拖初期千萬不宜高調，否則容易發生三角關係，徒添煩惱。

已婚男女感情尚算穩定，但提防過分專注工作而冷落身邊人，不妨多安排假期往外地散心，重拾拍拖時的甜蜜，感情便能維持得更好。

【健康方面】

豬年健康運較以往平穩，並無太大問題，但由於日腳「害太歲」，仍會受一些瑣碎小病如牙痛、皮膚敏感及久咳不癒等困擾。受人際關係變差影響，心情亦會變得煩躁不安，除了多抽時間做運動、培養健康的生活習慣；與人相處時勿要求過高，寬容一點才會減少衝突，謹記有好心情才會有好健康。如在農曆十月及十一月出生者，命格「土」不足，需留心腸胃的小毛病，平時多用啡色及黃色物品有助改善健康運。

家宅方面，要留心兄弟姊妹的問題，為家中作輕微裝修或換傢俬都有助提升家宅運。

46 己酉日◆劫財重重 審慎理財自我增值

【財運方面】

己酉日出生者流年遇上與天干相同的「己土」，引起劫財之象，但流年地支「亥水」卻又屬個人財星，因此豬年財運可謂一得一失。營商者的業績雖較狗年為佳，但亦多了不少開支，令財運不穩。當中最易破財的是農曆十月及十一月出生者，賺錢能力不俗，卻難有餘錢儲蓄。農曆三月、六月、九月及十二月「土」重月份的出生者更容易財來財去，豬年盡量不要留太多現金在手，否則會無緣無故花掉；建議選擇中長線的投資如基金或藍籌股，另外，購買實物如黃金或置業等，都有利聚財。

因豬年劫財情況嚴重，不論哪一個月份出生的營商者必須做好成本控制，減省無謂支出，否則在資金流轉方面會出現問題，對客戶的還款期亦要抓緊一點。豬年不宜作任何借貸擔保行為，如有兄弟姊妹或親戚朋友要求金錢幫忙，謹記量力而為。

天干「己土」代表豬年是動輒受傷的年份，尤以手腳容易跌倒扭傷；駕車者亦要提防車輛碰撞而要破財維修，建議預先購買保險以策萬全。過年後多作贈醫施藥、購買保健產品，都能預早應健康破財之象。

【事業方面】

雖然有不俗的貴人運，但事業運只屬不過不失，出生日與流年天干同樣是「己土」，令個人工作表現有患得患失之感，雖然有輕微的升職機會，但過程波折重重，屬辛苦經營的年份。除非是從事銷售見客等「以口得財」行業略為有利，如擔任行政工作者就會遇上不少困難。

其實豬年的人際關係較之前進步，與同事、上司及下屬相處都融洽愉快，只要不對升職抱有過大期望，整體工作算是順暢。由於事業並非處於大進步的年份，豬年不宜作出太大的變動，反而學習運順暢，不妨報讀與工作有關的課程自我增值，有利強化事業運。

【感情方面】

單身男士的桃花運不俗，可以結識到理想對象開展感情，但當中容易出現變數，提防對方身邊有太多追求者，為免錯失良緣，不妨主動一點

每月運勢西曆日子請參閱頁372上的對照表　♥吉　♡中吉　♡平　♥凶

月份	運勢	內容
農曆正月	吉	事業運順暢，但提防做事多阻礙，令個人壓力變大。
農曆二月	平	人際關係倒退，避免因背後議論他人而惹來是非口舌，與自己無關的事勿多言。
農曆三月	凶	腸胃容易不適，要注意飲食衛生，慎防病從口入。
農曆四月	平	容易受傷的月份，運動時要注意安全，勿一時忘形扭傷手腳。
農曆五月	吉	事業與貴人運好轉，可以把握機會大展拳腳。
農曆六月	吉	事業不俗，桃花運暢旺，多留心身邊是否有合適對象。
農曆七月	中吉	財運不俗，留意容易與人出現爭拗，惹上是非口舌。
農曆八月	平	此月容易受金屬所傷，駕車者要留心道路安全，以免因車輛碰撞而受傷。
農曆九月	凶	天合地合的月份，特別多麻煩事，宜做好兩手準備。
農曆十月	中吉	動中生財月份，爭取機會出外公幹或旅遊，事業運整體向上。
農曆十一月	平	出現輕微桃花破財，與異性相處時，少牽涉金錢，以免惹上麻煩。
農曆十二月	吉	貴人運不俗，出現新的合作機會，不妨把握一下。

展開追求，或借助朋友在旁推波助瀾一下。單身女士感情可謂原地踏步，遇上的大部分是短暫桃花，如心急拍拖的話，可以拜託朋友介紹，但就算結識到理想異性，亦要有心理準備發展緩慢，宜由朋友開始慢慢了解後再進一步。

已婚男女穩定性較高，但要留心為家中的錢銀開支而產生爭執，不妨訂定詳細開支計劃，多作溝通，避免為金錢而日夜吵鬧。

【健康方面】

受「曲腳煞」影響，豬年必須留心手腳關節容易受傷，愛做運動者要特別小心，除了避免做高危活動如攀山、滑雪等；即使進行足球、踩單車等運動時，亦要打醒十二分精神，以防跌倒扭傷。尤以農曆四月及十月出生者更易有受傷之象，留意家中的病位，勿放置帶煞氣的物品。

而農曆三月、六月、九月及十二月「土」重的月份出生的人，腸胃較疲弱，生冷食物如沙律、刺身等少吃為妙；往外地旅遊時，慎防水土不服；不妨多用綠色或間條花紋的飾物，有助疏導命格的「土」，可增強健康運。

47 庚戌日◆貴人運強 財運事業皆有助力

【財運方面】

庚戌日出生者在己亥年的財運只屬中規中矩，但流年的貴人運強勁，尤其是女性長輩更對自己有利，無論在職場或投資方向，對方都可以提供有利消息。如從事與女性有關的行業，如化妝品、服裝、護膚或纖體等範疇，更大有可為。

由於己亥年並非行大財運之年，營商者必須親力親為，主動與客戶聯絡接觸。豬年有貴人照應，有利開拓新客源，但要做好心理準備，有即時回報，宜多付出耐性等待。流年「己土」通根至出生日的「戌土」，令個人情緒容易低落；豬年做事不妨高調一點，多主動出擊爭取客戶支持，有利財運發展。

如在農曆三月、六月、九月及十二月出生者，由於本身「土」重，流年天干及出生日地支都屬「土」，幾重「土」重疊下，便形成「厚土埋金」之象，更有難以突圍的感覺，不妨多用米色、白色用品，或佩戴金器都有助增強運勢。農曆正月、二月、七月及八月的出生者由於有「水」調和命格，所以財運較順暢；農曆四月及五月出生的人，心情最開心輕鬆。至於出生在農曆十月及十一月的人就要提防是非口舌，慎防人緣倒退。

【事業方面】

己亥年的事業運優劣要視乎不同的行業，由於女性貴人運暢旺，如果直屬上司是女性，可以獲得提拔照顧，發展理想。如從事的業務以女性顧客為主，業績亦有持續向上之勢。流年有「印星」相助，對寫作、廣告或編劇等以創作為主的人有利，由於靈感源源不絕，屬發揮不俗的年份。豬年未見有太大的升遷運，所以只能微升一級半級，而且加薪幅度未必理想。

有意轉工者，由於沒有明顯的跳槽機會，不如留守舊公司，打好基礎。庚戌日出生者受「土」太重影響，工作時必須主動高調一點表現自己，才能作出突破，否則容易被上司忽略。

【感情方面】

己亥年感情運並無太大突破，單身男女有機會透過女性長輩介紹而結識到條件不俗的異性，但由於進展緩慢，雙方並非可以一拍即合；可

每月運勢西曆日子請參閱頁372上的對照表　　♥吉　♡中吉　♡平　♥凶

月份	運勢	內容
農曆正月	♥（吉）	財運不俗，事業運亦處於上升趨勢。
農曆二月	♡（平）	做事一波三折，宜訂定應變的後備計劃，更要加倍耐性應付難題。
農曆三月	♥（凶）	留心人際關係倒退，與同事相處時忍讓一點，可減少麻煩。
農曆四月	♡（中吉）	貴人運順暢，做事較之前得心應手，但提防壓力變大。
農曆五月	♥（吉）	事業運強勁，出現輕微升遷運，但財運有一得一失之象。
農曆六月	♡（平）	雖有貴人幫忙，但情緒容易低落，失眠情況持續，可約會朋友傾訴，解開心結。
農曆七月	♥（吉）	運勢開始好轉，無論財運及事業運都持續向上。
農曆八月	♡（平）	出現新的合作計劃，如不清楚投資項目詳情，不宜輕舉妄動。
農曆九月	♥（凶）	健康運受到衝擊，是一個容易受傷的月份，亦要提防與身邊人多爭執。
農曆十月	♡（中吉）	此月運勢順暢，更有機會大展拳腳，但提防因精神緊張而令失眠加劇。
農曆十一月	♥（吉）	學習運強勁，不妨報讀與工作有關的課程，為未來增值。
農曆十二月	♡（平）	家宅方面會受噪音及漏水情況影響心情，不妨放假出外散心紓緩壓力。

能要由普通朋友開始，慢慢觀察及了解後，才可以有進一步發展，宜多付出耐性。其中以男士的桃花較佳，結識到心儀女士的機會亦較大。

拍拖中的男女要留意對方的長輩是一些意見多多之人，為免拍拖初期受別人影響，所以不宜過早見雙方家長，待彼此感情穩固後再見面也不遲。已婚男女會為伴侶的女性長輩問題而產生爭執，盡量少與對方接觸可避免惹上麻煩。

【健康方面】

豬年出現的健康問題多與精神及情緒有關，容易疑神疑鬼，只要出現一點問題，便會終日焦慮，最終只是虛驚一場。尤其是農曆三月、六月、九月及十二月的出生者，更容易胡思亂想，為免因精神緊張而令失眠惡化，不妨多約會朋友行山，平衡身心之餘又可與朋友增進感情。

「厚土埋金」的年份，代表喉嚨、氣管、呼吸系統的問題增多，提防受鼻敏感、喉嚨發炎及咳嗽等毛病困擾，多用米色、白色物品，或佩戴金器來強化健康運。家宅方面，多關心女性長輩的身心狀況，盡量抽時間陪她們聊天解悶。

48 辛亥日 ◆ 日腳刑剋 運勢受阻慎防受傷

【財運方面】

踏入己亥年，由於辛亥日出生者的日腳出現刑剋，「亥亥刑」代表容易受傷，豬年身體會出現不少瑣碎的小毛病，花在醫療方面的費用不菲；建議在狗年年底，預先進行詳細的身體檢查，避免因胡思亂想而加重壓力。另外，不妨購買保健產品或購買醫療保險，可以主動應驗健康破財之象。

其實豬年的貴人運不俗，營商者可以從貴人身上獲得不少支援助力，有助保持過往的業績。但「日犯太歲」之年必須做好心理準備，運勢會一波三折；尤其人際關係最為波動，個人情緒亦變得低落敏感。再者，因下屬運不穩，營商者更要謹守開支，凡事親力親為，作好應變計劃。

若為農曆四月及五月出生，整體運勢算是最平穩順暢，心情亦較輕鬆；農曆十月及十一月出生的人，本身「水」已過旺，流年「金水相生」，要多提防是非口舌困擾。農曆正月、二月、七月及八月出生者，財運不過不失；財運最弱的可算是農曆三月、六月、九月及十二月的出生者，由於命格已屬「土」重，再行「水」運，洩弱了運勢，令自己有腹背受敵之感，財運未許樂觀。

【事業方面】

「金水相生」的年份，事業運只能以不過不失來形容，流年「水」過旺，打工一族必須要注意是非口舌，豬年個人脾氣容易暴躁不安，與同事關係變得對立，盡量少説話、多做事，謹記圓融的人際關係與事業運息息相關；多點溝通會令工作更順利。由於女性貴人運不俗，如直屬上司是女性的話，薪酬總算有輕微升幅，但要有心理準備升遷機會不大。

如任職管理層，提防下屬運出現暗湧，得力助手可能會突然離職，令自己措手不及；平時多關心他們感受，盡量疏導不滿情緒，令工作氣氛更和諧。

【感情方面】

單身男士桃花運不俗，容易遇上一見傾心的異性，尤其留意年中出現的女士，如對對方有好感的話，不妨嘗試開展感情。至於單身女士的桃

每月運勢西曆日子請參閱頁372上的對照表

♥吉　♡中吉　♡平　♥凶

月份	運勢	內容
農曆正月	♡ 中吉	出現新的合作機會，但不宜大手投資，以免損手離場。
農曆二月	♥ 吉	事業運與財運順暢，可以進取一點表現自己。
農曆三月	♡ 平	心情鬱悶的月份，覺得難以突圍而出，可以借助身邊的人脈關係改善情況。
農曆四月	♥ 凶	辦公室出現人事爭拗，為免關係惡化，要少說話、多做事，此月多留心身體的小毛病。
農曆五月	♡ 平	事業運不俗，但提防工作壓力變大。
農曆六月	♥ 吉	財運依然未有太大起色，避免投機活動。
農曆七月	♡ 中吉	事業運向好，此月有輕微打針食藥運，要留心身體健康。
農曆八月	♡ 平	容易為下屬及家中小朋友的問題煩惱，尤其要留心員工的工作表現。
農曆九月	♥ 吉	貴人運不俗，如進行投資，如果不是太貪心，會有得着。
農曆十月	♡ 中吉	手部易受傷的月份，幸好財運順暢。
農曆十一月	♥ 凶	喉嚨氣管、呼吸系統毛病特別多，此月亦要留心文件合約，以防惹上官非。
農曆十二月	♡ 平	貴人運不俗，事業運亦開始穩步上揚。

花略為暗淡，要經長輩介紹才有機會遇到心儀的異性，但可能只是水月鏡花，不宜過早投入，先觀察了解後才發展也不遲。

已有伴侶的男女，與另一半關係易生變數，相處時容易為小事爭拗不斷，謹記二人相處要多點理解包容，才能維繫感情。已婚男女多留心家中小朋友的問題，必須多關心他們的訴求，盡早疏導不滿情緒。

【健康方面】

豬年的健康運受「亥亥刑」影響，全屬一些瑣碎的小毛病，由於工作壓力增加，所以身體較多莫名其妙的疼痛，經常受偏頭痛、皮膚敏感、牙痛及手腳的舊患影響心情，因為較多小毛病，亦令個人心情煩躁，建議在狗年年尾作一個詳細的健康檢查，以求安心。

「亥亥刑」亦代表容易受傷的年份，尤其注意農曆四月及十月，喜歡足球或跑步的人要打醒十二分精神，小心關節、手腳受傷或舊患復發等問題；同時亦要避免攀山，爬石及潛水等高危活動，以免一不留神而受傷。

49 壬子日 ◆ 財運動盪 注意壓力宜多外遊

【財運方面】

壬子日的天干與地支同屬「水」，來到己亥年，流年地支也是「水」，幾重「水」重疊下，必須做好心理準備，豬年財運大受衝擊，容易大上大落。尤其是農曆十月及十一月的出生者，除了容易財來財去，心情亦較以往為差，建議不妨多用紅色及橙色等鮮豔顏色，有助改善運勢。

如出生在農曆正月及二月的人，要慎防身邊是非口舌增多；農曆四月及五月出生者，財運反而較順暢，容易有剩錢儲蓄。農曆七月及八月出生的人，常有悲觀負面情緒，容易胡思亂想；若在農曆三月、六月、九月及十二月出生，流年天干「己土」通根至出生的月份，財運亦未見樂觀，幸好事業運較強，但仍須提防工作壓力過大。

其實壬子日出生者在豬年的賺錢能力不俗，加上個人的鬥志亦旺盛，頗多獲利機會。但由於難以儲蓄守財，所以一定要做好成本開支管理。此外，因偏財運不佳，絕對不宜作高風險的短炒買賣，否則破財機會十分高。己亥年有破相開刀的風險，建議過年後往捐血洗牙，應驗輕微的血光之災；亦可以選擇慈善團體贈醫施藥，藉此提升健康運。

【事業方面】

打工一族的事業運明顯進步，尤以在農曆三月、六月、九月及十二月出生者，天干的「己土」與出生日的「土」連成一氣，加上有地支的「水」調和，所以儘管財運不穩，但事業運順暢，升職機會不俗，但薪酬未必加得滿意。

流年「水」過旺，適合多往外走動，不妨主動出差或到外地旅遊，都有利改善運勢。有意轉工的人，不妨留意農曆四月及五月出現的機會，條件較優，其實豬年工作壓力十分大，情緒變得急進，建議不妨放慢步伐，做任何決定前先考慮清楚，避免做錯決定。

【感情方面】

單身女士的桃花運尚算不俗，尤以農曆三月、六月、九月及十二月出生的女士，豬年較易遇到背景及樣貌都令自己滿意的異性，大可抓緊機會慢慢發展。至於其他月份的出生者，雖然

每月運勢西曆日子請參閱頁372上的對照表

♥吉 ♡中吉 ♡平 ♥凶

月份	運勢
♥ 農曆正月	財運雖然不俗，但出現輕微相沖，要留心頭部容易受傷。
♡ 農曆二月	精神緊張、神經衰弱的月份，提防失眠變得嚴重，亦要小心感情出現波折。
♡ 農曆三月	事業運暢旺，但壓力又變得很大，要學習如何放鬆，避免將自己逼入死角位。
♥ 農曆四月	要留心往來的文件合約內容，以免一時不慎惹上官非訴訟。
♡ 農曆五月	財運順暢，但工作難免奔波頻撲，屬辛苦得財的月份。
♥ 農曆六月	做事順暢，財運平穩向上；有貴人相助，心情亦可放鬆一點。
♡ 農曆七月	劫財的月份，由於頗多阻滯，做事千萬不可輕舉妄動。
♡ 農曆八月	財運受困，不能胡亂使錢，以免入不敷支，此月亦不宜作任何借貸擔保之舉。
♥ 農曆九月	貴人運暢旺，財運亦不俗，但如口不擇言，便容易惹來是非口舌。
♡ 農曆十月	運勢動盪的月份，情緒容易低落，可以出門散心，應動中生財。
♡ 農曆十一月	財運與事業運向好，駕車者要留心道路安全，提防受金屬所傷。
♥ 農曆十二月	天合地合的月份，出現較多麻煩阻滯，此月不宜作重大決定。

也會遇到合眼緣的對象，但可能對方已有固定伴侶，未必可以有機會發展。男士感情運普通，由於過分專注事業，對拍拖興趣不大，寧願花心力在工作上，更無意開展一段新戀情。

已婚男女在豬年情緒較為急躁易怒，與另一半相處時容易因一時之氣而爭拗不斷，相處時不宜過分固執己見，冷靜一點聆聽對方的訴求，多點溝通才可以化解分歧。

【健康方面】

農曆十月及十一月的出生者由於「火」不足夠，必須注意心臟及血壓等問題。豬年是容易受傷破相的年份，絕對不宜進行高危活動如攀岩、滑雪及笨豬跳等，駕車者亦要打醒十二分精神，小心道路安全，提防受金屬所傷。建議過年後可往捐血、洗牙，主動應驗血光之災。

為提升健康運，下半年出生的人不妨多用鮮色，如紅色及橙色等物品都有助改善運勢。另外，要留意家中的五黃（西南方）及二黑（東北方）位置，除了將帶煞氣的物品移走外，亦避免放置紅色物品，以免催旺病位。

50 癸丑日 ◆ 暗地漏財 紀律部隊工作運佳

【財運方面】

因流年有暗地漏財之象，癸丑日出生者在豬年的財運只屬中規中矩。尤其是農曆十月及十一月的出生者，破財機會最高，必須要管理好開支，以免財來財去。至於出生於農曆三月、六月、九月及十二月的人，則容易惹上官非訴訟，所有往來文件要小心核對清楚，必要時請教專業人士，以免因一時大意而損失不菲。冬天出生的癸丑人士可以多用鮮色的物品，並多到炎熱的地方旅遊，有助強化財運。

若為農曆四月及五月出生的人，財運較為順暢；生於農曆正月及二月的人，如從事「以口得財」的行業更有不俗回報。至於農曆七月、八月出生者，財運不過不失而已。

整體而言，營商者在豬年的經營壓力頗大，屬辛苦得財的年份。而且要小心開支，尤其不能作借貸擔保，以防一借無回頭。投資方面，由於偏財運疲弱，不宜作短炒投機，而且所有項目一定要經過自己的細心分析，才容易有機會賺錢，只靠小道消息反而會有損失機會。另外，日腳「癸水見亥水」，代表有受傷之虞，不妨多做贈醫施藥，主動應驗健康破財之象。

【事業方面】

流年天干「己土」是個人的事業星，而且通根至出生日的「丑土」，令事業運更順暢，若從事紀律部隊如警察、海關及消防等，更可以在職場上大展拳腳，有明顯的升遷運。但由於財運不佳，所以加薪幅度未如理想。在農曆三月、六月、九月及十二月出生的人，更要提防受「土困水」影響，工作壓力變大，引發失眠加劇，豬年須學懂放鬆精神，多出門旅行有助強化事業運。

有意轉工的人要考慮清楚，勿亂作決定，否則轉到新公司後，因要接觸新的工作範疇，令自己更情緒焦慮。如遇上疑難事，不妨向長輩請教意見，調節好個人心態，以免鑽入牛角尖。

【感情方面】

單身女士的感情運尚算不俗，有機會認識到無論背景及性格都令自己滿意的異性，但由於對方的態度未明，要開展感情並非易事，需要靠朋

每月運勢西曆日子請參閱頁372上的對照表

♥吉 ♡中吉 ♡平 ♥凶

運勢	月份	運程
♥	農曆正月	財運不俗，事業運亦順暢，工作上有進步空間，不妨把握一下。
♡	農曆二月	健康運變差，留意眼睛容易敏感，亦要提防是非口舌增多。
♡	農曆三月	精神緊張、神經衰弱的月份，經常受失眠困擾，多做減壓運動。
♥	農曆四月	事業運不俗，但工作壓力大，如遇上疑難，要主動向前輩請教。
♥	農曆五月	財運好轉，可作小額投資，但亦要謹慎為上。
♡	農曆六月	是非口舌多多的月份，謹記少說話、多做事，勿因一時失言而惹來麻煩。
♡	農曆七月	事業運漸趨穩定，有貴人幫忙，但容易財來財去，要做好開支規劃。
♥	農曆八月	情緒低落的月份，勿輕易作出重大決定，否則容易出錯。
♡	農曆九月	健康運變差，容易受傷的月份，幸好財運不俗。
♥	農曆十月	事業運順暢，但工作壓力變大，不妨多做一些紓緩壓力的運動，如太極及瑜伽等。
♡	農曆十一月	此月容易財來財去，要留心用錢方向。
♡	農曆十二月	眼睛出現小毛病，要留心受感染的源頭，如發覺心情變差，不妨找朋友傾訴。

友在旁推波助瀾，才有機會更進一步。單身男士由於將心力過分投放在事業上，更難遇上意中人，感情可謂難以突破。

拍拖中的男女容易因小事而心生嫌隙；建議聚少離多更易維繫二人感情。另外，要盡量避免與對方家長及朋友見面，低調交往可以減少節外生枝的機會。已婚男女亦容易與伴侶因各持己見而發生爭執，多包容、溝通便無大問題。

【健康方面】

豬年健康運不穩，要提防因壓力引致的失眠問題，尤其是農曆三月、六月、九月及十二月出生的人，精神壓力過大，容易令情緒焦慮不安，平時作息要定時，多做紓壓活動，如太極、瑜伽及冥想等；如感到壓力太大時，不妨安排一個假期出外旅行散心。

日腳「癸水見亥水」，駕車者要小心道路安全；亦要提防手腳及關節容易受損扭傷，高危運動可免即免。建議過年後往洗牙捐血、多作贈醫施藥都能助旺健康運。家宅方面，可為家居作少量裝修及更換傢俬，都有利提升家宅運。

51 甲寅日 ◆ 天合地合 籌辦喜事化解衝擊

【財運方面】

對於甲寅日出生者來說，己亥年可謂是一個特別的年份，由於流年的天干地支與出生日的日柱相合，這是六十年才會出現一次的「天合地合」之年，因此要做足心理準備，豬年財運、事業與感情等都頗為動盪，凡事應作好兩手準備。在「天合地合」之年，最適宜籌辦喜事以作沖喜，例如花錢在結婚、添丁或置業等，應驗破歡喜財。

營商者雖有機會拓展業務，但奈何運勢反覆之年，很容易下錯決定，一切要以保守穩健為大前提，只能以「小試牛刀」方式投資。豬年要小心被人拖欠借款，對客戶的往來文件要反覆審核，以免一時不慎惹上官非訴訟。投資方面，投機短炒的虧蝕機會較高，反而選擇置業等實物保值較佳，而且可以有沖喜作用，一舉兩得。由於健康運受到衝擊，踏入豬年多做贈醫施藥或購買醫療保險亦可主動應驗健康破財。

不同月份出生的人受到的衝擊亦各異，當中以農曆三月、六月、九月及十二月出生者最容易財來財去；而農曆十月、十一月出生的人，則要提防情緒較容易焦慮不安。其餘月份出生者的財運未許樂觀，只能算是不過不失。

【事業方面】

身處運勢動盪之年，甲寅日出生者容易萌生轉工的念頭，但轉工前要考慮清楚；提防新公司突然取消聘約，如真的想轉換環境，亦要簽約作實後才辭職為佳，以免「兩頭唔到岸」。

假如留守舊公司，亦會面對公司出現架構重組或直屬上司離職等變化，令自己情緒低落。其實天合地合之年，對被動的變化只要抱平常心，做好準備便無大礙，但絕對不宜主動求變，以免做錯決定。己亥年提防因個人情緒不穩而與同事的爭拗變多，謹記圓融的人際關係會令事業較順暢。

【感情方面】

對拍拖的男女來說，己亥年屬關口年，關係適合作進一步突破，如已到談婚論嫁階段，不妨考慮辦喜事化解變動。但如未到結婚時機，便要有心理準備會「不結即分」。就算已決

每月運勢西曆日子請參閱頁372上的對照表 ♥吉 ♡中吉 ♡平 ♥凶

♡ 農曆正月	有暗地破財之象，開支加倍謹慎之餘，亦不宜作任何投資活動。
♡ 農曆二月	小心人際關係倒退，平時少説話、多做事，避免惹來是非。
♥ 農曆三月	事業運順暢，桃花運亦不俗，多留意身邊人是否有機會發展感情。
♡ 農曆四月	感覺困難重重的月份，要以平常心面對節外生枝的情況。
♥ 農曆五月	人事爭拗多多的月份，為免惹上是非口舌，與自己無關的事勿強出頭。
♥ 農曆六月	事業運與貴人運不俗，心情較之前輕鬆愉快。
♥ 農曆七月	小心健康出現問題，駕車及做運動都要打醒十二分精神，以免受傷。
♡ 農曆八月	事業運明顯向上，提防壓力過大，多做紓壓運動如太極、瑜伽等。
♡ 農曆九月	有輕微打針食藥運，要注意健康，亦要提防破財，不要作借貸擔保。
♡ 農曆十月	運勢開始上升，雖然出現小波折，只要親力親為，以往的麻煩事可迎刃而解。
♥ 農曆十一月	此月運勢平穩向上，亦有貴人幫助，做事感覺順利。
♡ 農曆十二月	會受家宅中的噪音及漏水問題困擾，不妨出門旅行散心，紓解煩悶心情。

定結婚，亦要提防在籌辦婚禮時為小事不停爭執，到最後可能會不歡而散。已婚人士的爭拗亦較往年多，不妨在豬年考慮添丁，為家中添喜慶。由於男士桃花較旺，謹記對異性不能過分熱情，以免惹來誤會影響夫婦感情。

單身男士會遇到心儀異性，有機會發展新戀情；至於女士的感情未到穩定階段，要避免太急進嚇怕對方。

【健康方面】

天干「甲己合」代表手部、關節及肩膊容易受傷，而地支「寅亥合」需要留心有關膝頭、腰骨等舊患毛病，喜歡運動的人要打醒十二分精神；攀山、爬石及滑雪等高危活動一概避免。「天合地合」亦代表情緒低落、精神緊張，尤其容易因胡思亂想引致的失眠，除了多做紓壓運動外，不妨安排一些短假期外出散心。

建議於狗年年尾預先作身體檢查，踏入豬年後向慈善團體贈醫施藥，同時多購買一些保健食品進補，亦可視為健康破財。要留意家中的病位，少在五黃及二黑位長期坐臥，可減少病痛。

52 乙卯日 ◆ 財運不穩 女貴人扶助利事業

【財運方面】

乙卯日出生者在己亥年財運不俗但不穩定，雖然流年天干「己土」是個人的偏財星，但亦上落頗大。尤其農曆正月、二月出生者本身「木」已強，遇上流年地支「亥水」，財運便有一得一失之象。同樣，農曆三月、六月、九月及十二月出生的人，由於命格中的「土」過多，亦容易財來財去，必須做好成本控制。農曆四月及五月出生者則貴人運強勁；農曆七月及八月出生者本身「金」旺，有「水」助旺運勢，所以既能賺錢亦能守財。農曆十月、十一月出生者則「水」過旺，遇上出生日的強木，便有水泛木漂之勢，提防情緒過分波動，豬年適宜多往外走動。

營商者財運暢順，但慎防起伏太大，容易「三更窮五更富」，如某些月份有豐厚獲利，便要盡量積穀防饑。豬年必須要好好理財，謹守開支規劃，盡量不要作借貸擔保，對客人的還款期亦不能過分寬鬆，否則容易被賴賬。即使有輕微的偏財運，投資亦不能太貪心，略有回報便要離場，否則容易倒贏為輸。另因地支「亥卯未」相合，豬年不妨找屬羊的朋友合作，成功機會大增。

【事業方面】

己亥年的事業運尚算不俗，流年地支「水」滋養了出生日的「木」，女性貴人運強勁，如直屬上司為女性的話，工作時可謂得心應手，更有不俗的表現機會；雖然未有太大的升遷運，但薪酬加幅尚算理想。豬年與同事及上司相處較以往融洽，所以壓力亦減輕了許多。但如身為管理層，亦要提防下屬運欠佳，平時多點溝通，有助加快工作進度。

計劃轉工的人士，豬年有不少舊同事或舊上司主動邀約，而且提出的條件不俗，令自己十分滿意，不妨把握機會更進一步。

【感情方面】

單身男士容易遇上一見傾心，但年紀比自己大一點或年輕很多的女士，如果不介意年齡差距的話，不妨嘗試發展。單身女士的桃花較

每月運勢西曆日子請參閱頁372上的對照表　♥吉　♡中吉　♡平　♥凶

♥農曆正月	做事出現小波折，屬先難後易的月份，宜多付出耐性應對。
♡農曆二月	出現不俗的桃花，但謹記不要過分急進，否則會嚇怕對方。
♡農曆三月	財運順暢，做生意的人商機處處，可以把握一下發展。
♥農曆四月	財運仍然不俗，此月小心腸胃的小毛病，生冷刺激的食物少吃為妙。
♥農曆五月	精神緊張，情緒低落的月份，如果遇上疑難，不妨向前輩請教。
♡農曆六月	留心手部容易受傷，財運繼續向好。
♡農曆七月	事業運向上，有突破機會，如有人力邀跳槽，不妨考慮。
♥農曆八月	留心與身邊人的爭執變多，此月適宜出門，應動中生財。
♡農曆九月	表面風光的月份，做事宜謹慎一點，以防吉中藏凶。
♡農曆十月	貴人運強勁，但財運容易一得一失，必須做好開支規劃。
♥農曆十一月	提防桃花破財，與異性相處時，盡量不要牽涉金錢。
♡農曆十二月	此月易惹來是非口舌，盡量少說話、多做事，幸財運與事業運均不俗。

男士遜色一點，但亦有機會在出外旅遊之時結識到心儀異性，發展異地情緣。另外，亦可靠女性長輩介紹而認識到可以發展的對象，但亦要多付出耐性才能開展感情。

已有伴侶的男士容易出現第三者，面對誘惑時要好好克制，否則便容易陷入三角關係。已婚者感情尚算平穩，如渴望添丁的夫婦，豬年是適合有喜的年份，不妨好好計劃一下。

【健康方面】

整體健康運不俗，但不同月份出生者始終有分別。如在農曆正月及二月「木」旺的出生者，喉嚨氣管、呼吸系統容易出現問題，少到人煙稠密的地方。農曆十月、十一月出生者由於「水」過旺，要多留心膀胱腎臟等毛病。出生在「土」旺的農曆三月、六月、九月及十二月的人，提防受脾胃及皮膚方面的困擾。而農曆四月、五月、七月及八月出生的人，健康運平穩。

家宅方面，要多關注家中長輩的健康，不妨主動為他們裝修家居或更換傢俬、床褥等，有助改善健康運。

53 丙辰日◆運勢平穩 親力親為步步為營

【財運方面】

丙辰日出生者在己亥年的財運不過不失，若從事「以口生財」的行業較為有利，包括銷售、公關、客戶服務業等等；營商者如能親自與客戶洽談，成功的機會亦大增。但豬年是非口舌頗多，做事宜低調一點，避免惹來同行攻擊；做生意者也要注意文件合約的細節，否則容易惹上官非訴訟而令財運損耗。己亥年應酬特別多，無謂開支大增，建議少留現金在身邊，否則容易無緣無故花掉，不妨購買實物如黃金或具實力的藍籌股，有助聚財。

不同月份出生者的財運亦各異，如在農曆三月、六月、九月及十二月出生者，屬辛苦得財的年份；加上命格與流年交會而令「土」過旺，是非口舌尤其多，也容易因同行競爭太大，動輒受攻擊中傷。此外，下屬運欠佳，需留心員工因態度散漫而出錯，令自己破財。至於農曆四月及五月的出生者，由於有「水」平衡命格，所以財運較暢順；生於農曆正月、二月的人，只要謹守開支，亦會有不俗進賬。農曆七月、八月、十月及十一月出生的人，由於五行不平均，所以財運只能以不過不失形容。

【事業方面】

流年「亥水」是個人的事業星，丙辰日出生者的事業運有輕微的進步，升職有望；但天干「己土」是一顆是非星，令人際關係充滿暗湧，豬年宜低調寬容，不可強出頭為別人排難解紛，以免惹禍上身。如任職管理層要留心下屬運不佳，容易有惡奴欺主情況，平時多與下屬溝通，可令工作氣氛更和諧。

豬年有利從事推銷見客等「以口得財」的行業；另外，以創作為主如寫作及廣告等工作，由於靈感不絕，亦有不俗發揮機會。有意轉工的人士，己亥年並無太大的轉變運，建議留守原有公司，靜待更好時機。

【感情方面】

單身女士的桃花運較男士強，豬年會遇上合眼緣的異性，但可能只屬「神女有心、襄王無夢」，感情未必可順利開展，不妨多借助身邊朋

每月運勢西曆日子請參閱頁372上的對照表

♥吉　♡中吉　♡平　♥凶

♡ 農曆正月	容易破財的月份，不宜進行投資投機之餘，亦不要作出任何借貸擔保。
♥ 農曆二月	人際關係變差，此月不宜強出頭為人排難解紛，以免惹禍上身。
♡ 農曆三月	此月容易財來財去，要留心用錢方向，亦要提防是非口舌太多。
♡ 農曆四月	此月是非口舌增多，平時少說話、多做事，避免無謂爭執。
♡ 農曆七月	財運不俗，駕車者要留心道路安全，否則容易受傷。
♥ 農曆六月	喉嚨氣管出現毛病，要小心身體，幸財運順遂。
♡ 農曆七月	事業運向上，可以把握機會，令工作更進一步。
♥ 農曆八月	此月腸胃疲弱，不宜大吃大喝；亦要留心合約文件，以免惹上官非訴訟。
♥ 農曆九月	動中生財的月份，不妨安排出門旅行，多走動有利財運向上。
♥ 農曆十月	事業運依然不俗，而且身邊頗多貴人支援，令心情變得開朗。
♡ 農曆十一月	容易破財的月份，必須要審慎理財，幸好做事有機會表現自己。
♡ 農曆十二月	如有親友要求借貸擔保，謹記量力而為。

友幫忙，舉行聚會從旁推波助瀾，才可以有更進一步。單身男士的桃花暗淡，而且個人拍拖意欲不大，更難以開展新感情。無論男女都可以借應酬聚會認識到不少朋友，但若要發展成為情侶便要循序漸進，勿操之過急。

已婚男女會為家中的小朋友管教問題不斷爭執，其實當兩人各持己見時不妨易地而處，便容易互相理解包容。

【健康方面】

整體來說健康運算是中規中矩，當中以農曆十月及十一月出生的人，本身「水」重，撲熄了出生日的「丙火」，再遇上流年行「土水」運，便呈「剋洩交加」之象，容易受失眠、精神緊張等問題困擾，不妨多安排短線旅遊紓緩壓力。而農曆三月、六月、九月及十二月出生者「土」過重，必須留心腸胃等毛病，少吃生冷食物，如沙律、刺身等，以免病從口入。

家宅方面要留心子女的情緒及健康問題，多關注他們的情緒，作出適當輔導，以免小病變成大問題。

54 丁巳日 ◆ 日犯太歲 往外走動有利運勢

【財運方面】

丁巳日出生者於己亥年，由於「日犯太歲」，代表整年運勢都處於反覆不定的局面，尤其是財運方面，屬於大上大落的年份。日腳「巳亥沖」即驛馬相沖，營商者要面對很多不穩定因素，要有心理準備是辛苦得財的年份。己亥年宜動不宜靜，多出門或多出差才會對運勢有利，同時亦適合拓展海外市場，主動往外尋找商機才有突圍機會。投資方向亦要多考慮外地因素，例如購買外幣或在外國置業買樓等，較易有獲利機會。但始終是相沖之年，投資投機要以保守謹慎為大前提，不可以輕舉妄動，否則容易下錯決定。

此外，部分丁巳日出生者的衝擊較嚴重，如生於農曆四月及十月，因日腳相沖外，月份亦有相沖，豬年破財機會極高，財政上必須提高警覺。如在農曆正月、二月出生的人，本身「木」旺，再行「水」令情緒容易焦慮，做事亦障礙重重。農曆五月及六月「火」旺日子出生者，有「水」調和命格，運勢較順暢。至於農曆十一月及十二月出生者，由於助力不夠，豬年必須親力親為，做事較頻撲勞累；其餘月份出生者則屬不過不失。

【事業方面】

己亥年地支亥是個人的事業星，令事業運顯著上升，豬年有不俗的發揮機會，容易有突出表現而令上司讚賞。為應驗「動中生財」，丁巳日出生者不宜死守在原有地方，要主動向公司爭取到外地出差，甚至駐守分公司，更有利事業發展。豬年有不俗的升遷機會，但由於個人情緒不穩，需留心與同事因小事而爭執反目，令人際關係變差，與自己無關的事勿多言。

有意轉工的人機會頗多，尤以在春、夏兩季的出生者，會有不俗的條件被力邀跳槽，至於秋、冬兩季出生的人要留心可能轉公司後未必如之前所預期，工作或會更辛苦。

【感情方面】

「沖日腳」等同沖夫妻宮，無論情侶或夫婦容易各持己見而不停引起衝突，甚至鬧到有分開危機。豬年適合聚少離多，各有各忙的生活，

每月運勢西曆日子請參閱頁372上的對照表

♥吉 ♡中吉 ♡平 ♥凶

月份	運勢
♥農曆正月	容易受傷的月份，亦要多留意身體的小毛病，財運方面容易有損耗。
♡農曆二月	如遇上困難，可以在兄弟姊妹身上獲得助力。
♡農曆三月	人際關係開始倒退，提防是非口舌，與自己無關的事勿多言。
♡農曆四月	此月亦有受傷迹象，尤其留心關節舊患，做運動時要打醒十二分精神。
♥農曆五月	財運屬表面風光，有暗地漏財之象，此月不宜作任何投資投機活動。
♥農曆六月	財運順暢，學習運亦不俗，不妨把握機會自我表現，有望更上一層樓。
♥農曆七月	天合地合的月份，面對麻煩事接踵而至，需做好兩手準備。
♡農曆八月	留心眼睛出現的小毛病，此月出現新的合作機會，但存在變數；幸好財運不俗。
♥農曆九月	財運與事業運都有向上趨勢，是運勢順遂的月份。
♡農曆十月	相沖的月份，留心與身邊人多爭拗，多出外走動有利運勢。
♡農曆十一月	此月容易財來財去，而且要留心受官非困擾，往來合約文件要小心處理。
♡農曆十二月	貴人運不俗，如遇上疑難會有人主動幫忙，但提防工作壓力增加，令自己情緒變差。

正所謂「小別勝新婚」，如能培養各自的興趣，讓彼此擁有更多空間對感情反而有利。

單身男女有異地桃花運，由於有不少出差或旅遊機會，所以容易在外地結識到心儀異性，或遇上由外地回流的對象，有機會作進一步發展；而單身女士的桃花運較男士為佳。單身男士雖然亦會認識到理想對象，但慎防只屬短暫情緣，不宜過早投入。

【健康方面】

豬年的健康運受「巳亥沖」影響，代表腳部容易受傷，再加上天干「己土」，便形成「曲腳煞」，豬年必須提防腳部容易扭傷，駕車者亦要提防道路安全，以免因車輛碰撞而受傷。喜歡做運動的人要加倍留心關節問題，甚至跑步、打波及上落樓梯等簡單事情也容易扭傷腳踝；高危運動如攀山、爬石、滑雪及潛水等可免則免。

由於情緒容易受壓，不妨多做紓壓而不傷關節的運動，如太極及瑜伽等。家宅方面，要多留心伴侶的健康，如發現問題可盡早解決。

55 戊午日 ◆ 財運上升 男士感情運易生變

【財運方面】

戊午日出生者在己亥年原則上財運順暢，由於天干「己土」是個人的財星，所以賺錢能力及機會都較以往為佳，惟農曆正月及二月出生的人，財運會較其他月份遜色，但其事業運卻又處於進步階段，有不俗的發揮。農曆四月、五月出生的人，本身「火」旺，有「水」調節，令財運好轉；農曆七月及八月出生者，亦可通過不同渠道提升賺錢能力，亦能有盈餘儲蓄。而於農曆十月及十一月出生者，本身已屬「財通門戶」，再加上流年「己土」的幫忙，更強化了財運，是賺錢能力最強的一群。出生於「土」重的農曆三月、六月、九月及十二月的人，由於天干「己土」通根至出生月份的土，容易有財來財去之象，必須要小心規劃開支，否則容易「左手來、右手去」。

豬年以正財為主，偏財運一般，所以不宜作過分大手投資，選擇一些穩健的項目較有機會獲利，而且要懂得「見好即收」，否則見財化水。營商者要小心開支，尤其不能作借貸擔保，以防一借無回頭。豬年不妨主動破歡喜財，除了購買一些心頭好外，亦可以出門旅遊散心，紓緩壓力。

【事業方面】

除了是農曆正月及二月出生者的事業順暢，可以有不俗的升遷運外，其他月份出生者只屬不過不失，雖然加薪幅度滿意，但卻沒有明顯的升職機會。

豬年要注意與同事的關係變差，出現明爭暗鬥的情況；在辦公室不能過分高調，否則容易惹來是非攻擊，令工作運更差。打工一族容易對重複的工作模式感到厭倦而渴望轉工，但豬年未見有太大的轉變機會；由於學習運不俗，不妨選擇一些興趣課程如烹飪、攝影或園藝等進修，可以打發時間之餘，亦可調劑枯燥乏味的生活。

【感情方面】

男士在己亥年的感情運容易出現變動，提防與伴侶因有第三者介入而出現情變分手，由於桃花暢旺，就算分手後亦容易遇上新對象，但對方

每月運勢西曆日子請參閱頁372上的對照表

♥吉 ♡中吉 ♡平 ♥凶

♡農曆正月	出現新的合作機會，但不能輕舉妄動，以免下錯決定。
♥農曆二月	事業運暢旺，可以把握機會，好好表現自己，顯露才能。
♡農曆三月	劫財的月份，投資要小心，以免破財。
♡農曆四月	財運仍然疲弱，此月情緒容易低落，不妨出門旅行散心。
♡農曆五月	做事較之前順利，但身體出現小毛病，多用藍色的物品有助改善運勢。
♥農曆六月	是非口舌多多的月份，做事較多阻滯，屬先難後易的月份，多付出耐性應對。
♥農曆七月	事業運漸趨穩定，有貴人幫忙，財運亦開始回穩。
♥農曆八月	精神緊張、神經衰弱的月份，經常受失眠困擾，多做減壓運動。
♡農曆九月	事業運順暢，而且出現輕微升遷運，但提防工作壓力變大。
♥農曆十月	財運與事業運均順遂，打工一族更有很大的發揮機會。
♡農曆十一月	相沖的月份，不妨多出門，以應動中生財。
♡農曆十二月	心情容易煩躁不安，經常發脾氣只會令人際關係變差，退後一步令大家都有空間。

身邊亦有不少追求者，如要奪得美人歸，便要加一把勁了。至於單身女士要經過朋友介紹才有機會認識到心儀異性，但宜多付出耐性，建議在拍拖初期要低調一點，以免感情未穩定之時，被別人有機可乘而橫刀奪愛。

已婚男女穩定性較高，但要留心為家中的錢銀而產生爭執，不妨訂定詳細開支計劃，避免為金錢而日夜吵鬧。

【健康方面】

己亥年的健康運不過不失，不同月份出生的人遇上的問題也各異。農曆三月、六月、九月及十二月出生者需留心腸胃及脾胃方面的毛病，亦要提防體重暴升，平時要多做運動。

農曆十月及十一月出生的人，壓力過大，容易有情緒低落及失眠情況，多到郊外接觸大自然或曬太陽，都有助放鬆心情。另外，農曆正月及二月出生者要提防跌倒受傷，在家中更換燈泡、窗簾等也要小心翼翼，以免一時不慎受傷；其餘月份出生的人並無大礙。家宅中要多關心女性長輩的健康，如發現問題可盡早解決。

56 己未日◆天干重疊 一得一失財來財去

【財運方面】

己未日出生者在己亥年本來財運不俗，因流年地支「亥水」是個人的財星，但天干「己土」卻是一顆劫財星，代表財運極為不穩，容易財來財去。尤其是農曆三月、六月、九月及十二月出生者，因流年天干「己土」通根到出生月份，令到命格「土」過重，更容易入不敷支，必須做好理財規劃。生於農曆四月、五月之人也難有盈餘儲蓄，農曆正月、二月、七月及八月出生者財運只屬不過不失。最有利的是農曆十月及十一月出生的人，由於本身屬「財旺身弱」，在行財運之年反而有助旺之力，令運勢最為順暢。

面對劫財重重，營商者一定要做好成本管理。豬年要小心被人拖欠借款，萬萬不能借貸或做擔保人；對客戶的還款期亦不能過分寬鬆，否則易被賴賬而損失不菲。豬年最佳的理財方式是「好天收埋落雨柴」，如未能謹守開支，可能會導致公司的現金流出現緊絀。

另外，由於生意上的競爭激烈，必須多構思新意念吸引客戶，才能令營業額有所突破。地支「亥卯未」能會合成局，如能找到屬兔的朋友合作，事業更容易再進一步。

【事業方面】

打工一族事業運不過不失，流年地支的「亥水」對事業有輕微幫助，但始終不是很大的進步年，所以不宜對升職加薪抱太大期望，否則容易落空。己亥年需留心與同事關係因工作上的競爭太大，承受不少壓力；加上人際關係倒退，偶一不慎更會遭人暗箭所傷，做事應低調寬容，以免樹敵太多，謹記圓融的人際關係有助事業發展。

渴望轉工的人機會不多，不如留守舊公司，靜待時機。其實豬年是一個適合走動的年份，不妨主動向公司要求往外地出差公幹，都有助提升工作運。

【感情方面】

男士在己亥年的感情運容易出現離離合合的狀況，已拍拖者提防伴侶因有第三者介入而移情別戀。至於女士的感情運可謂原地踏步，如有伴

每月運勢西曆日子請參閱頁372上的對照表　♥吉　♡中吉　♡平　♥凶

♡	農曆正月	事業運暢順，貴人運亦可以，宜把握機會自我表現，但提防壓力變大。
♥	農曆二月	人際關係容易突破的月份，雖然有人力邀合作，但不宜輕舉妄動。
♥	農曆三月	此月容易破財，萬萬不宜作投機炒賣活動，以防財來財去。
♡	農曆四月	朋友要求幫忙，謹記量力而為；此月有受傷之象，做運動人士要小心為妙。
♡	農曆五月	貴人運暢順，但此月是非口舌多多，屬先難後易的月份。
♡	農曆六月	可以有自我表現機會，此月「火土」過重，不妨多用藍色物品助旺運勢。
♥	農曆七月	事業運與財運暢順，可以把握機會爭取表現。
♡	農曆八月	學習運強勁，雖然財運順遂，但提防情緒低落，多約朋友聚會散心。
♥	農曆九月	容易惹上官非的月份，凡事做好兩手準備；多往外走動會提升財運。
♡	農曆十月	財運與事業運向好，工作更得心應手，亦可以多出門應動中生財。
♥	農曆十一月	貴人運暢旺，但出現輕微是非口舌，與自己無關的事勿多言。
♡	農曆十二月	與身邊的人容易爭執，相處時如能互相體諒，便可以解決分歧。

侶者可繼續維持關係；但單身女孩子如想開展新感情，機會不大，就算遇上合適對象，但亦要多付出耐性，建議在拍拖初期要低調一點，以免感情未穩定之時，被別人有機可乘而橫刀奪愛。

已婚男女要留心為家中的錢銀而產生爭執，不妨訂定詳細開支計劃，如能做到財政獨立，更可避免為金錢而爭吵不休。

【健康方面】

己未日與流年的天干同屬「己土」，形成「土」過重，尤其在農曆三月、六月、九月及十二月出生者，需提防腸胃發炎或敏感等症狀，生冷食物如沙律、刺身還是少吃為妙，以免病從口入，出外旅遊時要提防水土不服。另外「水」不夠的年份亦要留心膀胱腎臟等問題。

「己土」亦代表腳部容易扭傷，喜歡跑步、爬山及踢波的人必須打醒十二分精神，否則容易受傷，駕車者需注意道路安全，以免因車輛碰撞而受傷。家宅方面，要留心家居安全，提防一時大意而自製家居陷阱。

57 庚申日 ◆ 貴人運佳 創作力強運勢向上

【財運方面】

庚申日天干與地支同樣屬「金」，而流年天干「己土」是個人的貴人星，因此豬年長輩運強勁。如有意置業的人，長輩或可提供支援，令自己夢想成真；營商者也可以獲得舊客戶支持，有助維持原有的生意額。此外，流年「金水相生」，容易有不少新的構思或銷售策略，如能親自與客戶講解，發展更理想。豬年並非行大財運之年，但只要勤力一點，收入會有穩定的增長。投資方面會獲貴人指點迷津而有所得着，但謹記不能作短炒買賣，以中長線投資方能獲利。

不過在「土」重的農曆三月、六月、九月及十二月出生者，容易有「厚土埋金」之象，常有難以發揮之感，情緒亦較易低落。農曆正月、二月出生的人受貴人眷顧，既能賺錢亦能儲蓄；農曆四月及五月的出生者最為有利，流年有「水」調和命格，所以財運處於平穩向上階段。至於出生在農曆七月及八月的人，本身「金」旺，再行「水」，屬辛苦得財的一群。農曆十月及十一月出生的人就要提防下屬運不佳，做事亦較多阻礙。

【事業方面】

由於貴人運不俗，令事業處於進步狀況，流年天干「己土」是貴人星，尤其是女性長輩對自己照顧有加，雖然未見有太大的升遷運，但人工總算有輕微加幅。己亥年與同事間的競爭加劇，容易令人際關係惡化；謹記處事圓潤一點，過分高調便會惹來攻擊針對。

受惠於「金水相生」，如從事廣告創作或度橋等行業，常有天馬行空的構想而大受客戶及上司賞識。如從事「以口得財」的行業，例如銷售、公關等，發展亦屬理想。其實豬年事業運不錯，只是容易因自我要求過高而壓力太大，學懂放鬆便無太大問題。

【感情方面】

單身男士的桃花運稍強，豬年會遇上合眼緣，但年紀較自己大一點的異性，如不介意年齡差距，不妨慢慢培養感情，但由於穩定性低，

每月運勢西曆日子請參閱頁372上的對照表　♥吉　♡中吉　♡平　♥凶

♡	農曆正月	財運順暢，可以把握機會作一些穩健投資，但要留心膝頭關節受傷。
♥	農曆二月	事業財運均順遂，是一個整體進步的月份。
♡	**農曆三月**	**情緒會無緣無故低落，容易失眠；不妨多出外走動，應動中生財。**
♥	**農曆四月**	**困難重重的月份，做事會波折重重，凡事做好兩手準備。**
♡	農曆五月	事業運進步，但出現輕微破財之象，要留心開支。
♡	**農曆六月**	**出現打針食藥運，要注意身體健康，幸好事業運繼續進步。**
♡	農曆七月	此月經常受傷風感冒困擾，亦有暗地漏財情況，投資方向要以保守為大前提。
♡	農曆八月	事業運進步，不過人際關係依然不佳，要少說話多做事。
♡	農曆九月	財運與貴人運不俗，但仍然有不少人事爭拗，做事勿過分高調。
♥	**農曆十月**	**精神緊張、神經衰弱的月份，睡眠質素亦變差，學習好好放鬆心情。**
♡	農曆十一月	事業順暢，處於進步的月份，但要多留心與同事間的明爭暗鬥變多。
♥	農曆十二月	貴人運強勁，事業運不俗，更有輕微的晉升機會，宜好好把握。

彼此處於互相猜度的狀態，不妨借助朋友舉行聚會，從旁推波助瀾，才容易更進一步。單身女士的桃花只屬一般，雖然會經長輩介紹而遇上有好感的對象，但勿過分急進而嚇怕對方，宜多付出耐性培養感情。

已婚男女容易為家中的小朋友或長輩問題而發生爭拗，當兩人各持己見時不妨易地而處，便容易互相理解包容，豬年不妨安排舊地重遊，重拾拍拖時的甜蜜。

【健康方面】

大部分庚申日出生者的健康運均是順暢，惟農曆三月、六月、九月及十二月出生者，因有「厚土埋金」之象，情緒容易悲觀低落，建議多到郊外接觸大自然，平時多做瑜伽、太極等減壓運動。而農曆七月及八月出生的人，由於「木」不足夠，需要留心關節的毛病，做運動時要加倍小心，以免扭傷手腳關節。其他月份出生的人，由於五行平衡，並無太大問題。其實豬年個人的活躍性不俗，而且較關注個人健康，不妨落實開始以往訂下的體能訓練，從基本上改善健康。

58 辛酉日◆漸入佳境 名氣事業穩步上揚

【財運方面】

辛酉日出生者在己亥年的財運不俗，流年天干「己土」是貴人星，加上地支「亥水」相助，豬年常有嶄新的構想，可以在自己的圈子打響名堂，大利名氣運，令業績突飛猛進。但豬年同時容易惹來同行攻擊，做事宜低調一點，以免惹來是非口舌。

營商者宜親力親為與客戶洽談業務，才能獲得舊有客戶支持。由於己亥年的下屬運欠佳，甚至有「惡奴欺主」的情況出現，需留心下屬或員工流失太快，或因態度散漫不受控制而令工作出錯；尤其農曆十月及十一月出生的人，除了是非口舌較多外，更要多留意員工的工作態度，平時多點溝通可以增加互信。

農曆正月、二月出生者，流年有「水」生旺命格的「木」，財運算是順暢；農曆四月及五月出生的人，情緒較以往樂觀積極。至於出生於農曆七月、八月的人，財運較其他月份遜色，容易財來財去。而農曆三月、六月、九月及十二月出生者，因流年與命格相會之下令「土」過旺，豬年常有腹背受敵之感，情緒容易變得焦慮不安，做事寸步難行；建議勿將期望訂得太高，以免令自己壓力更大。

【事業方面】

流年天干「己土」是貴人星，尤其是女性長輩對自己照顧有加，雖然未見有太大的升遷運，但薪酬的升幅尚算滿意。由於行「傷官」，令人際關係充滿暗湧，豬年宜低調寬容，不可強出頭為別人排難解紛，以免惹禍上身。如從事行政工作者，與上司關係不俗，但要留心下屬運不佳，除了員工流失得太快外，更有「惡奴欺主」的情況出現，平時多與下屬溝通，可令工作氣氛更和諧。

計劃轉工的人，豬年未是適合時機；由於學習運不俗，不妨安排時間報讀一些與工作有關的課程，為未來打好基礎。

【感情方面】

單身男女在己亥年的桃花運可謂乏善可陳，男士雖然可以經長輩介紹下，認識到合眼緣的異性，但由於只屬一些追追逐逐的桃花，難以順利

每月運勢西曆日子請參閱頁372上的對照表　♥吉　♡中吉　♡平　♥凶

♡ 農曆正月	財運不俗的月份，少量投資可以進行，但不宜作任何借貸擔保。
♥ 農曆二月	留心關節容易受傷，此月是非口舌增多，平時少說話、多做事，避免無謂爭執。
♡ 農曆三月	此月腸胃容易出現敏感，飲食要加倍小心，出外旅行時要留心水土不服。
♥ 農曆四月	事業順暢，但要避免惹上官非，駕車者一定要奉公守法。
♡ 農曆五月	破財的月份，勿胡亂揮霍，事業有向上迹象。
♡ 農曆六月	有輕微劫財之象，此月有不俗的桃花運，不妨好好把握。
♥ 農曆七月	有少許打針食藥運，工作上有自我表現的機會，可以把握一下。
♥ 農曆八月	財運出現一得一失，投資方向一定要保守，勿過分冒進。
♡ 農曆九月	財運不俗，此月工作上出現阻滯，屬先難後易月份，要多付出耐性應對。
♡ 農曆十月	財運順遂，但要提防手部易受傷外，亦要小心身邊的是非口舌變多。
♥ 農曆十一月	喉嚨氣管出現毛病，幸好工作運逐步向上。
♡ 農曆十二月	家中出現噪音、漏水等情況，有機會要進行裝修工程。

開展，如要作出突破，可能要靠朋友從中拉攏一下，才能更進一步。至於女孩子更難遇到合適對象，需要女性長輩代為操心留意，方有機會認識到異性，但要開始新感情仍要多付出耐性。

已婚男女的感情穩定甜蜜，只會間中為家中小朋友的管教問題出現爭執，或為長輩的健康及情緒而操心，但只要平心靜氣討論，勿口出惡言便無大礙。

【健康方面】

整體來說健康運算是不過不失，辛酉日天干地支同樣屬「金」，而流年行「水土」，令五行較為平衡調和，除了喉嚨氣管間中有點過敏外，其他問題並不嚴重。惟農曆三月、六月、九月及十二月的出生者，由於「土」過重，精神壓力較大，容易胡思亂想，有時間可到郊外接觸大自然有助紓緩壓力。辛酉日出生者流年「金水相生」，除了情緒較以往開朗自信外，連外觀亦變得容光煥發。

家宅方面要留心子女的情緒及健康問題，多關注他們的情緒，作出適當輔導。

59 壬戌日◆升遷運佳 積穀防饑提防受傷

【財運方面】

壬戌日的天干屬「水」，遇上己亥年地支亦是「水」，豬年的財運無可避免會較反覆，容易出現一得一失之象，當中尤以農曆十月、十一月出生者，本身「水」旺，再行「水」運，更容易有破財情況。因此豬年盡量不要留太多現金在手，否則會無緣無故花掉，建議購買實物如黃金或有實力的藍籌股等，都有利聚財；亦不宜作借貸擔保等行為，以免惹禍上身。

農曆四月、五月出生的人，本身已有點「財旺身弱」，流年「水」運能稍作補救，帶動加強財運；農曆正月、二月、七月及八月出生者，財運則屬不過不失。而在「土」重的農曆三月、六月、九月及十二月出生的人，需留意所有與監管機構的往來文件合約，如有不明白的地方須請教專業人士，以免惹上官非訴訟而令金錢損耗，建議可在過年後到法庭聽審，主動應驗官非運。

營商者要慎防財運起伏太大，出現「三更窮、五更富」的情況，如某些月份有可觀進賬，便要盡量積穀防饑，彌補某些月份出現營業額不足情況。緊記豬年以正財為主，短炒買賣絕對不宜，否則有破財危機。

【事業方面】

打工一族事業運明顯向好，有不俗的升遷運，當中尤以農曆十月及十一月出生者的晉升機會最大。至於農曆三月、六月、九月及十二月出生的人，由於工作壓力太大，豬年有機會接觸新的工作範疇，因而感到辛苦吃力，遇上疑難時，不妨請教身邊朋友，別讓自己鑽進牛角尖。

己亥年的人際關係亦有倒退迹象，與同事的是非口舌增多，幸好與上司及長輩則相處融洽，而且頗受眷顧。有意轉工人士，未見有太大轉變機會，不妨把握豬年不俗的考試運，令自己更上一層樓。

【感情方面】

單身女士的桃花運較男士稍強，豬年會遇上合眼緣的異性，對方無論樣貌及背景都令自己一見傾心，而且互有好感，要開展感情並非難

每月運勢西曆日子請參閱頁372上的對照表　　♥吉　♡中吉　♡平　♥凶

月份	運勢
♥農曆正月	輕微相沖的月份，留心人際關係變差，幸好財運順暢。
♥農曆二月	天合地合的月份，面對節外生枝的狀況，必須做好兩手準備。
♡農曆三月	此月容易惹上官非訴訟，所有合約文件都要反覆審核，以免亂中出錯。
♡農曆四月	精神容易緊張的月份，出現輕微失眠，幸好事業向好。
♥農曆五月	貴人運順暢，出現不少新的合作機會，但不宜過分冒進。
♡農曆六月	事業運顯著向上，但留意工作壓力變大，要學懂放鬆心情。
♡農曆七月	容易破財的月份，要留心用錢方向，以免令自己入不敷支。
♡農曆八月	做事容易一波三折，凡事要加倍耐性處理，財運同樣不穩，投資前要先了解風險。
♡農曆九月	人際關係倒退，是非口舌增多，事業運好轉，有輕微升職機會。
♥農曆十月	做事雖然順暢，但提防受金屬所傷，入廚或操作機械者要打醒十二分精神。
♥農曆十一月	財運順暢，留心身體受傷，做運動時要小心為上。
♡農曆十二月	此月精神變得緊張焦慮，容易失眠，不妨多出門走動，應動中生財。

事。至於單身男士的桃花只屬一般，由於個人過分專注在事業方面，拍拖意欲不大，所以更難物色到新對象。

拍拖中及已婚的男女，豬年感情開始變淡，提防因工作過分忙碌而冷落另一半，在缺少溝通下，難免令伴侶心生埋怨；建議多安排時間往外地旅行散心，既可培養感情、重拾以往的甜蜜，又可以紓緩工作壓力，可謂一舉兩得。

【健康方面】

整體來說健康運算是不過不失，不會出現大毛病，不過農曆三月、六月、九月及十二月出生的人，本身「土」已旺，再受流年天干「己土」及出生日「戊土」重重圍困，令個人情緒容易負面消極，而且常常胡思亂想，不妨多到郊外接觸大自然、或找朋友傾訴都有助紓緩壓力。另外，亦要留心膀胱腎臟的小毛病。而農曆四月及五月出生者則要關注心臟血壓等問題。

豬年亦是容易受金屬所傷的年份，需留心家中的尖刀利器；駕車者要時刻留意道路安全，以防一時不慎發生意外而受傷。

60 癸亥日 ◆ 日腳刑剋 聚少離多有利感情

【財運方面】

踏入己亥年，癸亥日出生者出現「日犯太歲」，加上日腳「亥亥刑」，代表受不少瑣碎麻煩事困擾。若為營商者，因癸亥日天干地支同樣屬「水」，加上流年地支又是「水」，更要有心理準備破財機會上升，無論投資投機都難以有得着。豬年雖有不少新的合作機會，但謹記並非可以有即時回報，不妨視為播種期，耐心等待收成結果。

然而不同月份的五行不同，財運亦有高低分別，農曆四月及五月出生者，命格「火」旺，己亥年行「水」運，財運算是最平穩順暢；農曆十月及十一月出生的人，本身「水」已過旺，流年再行「水」，財運最為動盪不穩，容易入不敷支。

做生意的人必須以保守為大前提，除了做好開源節流外，亦不宜過分大興土木拓展新的領域。投資方面，短炒投機絕對不能，否則可能會損失慘重。豬年容易有莫名其妙的開支，例如家中或辦公室突然需要搬遷裝修等，都會令錢財有耗損，建議在狗年年尾將現金變成實物，或主動破歡喜財都有利助旺財運。再者，豬年是容易受傷的年份，不妨在過年後多做贈醫施藥之舉，都能提升健康運。

【事業方面】

由於「己土」是個人的事業星，如在農曆三月、六月、九月及十二月的出生者本身「土」重，流年天干「己土」通根出生月份的「土」，更強化了事業運，有不俗的升遷機會，但工作量增加，薪酬卻未必有滿意加幅，感覺較吃力辛勞。出生於農曆十月、十一月的人，升職的競爭十分大，未必可以順利再晉一級。至於農曆正月及二月出生者要提防是非口舌變多，令工作舉步維艱。

有意轉工的人，建議不可輕舉妄動，不妨留守原有公司，可以主動要求轉換工作崗位，或多出差往外走動，都有利事業運。

【感情方面】

受日腳刑剋影響，拍拖中的男女易有熱情冷卻的感覺，容易為小事爭拗不斷，令自己有厭倦感覺，豬年適合聚少離多的相處方式，正所謂

每月運勢西曆日子請參閱頁372上的對照表　　♥吉　♡中吉　♡平　♥凶

運勢	月份	內容
♡	農曆正月	財運不俗，事業運亦暢順，但提防是非口舌，與自己無關的事勿多言。
♥	農曆二月	眼睛容易敏感發炎，要留心日常用品的衛生情況，幸財運尚好。
♥	農曆三月	工作壓力較大，容易胡思亂想，出現新的合作機會，但不要輕舉妄動。
♡	農曆四月	事業運強勁，腳部容易受傷，謹記不要進行高危的運動。
♥	農曆五月	事業運上升，工作上出現貴人，運勢開始步向平穩。
♥	農曆六月	如有朋友提出借貸要求，謹記量力而為，否則有破財機會。
♡	農曆七月	此月有暗地漏財之象，不宜作任何投資活動。
♡	農曆八月	破財的月份，開支要加倍謹慎，幸好貴人的助力不俗。
♡	農曆九月	事業運暢旺，但提防身邊的是非口舌變多，與自己無關的事，勿多言。
♥	農曆十月	小心健康出現問題，駕車及做運動都要打醒十二分精神，以免受傷。
♡	農曆十一月	財運屬一得一失，投資要以保守為原則，不能過分貪心。
♥	農曆十二月	事業運繼續向好，要留心皮膚及眼睛出現的小毛病。

「小別勝新婚」，多給予對方空間才能維繫感情。

單身男士有輕微分手之象，就算認識了理想對象開始拍拖，亦容易出現變數，建議戀情未穩定前低調交往更佳。如在農曆三月、六月、九月及十二月出生的女孩子，會經朋友介紹而結識到心儀對象，有機會發展較穩定的情緣。已婚男女盡量少評論對方的家事，可避免介入無謂紛爭而影響夫妻感情。

【健康方面】

健康運受「亥亥刑」影響，全屬一些瑣碎的小毛病，「癸水見亥水」代表容易破相開刀，過年可以往洗牙、捐血，主動應驗血光之災。

喜歡做運動者要特別小心，高危活動如攀山、滑雪及潛水等一概避免。農曆三月、六月、九月及十二月的出生者，要提防情緒受壓，容易鬱鬱寡歡，不妨到郊外接觸大自然，亦可以多做瑜伽、太極等不傷關節的紓壓運動。

其實豬年整體的情緒較狗年佳，起碼積極樂觀了不少。另外，如女士有喜，謹記依足傳統，待懷孕三個月後，再公開也未遲。

每月運勢西曆日子對照表（按中國廿四節氣而分）

農曆	干支	西曆
農曆正月	丙寅	（西曆一九年二月四日至三月五日）
農曆二月	丁卯	（西曆一九年三月六日至四月四日）
農曆三月	戊辰	（西曆一九年四月五日至五月五日）
農曆四月	己巳	（西曆一九年五月六日至六月五日）
農曆五月	庚午	（西曆一九年六月六日至七月六日）
農曆六月	辛未	（西曆一九年七月七日至八月七日）
農曆七月	壬申	（西曆一九年八月八日至九月七日）
農曆八月	癸酉	（西曆一九年九月八日至十月七日）
農曆九月	甲戌	（西曆一九年十月八日至十一月七日）
農曆十月	乙亥	（西曆一九年十一月八日至十二月六日）
農曆十一月	丙子	（西曆一九年十二月七日至二〇年一月五日）
農曆十二月	丁丑	（西曆二〇年一月六日至二月三日）

【豬年行好運】
風水布局

豬年九大吉凶方位

如何催旺桃花人緣、正偏財運、地位升遷、喜慶吉事？又怎樣化解小人是非、損財傷丁、疾病困擾？不時都有傳媒或客人，問我該如何就不同的範疇布陣，以求趨吉避凶。其實在玄空飛星學派中，每間住宅的吉凶方位都會年年不同。上年的財位在今年可以變成病位，桃花位亦可變成凶位。這些年年不同的吉凶方位統稱為流年飛星，想知道今年該如何布陣，務必先了解不同方位的吉凶屬性。

下面的己亥豬年（二〇一九年）九宮飛星圖，顯示了九大流年飛星在豬年降臨的方位。要注意的是，流年風水陣的應用以每年的「立春」為界，並非正月初一。換言之，下面的風水陣適用期為西曆：二〇一九年二月四日早上十一時十六分至二〇二〇年二月四日下午五時〇四分。

二〇一九・己亥豬年九宮飛星圖

南

	7 [歲破]	3	5	
東	6	8 (中宮)	1 [三煞]	西
	2	4	9 [太歲]	

北

正東

六白「武曲星」
影響範疇：驛馬、武職、財運
五行屬性：金

六白武曲星代表的是技術性、勞動性或經常要出外走動的工作，也主權力管理，但凡文職以外的工作者想催旺事業運，一定要好好利用六白星。

一般情況下，六白星飛臨之處毋須特別化解，反而家中若有成員從事「武職」，包括軍政界、紀律部隊、技術人員、運動員或體力勞動等工作，催旺六白星便特別有助事業運。

催旺方法：

流年六白武曲星飛臨正東，因六白屬金，而土又生金，可以在流年的正東位置多放黃色及金色物品，陶瓷及石頭亦有幫助。另外，數字「8」亦代表土，加上流動性高的物品皆可加強力量，所以在此飼養八條金魚、擺放金色風扇、有水擺設及水種植物等等亦有幫助。要注意的是，六白不宜受火氣剋制，故忌見紅橙兩色，亦不宜燃點香薰。

東南

七赤「破軍星」
影響範疇：破財、盜賊、牢獄、損丁
五行屬性：金

化解方法：

七赤的破壞力量很強，若不慎催旺，恐防有損家宅運。本年屬金的七赤星飛臨東南，因七赤現已帶肅殺之氣，所以宜靜不宜動，不可擺放流動性高的物品，只宜擺放藍色物品（象徵一白水星），以洩肅殺之氣，作陰陽平和。

正南

三碧「是非星」
影響範疇：官非、鬥爭、是非、小劫
五行屬性：木

化解方法：

三碧星乃是非星，容易引發爭吵及困擾之事。流年三碧星飛臨正南，因三碧屬木，而水又生木，為免刺激此是非星，所以忌見綠（屬木）、藍（屬水）兩色。三碧星飛臨之地亦不宜養魚，故此今年家裏的正南一帶，要避免擺放水種植物及魚缸。

另外因木生火，而紅色及數字「9」又代表火，如要化是非或減少一家人的爭吵，可用火洩掉三碧星的木氣，所以最適宜擺放九枝紅玫瑰來化是非（玫瑰一定要去葉，因綠色不利）。如不方便，亦可在流年的正南多用紅色物品，或裝上一盞紅燈，並長期亮着。

西南

五黃「災星」
影響範疇：疾病、災禍
五行屬性：土

化解方法：

五黃是「災星」，其破壞力較二黑「病星」更嚴重，但化解原理及方法相同。五黃星今年飛臨西南，因黃色代表土，紅色代表火，而五黃星屬土，火又生土，所以今年全屋的西南一帶忌見紅黃兩色，並要避免動土、養魚、放水種植物及長期坐臥。

因金有助洩去土氣，而數字「6」又代表金，所以可多放銅製或金色重物，例如錢兜、六件銅製飾物或安忍水等，有助進一步化解五黃的病氣。其實五黃災星最適合用聲音去化解，所以能發聲的圓形銅鐘，或六層的金色風鈴亦有幫助。

正西

一白「桃花星」
影響範疇：姻緣、拍拖、人緣、出門、遠行
五行屬性：水

催旺方法：

本年的正西為一白桃花位，桃花星屬水，如果想拍拖或改善人緣，均可在正西放任何水種植物或顏色鮮豔的花卉。

不過已拍拖又擔心桃花太旺會影響感情的話，不妨放八粒石春削弱桃花力量。因為土剋水，而數字「8」又代表土，所以雙管齊下最佳。要注意如果家中有人從事人際關係為主的工作（如傳銷、營業員及公關等），則不可過分化解桃花位，否則人緣不佳，工作運亦會轉壞。

要注意的是，本年的正西亦為三煞位置，三煞本身不利動土，魚缸也不宜擺放，以免受沖。

西北

九紫「喜慶星」
影響範疇：各種喜慶吉事，尤其是嫁娶及添丁
五行屬性：火

催旺方法：

今年流年九紫星的方位在西北，九紫星代表的是一切喜慶事宜，即使並非急於嫁娶或生兒育女，加以催旺亦百利而無一害。再者，現在已為八運，九紫星也屬進氣星，若能催旺其力量自然更強。

九紫屬火，而木又生火，最適宜用土種植物來催旺，例如放一盆多果實的植物、泥種大葉盆景，便可達致木火通明之吉象。另外，也可在今年的西北一帶多放紫、紅、綠等色來催旺，例如紅色擺設及揮春等等，甚或長期開着一盞紅燈。要注意的是，此方位不宜擺放藍色、黑色、灰色物品，恐將火氣星減弱。

必須注意的是，今年的西北亦為流年太歲位，所謂太歲頭上動土必有禍，所以今年西北一帶絕對不宜大型裝修或動土，尤其是鑿地，否則病氣會更重。若為大門、睡房或廚房，更要加倍提防。

正北

四綠「文昌星」
影響範疇：考試、進修、升職、名譽、文職工作
五行屬性：木

催旺方法：

因文昌屬木，而綠色及數字「4」均代表木，所以最適宜擺放四枝水種富貴竹來催旺。如果書房及睡房位處正北，本年可用綠色、藍色或間條窗簾，書桌若能面向正北亦佳，同樣有正面作用。當然，其他綠色物品、文昌塔或筆座等都有助帶旺文昌星，有利考試進修。

東北

二黑「病星」
影響範疇：健康問題，尤其是婦科病及腸胃病
五行屬性：土

化解方法：

二黑乃病星，力量雖然不及五黃災星，但仍然具有損丁的力量。本年二黑病星飛臨東北，因二黑星屬土，而火又生土，所以今年東北一帶皆要避忌黃色（屬土）及紅色（屬火），以免進一步增強災星的力量。另外，因流動性物品可提升凶位力量，所以東北一帶不宜動土、養魚或擺放水種植物，而且要避免長期坐臥。

因為土生金，金可以洩去土氣，而數字「6」又代表金，要化解東北的病氣，可長期擺放銅製或金色重物，例如錢兜或六件銅製飾物等。

中宮

八白「當旺財星」

影響範疇：升職、財運

五行屬性：土

催旺方法：

所謂中宮，即一屋中的中央一帶，而流年八白財星正好飛臨中宮。

玄學中每二十年便轉一次地運，共有九運，循環不息；隨着地運轉變，飛星的力量亦受影響。由於二〇〇四年開始已經踏入「八運」（二〇〇四年至二〇二三年），八白星自然成為九星中力量最強的吉星。所以在這二十年期間，若要催財，都要密切留意八白飛星的流年方位。

今年八白星所在位置是中宮，也代表家居的中央位置。由於有八白財星飛臨，此方位記緊不可放置雜物，以免阻礙財星旺氣。八白財星屬土，因火生土，若要催旺吉星力量，中宮一帶可多用屬火及屬土的紅黃兩色。

因八白財星也有利以水催旺，若配合上述之顏色，今年在中宮一帶最適宜用方形的紅色盆種植水種植物，更能帶動財氣。另外，擺放白色的陶瓷或象徵財富的金色吉祥物，如金元寶或聚寶盆等等，皆有助加強財星之力量。

豬年家居全方位風水陣

前文講解了豬年九大吉凶方位所在，這部分會按照不同坐向的家居圖來簡單指出布陣方法。使用方法是先找出家中大門的坐向，然後參考下列的布陣圖，當中所用的風水物品亦有其他選擇，如有需要可參閱前文。

二〇一九己亥豬年布陣一覽圖

正東（六白）：八條金魚／有水擺設

東南（七赤）：藍色物品

正南（三碧）：九枝去葉玫瑰／紅色物品

西南（五黃）：銅製或金色重物／錢兜／發聲圓形銅鐘／六層金色風鈴

正西（一白）：鮮花／水種植物

西北（九紫）：泥種植物／紅燈

正北（四綠）：四枝富貴竹／藍綠物品

東北（二黑）：銅製或金色重物／錢兜／藍黑物品

中宮（八白）：水種植物／紅黃物品

適用期：西曆二〇一九年二月四日早上十一時十六分 至
二〇二〇年二月四日下午五時〇四分

豬年家宅運預測

每一住宅的門向（大門往外走之方向）都十分重要，因為大門是氣流最常進出之處，如果流年方位好，自然引入喜慶吉事，反之亦然。

下面列舉了豬年八大門向的好壞影響。如果你家中大門正好是吉位，當然值得高興；如果大門方向恰巧是流年凶位，亦不必太杞人憂天。只要加以避忌及化解，家宅運也不致太差。

要注意，錯認大門坐向會嚴重影響布局，故大家應利用指南針來找出正確的家宅坐向方位——所謂「向」，基本以家中面對大門往外走的方向；「坐」即面對大門時所背對的方向。要得知自己家宅的坐向，可以在家中面向大門正中的位置，手持指南針，指南針所指出的門外方向，便為「向」。舉例説，若門外方向為正南，其對立的正北便為「坐」，即坐北向南。

（註：現時大部分智能電話已附有指南針程式，應用上更方便。如採用坊間出售的一般指南針，大多需要用者自行調校方向。記着指南針並非指「南」，針上有顏色的一端應該調校至正北，如此才不會計錯方向。）

♥大門向正東
六白武曲星臨門：

今年整體家宅運不俗，雖不致於有強大財星入屋，但仍有吉星拱照，尤其有利文職以外的工作；如要催旺可放黃色或金色地氈，有助升職及提升名譽。

♥大門向東南
七赤破軍星臨門：

今年家宅運較弱，要慎防盜賊及官非訴訟，也要小心受金屬利器所傷或與人爭吵。今年大門位置不宜動土，亦不可擺放流動性高的物品，宜放藍色地氈化解。

♥大門向正南
三碧是非星臨門：

今年家中是非及爭吵特別多，忌用綠色及藍色地氈，宜用紅色地氈或張貼紅色海報、揮春。

大門向西南
五黃災星臨門：

今年整體健康運不佳，更要提防舊病復發，因此大門及附近一帶切忌裝修動土，也不利擺放紅色、黃色地氈，以免進一步損害健康運。今年適宜在大門旁掛白玉葫蘆、能發聲的圓形銅鐘或銅鑼，亦可擺放灰色地氈，並在下面放六個銅錢化解病氣。

大門向正西
一白桃花星臨門：

今年特別有利遠行及出門發展，桃花亦重，單身的家庭成員可望發展戀情，但夫妻或情侶則要小心三角關係。如要催旺可放彩色地氈，要削弱則可放素色地氈或木製的雞形擺設。

另要注意，因今年正西同為三煞臨門，此方位最好不宜裝修動土，以免有損健康運。

大門向西北 九紫喜慶星臨門：

今年家中的喜慶事特別多，尤其有利嫁娶及生兒育女，適合擺放紅色或綠色地氈。另外可在門旁裝一盞小燈，並長期開着，亦有助催旺喜慶事。

另外，因今年太歲飛臨西北，切記避免裝修、動土，尤忌鑿地，否則家宅的健康運會大受衝擊。

大門向正北 四綠文昌星臨門：

今年家中各人特別有利考試、升職及提升名氣，不論是進修或讀書皆有明顯進步，適宜放藍色或綠色地氈再催旺。

大門向東北 二黑病星臨門：

今年要特別注意健康，尤其是婦女及腸胃病等；忌見紅黃兩色的地氈，宜在大門一帶擺放銅製重物或白玉葫蘆，並使用灰色地氈，底下再放六個銅錢化解病氣。另外，亦可選擇在地氈底放一塊大銅片，也有助提升健康運。

二〇一九年簡易風水陣

不論是來找我算命的客人還是傳媒朋友，一般都只會關心如何針對他們的問題來布陣解決，對於問題以外的枝節，或許不會太熱衷。其實也理所當然，因找我的朋友大多早已備受煩惱纏擾，而且又是玄學的門外漢，又何來心思精力研究箇中原理？

有見及此，為方便大家手執此書仍不致毫無頭緒、無從入手，我特意為各種常見的疑難列出針對性的解決辦法。大家只要按自己的願望對號入座，便可得知如何自行布陣了。

以下所教的風水陣之特色：

- 所用工具盡量簡單實用，只要符合相關原則，也可用其他物品取代。
- 布陣方位除了可應用於整個家宅，也可應用於私人空間（如睡房、書房）及辦公室。
- 若只得一張辦公桌，亦可照樣布陣。方法是先將屬於自己的面積（例如辦公桌連座椅位置）看成一個長方形，再平均劃成九格，便可用指南針找出相關位置。

♥我要拍拖！

想拍拖的話當務之急是催旺正西的流年桃花位。不論在家還是在公司，如果床頭或辦公桌在正西便最佳。桃花星飛臨之處除適宜擺放水種鮮花外，也可放粉紅水晶、紅紋石、紅色絲帶花或蝴蝶擺設等等，既有點綴作用，亦能催旺姻緣。切忌在正西位置使用過多的黑色或深色，因為這些屬孤寡顏色，會削弱姻緣運。

東南	正南	西南
正東	中宮	正西 粉紅水晶／ 紅紋石／ 紅色絲帶花／ 蝴蝶擺設
東北	正北	西北

♥我要愛得更甜蜜！

不論是情人還是已婚夫婦，想彼此感情與日俱增，不能不在流年的正南位置作風水布局。本年的正南乃是非星降臨，特別忌見任何綠色，尤其是睡房位處正南者，更要小心避忌，否則會吵架終日。

想改善關係，可於正南位擺放多些紅色物品或九枝紅玫瑰，但玫瑰一定要去刺，這才可控制是非星的力量。

東南	正南 紅色物品 / 九枝去葉去刺 紅玫瑰	西南
正東	中宮	正西
東北	正北	西北

♥我要結婚或添丁！

本年的西北是喜慶位，代表一切喜事，尤其有利嫁娶及生兒育女。所以拍拖已久，希望於今年共諧連理，又或者已婚夫婦打算生兒育女的話，可於家中的西北多放紅色、綠色物品或帶果實的泥種植物。至於孖公仔或鴛鴦擺設亦是對想結婚的情侶有直接催旺之幫助。

東南	正南	西南
正東	中宮	正西
東北	正北	西北 紅色、綠色物品 / 帶果實的泥種植物 / 孖公仔 / 鴛鴦擺設

我要防炒！

打工一族想「保飯碗」，避免被裁，要注意自己在辦公室的座位會否「欠靠山」（如欠牆或高櫃遮擋）。如無大物在背後遮擋，一般會削弱運勢，易受煞氣所沖，所以應該在背後掛上山水畫、加高椅背或擺放八粒石春。另外，家中的梳化也宜背靠實牆或高闊穩重之物，否則也會出現欠靠山之意象。

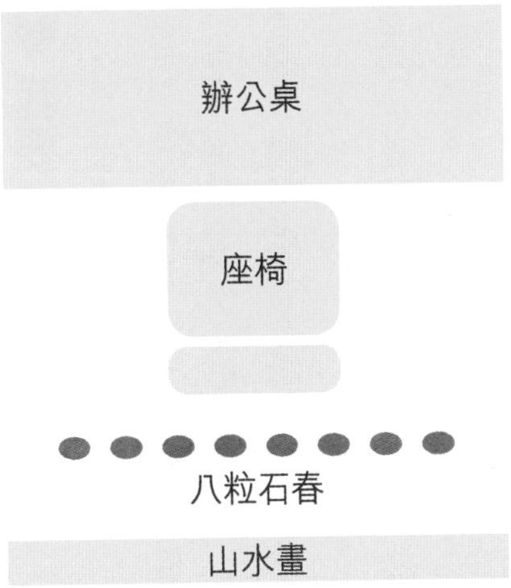

我要升職加薪！

想升職加薪，一定要在家裏或辦公室中加以催旺文昌星及財星位置。本年的文昌星在正北，可以用流動性強而又帶綠色的物品催旺升職機會，最佳選擇當然是四枝富貴竹。至於要加薪，可於位處中宮（中央一帶）的八白財星位置放有水擺設或多用紅黃兩色。如此雙管齊下，便有助升職加薪了。

東南	正南	西南
正東	中宮 有水擺設／多用紅黃兩色	正西
東北	正北 綠色物品	西北

我要生意更好！

營商者或自僱人士想流年生意更好，可於當旺財星位置加以催旺。今年最強的財星位置在中宮（中央一帶），亦即八白財星。為了帶動財氣，可於該處擺放水種植物。另外，也可在商鋪或辦公室的門口向外擺放一對貔貅以作招財，收銀機位置或夾萬附近則可擺放聚寶盆等風水物品，以收守財之效。

東南	正南	西南
正東	中宮 水種植物	正西
東北	正北	西北

我要避開是非！

想減少是非之爭，首要是切忌在今年的正南位置動土。因今年的正南為是非星降臨，此處擺放流動性愈強的物品或經常搬動物品，便愈易引發爭吵衝突。要化解是非星，除了避免動土，也適宜擺放紅色物品及黑曜石水晶，皆有助減弱是非星的力量。

東南	正南 紅色物品 / 黑曜石水晶	西南
正東	中宮	正西
東北	正北	西北

我要提升人緣！

桃花亦代表人緣，所以想改善人際關係，不妨在正西的桃花位花點工夫。正西所見的顏色愈鮮豔便愈佳，而且任何水種植物皆可加強人際關係。如果想在辦公室布陣，只需於桌面放一盆簡單的水種小植物便可。

東南	正南	西南
正東	中宮	正西 水種植物
東北	正北	西北

我要身體好！

今年的西南及東北分別為五黃災星及二黑病星位，兩者皆對健康不利，當中尤以五黃最嚴重。要提升健康運，必須注意家中的梳化、睡床及公司中的坐向是否位處此兩方向，因為在病位長期坐臥皆會容易引發大病小痛。所以西南及東北均要避忌動土及擺放紅黃兩色物品，宜放銅製或金色重物加以化解。

東南	正南	西南 銅製 / 金色重物
正東	中宮	正西
東北 銅製 / 金色重物	正北	西北

♥我要防止男朋友變心！

戀愛中又要日防夜防男友變心，正是不少女性的憂慮。如果真的太擔憂，其實可於流年桃花位着手。因為桃花位既可催旺亦可削弱，不論是未婚或已婚，均可於家中的正西位擺放木製的公雞飾物，減低桃花力量，另外緊記忌放空花瓶，否則更易惹壞桃花。要注意的是桃花亦代表人緣，化桃花多少會對人際關係帶來影響，若從事對外工作，如公關、營銷等，便容易有不利影響，所以化桃花前一定要考慮清楚。

西南	正南	東南
正西 木製的公雞飾物	中宮	正東
西北	正北	東北

二〇一九年辦公室秘密風水陣

雖然家居風水相當重要，但近年人們的工作時間愈來愈長，可能留在辦公室的時間比在家裏還要多。如果你認為最近的工作不太如意，不妨花點心思在公司布個小風水陣，不但實用，而且絕不勞師動眾。

♥多勞少得

針對問題：

工作量與日俱增，精神卻難以集中，經常覺得工作辛苦及情緒不佳。出現此情況可能是因為你的座位有煞氣侵襲，例如與洗手間太近或對着尖角等，會形成煞氣，令事業發展受阻。

解決辦法：

在辦公桌附近加上板塊或其他遮擋物品，以防煞氣。

建議工具：

只有辦公桌的話，最簡單的方法是在桌面的正前方或旁邊豎立一塊水松板。如不確定煞氣來源，一般可放在正前方。

如擁有獨立辦公室，煞氣可能來自窗外，可選擇在窗上貼上大幅海報或者長期拉下窗簾。

♥是非多

針對問題：

閒言閒語特別多，即使自己沒有主動說三道四，是非也會找上門，影響工作。如果自問別人對你的不滿多屬誤會，可能是公司中所坐的方位特別招惹是非。

解決辦法：

先找來一個指南針，面對自己的辦公桌，找出是非星「三碧星」飛臨之處，然後在該方向擺放九件紅色物品，以化解不利影響。（己亥豬年的三碧星在正南）

建議工具：

選用何種紅色物品可以自行決定，例如利是封、文具及文件夾皆可。

過年習俗知識

「做尾禡」

何謂「做禡」？

「做禡」就是拜祭土地公公的意思。中國人以農立國，所以歷代的農民甚或商人都對土地十分敬重。他們相信要豐衣足食，就要得到土地公公的庇佑，所以除了農曆正月外，其他月份中的初二和十六，他們都會「做禡」。而每年的農曆二月初二是「頭禡」，「尾禡」就是農曆十二月十六日。

「尾禡」與「無情雞」有何關連？

一年二十二次的「做禡」中，以「尾禡」最為人熟悉及特別被重視。傳統上，公司上上下下都會在過年前聚在一起吃一頓飯，而席上總會有一道以雞為主的菜式，相信大家也聽過這一個說法：雞頭對着某人，便代表那人將要被「炒魷」。這個「無情雞」傳統在今天看來已被視為笑話，但在往日卻是真有其事的，而這跟「尾禡」的由來大有關聯。原來根據清朝的僱傭制，「尾禡」被定為評核員工表現的日子。

在「尾禡」日子裏，僱主除了會派利市（類似現代社會的雙糧花紅）獎勵員工外，亦會藉着在祭祀後大家圍坐在一起用膳的機會，以含蓄的手法來指出裁員的人選，那就是所謂給人吃「無情雞」了。

如果僱主決定了要辭退某人，便會將在一道熱葷中的雞頭對準那個下屬，那是代表要請他吃「無情雞」；而如果雞頭對準的是僱主自己，則代表他不會辭退任何人。

時至今日，仍有少數舊式的酒樓及海味店會在「尾禡」當日拜祭土地及設宴款待辛勞了一整年的員工，而「無情雞」則已絕少派上用場了。現代僱主要裁員，派一個「大信封」，直接簡單得多。

祭祀「尾禡」要準備什麼物品？

燒肉、雞、香燭、三杯酒及一對沙田柚（每個柚子都要以紅筆在外皮上垂直寫上「招財進寶」四個字）。衣紙選用運財祿、地主貴人符、貴人馬及祿馬等，將之焚香三拜後火化即可。

何日是做「尾禡」日子？

「做尾禡」不一定要在正日（即農曆十二月十六日），其他日子也是可以的，只要那日不與公司負責人的生肖相沖，而且又屬於好日子便可。拜祭後，可保佑公司來年生意滔滔，並且可消除是非口舌之爭。

大掃除

大掃除有何意義？

「年廿八，洗邋遢」，玄學家相信，每年一次的大掃除的確有助改善宅氣，可在新一年的開始，將旺氣引入室內。即使撇開玄學不談，大掃除亦有如傳統節慶般備受重視，因為它提醒人們是時候去舊迎新，將家居收拾乾淨，無論在外觀或心理上，這都是好事。

應在何日大掃除？

擇個好日子來去舊迎新，來年家宅運便會更加順利。一般來說，只要日子並不跟家中成員的生肖相沖，《通勝》中所列的「成日」及「除日」皆可用；至於「破日」本身向來不宜祭祀，不過因為大掃除有破舊立新的意思，所以不常用的「破日」亦可選擇。（請參考本書頁406「豬年吉時吉日」部分，以得知年尾適宜大掃除的日子。）

應如何清潔神位？

家中如有神位，在大掃除當日，應以碌柚葉、肩柏、芙蓉或七色花煲水，然後以此水來洗淨神櫃，方法是用新毛巾從上至下、由內至外把所有污垢盡除。

貼揮春有何宜忌？

很多家庭都會在大掃除後貼上新揮春，這做法可增加新年的喜慶氣氛，也象徵迎接新的開始。不過，因揮春往往會張貼一整年，其顏色及內容也會對家宅運有影響，所以貼揮春時要注意以下兩點。

第一，不可把紅色的揮春貼在流年的五黃災星及二黑病星的方位，因為此舉會加強這兩顆病星的力量，尤其以五黃災星為甚。（豬年的五黃災星及二黑病星，分別位於西南及東北。）

第二，揮春的字不宜與流年的生肖相沖，否則有犯太歲之象。例如流年為豬年的話，便不應貼上有「豬」字或相同諧音的揮春，如「金豬報喜」、「諸事吉祥」等等。

年花有何象徵意義？

新年的節日氣氛熱鬧，其中最好的活動便是行年宵了。無論經濟有多差，每年各個年宵市場中，都有很多人爭相買年花回家擺放，一來可美化家居，二來又可討個意頭，可謂一舉兩得。

除了桃花、水仙和桔等「人氣年花」外，其他常見的年花也有其象徵的吉祥意義：

年花	象徵意義
牡丹	富貴
菊花	長壽長久
劍蘭	步步高陞
萬年青	順利長久
松樹	長壽健康
富貴竹	竹報平安
銀柳	有銀有樓
五代同堂	嫁娶添丁

擺放植物的禁忌

其實只要自己喜歡，大部分植物都可以擺放在家中。不過，要注意有刺植物的擺放位置，例如玫瑰和仙人掌等，假如將有刺植物放在家中的桃花位，便很容易惹來「桃花劫」；建議為免一時錯手，還是少放為妙。

團年

應在何日吃團年飯？

香港人生活忙碌，雖然各家各戶仍然保留着吃團年飯的習俗，但現在已不一定在年三十晚團年了。其實只要團年的日子並非屬於「陰錯」、「陽錯」或「破日」便可；而最佳的選擇，是在「天德」或「月德」等的好日子（有關日子可翻查《通勝》）。

有何傳統習俗要遵守？

從前在家吃一頓團年飯，人們有不少習俗要遵守，但時移世易，不少人為了方便快捷，都會選擇一家人出外用膳。以下所提及的習俗儀式僅作參考，不管如何安排團年飯的細節，只要是一家人高高興興地聚在一起吃，便已很足夠了。

（一）吃團年飯前，要拜祭神明及祖先。拜菩薩要大香、細香各三支；拜地主要五支香；要在分別拜過五方土地龍神後；然後才上三支香拜祖先。如果有家庭成員未能出席，家人應代其拜祭以示尊重神明。

（二）團年飯的菜餚要包括至少一款酒（如糯米酒），及要具備意頭吉祥的小菜，例如髮菜（意謂「發財」）、韭菜（意謂「長長久久」）及蠔豉（意謂「好事」）等。另外，要有魚、肉、雞、鴨等四道主菜，再加上另四道小菜，這稱為「四盤四碗」，取其諧音「事事如意」。

（三）在吃團年飯時，各人皆宜添飯，代表「添福添壽」；而為團年煮的米飯亦需準備多一些，好讓可以留起一點，代表「年年有餘」，此舉又可避免在年初一打開飯煲時，出現「空空如也」的不吉利情況。

（四）飯後長輩會派利市給後輩，而放於枕頭下的利市稱為「壓歲錢」，注意「壓歲錢」的數目應該為雙數，將之放於枕頭下，代表來年可有充足的金錢使用。

開年

開年飯有何意義？

大年初一過後，大部分家庭都會在年初二準備開年，開年即在新的一年進行第一次祭祀儀式，傳統上此日子頗受重視，中國人每逢祭祀皆離不開一頓豐富的飯菜，而開年又是舊曆新年中的大事，所以不論家庭或公司，為祈求新一年事事順利，開年飯已成為了一項傳統習俗。

應在何時吃開年飯？

開年雖然定於年初二，但祭祀的時間則各處鄉村各處例，有些家庭選擇在年初一剛過、年初二的凌晨進行拜祭儀式及準備開年飯，這純粹是風俗習慣，不必嚴格執行。但要注意年初二也不一定是好日，如果適逢歲破，便要選擇在好的時辰來進行拜祭儀式。在上香拜神後，一家人便可一起吃開年飯。

開年飯要有哪些菜式？

傳統開年飯要準備的食物，不外乎是魚、生菜、燒肉及雞，最好齊備九款開年菜式，象徵「長長久久」。如果是營商者，和員工一起吃開年飯時，適宜在飯桌中央擺放「發財好市」（即髮菜蠔豉），象徵生意愈做愈好。

豬年
吉時吉日

大掃除

	吉日	吉時	沖生肖
首選	農曆十二月十九日 西曆二〇一九年一月廿四日	巳時（早上九時至十一時） 午時（早上十一時至下午一時）	兔
	農曆十二月廿七日 西曆二〇一九年二月一日	午時（早上十一時至下午一時） 申時（下午三時至五時）	豬
次選	農曆十二月廿五日 西曆二〇一九年一月三十日	巳時（早上九時至十一時） 午時（早上十一時至下午一時）	雞

上頭炷香及拜神

吉日	吉時	提示
農曆正月初一 西曆二〇一九年二月五日	子時（晚上十一時至凌晨一時） 丑時（凌晨一時至三時） 寅時（凌晨三時至五時）	年初一喜神及貴神在東南方，財神在正南方；喜神代表各方喜事、貴神代表貴人扶持，拜神時可向此兩方位誠心參拜，祈求全年大吉大利、招財進寶。

行大運

吉日

農曆正月初一

西曆二〇一九年二月五日

吉時

寅時（凌晨三時至五時）

辰時（早上七時至九時）

午時（早上十一時至下午一時）

提示

年初一行大運是迎接新一年開始，踏出家門後，應先向有利方向走一圈，對整年運勢有提升作用。豬年年初一有利方向為東南方（喜神及貴神）及正南方（財神），可迎神招財；忌向西南（噩神）、東北（五鬼）、正西（死門）方行走，以免影響運勢。

開年拜神

吉日

農曆正月初二

西曆二〇一九年二月六日

吉時

丑時（凌晨一時至三時）

卯時（早上五時至七時）

未時（下午一時至三時）

拜太歲

	吉日	吉時	沖生肖
首選	農曆正月初四 西曆二〇一九年二月八日	未時（下午一時至三時）	馬
	農曆正月初十 西曆二〇一九年二月十四日	辰時（早上七時至九時） 午時（早上十一時至下午一時） 未時（下午一時至三時）	鼠
次選	農曆正月十四 西曆二〇一九年二月十八日	午時（早上十一時至下午一時） 未時（下午一時至三時）	龍

開市

	吉日	吉時	沖生肖
首選	農曆正月初四 西曆二〇一九年二月八日	未時（下午一時至三時）	馬
首選	農曆正月初十 西曆二〇一九年二月十四日	午時（早上十一時至下午一時） 未時（下午一時至三時）	鼠
次選	農曆正月初七 西曆二〇一九年二月十一日	午時（早上十一時至下午一時） 未時（下午一時至三時）	雞

嫁娶吉日

農曆正月

農曆	西曆	星期	沖生肖
初四	二〇一九年二月八日	五	馬
初六	二〇一九年二月十日	日	猴
初七	二〇一九年二月十一日	一	雞
初十	二〇一九年二月十四日	四	鼠
十九	二〇一九年二月廿三日	六	雞
二十	二〇一九年二月廿四日	日	狗
廿二	二〇一九年二月廿六日	二	鼠
廿五	二〇一九年三月一日	五	兔
廿八	二〇一九年三月四日	一	馬

農曆二月

農曆	西曆	星期	沖生肖
初二	二〇一九年三月八日	五	狗
初八	二〇一九年三月十四日	四	龍
廿三	二〇一九年三月廿九日	五	羊
廿四	二〇一九年三月三十日	六	猴
廿五	二〇一九年三月卅一日	日	雞
廿九	二〇一九年四月四日	四	牛

農曆三月

農曆	西曆	星期	沖生肖
初二	二〇一九年四月六日	六	兔
初五	二〇一九年四月九日	二	馬
初六	二〇一九年四月十日	三	羊
初七	二〇一九年四月十一日	四	猴
初八	二〇一九年四月十二日	五	雞
十一	二〇一九年四月十五日	一	鼠
十四	二〇一九年四月十八日	四	兔
十七	二〇一九年四月廿一日	日	馬
十八	二〇一九年四月廿二日	一	羊
廿六	二〇一九年四月三十日	二	兔
廿九	二〇一九年五月三日	五	馬

農曆四月

農曆	西曆	星期	沖生肖
初二	二〇一九年五月六日	一	雞
初五	二〇一九年五月九日	四	鼠
初八	二〇一九年五月十二日	日	兔
初九	二〇一九年五月十三日	一	龍
十一	二〇一九年五月十五日	三	馬
十四	二〇一九年五月十八日	六	雞
二十	二〇一九年五月廿四日	五	兔
廿三	二〇一九年五月廿七日	一	馬
廿五	二〇一九年五月廿九日	三	猴
廿九	二〇一九年六月二日	日	鼠

農曆五月

農曆	西曆	星期	沖生肖
初三	二〇一九年六月五日	三	兔
初四	二〇一九年六月六日	四	龍
初八	二〇一九年六月十日	一	猴
初十	二〇一九年六月十二日	三	狗
十三	二〇一九年六月十五日	六	牛
十六	二〇一九年六月十八日	二	龍
二十	二〇一九年六月廿二日	六	猴
廿五	二〇一九年六月廿七日	四	牛
廿六	二〇一九年六月廿八日	五	虎
廿八	二〇一九年六月三十日	日	龍

農曆六月

農曆	西曆	星期	沖生肖
初二	二〇一九年七月四日	四	猴
初四	二〇一九年七月六日	六	狗
初八	二〇一九年七月十日	三	虎
初九	二〇一九年七月十一日	四	兔
十四	二〇一九年七月十六日	二	猴
十九	二〇一九年七月廿一日	日	牛
廿一	二〇一九年七月廿三日	二	兔
廿二	二〇一九年七月廿四日	三	龍
廿四	二〇一九年七月廿六日	五	馬
廿七	二〇一九年七月廿九日	一	雞

農曆七月

農曆	西曆	星期	沖生肖
初二	二〇一九年八月二日	五	牛
初四	二〇一九年八月四日	日	兔
初八	二〇一九年八月八日	四	羊
初十	二〇一九年八月十日	六	雞
十三	二〇一九年八月十三日	二	鼠
十五	二〇一九年八月十五日	四	虎
十九	二〇一九年八月十九日	一	馬
廿二	二〇一九年八月廿二日	四	雞
廿三	二〇一九年八月廿三日	五	狗
廿五	二〇一九年八月廿五日	日	鼠
廿六	二〇一九年八月廿六日	一	牛
廿九	二〇一九年八月廿九日	四	龍

農曆八月

農曆	西曆	星期	沖生肖
初五	二〇一九年九月三日	二	雞
初十	二〇一九年九月八日	日	虎
十二	二〇一九年九月十日	二	龍
十五	二〇一九年九月十三日	五	羊
十八	二〇一九年九月十六日	一	狗
廿七	二〇一九年九月廿五日	三	羊
三十	二〇一九年九月廿八日	六	狗

農曆九月

農曆	西曆	星期	沖生肖
初三	二〇一九年十月一日	二	牛
初九	二〇一九年十月七日	一	羊
十一	二〇一九年十月九日	三	雞
十四	二〇一九年十月十二日	六	鼠
十八	二〇一九年十月十六日	三	龍
廿三	二〇一九年十月廿一日	一	雞
廿六	二〇一九年十月廿四日	四	鼠
廿八	二〇一九年十月廿六日	六	虎

農曆十月

農曆	西曆	星期	沖生肖
初六	二〇一九年十一月二日	六	雞
初九	二〇一九年十一月五日	二	鼠
十二	二〇一九年十一月八日	五	兔
十七	二〇一九年十一月十三日	三	猴
十八	二〇一九年十一月十四日	四	雞
十九	二〇一九年十一月十五日	五	狗
廿二	二〇一九年十一月十八日	一	牛
廿七	二〇一九年十一月廿三日	六	馬
廿九	二〇一九年十一月廿五日	一	猴

農曆十一月

農曆	西曆	星期	沖生肖
初一	二〇一九年十一月廿六日	二	雞
初二	二〇一九年十一月廿七日	三	狗
初四	二〇一九年十一月廿九日	五	鼠
初五	二〇一九年十一月三十日	六	牛
初十	二〇一九年十二月五日	四	馬
十二	二〇一九年十二月七日	六	猴
十四	二〇一九年十二月九日	一	狗
十八	二〇一九年十二月十三日	五	虎
二十	二〇一九年十二月十五日	日	龍
廿三	二〇一九年十二月十八日	三	羊
廿四	二〇一九年十二月十九日	四	猴
廿九	二〇一九年十二月廿四日	二	牛
三十	二〇一九年十二月廿五日	三	虎

農曆十二月

農曆	西曆	星期	沖生肖
初二	二〇一九年十二月廿七日	五	龍
初五	二〇一九年十二月三十日	一	羊
初六	二〇一九年十二月卅一日	二	猴
初八	二〇二〇年一月二日	四	狗
十一	二〇二〇年一月五日	日	牛
十三	二〇二〇年一月七日	二	兔
十八	二〇二〇年一月十二日	日	猴
十九	二〇二〇年一月十三日	一	雞
廿五	二〇二〇年一月十九日	日	兔
廿九	二〇二〇年一月廿三日	四	羊
三十	二〇二〇年一月廿四日	五	猴

時辰對照表

時辰	時間
子時	晚上十一時至凌晨一時
丑時	凌晨一時至三時
寅時	凌晨三時至五時
卯時	早上五時至七時
辰時	早上七時至九時
巳時	早上九時至十一時
午時	早上十一時至下午一時
未時	下午一時至三時
申時	下午三時至五時
酉時	下午五時至晚上七時
戌時	晚上七時至九時
亥時	晚上九時至十一時

每日通勝

二〇一九年西曆二月／三月 己亥年農曆正月

吉凶	西曆 月	西曆 日	農曆	星期	干支	建月	宜	忌	子	丑	寅	卯	辰	巳	午	未	申	酉	戌	亥	沖
♥	2	5	正月初一	二	癸酉	危	萬事大吉	開倉、詞訟	♥	♥	♥		♥								兔
♡	2	6	初二	三	甲戌	成	祭祀、開市、交易、補垣	開倉、出財		♥	♥	♥				♥					龍
♡	2	7	初三	四	乙亥	收	祭祀、移徙、修造、動土	栽種、嫁娶	♥	♥	♥	♥				♥					蛇
♥	2	8	初四	五	丙子	開	嫁娶、交易、移徙、置產	動土、安葬	♥	♥								♥	♥	♥	馬
♡	2	9	初五	六	丁丑	閉	安床、立約、交易、補垣	理髮、動土	♥						♥			♥		♥	羊
♡	2	10	初六	日	戊寅	建	嫁娶、納采、立約、安葬	置產、祭祀		♥		♥	♥		♥	♥					猴
♡	2	11	初七	一	己卯	除	嫁娶、交易、動土、安床	穿井、開池	♥		♥	♥			♥	♥					雞
♡	2	12	初八	二	庚辰	滿	祭祀、會友、裁衣、補垣	結網、行喪		♥	♥		♥		♥	♥				♥	狗
♥(黑)	2	13	初九	三	辛巳	平	拆卸、掃舍	合醬、遠行		♥	♥				♥	♥			♥		豬
♥	2	14	初十	四	壬午	定	嫁娶、移徙、交易、安葬	開渠、搭廁		♥	♥	♥				♥				♥	鼠
♡	2	15	十一	五	癸未	執	訂婚、修造、動土、安床	詞訟、作灶	♥		♥	♥			♥				♥		牛
♥(黑)	2	16	十二	六	甲申	破	治病、掃舍、破屋、壞垣	開倉、安床	♥	♥			♥			♥		♥			虎
♡	2	17	十三	日	乙酉	危	祭祀、動土、作灶、安葬	栽種、蒔插	♥	♥	♥		♥					♥			兔
♥	2	18	十四	一	丙戌	成	祭祀、開市、動土、安葬	修廚、詞訟	♥		♥	♥						♥	♥	♥	龍
♥	2	19	十五	二	丁亥	收	祭祀、出行、開市、動土	嫁娶、成服		♥	♥				♥	♥		♥	♥	♥	蛇

♥吉 ♡中吉 ♡平 ♥凶

西曆月	西曆日	吉凶	農曆	星期	干支	建月	宜	忌	子	丑	寅	卯	辰	巳	午	未	申	酉	戌	亥	沖
2	20	中吉	十六	三	戊子	開	祭祀、開市、安門、作灶	買田、置業		♥		♥	♥					♥			馬
2	21	中吉	十七	四	己丑	閉	作灶、安床、補垣、塞穴	動土、針灸	♥		♥	♥						♥			羊
2	22	中吉	十八	五	庚寅	建	立約、交易、安床、納畜	祭祀、除服		♥	♥	♥	♥								猴
2	23	中吉	十九	六	辛卯	除	嫁娶、移徙、動土、安葬	合醬、穿井			♥	♥			♥				♥		雞
2	24	吉	二十	日	壬辰	滿	祭祀、嫁娶、移徙、動土	開渠、行喪		♥	♥	♥						♥		♥	狗
2	25	凶	廿一	一	癸巳	平	拆卸、掃舍	詞訟、遠行	♥			♥	♥						♥		豬
2	26	吉	廿二	二	甲午	定	嫁娶、納采、動土、安床	開倉、出財		♥	♥					♥		♥			鼠
2	27	平	廿三	三	乙未	執	入學、理髮、建屋、捕捉	新船、進水	♥		♥	♥							♥	♥	牛
2	28	凶	廿四	四	丙申	破	求醫、治病、破屋、壞垣	作灶、安床	♥	♥						♥		♥	♥	♥	虎
3	1	吉	廿五	五	丁酉	危	嫁娶、移徙、安床、安葬	田獵、取魚		♥					♥	♥		♥		♥	兔
3	2	中吉	廿六	六	戊戌	成	入學、開市、補垣、塞穴	買田、置業		♥		♥			♥	♥					龍
3	3	中吉	廿七	日	己亥	收	祭祀、會友、出行、理髮	嫁娶、成服	♥		♥	♥			♥	♥					蛇
3	4	中吉	廿八	一	庚子	開	祭祀、嫁娶、開市、安床	動土、行喪		♥						♥		♥			馬
3	5	平	廿九	二	辛丑	閉	祭祀、結網、補垣	合醬、造酒		♥	♥	♥			♥					♥	羊
3	6	中吉	三十	三	壬寅	閉	動土、補塞、安床、安葬	開渠、祭祀		♥	♥	♥				♥			♥		猴

是日吉時

二〇一九年西曆三月／四月

己亥年農曆二月

西曆月	西曆日	農曆	星期	干支	建月	宜	忌	吉凶	子	丑	寅	卯	辰	巳	午	未	申	酉	戌	亥	沖
3	7	二月初一	四	癸卯	建	祭祀、出行、立約、交易	詞訟、穿井	♡	♥		♥	♥							♥		雞
3	8	初二	五	甲辰	除	嫁娶、納采、移徙、動土	開倉、行喪	♡	♥	♥			♥			♥				♥	狗
3	9	初三	六	乙巳	滿	拆卸、掃舍	栽種、動土	♥	♥	♥							♥		♥		豬
3	10	初四	日	丙午	平	平治道塗、修飾垣牆	修廚、作灶	♡							♥		♥		♥	♥	鼠
3	11	初五	一	丁未	定	移徙、修造、動土、安葬	針灸、蒔插	♥							♥	♥				♥	牛
3	12	初六	二	戊申	執	理髮、掃舍、修造、動土	置產、安床	♡		♥			♥			♥	♥				虎
3	13	初七	三	己酉	破	破屋、壞垣	開市、修廚	♥	♥				♥		♥	♥	♥				兔
3	14	初八	四	庚戌	危	立約、嫁娶、安床、動土	栽種、赴任	♡		♥					♥	♥	♥				龍
3	15	初九	五	辛亥	成	交易、動土、安床、開渠	合醬、嫁娶	♥		♥	♥	♥			♥	♥			♥		蛇
3	16	初十	六	壬子	收	理髮、栽種、補垣、塞穴	開渠、放水	♡	♥	♥	♥	♥	♥			♥					馬
3	17	十一	日	癸丑	開	合帳、求醫、修造、安床	詞訟、動土	♥	♥	♥		♥	♥				♥		♥		羊
3	18	十二	一	甲寅	閉	修造、動土、安床、安葬	開倉、出財	♡			♥		♥			♥			♥		猴
3	19	十三	二	乙卯	建	出行、納采、立約、交易	栽種、穿井	♡			♥	♥				♥	♥		♥	♥	雞
3	20	十四	三	丙辰	除	祭祀	作灶、行喪	♥									♥			♥	狗
3	21	十五	四	丁巳	滿	祭祀、拆卸	動土、遠行	♡		♥					♥	♥			♥		豬

（子至亥：是日吉時）

♥ 吉 ♡ 中吉 ♡ 平 ♥ 凶

吉凶	西曆 月	西曆 日	農曆	星期	干支	建月	宜	忌	子	丑	寅	卯	辰	巳	午	未	申	酉	戌	亥	沖
♡	3	22	十六	五	戊午	平	平道、塗飾、垣牆	買田、置業				♥				♥	♥				鼠
♥	3	23	十七	六	己未	定	祭祀、移徙、立約、安葬	取魚、田獵			♥	♥			♥	♥	♥				牛
♡	3	24	十八	日	庚申	執	掃舍、捕捉、除服、成服	結網、安床		♥			♥		♥	♥	♥				虎
♥	3	25	十九	一	辛酉	破	破屋、壞垣	合醬、造酒			♥		♥		♥						兔
♡	3	26	二十	二	壬戌	危	訂婚、納采、立約、安床	開渠、栽種			♥	♥				♥			♥	♥	龍
♥	3	27	廿一	三	癸亥	成	合帳、開市、動土、開渠	嫁娶、除靈			♥	♥	♥		♥				♥	♥	蛇
♡	3	28	廿二	四	甲子	收	祭祀、理髮、栽種	開倉、出財	♥	♥	♥		♥			♥	♥				馬
♥	3	29	廿三	五	乙丑	開	祭祀、嫁娶、動土、安床	塞穴、安葬	♥	♥	♥	♥					♥				羊
♥	3	30	廿四	六	丙寅	閉	嫁娶、動土、安床、安葬	修廚、祭祀	♥			♥			♥						猴
♡	3	31	廿五	日	丁卯	建	祭祀、嫁娶、移徙、交易	穿井、開池			♥				♥	♥					雞
♡	4	1	廿六	一	戊辰	除	出行、理髮、掃舍、補垣	置產、行喪		♥		♥				♥	♥				狗
♥	4	2	廿七	二	己巳	滿	拆卸、掃舍	動土、除服	♥		♥				♥	♥	♥				豬
♡	4	3	廿八	三	庚午	平	祭祀、平道、塗飾、垣牆	結網、苫蓋		♥	♥				♥	♥	♥				鼠
♥	4	4	廿九	四	辛未	定	祈福、嫁娶、動土、安床	造酒、行喪			♥	♥			♥		♥				牛

(子 to 亥 columns: 是日吉時)

二〇一九年西曆四月／五月

己亥年農曆三月

吉凶	西曆月	西曆日	農曆	星期	干支	建月	宜	忌	子	丑	寅	卯	辰	巳	午	未	申	酉	戌	亥	沖
♥(灰)	4	5	三月初一	五	壬申	定	祭祀、交易、除服、安葬	開渠、安床	♥	♥		♥	♥			♥		♥			虎
♡	4	6	初二	六	癸酉	執	嫁娶、建屋、安床、安葬	詞訟、動土	♥	♥	♥		♥				♥				兔
♥	4	7	初三	日	甲戌	破	求醫、治病、破屋、壞垣	開倉、出財		♥	♥	♥				♥					龍
♡	4	8	初四	一	乙亥	危	理髮、安床、牧養、納畜	栽種、嫁娶	♥	♥	♥	♥				♥					蛇
♥(灰)	4	9	初五	二	丙子	成	嫁娶、醫病、動土、安葬	修廚、詞訟	♥	♥								♥		♥	馬
♥(灰)	4	10	初六	三	丁丑	收	嫁娶、移徙、動土、安葬	開倉、出財	♥						♥			♥		♥	羊
♥(灰)	4	11	初七	四	戊寅	開	移徙、嫁娶、醫病、修造	置業、祭祀		♥		♥	♥		♥	♥					猴
♡	4	12	初八	五	己卯	閉	祭祀、嫁娶、安床、塞穴	穿井、除服	♥		♥	♥			♥	♥					雞
♡	4	13	初九	六	庚辰	建	祭祀、會友	結網、動土		♥	♥		♥		♥	♥				♥	狗
♥	4	14	初十	日	辛巳	除	拆卸、掃舍	醞釀、遠行		♥	♥				♥	♥					豬
♥(灰)	4	15	十一	一	壬午	滿	祭祀、嫁娶、納畜、安葬	新船、開渠		♥	♥	♥				♥				♥	鼠
♡	4	16	十二	二	癸未	平	平治道塗、修飾垣牆	詞訟、裁衣	♥		♥	♥			♥						牛
♡	4	17	十三	三	甲申	定	建屋、安門、成服、安葬	開倉、安床	♥	♥			♥			♥	♥	♥			虎
♥(灰)	4	18	十四	四	乙酉	執	嫁娶、醫病、移徙、安葬	栽種、動土	♥	♥	♥		♥				♥	♥			兔
♥	4	19	十五	五	丙戌	破	求醫、治病、破屋、壞垣	修廚、作灶	♥		♥	♥					♥	♥		♥	龍

（子至亥：是日吉時）

♥吉 ♡中吉 ♡平 ♥凶

吉凶	西曆 月	西曆 日	農曆	星期	干支	建月	宜	忌	子	丑	寅	卯	辰	巳	午	未	申	酉	戌	亥	沖
中吉	4	20	十六	六	丁亥	危	祭祀、移徙、動土、安床	嫁娶、成服		♥	♥				♥	♥		♥		♥	蛇
吉	4	21	十七	日	戊子	成	嫁娶、合帳、移徙、修造	置業、新船		♥		♥	♥				♥	♥			馬
中吉	4	22	十八	一	己丑	收	嫁娶、祭祀、作灶，捕捉	修倉、除服	♥		♥	♥					♥	♥			羊
吉	4	23	十九	二	庚寅	開	納采、移徙、醫病、安床	祭祀、修廚		♥	♥	♥	♥		♥						猴
平	4	24	二十	三	辛卯	閉	補垣、塞穴、成服、安葬	合醬、穿井			♥	♥			♥						雞
中吉	4	25	廿一	四	壬辰	建	開市、交易、掃舍、蓋屋	開渠、動土		♥	♥	♥						♥		♥	狗
凶	4	26	廿二	五	癸巳	除	拆卸、掃舍	詞訟、遠行	♥			♥	♥				♥				豬
中吉	4	27	廿三	六	甲午	滿	祭祀、除服、成服、安葬	開倉、出財		♥	♥					♥		♥			鼠
平	4	28	廿四	日	乙未	平	平治道塗、修飾垣牆	栽種、蒔插	♥		♥	♥					♥			♥	牛
吉	4	29	廿五	一	丙申	定	蓋屋、納畜、成服、安葬	修廚、安床	♥	♥						♥	♥	♥		♥	虎
吉	4	30	廿六	二	丁酉	執	嫁娶、移徙、安床、安葬	動土、修倉		♥					♥	♥		♥		♥	兔
凶	5	1	廿七	三	戊戌	破	破屋、壞垣	買田、置業		♥		♥			♥	♥	♥				龍
中吉	5	2	廿八	四	己亥	危	安床、栽種、牧養、納畜	嫁娶、除服	♥		♥	♥			♥	♥	♥				蛇
吉	5	3	廿九	五	庚子	成	嫁娶、醫病、動土、安葬	經絡、詞訟		♥						♥	♥	♥			馬
中吉	5	4	三十	六	辛丑	收	祭祀、建屋、成服、除服	合醬、造酒		♥	♥	♥			♥		♥			♥	羊

（子至亥：是日吉時）

二〇一九年西曆五月／六月 己亥年農曆四月

西曆 月/日	5/5	5/6	5/7	5/8	5/9	5/10	5/11	5/12	5/13	5/14	5/15	5/16	5/17	5/18	5/19
吉凶	♥(黑)	♥(灰)	♡	♥(黑)	♥(灰)	♡	♡	♥(灰)	♥(灰)	♥(黑)	♡	♥(灰)	♡	♥(灰)	♡
農曆	四月初一	初二	初三	初四	初五	初六	初七	初八	初九	初十	十一	十二	十三	十四	十五
星期	日	一	二	三	四	五	六	日	一	二	三	四	五	六	日
干支	壬寅	癸卯	甲辰	乙巳	丙午	丁未	戊申	己酉	庚戌	辛亥	壬子	癸丑	甲寅	乙卯	丙辰
建月	開	開	閉	建	除	滿	平	定	執	破	危	成	收	開	閉
宜	拆卸	祭祀、嫁娶、動土、安床	建屋、移居、安床、安葬	祭祀、拆卸	移徙、嫁娶、動土、安床	祭祀、會友	掃舍、平治道塗	祭祀、嫁娶、移徙、安葬	嫁娶、動土、安床、安葬	破屋、壞垣	嫁娶、理髮、立約、交易	動土、安床、開渠、安葬	捕捉	嫁娶、移徙、修造、置產	合帳、修造、動土、安床
忌	開渠、放水	詞訟、開池	開倉、針灸	栽種、動土	修廚、苫蓋	理髮、行喪	置產、安床	動土、築隄	修廚、安爐	合醬、嫁娶	開渠、放水	詞訟、新船	開倉、祭祀	穿井、塞穴	修廚、作灶
是日吉時 子		♥	♥	♥				♥			♥	♥			
丑	♥		♥	♥			♥		♥	♥	♥	♥			
寅	♥	♥								♥	♥		♥	♥	
卯	♥	♥								♥	♥			♥	
辰			♥				♥	♥			♥	♥	♥		
巳															
午					♥	♥		♥	♥	♥					
未	♥		♥			♥	♥	♥	♥	♥	♥		♥	♥	
申				♥	♥		♥	♥	♥			♥		♥	♥
酉			♥	♥	♥	♥						♥	♥		♥
戌		♥		♥	♥					♥		♥	♥	♥	
亥															
沖	猴	雞	狗	豬	鼠	牛	虎	兔	龍	蛇	馬	羊	猴	雞	狗

♥吉 ♡中吉 ♡平 ♥凶

吉凶	西曆 月	西曆 日	農曆	星期	干支	建月	宜	忌	是日吉時 子	丑	寅	卯	辰	巳	午	未	申	酉	戌	亥	沖
凶	5	20	十六	一	丁巳	建	拆卸、掃舍	理髮、遠行		♥					♥	♥		♥	♥		豬
吉	5	21	十七	二	戊午	除	掃舍、醫病、安門、安葬	置業、搭廁				♥				♥	♥	♥			鼠
平	5	22	十八	三	己未	滿	置產、結網、補塞	除靈、成服			♥	♥			♥	♥	♥				牛
中吉	5	23	十九	四	庚申	平	移徙、動土、作灶、安葬	結網、安床		♥			♥		♥	♥	♥				虎
吉	5	24	二十	五	辛酉	定	嫁娶、納采、移徙、安葬	造酒、捕捉			♥		♥		♥						兔
中吉	5	25	廿一	六	壬戌	執	訂婚、醫病、動土、安床	開渠、放水			♥	♥				♥			♥		龍
凶	5	26	廿二	日	癸亥	破	破屋、壞垣	詞訟、嫁娶			♥	♥	♥		♥				♥		蛇
吉	5	27	廿三	一	甲子	危	嫁娶、修造、動土、安葬	出財、修倉	♥	♥	♥		♥			♥	♥				馬
吉	5	28	廿四	二	乙丑	成	嫁娶、納采、醫病、安葬	修廚、詞訟	♥	♥	♥	♥					♥	♥			羊
中吉	5	29	廿五	三	丙寅	收	嫁娶、移徙、立約、納畜	作灶、祭祀	♥			♥			♥			♥			猴
吉	5	30	廿六	四	丁卯	開	祈福、訂婚、動土、栽種	穿井、開池			♥				♥	♥					雞
平	5	31	廿七	五	戊辰	閉	立約、交易、補垣、塞穴	買田、置業		♥		♥				♥	♥	♥			狗
凶	6	1	廿八	六	己巳	建	拆卸、掃舍	遠行、除服	♥		♥				♥	♥	♥				豬
吉	6	2	廿九	日	庚午	除	嫁娶、移徙、動土、安葬	田獵、取魚		♥	♥				♥	♥	♥	♥			鼠

二〇一九年西曆六月／七月

己亥年農曆五月

吉凶	西曆月	西曆日	農曆	星期	干支	建月	宜	忌	子	丑	寅	卯	辰	巳	午	未	申	酉	戌	亥	沖
♡	6	3	五月初一	一	辛未	滿	修置、產室	合醬、行喪			❤	❤			❤		❤				牛
♡	6	4	初二	二	壬申	平	理髮、掃舍、平治道塗	開渠、安床	❤	❤		❤	❤			❤		❤			虎
❤	6	5	初三	三	癸酉	定	嫁娶、移徙、動土、安葬	詞訟、蒔插	❤	❤	❤		❤				❤				兔
❤	6	6	初四	四	甲戌	定	嫁娶、交易、動土、作灶	開倉、出財		❤	❤	❤				❤					龍
♡	6	7	初五	五	乙亥	執	出行、動土、上樑、作灶	栽種、嫁娶		❤	❤	❤				❤					蛇
♥	6	8	初六	六	丙子	破	破屋、壞垣	修廚、作灶		❤								❤	❤	❤	馬
♡	6	9	初七	日	丁丑	危	祭祀、修造、動土、安床	理髮、除服							❤			❤		❤	羊
❤	6	10	初八	一	戊寅	成	嫁娶、交易、動土、安葬	置業、祭祀		❤		❤	❤		❤	❤					猴
♡	6	11	初九	二	己卯	收	補捉、田獵	穿井、開池			❤	❤			❤	❤					雞
❤	6	12	初十	三	庚辰	開	嫁娶、醫病、動土、置產	補垣、塞穴		❤	❤		❤		❤	❤				❤	狗
♥	6	13	十一	四	辛巳	閉	拆卸、掃舍	合醬、除服		❤	❤				❤	❤			❤		豬
♡	6	14	十二	五	壬午	建	立約、交易	開渠、放水		❤	❤	❤				❤				❤	鼠
❤	6	15	十三	六	癸未	除	嫁娶、入宅、動土、作灶	詞訟、行喪			❤	❤			❤				❤		牛
❤	6	16	十四	日	甲申	滿	嫁娶、移徙、修造、安葬	出財、安床		❤			❤			❤	❤	❤			虎
♥	6	17	十五	一	乙酉	平	理髮、掃舍、平道、飾垣	栽種、裁衣		❤	❤		❤				❤	❤			兔

♥吉 ♡中吉 ♡平 ♥凶

吉凶	西曆 月	西曆 日	農曆	星期	干支	建月	宜	忌	子	丑	寅	卯	辰	巳	午	未	申	酉	戌	亥	沖
吉	6	18	十六	二	丙戌	定	嫁娶、移徙、立約、安葬	修廚、取魚			♥	♥					♥	♥	♥	♥	龍
中吉	6	19	十七	三	丁亥	執	修造、動土、安床、開渠	理髮、嫁娶		♥	♥				♥	♥		♥	♥	♥	蛇
凶	6	20	十八	四	戊子	破	破屋、壞垣	買田、置業		♥		♥	♥				♥	♥			馬
平	6	21	十九	五	己丑	危	裁衣、搭廁	開倉、栽種			♥	♥					♥	♥			羊
吉	6	22	二十	六	庚寅	成	嫁娶、醫病、安床、安葬	祭祀、詞訟		♥	♥	♥	♥		♥						猴
平	6	23	廿一	日	辛卯	收	祭祀、飾垣	合醬、穿井			♥	♥			♥				♥		雞
吉	6	24	廿二	一	壬辰	開	出行、移徙、動土、置產	放水、補塞		♥	♥	♥						♥		♥	狗
凶	6	25	廿三	二	癸巳	閉	拆卸、掃舍	詞訟、遠行				♥	♥				♥		♥		豬
平	6	26	廿四	三	甲午	建	祭祀、飾垣	開倉、出財		♥	♥					♥		♥			鼠
中吉	6	27	廿五	四	乙未	除	出行、嫁娶、交易、動土	栽種、除服			♥	♥					♥		♥	♥	牛
吉	6	28	廿六	五	丙申	滿	嫁娶、納采、移徙、安葬	修廚、安床		♥						♥	♥	♥	♥	♥	虎
平	6	29	廿七	六	丁酉	平	平治道塗、修飾垣牆	理髮、行喪		♥					♥	♥		♥		♥	兔
吉	6	30	廿八	日	戊戌	定	祈福、嫁娶、移徙、醞釀	置業、栽種		♥		♥			♥	♥	♥				龍
中吉	7	1	廿九	一	己亥	執	祭祀、理髮、動土、捕捉	嫁娶、除服			♥	♥			♥	♥	♥				蛇
凶	7	2	三十	二	庚子	破	破屋、壞垣	新船、進水		♥						♥	♥	♥			馬

是日吉時

二〇一九年西曆七月 己亥年農曆六月

西曆 月	西曆 日	農曆	星期	干支	建月	吉凶	宜	忌	子	丑	寅	卯	辰	巳	午	未	申	酉	戌	亥	沖
7	3	六月初一	三	辛丑	危	♡	祭祀、安床	合醬、造酒		♥	♥	♥			♥		♥			♥	羊
7	4	初二	四	壬寅	成	♥	嫁娶、動土、安床、安葬	開渠、放水		♥	♥	♥				♥			♥		猴
7	5	初三	五	癸卯	收	♡	祭祀、結網	詞訟、穿井			♥	♥							♥		雞
7	6	初四	六	甲辰	開	♥	出行、嫁娶、合帳、移徙	出財、動土		♥			♥			♥		♥		♥	狗
7	7	初五	日	乙巳	閉	♥	拆卸、掃舍	栽種、遠行		♥							♥	♥	♥		豬
7	8	初六	一	丙午	閉	♡	掃舍、補垣、塞穴、除服	修廚、作灶							♥		♥	♥	♥	♥	鼠
7	9	初七	二	丁未	建	♡	出行、上樑、建屋、安床	理髮、動土							♥	♥		♥		♥	牛
7	10	初八	三	戊申	除	♡	嫁娶、治病、修造、動土	置業、安床					♥			♥	♥				虎
7	11	初九	四	己酉	滿	♥	嫁娶、移徙、動土、安床	除靈、針灸	♥				♥		♥	♥	♥				兔
7	12	初十	五	庚戌	平	♡	平道、飾垣	結網、動土							♥	♥	♥				龍
7	13	十一	六	辛亥	定	♥	移徙、立約、修造、動土	合醬、嫁娶			♥	♥			♥	♥			♥		蛇
7	14	十二	日	壬子	執	♡	理髮、成服、破土、安葬	新船、開渠	♥		♥	♥	♥			♥					馬
7	15	十三	一	癸丑	破	♥	破屋、壞垣	詞訟、開市	♥				♥				♥	♥	♥		羊
7	16	十四	二	甲寅	危	♥	嫁娶、動土、安床、安葬	開倉、祭祀			♥		♥			♥		♥	♥		猴
7	17	十五	三	乙卯	成	♡	祭祀、會友	穿井、開池			♥	♥				♥	♥		♥	♥	雞

是日吉時

♥吉 ♡中吉 ♡平 ♥凶

西曆 月	西曆 日	吉凶	農曆	星期	干支	建月	宜	忌	子	丑	寅	卯	辰	巳	午	未	申	酉	戌	亥	沖
7	18	平	十六	四	丙辰	收	捕捉、納畜	作灶、動土									♥	♥		♥	狗
7	19	凶	十七	五	丁巳	開	拆卸、掃舍	理髮、遠行							♥	♥		♥	♥		豬
7	20	平	十八	六	戊午	閉	祭祀、補垣	置產、除服				♥				♥	♥	♥			鼠
7	21	中吉	十九	日	己未	建	嫁娶、移徙、開市、安床	動土、行喪			♥	♥			♥	♥	♥				牛
7	22	中吉	二十	一	庚申	除	動土、蓋屋、成服、安葬	結網、安床					♥		♥	♥	♥				虎
7	23	吉	廿一	二	辛酉	滿	祭祀、嫁娶、建屋、安葬	合醬，造酒			♥		♥		♥						兔
7	24	中吉	廿二	三	壬戌	平	嫁娶、捕捉、結網、納蓄	開渠、動土			♥	♥				♥			♥	♥	龍
7	25	平	廿三	四	癸亥	定	理髮、掃舍	詞訟、嫁娶			♥	♥	♥		♥				♥	♥	蛇
7	26	吉	廿四	五	甲子	執	嫁娶、移徙、動土、安葬	開倉、出財	♥		♥		♥			♥	♥				馬
7	27	凶	廿五	六	乙丑	破	求醫、治病、破屋、壞垣	栽種、蒔插	♥		♥	♥					♥	♥			羊
7	28	吉	廿六	日	丙寅	危	嫁娶、納采、安床、安葬	修廚、祭祀	♥			♥			♥			♥	♥		猴
7	29	吉	廿七	一	丁卯	成	嫁娶、醫病、移徙、安葬	開池、詞訟			♥				♥	♥					雞
7	30	平	廿八	二	戊辰	收	納財、捕捉	置產、行喪				♥				♥	♥	♥			狗
7	31	凶	廿九	三	己巳	開	拆卸、掃舍	遠行、補塞	♥		♥				♥	♥	♥				豬

二〇一九年西曆八月　己亥年農曆七月

西曆 月	西曆 日	農曆	星期	干支	建月	吉凶	宜	忌	子	丑	寅	卯	辰	巳	午	未	申	酉	戌	亥	沖
8	1	七月初一	四	庚午	閉	♡	醞釀、補垣、塞穴、安葬	結網、苫蓋			♥				♥	♥	♥	♥			鼠
8	2	初二	五	辛未	建	♥	嫁娶、移徙、安床、牧養	動土、行喪			♥	♥			♥		♥				牛
8	3	初三	六	壬申	除	♡	祈福、治病、成服、安葬	開渠、安床	♥			♥	♥			♥		♥			虎
8	4	初四	日	癸酉	滿	♡	嫁娶、祭祀、成服、安葬	詞訟、針灸	♥		♥		♥				♥				兔
8	5	初五	一	甲戌	平	♡	祭祀、作灶、修飾垣牆	開倉、動土			♥	♥				♥					龍
8	6	初六	二	乙亥	定	♥	赴任、修造、動土、作灶	嫁娶、除靈	♥		♥	♥				♥					蛇
8	7	初七	三	丙子	執	♥	祭祀	修廚、作灶	♥									♥	♥	♥	馬
8	8	初八	四	丁丑	執	♡	嫁娶、醫病、動土、安葬	理髮、裁衣	♥						♥			♥		♥	羊
8	9	初九	五	戊寅	破	♥	求醫、治病、破屋、壞垣	置業、祭祀		♥		♥	♥		♥	♥					猴
8	10	初十	六	己卯	危	♡	嫁娶、會友、理髮、成服	穿井、動土	♥			♥			♥	♥					雞
8	11	十一	日	庚辰	成	♥	祈福、動土、作灶、開渠	除靈、行喪		♥			♥		♥	♥				♥	狗
8	12	十二	一	辛巳	收	♥	拆卸、掃舍	合醬、遠行		♥					♥	♥			♥		豬
8	13	十三	二	壬午	開	♡	嫁娶、納采、動土、置產	開渠、苫蓋		♥		♥				♥				♥	鼠
8	14	十四	三	癸未	閉	♡	納采、立約、修造、動土	詞訟、修廚	♥			♥			♥				♥		牛
8	15	十五	四	甲申	建	♡	出行、嫁娶、掃舍、納畜	安床、動土	♥	♥			♥			♥	♥	♥			虎

♥吉 ♡中吉 ♡平 ♥凶

吉凶	西曆月	西曆日	農曆	星期	干支	建月	宜	忌	子	丑	寅	卯	辰	巳	午	未	申	酉	戌	亥	沖
中吉	8	16	十六	五	乙酉	除	祭祀、祈福、成服、安葬	蒔插、結網	♥	♥			♥				♥	♥			兔
中吉	8	17	十七	六	丙戌	滿	會友、裁衣、開市、栽種	作灶、成服	♥			♥					♥	♥	♥	♥	龍
中吉	8	18	十八	日	丁亥	平	移徙、赴任、上樑、納畜	嫁娶、除服		♥					♥	♥		♥	♥	♥	蛇
吉	8	19	十九	一	戊子	定	嫁娶、移徙、醞釀、安葬	買田、修置		♥		♥	♥				♥	♥			馬
平	8	20	二十	二	己丑	執	栽種、結網、捕捉、納畜	修倉、開倉	♥			♥					♥	♥			羊
凶	8	21	廿一	三	庚寅	破	破屋、壞垣	結網、祭祀		♥		♥	♥								猴
中吉	8	22	廿二	四	辛卯	危	嫁娶、置產、安床、安葬	合醬、穿井				♥			♥				♥		雞
吉	8	23	廿三	五	壬辰	成	祭祀、嫁娶、動土、安葬	開渠、修廚		♥		♥						♥		♥	狗
凶	8	24	廿四	六	癸巳	收	拆卸、掃舍	詞訟、成服	♥			♥	♥				♥		♥		豬
中吉	8	25	廿五	日	甲午	開	嫁娶、出行、修造、動土	開倉、出財		♥						♥		♥			鼠
中吉	8	26	廿六	一	乙未	閉	嫁娶、納采、動土、安葬	栽種、針灸	♥			♥					♥		♥	♥	牛
中吉	8	27	廿七	二	丙申	建	納采、納畜、成服、安葬	作灶、安床	♥	♥						♥	♥	♥	♥	♥	虎
吉	8	28	廿八	三	丁酉	除	修造、動土、安床、安葬	整甲、捕捉		♥					♥	♥		♥		♥	兔
中吉	8	29	廿九	四	戊戌	滿	嫁娶、移徙、開市、動土	除服、行喪		♥		♥			♥	♥	♥				龍

是日吉時

二〇一九年西曆八月／九月 己亥年農曆八月

西曆月	西曆日	農曆	星期	干支	建月	宜	忌	吉凶	子	丑	寅	卯	辰	巳	午	未	申	酉	戌	亥	沖
8	30	八月初一	五	己亥	平	平道、塗飾、垣牆	嫁娶、除服	♡	♥			♥			♥	♥	♥				蛇
8	31	初二	六	庚子	定	移徙、交易、修造、安床	除靈、成服	♥		♥						♥	♥	♥			馬
9	1	初三	日	辛丑	執	捕捉、田獵、結網、取魚	合醬、造酒	♡		♥		♥			♥		♥			♥	羊
9	2	初四	一	壬寅	破	破屋、壞垣	開渠、祭祀	♥		♥		♥				♥			♥		猴
9	3	初五	二	癸卯	危	嫁娶、立約、交易、安床	詞訟、動土	♡	♥			♥							♥		雞
9	4	初六	三	甲辰	成	祭祀、納采、立約、交易	開倉、針灸	♡	♥	♥			♥			♥		♥		♥	狗
9	5	初七	四	乙巳	收	拆卸、掃舍	栽種、遠行	♥	♥	♥							♥	♥	♥		豬
9	6	初八	五	丙午	開	開市、動土、安床、牧養	修廚、苫蓋	♥							♥		♥	♥	♥	♥	鼠
9	7	初九	六	丁未	閉	訂婚、移徙、修造、成服	理髮、針灸	♡							♥	♥		♥		♥	牛
9	8	初十	日	戊申	閉	嫁娶、交易、補垣、安葬	置業、安床	♡		♥			♥			♥	♥				虎
9	9	十一	一	己酉	建	出行、成服、安葬	動土、作灶	♡	♥				♥		♥	♥	♥				兔
9	10	十二	二	庚戌	除	嫁娶、開市、修造、動土	成服、行喪	♥		♥					♥	♥	♥				龍
9	11	十三	三	辛亥	滿	移徙、修造、安床、補垣	醞釀、嫁娶	♡		♥	♥				♥	♥			♥		蛇
9	12	十四	四	壬子	平	平治道塗、修飾垣牆	開渠、放水	♡	♥	♥	♥		♥			♥					馬
9	13	十五	五	癸丑	定	祈福、嫁娶、動土、安葬	詞訟、取魚	♥	♥	♥			♥				♥	♥	♥		羊

♥吉 ♡中吉 ♡平 ♥凶

吉凶	西曆 月	西曆 日	農曆	星期	干支	建月	宜	忌	是日吉時	沖
中吉	9	14	十六	六	甲寅	執	理髮、捕捉、破土、安葬	開倉、祭祀	寅、辰、未、酉、戌	猴
凶	9	15	十七	日	乙卯	破	求醫、治病、破屋、壞垣	栽種、穿井	寅、未、申、戌、亥	雞
吉	9	16	十八	一	丙辰	危	嫁娶、交易、動土、安葬	修廚、塞穴	申、酉、亥	狗
凶	9	17	十九	二	丁巳	成	拆卸、掃舍	理髮、詞訟	丑、午、未、酉、戌	豬
中吉	9	18	二十	三	戊午	收	祭祀、捕捉	置產、修廚	未、申、酉	鼠
平	9	19	廿一	四	己未	開	出行、移徙、赴任、納畜	動土、補垣	寅、午、未、申	牛
吉	9	20	廿二	五	庚申	閉	建屋、作灶、補垣、安葬	結網、安床	丑、辰、午、未、申	虎
中吉	9	21	廿三	六	辛酉	建	出行、掃舍	醞釀、動土	寅、辰、午	兔
凶	9	22	廿四	日	壬戌	除	祭祀	開渠、行喪	寅、未、戌、亥	龍
中吉	9	23	廿五	一	癸亥	滿	補垣、塞穴	詞訟、嫁娶	寅、辰、午、戌、亥	蛇
中吉	9	24	廿六	二	甲子	平	平治道塗、修飾垣牆	開倉、出財	子、丑、寅、辰、未、申	馬
吉	9	25	廿七	三	乙丑	定	嫁娶、納采、移徙、安床	除服、成服	子、丑、寅、申、酉	羊
平	9	26	廿八	四	丙寅	執	訂婚、安門、成服、安葬	祭祀、動土	子、午、酉	猴
凶	9	27	廿九	五	丁卯	破	破屋、壞垣	理髮、穿井	寅、午、未	雞
吉	9	28	三十	六	戊辰	危	祭祀、嫁娶、移徙、安床	置業、新船	丑、未、申、酉	狗

二〇一九年西曆九月／十月

己亥年農曆九月

西曆 月/日	農曆	星期	干支	建月	吉凶	宜	忌	子	丑	寅	卯	辰	巳	午	未	申	酉	戌	亥	沖
9/29	九月初一	日	己巳	成	**♥**	祭祀、拆卸	除靈、成服	♥		♥				♥	♥	♥				豬
9/30	初二	一	庚午	收	♡	祭祀、針灸、田獵、捕捉	結網、苫蓋		♥	♥				♥	♥	♥	♥			鼠
10/1	初三	二	辛未	開	♥	祈福、求嗣、嫁娶、移徙	動土、除服			♥				♥		♥				牛
10/2	初四	三	壬申	閉	♡	補垣、醞釀、栽種、安葬	放水、安床	♥	♥			♥			♥		♥			虎
10/3	初五	四	癸酉	建	♡	祭祀、出行、理髮、安葬	動土、作灶	♥	♥	♥		♥				♥				兔
10/4	初六	五	甲戌	除	♥	移居、安床、築隄、栽種	開倉、出財		♥	♥					♥					龍
10/5	初七	六	乙亥	滿	♥	出行、移徙、修造、動土	嫁娶、成服	♥	♥	♥					♥					蛇
10/6	初八	日	丙子	平	♡	平治道塗、修飾垣牆	修廚、作灶	♥	♥								♥	♥	♥	馬
10/7	初九	一	丁丑	定	♥	嫁娶、交易、動土、安葬	栽種、蒔插	♥						♥			♥		♥	羊
10/8	初十	二	戊寅	執	♡	動土、安門、作灶、安葬	置業、祭祀		♥			♥		♥	♥					猴
10/9	十一	三	己卯	執	♥	嫁娶、治病、建屋、安床	除服、行喪	♥		♥	♥			♥	♥					雞
10/10	十二	四	庚辰	破	**♥**	破屋、壞垣	新船、進水		♥	♥				♥	♥				♥	狗
10/11	十三	五	辛巳	危	**♥**	拆卸、掃舍	合醬、造酒		♥	♥				♥	♥			♥		豬
10/12	十四	六	壬午	成	♥	嫁娶、動土、安床、安葬	開渠、放水		♥	♥	♥				♥				♥	鼠
10/13	十五	日	癸未	收	♡	捕捉、結網	詞訟、修倉	♥		♥	♥			♥				♥		牛

♥吉 ♡中吉 ♡平 ♥凶

吉凶	西曆 月	西曆 日	農曆	星期	干支	建月	宜	忌	子	丑	寅	卯	辰	巳	午	未	申	酉	戌	亥	沖
吉	10	14	十六	一	甲申	開	祈福、醫病、修造、動土	出財、安床	♥	♥						♥	♥	♥			虎
中吉	10	15	十七	二	乙酉	閉	理髮、補垣、成服、安葬	栽種、針灸	♥	♥	♥						♥	♥			兔
吉	10	16	十八	三	丙戌	建	嫁娶、納采、移徙、安床	動土、行喪	♥		♥	♥					♥	♥	♥	♥	龍
平	10	17	十九	四	丁亥	除	醫病、上樑、建屋、安門	嫁娶、動土		♥	♥				♥	♥		♥	♥	♥	蛇
平	10	18	二十	五	戊子	滿	祭祀、理髮、安床、納畜	買田、置業		♥		♥					♥	♥			馬
中吉	10	19	廿一	六	己丑	平	理髮、作灶	除服、行喪	♥		♥	♥					♥	♥			羊
中吉	10	20	廿二	日	庚寅	定	會友，捕捉、成服、安葬	結網、祭祀		♥	♥	♥									猴
吉	10	21	廿三	一	辛卯	執	嫁娶、移徙、作灶、安葬	合醬、造酒			♥	♥			♥				♥		雞
凶	10	22	廿四	二	壬辰	破	破屋、壞垣	開渠、放水		♥	♥	♥						♥		♥	狗
凶	10	23	廿五	三	癸巳	危	拆卸、掃舍	詞訟、除服	♥			♥					♥		♥		豬
吉	10	24	廿六	四	甲午	成	嫁娶、移徙、動土、安葬	苫蓋、新船		♥	♥					♥		♥			鼠
中吉	10	25	廿七	五	乙未	收	祭祀、結網、補捉	栽種、蒔插	♥		♥	♥					♥		♥	♥	牛
吉	10	26	廿八	六	丙申	開	祭祀、出行、嫁娶、動土	修廚、安床	♥	♥						♥	♥	♥	♥	♥	虎
中吉	10	27	廿九	日	丁酉	閉	祭祀、補垣、除服、安葬	理髮、針灸		♥					♥	♥		♥		♥	兔

（子至亥欄：是日吉時）

二〇一九年西曆十月／十一月

己亥年農曆十月

吉凶	西曆 月	西曆 日	農曆	星期	干支	建月	宜	忌	是日吉時 子	丑	寅	卯	辰	巳	午	未	申	酉	戌	亥	沖
♡	10	28	十月初一	一	戊戌	建	建屋、搭廁	置產、動土		♥		♥			♥	♥	♥				龍
♡	10	29	初二	二	己亥	除	理髮	嫁娶、動土	♥		♥	♥			♥	♥	♥				蛇
♡	10	30	初三	三	庚子	滿	祭祀、開市、交易、除服	新船、進水		♥						♥	♥	♥			馬
♡	10	31	初四	四	辛丑	平	祭祀、結網、平道、飾垣	合醬、造酒		♥	♥	♥			♥		♥			♥	羊
♡	11	1	初五	五	壬寅	定	動土、結網、成服、安葬	開渠、祭祀		♥	♥	♥				♥			♥		猴
♥	11	2	初六	六	癸卯	執	嫁娶、移徙、安床、安葬	詞訟、穿并	♥		♥	♥							♥		雞
🖤	11	3	初七	日	甲辰	破	破屋、壞垣	開倉、出財	♥	♥						♥		♥		♥	狗
🖤	11	4	初八	一	乙巳	危	拆卸、掃舍	栽種、遠行	♥	♥							♥	♥	♥		豬
♥	11	5	初九	二	丙午	成	嫁娶、醫病、動土、安葬	修廚、搭廁							♥		♥	♥	♥	♥	鼠
♡	11	6	初十	三	丁未	收	捕捉、田獵	理髮、修倉							♥	♥		♥		♥	牛
🖤	11	7	十一	四	戊申	開	祭祀	置業、安床		♥						♥	♥				虎
♥	11	8	十二	五	己酉	開	嫁娶、動土、安床、作灶	新船、塞穴	♥				♥		♥	♥	♥				兔
♡	11	9	十三	六	庚戌	閉	補垣、塞穴	結網、修廚		♥					♥	♥	♥				龍
♡	11	10	十四	日	辛亥	建	祭祀、理髮	合醬、嫁娶		♥	♥	♥			♥	♥			♥		蛇
♥	11	11	十五	一	壬子	除	開市、動土、建屋、安床	成服、行喪	♥	♥	♥	♥	♥			♥					馬

♥吉 ♡中吉 ♡平 ♥凶

吉凶	西曆 月	西曆 日	農曆	星期	干支	建月	宜	忌	是日吉時 子	丑	寅	卯	辰	巳	午	未	申	酉	戌	亥	沖
♡	11	12	十六	二	癸丑	滿	作灶、理髮、補垣、塞穴	詞訟、除服	♥	♥			♥				♥	♥	♥		羊
♥	11	13	十七	三	甲寅	平	嫁娶、移徙、動土、安葬	開倉、出財			♥		♥			♥		♥	♥		猴
♥	11	14	十八	四	乙卯	定	嫁娶、修造、除服、安葬	穿井、開池			♥	♥				♥	♥		♥	♥	雞
♡	11	15	十九	五	丙辰	執	嫁娶、理髮、捕捉、治病	作灶、動土									♥	♥		♥	狗
♥	11	16	二十	六	丁巳	破	破屋、壞垣	理髮、遠行		♥					♥	♥		♥	♥		豬
♡	11	17	廿一	日	戊午	危	開市、動土、作灶、安葬	買田、置業				♥				♥	♥	♥			鼠
♥	11	18	廿二	一	己未	成	嫁娶、修造、動土、安葬	詞訟、修廚			♥	♥			♥	♥	♥				牛
♡	11	19	廿三	二	庚申	收	出行、移徙、動土、安葬	取魚、安床		♥			♥		♥	♥	♥				虎
♥	11	20	廿四	三	辛酉	開	醫病、修造、動土、作灶	造酒、補塞			♥		♥		♥						兔
♡	11	21	廿五	四	壬戌	閉	安床、修造、動土、塞穴	開渠、除服			♥	♥				♥			♥	♥	龍
♡	11	22	廿六	五	癸亥	建	祭祀、理髮	詞訟、嫁娶			♥	♥	♥		♥				♥	♥	蛇
♥	11	23	廿七	六	甲子	除	嫁娶、移徙、安床、安葬	出財、取魚	♥	♥	♥		♥			♥	♥				馬
♡	11	24	廿八	日	乙丑	滿	會友、理髮、補垣、塞穴	栽種、行喪	♥	♥	♥	♥					♥	♥			羊
♡	11	25	廿九	一	丙寅	平	嫁娶、動土、上樑、栽種	作灶、祭祀	♥			♥			♥			♥			猴

二〇一九年西曆十一月／十二月 己亥年農曆十一月

西曆月	西曆日	吉凶	農曆	星期	干支	建月	宜	忌	子	丑	寅	卯	辰	巳	午	未	申	酉	戌	亥	沖
11	26	♥	十一月初一	二	丁卯	定	嫁娶、移徙、修造、安葬	穿井、開池			♥				♥	♥					雞
11	27	♡	初二	三	戊辰	執	嫁娶、納采、治病、安床	置業、動土		♥		♥				♥	♥	♥			狗
11	28	♥	初三	四	己巳	破	求醫、治病、破屋、壞垣	遠行、除服	♥		♥				♥	♥	♥				豬
11	29	♥	初四	五	庚午	危	嫁娶、移徙、動土、安葬	結網、搭廁		♥	♥				♥	♥	♥	♥			鼠
11	30	♥	初五	六	辛未	成	嫁娶、動土、安床、安葬	造酒、詞訟			♥	♥			♥		♥				牛
12	1	♡	初六	日	壬申	收	理髮、掃舍、伐木、捕捉	開渠、安床	♥	♥		♥	♥			♥		♥			虎
12	2	♥	初七	一	癸酉	開	立約、動土、安床、成服	詞訟、補垣	♥	♥	♥		♥				♥				兔
12	3	♡	初八	二	甲戌	閉	祭祀、安床、補垣、塞穴	開倉、出財		♥	♥	♥				♥					龍
12	4	♡	初九	三	乙亥	建	祭祀、理髮、出行、蓋屋	栽種、嫁娶	♥	♥	♥	♥				♥					蛇
12	5	♡	初十	四	丙子	除	嫁娶、開市、安床、破土	修廚、作灶	♥	♥								♥	♥	♥	馬
12	6	♡	十一	五	丁丑	滿	祭祀、會友、補垣、塞穴	新船、進水	♥						♥			♥		♥	羊
12	7	♥	十二	六	戊寅	平	出行、嫁娶、移徙、安葬	置產、祭祀		♥		♥	♥		♥	♥					猴
12	8	♡	十三	日	己卯	平	理髮、平道、飾垣	穿井、開池	♥		♥	♥				♥					雞
12	9	♥	十四	一	庚辰	定	嫁娶、修造、醞釀、安葬	經絡、結網		♥	♥		♥			♥	♥			♥	狗
12	10	♥	十五	二	辛巳	執	拆卸、掃舍	醞釀、遠行		♥	♥					♥			♥		豬

♥吉 ♡中吉 ♡平 ♥凶

吉凶	西曆		農曆	星期	干支	建月	宜	忌	是日吉時												沖
	月	日							子	丑	寅	卯	辰	巳	午	未	申	酉	戌	亥	
凶	12	11	十六	三	壬午	破	破屋、壞垣	開渠、放水		♥	♥	♥				♥				♥	鼠
中吉	12	12	十七	四	癸未	危	入學、納采、交易	詞訟、行喪	♥		♥	♥							♥		牛
吉	12	13	十八	五	甲申	成	嫁娶、納采、移徙、安葬	安床、動土	♥	♥			♥			♥	♥	♥			虎
平	12	14	十九	六	乙酉	收	理髮、掃舍、捕捉、結網	栽種、蒔插	♥	♥	♥		♥				♥	♥			兔
吉	12	15	二十	日	丙戌	開	嫁娶、動土、蓋屋、置產	修廚、補垣	♥		♥	♥					♥	♥	♥	♥	龍
中吉	12	16	廿一	一	丁亥	閉	修造、動土、上樑、塞穴	理髮、嫁娶		♥	♥					♥		♥	♥	♥	蛇
平	12	17	廿二	二	戊子	建	修飾垣牆	置產、動土		♥		♥	♥				♥	♥			馬
吉	12	18	廿三	三	己丑	除	祭祀、嫁娶、立約、動土	除服、行喪	♥		♥	♥					♥	♥			羊
吉	12	19	廿四	四	庚寅	滿	嫁娶、安床、補塞、安葬	結網、祭祀		♥	♥	♥	♥								猴
平	12	20	廿五	五	辛卯	平	修飾垣牆	合醬、穿井			♥	♥							♥		雞
凶	12	21	廿六	六	壬辰	定	祭祀	開渠、放水		♥	♥	♥						♥		♥	狗
平	12	22	廿七	日	癸巳	執	祭祀	詞訟、遠行	♥			♥	♥				♥		♥		豬
凶	12	23	廿八	一	甲午	破	破屋、壞垣	開倉、出財		♥	♥					♥		♥			鼠
中吉	12	24	廿九	二	乙未	危	嫁娶、納采、動土、安床	栽種、蒔插	♥		♥	♥					♥		♥	♥	牛
吉	12	25	三十	三	丙申	成	嫁娶、移徙、納畜、安葬	安床、動土	♥	♥						♥	♥	♥	♥	♥	虎

二〇一九年西曆十二月/一月 己亥年農曆十二月

吉凶	♡	♡	♡	♡	♡	♡	♡	♥	♥	♥	♡	♥	♥	♡	♡
西曆 月	12	12	12	12	12	12	1	1	1	1	1	1	1	1	1
西曆 日	26	27	28	29	30	31	1	2	3	4	5	6	7	8	9
農曆	十二月初一	初二	初三	初四	初五	初六	初七	初八	初九	初十	十一	十二	十三	十四	十五
星期	四	五	六	日	一	二	三	四	五	六	日	一	二	三	四
干支	丁酉	戊戌	己亥	庚子	辛丑	壬寅	癸卯	甲辰	乙巳	丙午	丁未	戊申	己酉	庚戌	辛亥
建月	收	開	閉	建	除	滿	平	定	執	破	危	危	成	收	開
宜	理髮、掃舍	嫁娶、開市、動土、作灶	移徙、安床、築隄、補垣	修飾垣牆	祈福、出行、嫁娶、立約	嫁娶、交易、動土、安葬	平治道塗、修飾垣牆	嫁娶、修造、動土、安葬	拆卸、掃舍	破屋、壞垣	嫁娶、動土、安床、伐木	祭祀、開市、醞釀、納畜	嫁娶、納采、移徙、動土	祭祀、捕捉	祭祀、入學、會友、作灶
忌	新船、除服	買田、置業	嫁娶、除服	結網、動土	合醬、行喪	開渠、祭祀	詞訟、新船	開倉、出財	栽種、遠行	修廚、作灶	理髮、成服	置業、安床	詞訟、行喪	結網、修倉	醞釀、嫁娶
是日吉時 子			♥				♥	♥	♥				♥		
丑	♥	♥		♥	♥	♥		♥	♥			♥		♥	♥
寅			♥		♥	♥	♥								♥
卯		♥	♥		♥	♥	♥								♥
辰								♥				♥	♥		
巳															
午													♥	♥	♥
未	♥	♥	♥	♥		♥		♥			♥				
申		♥	♥	♥	♥				♥	♥		♥	♥	♥	
酉	♥			♥				♥	♥	♥	♥				
戌						♥	♥		♥	♥					♥
亥	♥				♥			♥		♥	♥				
沖	兔	龍	蛇	馬	羊	猴	雞	狗	豬	鼠	牛	虎	兔	龍	蛇

♥吉 ♡中吉 ♡平 ♥凶

吉凶	西曆 月	西曆 日	農曆	星期	干支	建月	宜	忌	子	丑	寅	卯	辰	巳	午	未	申	酉	戌	亥	沖
♡	1	10	十六	五	壬子	閉	祭祀、理髮、蓋屋、納畜	開渠、放水	♥	♥	♥	♥	♥								馬
♡	1	11	十七	六	癸丑	建	立約、交易、安床	動土、行喪	♥	♥			♥				♥	♥	♥		羊
♥	1	12	十八	日	甲寅	除	嫁娶、動土、安床、安葬	開倉、出財			♥		♥					♥	♥		猴
♥	1	13	十九	一	乙卯	滿	嫁娶、修造、安床、安葬	動土、開池			♥	♥					♥		♥	♥	雞
♡	1	14	二十	二	丙辰	平	平治道塗、修飾垣牆	修廚、作灶									♥	♥		♥	狗
🖤	1	15	廿一	三	丁巳	定	祭祀、拆卸	理髮、遠行		♥					♥			♥	♥		豬
♡	1	16	廿二	四	戊午	執	祈福、出行、安床、合帳	買田、置業				♥					♥	♥			鼠
🖤	1	17	廿三	五	己未	破	破屋、壞垣	除靈、成服			♥	♥			♥		♥				牛
♥	1	18	廿四	六	庚申	危	移徙、開市、動土、安葬	結網、安床		♥			♥		♥		♥				虎
♥	1	19	廿五	日	辛酉	成	嫁娶、移徙、修造、安葬	合醬、詞訟			♥		♥		♥						兔
♡	1	20	廿六	一	壬戌	收	祭祀、捕捉	開渠、放水			♥	♥							♥	♥	龍
♡	1	21	廿七	二	癸亥	開	會友、安門、作灶、伐木	詞訟、嫁娶			♥	♥	♥		♥				♥	♥	蛇
♡	1	22	廿八	三	甲子	閉	合帳、安床、交易、安葬	開倉、動土	♥	♥	♥		♥				♥				馬
♡	1	23	廿九	四	乙丑	建	祭祀、嫁娶、納采、安床	栽種、行喪	♥	♥	♥	♥					♥	♥			羊
♥	1	24	三十	五	丙寅	除	嫁娶、移居、建屋、安葬	新船、作灶	♥			♥			♥			♥			猴

（子至亥欄：是日吉時）

麥玲玲2019豬年運程

作　　者：麥玲玲

出　　版：媒體出版有限公司

觀塘鴻圖道82號新傳媒集團中心6樓

責任編輯：梁嘉殷

校　　對：蘇文華

設　　計：新傳媒集團美術部

發　　行：泛華發行代理有限公司、

勤力德書報（送貨服務）有限公司

版　　次：二〇一八年九月初版

二〇一八年九月加印第二版

I S B N：978-988-78385-1-7

承　　印：新誠豐柯式印刷有限公司

* 資料由聯合出版集團屬下的香港三聯書店、香港中華書局和香港商務印書館逾四十間門市綜合提供，於二〇一七年十一月份中文圖書（非文學類）中，其中《麥玲玲2018狗年運程》排行第四位。另外《麥玲玲2018狗年運程》分別成為誠品書店十月暢銷榜第二位、大眾書局十月暢銷書榜第三位。

玄學天后
麥玲玲
吉祥物網店
獨家設計•助旺運勢
健康
開運
化煞
財運
人緣
鎮宅
麥玲玲
吉慶堂吉祥物
www.jiqingtang.hk
支援支付寶、銀聯及paypal結帳
網站提供繁、簡語言選擇
國內、海外均能購買吉祥物
請瀏覽麥玲玲吉慶堂吉祥物微博，
以獲取最新吉祥物資訊！
weibo.com/jiqingtanghk
淘寶網店：MLLJQT.taobao.com
廣州實體店地址：廣州市越秀區中山三路33號中華廣場首層1053鋪 電話：+86 (020) 83738672